POPPENSPEL

Van Daniel Hecht zijn verschenen:

Geestdrift*
Moordlust
Poppenspel

*In POEMA-POCKET verschenen

Daniel Hecht

Poppenspel

Uitgeverij Luitingh ~ Sijthoff

Voor meer informatie: kijk op **www.boekenwereld.com**

Oorspronkelijke titel: *Puppets*
Vertaling: Robert Vernooy
Omslagontwerp: Luc Couvée
Omslagfotografie: Andrew Cockayne/The Trevillion Picture Library

CIP/ISBN 90 245 4504 8
NUR 332

1

Mo zag het busje bij stom toeval toen hij en Mike St. Pierre langs de parkeergarage in Wilbur Street reden. Het stond op het tweede niveau van het gebouw dat drie verdiepingen telde, een wijnrode Ford Aerostar die net aan kwam rijden bij de betonnen scheidingswand. Alleen de bovenkant was zichtbaar, de nummerplaat niet, kon ook het busje van iemand anders zijn. De deur aan de chauffeurskant ging open, maar toen reden ze langs en Mo kon niet zien wie er uitstapte. Al enkele dagen was zijn hart steeds sneller gaan kloppen als hij een wijnrode Ford Aerostar zag. Het was verbazend hoeveel er waren, maar om de een of andere reden verontrustte deze hem meer dan de andere.

'Denk je dat we even moeten kijken?' vroeg St. Pierre. Hij minderde vaart en rekte zijn nek om in zijn zijspiegel naar het busje te blijven kijken.

'Ja,' zei Mo.

Ze hadden net gesproken met buren rond de vermoedelijke woning van Willard Baker, tegen wie sterke verdenkingen bestonden dat hij de serieverkrachter was die ervoor verantwoordelijk was dat nagenoeg alle campussen van de universiteiten in het zuidelijke deel van Westchester County gesloten waren. Hij was een bijzonder brute kerel die zeven slachtoffers halfdood had achtergelaten en de specialisten in psychologische profielen die ze uit Albany hadden laten overkomen zeiden dat het slechts een kwestie van tijd was voordat hij hen helemaal dood zou achterlaten. Ze hadden de naam van Willard van de Motorrijtuigenbelasting, nadat getuigen bij twee plaatsen delict hadden verklaard dat ze de Aerostar vlakbij hadden gezien. Daar zat iets in, aangezien de verkrachtingen in een voertuig werden gepleegd, en busjes, met name roodachtige of paarse busjes, bij uitstek het vervoermiddel waren waarin mensen het slachtoffer werden van ernstige delicten, de opvolgers van de Volkswagenbusjes die twintig jaar eerder populair waren geweest bij moordenaars en verkrachters. Nadat ze alle Aerostars met nummerplaten uit de staat New York hadden beperkt tot die met twee D's in het kenteken, had het hun niet veel tijd gekost om het net rond Willard aan te trekken, wiens uiterlijk overeenkwam met de beschrijvingen van slachtoffers. Noch Willard noch zijn busje was bij zijn woning komen opdagen, maar Mo bleef een vaag voorgevoel houden ten aanzien van deze parkeergarage, slechts vier straten van zijn huisadres verwijderd.

'Wat nu?' vroeg St. Pierre. 'We rijden erheen, kijken of het überhaupt het goede busje is. En dan? White Plains bellen en zeggen dat zij mogen wachten tot Grote Willie terugkomt?' Willard had die bijnaam gekregen omdat hij volgens de gegevens van de Motorrijtuigenbelasting groot was, bijna twee meter en ongeveer driehonderd pond. In één oogopslag zou je moeten kunnen zien of het Willie was: blank, kaal en met dat postuur, zou het moeilijk zijn om hem voor iemand anders aan te zien. De toon van St. Pierre suggereerde dat hij het niet erg zou vinden om dit aan de plaatselijke politie over te laten.

Dat was waar, hier in de stad was het eigenlijk een klus voor de politie van White Plains, niet voor hen. Maar Mo zei: 'Duurt te lang. Als het Willie is, gaat hij misschien niet naar huis. Misschien flikt hij het nog een keer. Misschien heeft hij op dit moment wel iemand in het busje.'

St. Pierre zuchtte. Hij was niet enthousiast, maar hij had het al verwacht: hij was nieuw bij de Eenheid voor Ernstige Delicten van de staatspolitie, maar had Mo's voorkeur voor de directe benadering al opgemerkt. 'Oké.'

Het probleem was dat het busje halverwege de trappenhuizen was geparkeerd, twee drie verdiepingen hoge torens van glas en beton die meer dan een halve straat van elkaar verwijderd waren. Het viel niet te zeggen via welk trappenhuis Willard, als het Willard was, naar beneden zou gaan. Dus namen ze er ieder eentje. St. Pierre zette Mo bij de zuidelijke toren af – 'Hou contact, Mike,' zei Mo, waarmee hij bedoelde dat hij zijn portofoon stand-by moest houden – en maakte toen een halve draai waarna hij langs de noordelijke toren terugreed en de auto parkeerde bij de hoek van Second Avenue.

Het was bijna acht uur, halfdonker, Wilbur Street was verlaten, en de toren van het trappenhuis stond Mo niet erg aan. De parkeergarage was pas gebouwd, in een quasi-moderne, door het Bauhaus beïnvloede stijl, en de torens hadden op elke overloop hoge, smalle ramen. Zware betonnen plantenbakken hingen als ribben langs iedere verdieping, nu gevuld met dode planten en afval. Terwijl Mo de deur naderde, zag hij achter een van de ramen iets bewegen, iemand die snel naar beneden kwam, en omdat hij een grote vent als Willard niet ongewapend tegen het lijf wilde lopen, trok hij zijn Glock.

Hij was amper door de deuropening van de begane grond toen

iets hem trof alsof er een aambeeld op hem neerviel. Daardoor viel hij tegen de muur aan zijn linkerhand, waarbij hij zijn hoofd hard tegen het beton stootte. Willard, het was Willard, was zelf net een muur, het grootste menselijk wezen waar Mo ooit zo dichtbij was geweest, driehonderd pond vlees, spieren en vet. Verdoofd verloor Mo de Glock toen hij viel, en hoewel hij slechts een moment later opsprong, had Willard het pistool bemachtigd en op hem gericht. In de kleine ruimte deed de explosie meer pijn aan zijn oren dan de kogel aan zijn schouder, waar hij door de schoudervulling van zijn jasje ging voordat hij een stuk van de muur af sloeg. Willard sprong weer de trap op, een enorme kale kerel met Mo's pistool in een knuist zo groot als een kool.

Tot zover het verrassingselement, dacht Mo vaag.

Gek hoe je geest op zulke momenten werkte. Hij keek naar de schouder van zijn jasje, zag zijn huid door de flarden stof en vulling, nauwelijks bloed, slechts een schram. Hij voelde een onredelijke woede ten aanzien van Willard omdat die zijn jasje had geruïneerd, dat nieuw was en een behoorlijke hap uit zijn diendersalaris had betekend. Rechercheurs bij moordzaken stonden bekend om hun slechte smaak als het om kleren ging, een veel gemaakte grap, volwassen mannen die als clowns gekleed gingen in bonte ruitjesmotieven, gifgroene overhemden en dassen met een kotspatroon, zo gekozen dat de soepvlekken niet zouden opvallen. Bij een van de cursussen voor Moordzaken die Mo had gevolgd had een instructeur hun verteld dat ze op hun kleding moesten letten, dat ze zich als succesvolle mensen moesten kleden: donkergrijze pakken, witte overhemden, managersdassen. Die kerel had een graad in sociale psychologie en had statistieken uit kledingonderzoeken van de Rand Corporation uit zijn hoofd geleerd. Hij had zijn klas berispt: 'De enige manier waarop jullie weten dat jullie aan een nieuw pak toe zijn is als de kont van je broek zo begint te glimmen dat je partner vraagt of je even wil bukken zodat hij zich erin kan scheren.' Waarop een ongemakkelijk gelach volgde. Mo had het in zijn oren geknoopt en was beter op zijn kleren gaan letten. Hij had dit pak nog maar twee weken geleden voor vierhonderd dollar gekocht, en nu had Grote Willie het verpest.

Zijn portofoon kraakte en maakte zachte metalige geluidjes. Waarschijnlijk was dat St. Pierre die iets zei, maar Mo durfde niet te reageren, uit angst dat Willard zou horen wat hij zei. Zijn oren suisden nog van het schot, maar hij dacht dat hij een schoen over het beton boven hem hoorde schrapen, wat betekende dat Grote Willie daar nog steeds was, waarschijnlijk ineengedoken op de overloop van de eerste verdieping, terwijl hij zich afvroeg of hij naar het busje zou rennen of op een andere manier zou proberen weg te komen. Vanuit die positie zou Willie de straat in beide richtingen goed kunnen zien en zou hij kunnen kiezen of hij naar boven of naar beneden ging of de parkeergarage zelf in. Fijn voor hem, vervelend voor Mo: er was geen manier waarop Mo ongezien weg kon komen.

Het verrassingselement, dacht Mo. Moeilijk te zeggen wat St. Pierre aan het doen was, die in de andere toren naar boven ging en zich afvroeg waarom Mo niet reageerde. Mo had slechts een paar weken met hem gewerkt, niet lang genoeg om te voorzien wat hij zou doen. Dus maakte hij de portofoon van zijn riem los en zette die in de uiterste hoek van de hal van het trappenhuis op de grond. Toen stak hij behoedzaam zijn neus om de hoek van de deur, net genoeg om langs de buitenmuur van de toren van het trappenhuis omhoog te kijken, langs de plantenbakken op elke verdieping, de ramen die van binnen al door kwiklampen werden verlicht, hoewel het buiten nog vrij licht was. Zeker weten, aan de kant van het raam op de tweede verdieping zag hij even een grote schim bewegen.

Mo deed zijn schoenen uit en zette die naast de deur – schoenen zouden op het gepleisterde beton te veel lawaai maken. Hij klom op een brandkraan die aan de muur was bevestigd en sprong van daar naar de eerste plantenbak. Hij trok zichzelf op over de gekartelde rand, waarbij hij zijn handen en zijn borst schramde en probeerde tegen zichzelf te zeggen dat hij er niet over in moest zitten, want dat het pak sowieso naar de kloten was. Hij bleef even op de plantenbak staan om op adem te komen en te luisteren. Vermoedelijk was Grote Willie ook behoorlijk doof van het pistoolschot, maar hopelijk niet zo doof dat hij het kraken van de stem van St. Pierre over de portofoon in de hal beneden niet zou horen, en zou denken dat Mo nog steeds bij de radio was. Het verrassingselement.

Nog één plantenbak hoger en nu werd het eng. Mo balanceerde op een rand die een halve meter breed was en zich bijna vijf meter boven de grond bevond. Nog eentje, zich nog een keer moeizaam en schurend over de gepleisterde rand hijsen om met zijn gezicht in de dode planten en het afval te belanden, waarna hij op het derde niveau stond. Hij sloop langs de plantenbak opzij naar de muur van de parkeergarage en sprong toen omhoog en over de reling van de derde verdieping. Er stonden slechts een paar auto's her en der op de helling; de hemel werd nu donker en de deur naar het trappenhuis wierp een rechthoek van licht op het asfalt. Mo liep voetje voor voetje naar de open deur, ging er gehurkt achter zitten en luisterde.

Even hoorde hij niets dan het verre, omhooggalmende kraken van de portofoon: St. Pierre in de andere toren of bij het busje die zich afvroeg wat er in godsvredesnaam... Toen hoorde hij het zacht schurende geluid, een grote vent die een beetje bewoog en wachtte. Grote Willie weifelde nog steeds op de overloop van de tweede verdieping.

Mo sloop vooruit tot hij de trap af kon kijken: de blauwstalen buisleuning van een kort trappetje naar beneden, die bij de tussenoverloop een bocht naar rechts maakte en toen nog een kort trappetje naar de tweede verdieping. Waar hij net de schouder en de heup van Grote Willie kon zien, een indrukwekkende berg roze vlees in een strak wit T-shirt en een zwarte spijkerbroek over een dij als een boomstam. Pal onder zich. Eveneens ineengedoken bij de leuning, terwijl hij naar beneden, naar de eerste verdieping, keek.

Mo probeerde zichzelf eraan te herinneren dat er alternatieven waren. Op zijn sokken naar de andere toren rennen, de auto zoeken, versterking oproepen. Of hier blijven in de veronderstelling dat Willard dacht dat Mo nog steeds op de eerste verdieping wachtte, en aannam dat er iemand anders op de tweede verdieping zou zijn, waar het busje was. In dat geval zou hij misschien naar boven kunnen komen om te ontsnappen. Maar het idee om Willard daar achter te laten beviel hem niet – er zou elk moment iemand kunnen komen, een ongelukkige klant van de parkeergarage die zorgeloos in het trappenhuis aan kwam lopen tot Willard hem doodschoot. Of St. Pierre zou uit de parkeergarage kunnen komen om te kijken wat er aan de hand was en een grote gemene bange Willie tegen het lijf kunnen lopen, die al op scherp stond en een negen millimeter automaat had.

Mo hoefde er niet echt over na te denken. Hij keek neer op het grote, onrustige lichaam van Willie en gespte toen zijn riem los. Een nieuwe riem, ook al, dertig dollar aan eersteklas rundleer, dubbel gestikt, kwaliteitswerk, maar iets te lang voor een heupomvang van tweeëntachtig centimeter. Hij trok hem langzaam uit zijn broek en haalde hem toen weer in een lus door de gesp, waarna hij het andere uiteinde om zijn vuist sloeg. Terwijl hij een eind bij de leuning vandaan bleef, sloop hij langs de linkerwand van het trappenhuis naar beneden. Toen hij zo ver als hij ongezien kon naar beneden was gegaan, stapte hij snel naar de leuning, leunde eroverheen, liet de strop rond het kale hoofd van Grote Willie zakken en gaf een ruk.

Een halve seconde werkte het perfect. Toen voelde Willard het en begon hij te steigeren en rukte hij bijna Mo's arm uit de kom. Hij hield vast en probeerde een been om de lagere leuning te krijgen, tot Grote Willie zo hard trok dat hij Mo tussen de leuningen door sleurde, boven op een kwaaie stier van driehonderd pond die in het betonnen hok van de overloop bokte en ronddraaide. Mo sloeg met beide schenen tegen de leuning van de tweede verdieping en viel toen op zijn zij, waarbij een elleboog hard tegen de vloer smakte. Maar de val werd grotendeels door Willard gebroken, en hij had het geluk gehad om achter hem neer te komen. Ze lagen nu allebei op het beton. Grote Willie was het pistool kwijt, en het enige waar Mo aan kon denken was de druk op de riem te houden, de strakke leren band tussen zijn handen en Willards nek met een omtrek van een halve meter. Zijn bloedsomloop afknellen tot hij het bewustzijn verloor, misschien twintig seconden. Willard maaide een paar keer naar achteren met een dikke arm en zijn elleboog trof Mo's kaak, maar hij bleef vasthouden, en maakte van de kortstondige speling gebruik om de riem om zijn andere hand te slaan. Toen maakte Grote Willie de vergissing om naar zijn eigen nek te graaien, gaf hij toe aan het oerinstinct om de strop los te maken. Het grote lichaam kronkelde en rolde, maar Mo wist zijn knieën op te heffen tegen de brede rug en kromde zich achterover, waardoor de spanning toenam. Het was alsof hij met een koelkast worstelde. Binnen enkele seconden hield Willie op met vechten. Even klauwde hij nog wat naar de riem die zich in het vlees van zijn nek boorde. Toen verroerde hij zich niet meer.

Mo wachtte nog een paar seconden en liet de riem toen vieren. Hij wurmde hem los en keek of de kleur van Grote Willies haarloze gezicht veranderde. Maar het bleef zwartachtig paars. Mo stond langzaam en pijnlijk op en vroeg zich af wat er in godsnaam was. Het grote lichaam verroerde zich niet, geen ademhaling, en toen hij zijn hand op de nek legde, voelde hij geen hartslag. Hij sloeg op de slappe wangen, rolde het hoofd heen en weer op de slappe nek, bewoog de kaak op en neer. Willies enorme gewicht verschoof en hij rolde op zijn rug als een zak aardappelen, maar nog steeds haalde hij geen adem. Nog versuft van de val staarde Mo naar hem, terwijl hij probeerde te bedenken wat er kon zijn.

'Hé, Willie,' riep Mo. 'Hé, kom op. Willard!' Hij gaf hem een por met zijn ongeschoeide voet: geen reactie. Het duurde nog een halve minuut voor hij de gouden glinstering in een van Willards nekplooien opmerkte. Hij wrikte zijn vingers ertussen en vond diep in de plooi een zware ketting; een halsketting die tijdens het gevecht in de knoop was geraakt en die veel te lang strak had gezeten.

Hij had hem losgepeuterd en knielde op de grond om Willard mond-op-mondbeademing te geven toen Mike St. Pierre met zijn pistool in zijn hand door de deuropening naar de tweede verdieping kwam stormen.

'Jezus,' zei Mike terwijl hij de situatie opnam. Toen zei hij: 'Ik wilde jullie niet storen...' Hij dacht dat hij grappig was.

Mo haalde zijn mond van die van Willie. 'Ambulance,' hijgde hij. En toen weer terug naar de zure hamsmaak van Willies slappe lippen.

St. Pierre belde de meldkamer maar toen ging hij naast Mo op zijn hurken zitten en legde hij twee vingers op Willards nek. 'Je kan net zo goed ophouden, Mo. Die gozer is er geweest. Jezus, wat is hier gebeurd? Je ziet eruit alsof je door een truck bent aangereden.' Hij fronste zijn wenkbrauwen en voegde eraan toe: 'Hoe komt het dat je je schoenen niet aan hebt?'

Er kwamen drie ambulances en een verzameling wagens van de staatspolitie en de politie van White Plains, die de parkeergarage en de straat deden oplichten met verschillend gekleurde zwaailichten. Als een gigantische spiegelbol in een disco, alleen danste er niemand. Sensatiezoekers stopten hun auto's en kwamen uit hun huizen om vanuit de straat naar de show te kijken. Mo's baas bij Ernstige Delicten, hoofdinspecteur Marsden, kwam uit het recherchebureau, samen met een andere inspecteur en een hoofdinspecteur helemaal uit Poughkeepsie, en een bleke eikel van Interne Zaken. Zelfs Richard K. Flannery, de superbemoeizieke officier van justitie van Westchester County, liet zijn neus even zien. Flannery's aanwezigheid bij dit gala betekende dat het er dik in zat dat het een schijtzooi zou worden. Het hele gebeuren was moeilijk uit te leggen. Toen Mo het vertelde, leek het vreemder dan het op dat moment was geweest, toen alles zo snel ging en alles op zijn plaats viel met de onontkoombare logica van de noodzaak. Zijn schoenen stonden nog steeds naast elkaar bij de ingang van de begane grond. Dat was geweldig; hij had nooit beseft hoezeer je psychologisch in het nadeel bent als je alleen sokken aan hebt, 's avonds buiten in de stad. Flannery keek hem vuil aan, zei dat hij zijn mond moest houden en legde een plichtmatige verklaring aan de pers af, een grote breedgeschouderde kerel, zo kaal als een biljartbal, die alle aandacht van de camera's naar zich toe trok en deed alsof hij daar niet van genoot. Een helikopter van News3 donderde boven hun hoofd, baadde het hele gebied in een fel wit licht en maakte zoveel lawaai dat nadat Mo zijn pistool in het trappenhuis had teruggevonden, hij in de verleiding kwam om erop te schieten.

Elk bot, elke spier, elke vierkante centimeter huid, álles deed zeer. Alleen al van die eerste korte schermutseling met Willard op de begane grond zou hij bont en blauw zijn geweest, maar dat hij door de leuning was getrokken en met die vent had moeten worstelen was bijna zijn eind geweest. Zijn scheenbenen voelden aan alsof ze gebroken waren, hij had in beide schouders spieren verrekt, van zijn elleboog moest een röntgenfoto gemaakt worden, zijn hoofd zat onder de builen en hij had het gevoel alsof hij een gewrichtsband in zijn lies verrekt had. Zijn pak was aan flarden en hij had alleen zijn sokken aan. Zijn riem was in een zak gestopt als bewijsmateriaal. Hij was uitgeput maar hij wist dat hij nog urenlang rapporten over het incident en verhoren zou moeten doorstaan voordat hij naar huis kon gaan, en dat het binnen het departement allerlei consequenties zou hebben. Wat een kutzooi.

En dan kwam St. Pierre ook nog eens naar hem toe om hem om zijn pistool te vragen.

Mo's mond zakte ongelovig open. 'Mijn pistool? Je wilt mijn pistóól?'

St. Pierre keek opgelaten, maar hield voet bij stuk. 'Hé, Mo, regels. Aanhouding van verdachte met de dood als gevolg.' Hij kon Mo niet recht aankijken.

'Ik heb die vent niet néérgeschoten! Ik wúrgde die...'

'Mo, kom op, regels. "Als er een vuurwapen bij betrokken is." Het was "erbij betrokken," oké?' St. Pierre probeerde een redelijke indruk te maken, zoals hij daar buiten de deur naar de tweede verdieping stond, zijn hand ophield en probeerde te grijnzen alsof hij Mo's maatje was en daar niet echt in slaagde.

'Je zit me in de zeik te nemen! Ja toch? Dat meen je niet!' Flannery en Marsden en de hoge pieten van Groep K en White Plains waren beneden op straatniveau, maar een paar gewone agenten keken toe en leken een grijns te onderdrukken.

'Orders van Marsden,' zei St. Pierre spijtig. Met zijn hand nog steeds uitgestoken.

Mo gaf zijn pistool, miste meteen het gewicht ervan onder zijn arm en dacht nogmaals: *wat een kutzooi.*

Om halfeen 's nachts kwam hij thuis. Het was geen opluchting om in het grote huis thuis te komen. Carla en hij waren geen minnaars, slechts ongemakkelijke kamergenoten in het huis dat ze van haar moeder huurden, een van de diverse huizen die ze in het westen van de stad bezat. Het had destijds een goed idee geleken om in een van ma haar extra huizen te trekken met de afspraak dat zij wat zouden schilderen en behangen in ruil voor een lage huur. Mooie tuin onder grote eiken, een buurt aan de rand van de stad, goed om te wandelen en te joggen. Het huis was in goede staat en zou geweldig zijn als je gelukkig getrouwd was en kinderen en honden en Volvo's had, maar zoals de zaken er nu voor stonden was het veel te groot. Omdat ze vanuit een driekamerwoning waren verhuisd, hadden ze niet genoeg meubels om meer dan het achterste gedeelte van de begane grond te vullen, zodat de voorkant van het huis en de hele bovenverdieping leeg waren. Veel grote kamers met glimmende kale eiken vloeren, hoge ramen zonder gordijnen waardoor overdag de zon fel naar binnen scheen en 's nachts te veel blauw straatlicht. Ze hadden het probleem opgelost door de keuken in te richten, van een kleine studeerkamer aan de achterkant een slaapkamer te maken en de voormalige eetkamer hun woonkamer te noemen. Een soort driekamerwoning.

Mo deed de voordeur van het slot en stapte de galmende hal in. Hij had overal pijn en dacht dat het grotendeels lege huis, de tijdelijke en onaffe indruk die het maakte, een vrij goede metafoor was voor hun relatie.

In de achterkamers was het licht nog aan, wat betekende dat Carla nog wakker was, en ze had Chopin zachtjes aanstaan. Hij hoorde water lopen in de gootsteen van de badkamer; ongetwijfeld Carla die haar lenzen uitdeed, haar tanden poetste en een of andere speciale gezichtscrème van vruchtenextracten opdeed voordat ze naar bed ging. Hij riep: 'Ik ben het', voordat hij de keuken inging om een biertje te pakken. Hij trok het lipje eraf, liet zich zwaar op een van de stoelen in de voormalige eetkamer neerploffen en sloeg toen wat bier achterover. Het smaakte metalig en hij vroeg zich af waarom hij altijd blikjes in plaats van flesjes kocht. *Makkelijker om te recyclen*, antwoordde hij zichzelf. Toch was het lekker. Hij nam nog een slok en de leidingen in de badkamer piepten toen Carla de kraan dichtdraaide.

'Hoe was jouw dag?' riep ze, amper geïnteresseerd. 'Nog iets nieuws en opwindends?'

'Niet echt,' riep hij terug. Met moeite ging hij op de stoel verzitten, in een poging om een positie te vinden waarin zijn lichaam nergens pijn deed, om het vervolgens op te geven. Hij hield het koude blikje tegen een van de blauwe plekken op zijn voorhoofd. 'Z'n gangetje,' zei hij.

2

Maar toen ze binnenkwam en hem zag, schoten haar wenkbrauwen omhoog. Carla was klein en donker, en door de bonte zijden overhemden en sjaaltjes die ze vaak droeg leek ze een beetje op een zigeunerin. Het hielp bij haar relaties met klanten en haar imago, zei ze, waarmee ze bedoelde dat een ietwat exotisch voorkomen geen kwaad kon voor een waarzegster en astrologe. Het was een typerende observatie, een combinatie van het esoterische en het pragmatische, van een vrouw die bijna een graad in de psychologie had behaald voordat haar grotendeels op toevalligheden berustende carrière op gang kwam. Nu had ze een dagelijks astrologisch rubriekje dat door drie radiostations werd uitgezonden, een dagelijkse column in de *Journal News* en een groeiende eigen clientèle. Ze was begonnen om een boek te schrijven over 'moderne voorspellende consultatie' en deed onderzoek naar alles van paranormale telefonische hulpdiensten tot voodooceremoniën, maar Mo kon nooit uitmaken hoe serieus ze zichzelf nam. Ze maakte in elk geval veel werk van haar sessies en geloofde dat ze iets goeds voor mensen deed, maar ze had nooit beweerd dat ze echte bovennatuurlijke gaven had. In plaats daarvan had ze het over heilzame overdracht, het placebo-effect, neurolinguïstische suggestie, constructieve catharsis. Ze wist er aardig wat van, en volgens hem zag zij zichzelf meer als een soort psychotherapeut voor diegenen die behoefte hadden aan een gevoel van verbondenheid met 'het hogere', met universele waarheden. 'Vertel me dan eens hoe het zit met jou en mij,' had Mo haar een paar maanden geleden gevraagd. Ze hadden weer ruzie gehad; het ging al een tijdje moeilijk. 'Voorspel onze toekomst. Gaan we het redden?' Ze had hem ijskoud aangekeken, omdat ze zag dat het eerder een provocatie dan een vraag was. 'Zo werkt het niet,' had ze geantwoord. Mo wist niet zeker of ze daarmee wilde zeggen hoe haar voorspellingen werkten of hoe Mo haar bedoelingen moest doorgronden.

Maar het was fijn dat ze nu begripvol was. Mo's hele lichaam schreeuwde om een soort troost. Ze kwam naar hem toe en beroerde zijn bont en blauwe gezicht met haar vingertoppen, haar ogen vol bezorgdheid. 'Wauw. Wil je me vertellen wat er gebeurd is? Je bent toch wel naar het ziekenhuis geweest, hè?' Ze nam hem van top tot teen op. 'O, god... en je nieuwe pak!'

Het was ook fijn dat ze het begreep van het pak. Dus vertelde hij haar over de vechtpartij met Grote Willie. En toen over hoe pissig Marsden op hem was geweest omdat hij weer een verdachte had gedood, en dan ook nog op zo'n creatíéve manier, en over de waarschijnlijkheid dat hij problemen met de officier van justitie zou krijgen. Hij vertelde haar dat hij in orde was: in het ziekenhuis hadden ze röntgenfoto's van zijn benen en ellebogen genomen en geen breuken gevonden, en die wond aan zijn schouders was echt maar een schram, hoefde niet eens gehecht te worden.

Carla knielde naast hem en luisterde met haar armen op zijn dij. Toen hij klaar was en het laatste beetje bier had opgedronken, zei ze: 'Je voelt je hier rot over. Je verkeert in een lichte shocktoestand, niet dan?'

'Nou, dat is niet zo ongebruikelijk...'

'Je hoeft niet zo defensief te doen. Natuurlijk ben je geschokt. Dat moet je ook zijn.'

'Ik bedoel, die kerel, wat hij met die vrouwen deed; misschien verdiende hij het. Maar het is heel iets anders als je ter plekke bent. Als je met je eigen handen iemand van het leven berooft. Ik was daar ter plekke; ik wist niet eens dat hij vlak voor mijn ogen doodging. Wist het niet eens.'

Zoals hij daar zat kon Mo nog steeds voelen hoe het enorme bovenlijf van Grote Willie tegen zijn eigen borst en knieën beukte, een herinnering van het lichaam die zichzelf herhaalde, wat Carla 'kinesthetische perseveratie' noemde. Toen hij op de grond had gelegen, had hij het gevoel gehad dat Grote Willie met hém vocht, dat hij zich tegen zijn arrestatie verzette of zo. Maar nu wist zijn lichaam dat Grote Willie om iets vocht dat veel basaler was, een of ander rudimentair dierlijk voorrecht: het leven zelf. Wat was het makkelijk om iemand daarvan te beroven. Hoe het een levend iemand kon verlaten en je het van een halve meter afstand niet eens kon zien; wat een onopvallende verandering. Het deed alles zielig en droevig lijken. Hij vroeg zich af hoe lang hij van de laatste ogenblikken van Grote Willie zou dromen.

Hij kon het niet uitdrukken, maar Carla leek het te begrijpen. Misschien was dit waar haar cliënten behoefte aan hadden, wat ze van haar kregen. 'Ja,' zei ze. 'Ja.' Ze wreef begripvol over zijn dij en keek op naar zijn gezicht. Carla had donkerbruine ogen met gouden vlekjes rond de iris, het wit zo helder dat het bijna blauw was, alerte ogen die hem nog steeds fascineerden. Hij vond het heerlijk om zo dicht bij haar te zijn, haar onverdeelde aandacht te hebben, zich te koesteren in de warmte van haar begrip. Zoals wanneer ze vreeën, hun lichamen zich verenigden en hun gezichten zo dichtbij waren, en het leek alsof hij elke beweging, elk gevoel, onmiddellijk in haar ogen weerspiegeld zag...

Maar nu stond ze weer op en wierp ze haar haar over haar schouders terwijl ze in haar blauwe zijden kamerjas naar de keuken liep. 'Ik ga nog een biertje voor je halen. Dan laat ik een warm bad voor je vollopen. Dat zal je helpen om je spieren te ontspannen. Trouwens, na zoiets zou je altijd een rituele reiniging moeten ondergaan. Snap je wat ik bedoel?' Ze was nog steeds bezorgd, maar hij kon zich niet aan de gedachte onttrekken dat ze hem naar haar had zien neigen en opzettelijk wat afstand had genomen.

Ach wat, dacht hij. Hij was te moe en had te veel pijn om daarover in te zitten. En ja, nog een biertje zou lekker zijn.

Vrijdags had hij een bespreking met Marsden in het kantoor van de inspecteur. De *Journal News* had het verhaal vlak onder de vouw op de voorpagina gebracht, en News3 en CableTen hadden op het nieuws van tien uur en het ochtendnieuws allebei beeldmateriaal van de plaats delict vertoond. Verdachte van serieverkrachtingen gedood in parkeergarage. Officier van justitie gaat onderzoek instellen naar dood van verkrachter, politiemoordenaar. Ongebruikelijke omstandigheden bij arrestatie van verkrachtingsverdachte. Agent, betrokken bij incident in parkeergarage, heeft een paar maal eerder geweld gepleegd bij arrestaties.

Het laatste was onwaar, het meervoud althans. Mo had in zijn hele leven slechts één andere verdachte gedood, één ander iemand. En dat was bij een schietpartij waar hij geen keus had gehad, een situatie waar de Inspectie hem flink de les had gelezen, maar uiteindelijk had besloten dat zijn handelen volledig gerechtvaardigd was. Flannery had zich met tegenzin bij de beslissing neergelegd, maar had publiekelijk verklaard dat het kantoor van de officier van justitie van plan was om de arrestatieprocedures van de staatspolitie goed onder de loep te nemen. Bij zijn persconferentie destijds had Flannery nadrukkelijk Mo's naam laten vallen, een kleine waarschuwing dat Mo op zijn persoonlijke radar was verschenen. Mo kwam erachter dat officieren van justitie een hekel hebben aan zaken waarbij ze verdeeld worden tussen het steunen van de politie en het toegeven aan de achterban die hen had aangesteld.

Na dat incident voelde Mo zich ook flink rot, hoewel achteraf bezien het emotioneel veel makkelijker was om een vent van tien meter afstand te doden dan tegen hem aan te liggen met een riem om zijn nek. Maar elke keer dat er bij politiewerk iemand doodging, moest dat goed onderzocht worden: de meeste dienders doodden niemand in hun hele loopbaan. Velen namen zelfs hun pistool niet mee als ze dienst hadden. Mo was acht jaar rechercheur en had al twee mensen gedood. Dat zag er niet goed uit; het was ver boven het gemiddelde. En daar kwam nog die toestand met die riem bij en dat hij geen schoenen aan had gehad.

Mo zag niet uit naar zijn bespreking met Marsden. In het gunstigste geval zou dit waarschijnlijk een schorsing van dertig dagen betekenen. Dat klonk niet zo slecht, ook al was het onbetaald.

Marsden was agent bij de verkeerspolitie geweest, die tot rechercheur was bevorderd, talent had getoond en door lef en doorzettingsvermogen tot inspecteur bij Ernstige Delicten was bevorderd. Hij was nu halverwege de vijftig; een vermoeid ogende kerel met hangwangen en achterdochtige spleetogen en kalend, met donkerbruin haar dat tegen zijn hoofd was gekamd. Een chronische huidaandoening, eczeem of zo, gloeide rood aan een kant van zijn neus, jeukte en maakte hem prikkelbaar. Hij kon het je goed laten voelen als je fouten de effectiviteit van de eenheid ondermijnden. Aan de andere kant wist hij waar je mee te maken had en had hij enig begrip voor de wisselvalligheden van het werk.

Mo klopte op de deurlijst van Marsdens kantoor aan het andere eind van het onderkomen van de afdeling Ernstige Delicten in de kazerne van de staatspolitie van White Plains. Marsden wenkte hem naar binnen, gebaarde dat hij kon gaan zitten en wierp een brochure opzij die hij had zitten bestuderen. Mo nam de stoel voor het bureau.

Een volle minuut staarde Marsden hem slechts door zijn spleetogen aan, met getuite lippen en zijn kin op zijn ineengevouwen handen. Eindelijk zei hij: 'Weet je, ik moet zeggen dat ik bewondering voor je heb. Goddomme, wat heb ik een bewondering voor jou.'

Mo gaf geen antwoord. Het was geen veelbelovend begin.

'Ik heb bewondering voor je omdat jij de gekste dingen kan flikken, god sta me bij, waarbij zelfs iemand als ik, met dertig jaar bij de politie als agent en chef, het handboek voor procedures moet raadplegen om uit te zoeken of wat jij deed nou goed was of niet. Juristen raadplegen, de hele rataplan. Je zou denken dat ik nu wel zo'n beetje alles had gezien. Maar nee. Niet als het om Mo Ford gaat. Dus dat moet ik je nageven. Werkelijk.' Marsden trok aan zijn onderlip, zodat de paars dooraderde binnenkant zichtbaar werd.

'Klinkt niet alsof ik je voor dat compliment moet bedanken,' waagde Mo.

'Ik heb er ook bewondering voor dat telkens als jij je op glad ijs begeeft, je mazzel hebt en de juiste man te grazen neemt. We hebben foto's van je dooie maatje naar de slachtoffers gestuurd. Positieve identificatie. Vezels van het tapijt in het busje komen overeen met de vezels die we op de slachtoffers hebben aangetroffen. Dus zo te zien heb je zowaar de dader gedood.'

Dat was een zekere opluchting.

'En, nog één ding, en dat is werkelijk gewiekst – ik heb bewondering voor het feit dat telkens als wij door jou problemen krijgen met een of andere achterban, je iedereen tegenstrijdige gevoelens weet te bezorgen die ze de wind uit de zeilen nemen. In dit geval heb je ervoor gezorgd dat hier bij de staatspolitie de helft van de mannen pissig op je is vanwege je lakse aanpak, terwijl de andere helft bijna een fanclub opricht voor je lef en je inventiviteit. Bij de jongens van White Plains is de helft ziedend omdat je binnen hun jurisdictie hebt gehandeld, maar de andere helft springt in de houding omdat je hen van Grote Willie hebt verlost. In de gemeenschap heb je de proverdachtenrechten- en antipolitiegeweldtypes kwaad gemaakt omdat je een vent hebt gedood zonder dat je zeker wist of hij de dader was. Maar hij was blánk en had misschien connecties bij de skinheads, dus voor kritiek van de zwarte Amerikaanse gemeenschap hoef je niet bang te zijn! En dan heb je nog de feministen, die meestal deel uitmaken van diezelfde achterban tegen politiegeweld, maar heimelijk vinden dat deze kerel het echt verdiende. Kortom, niemand wil er bij ons al te veel heibel over schoppen. We hoeven elkaar niet publiekelijk op te vreten of jou zelfs maar ritueel te offeren. Dus ik bewonder je – heus.' Marsden maakte een weids handgebaar naar het dossier, dat het begin van Dossier 3 was, zoals Mo ondersteboven kon lezen, het rapport van Interne Zaken over Mo's wals met Grote Willie.

De manier waarop Marsden zijn diepe bewondering opbouwde was eng, maar tot nu toe was het nieuws niet slecht.

'En dus...'

'En dus gaan we je niet schorsen in afwachting van de conclusies van het interne onderzoek. Ik kan je niet vertellen wat Flannery misschien gaat doen, maar voorlopig kun je weer aan het werk.'

Mo merkte dat hij naar rechts leunde en zijn bekken voorover kantelde om de verrekte gewrichtsband in zijn lies te ontzien. 'Ik lig nogal in de kreukels. Ik dacht dat ik misschien een paar dagen ziekteverlof...'

'Dat zou ik aanbevelen,' zei Marsden.

'Ga je me nog vertellen wat het probleem is?' Mo was stijf en nog steeds moe. Nog een reden om een paar dagen vrij te hebben zodat hij wat tijd met Carla zou kunnen doorbrengen, misschien het een en ander uitpraten. Op dit moment kwam het erop neer dat het hem niet veel kon schelen wat het hem zou kosten om openhartig te zijn tegenover Marsden.

'Het probleem? Welk probleem? Bedoel je Flannery? Bedoel je dat de officier van justitie me achter m'n vodden zit omdat ik mijn mensen niet in de hand kan houden? Dat Flannery zijn neus hierin wil steken om te laten zien wat een daadkrachtig type hij is en dat ik jou als stille zo hard nodig heb dat ik je in bescherming moet nemen? Bedoel je dat ik geen kant op kan met al onze onopgeloste zaken en alle bureaucratische rompslomp? Ach, laat maar zitten. Neuh. Het is niets, heus. Maar Ford,' en hier viel hij uit zijn onverschillige rol en verscheen er een duistere glinstering in zijn spleetogen, 'niet nóg een keer. Ik wil geen problemen. Niets dat de aandacht van de pers trekt. Anders zal ik jou problemen bezorgen. Ik hoor dat ze bij de verkeerspolitie in Oswego een tekort aan mensen hebben.' Marsden gebaarde met zijn vingers dat Mo op moest staan. 'En nu wegwezen. Ik heb werk te doen.'

Mo ging naar de werkvloer en terug naar zijn bureau. Hij voelde een mengeling van opluchting en teleurstelling. Een groot deel van hem kon het werkelijk niet schelen of hij zijn baan zou behouden. Hij was moe, bont en blauw en gedeprimeerd, en de helft van zijn problemen met Carla had met het werk te maken, dat hij van zijn werk thuiskwam met akelige beelden in zijn hoofd, de risico's die hij moest nemen, de boerenpummels en de ex-legertypes die zijn collega's waren. Er waren nog andere dingen dan rechercheur zijn bij de afdeling Moordzaken. Alle glamour die het had gehad – wanneer was dat? – was er allang vanaf. Misschien was dit een van die momenten dat je je werkelijk moest herbezinnen. Misschien moest hij terug naar school, psychologie of geschiedenis of zo gaan doen. Dat zou Carla leuk vinden. Misschien dat dat hun relatie zou redden.

Maar misschien ook niet. Met relaties waren alle externe factoren waaraan mensen hun problemen weten misschien niet meer dan camouflage voor een dieper onbehagen, de afwezigheid van hartstocht of magie of chemie, of het gebrek aan gemeenschappelijke interesses, of de angst voor echte intimiteit. Het grotendeels lege huis, de kale, ongebruikte kamers – moeilijker om onder ogen te zien. Misschien was dat hoe het er tussen hem en Carla voorstond. Misschien zag zij dat beter dan hij en leek ze daarom meer bereid om het los te laten.

Hij dacht er nog steeds over na toen hij terugkwam bij zijn werkhoek, waar St. Pierre op hem wachtte.

'Ik ben naar je op zoek geweest,' zei St. Pierre. 'We moeten op pad. Telefoontje gekregen. Er ligt een lijk in Maple Brook Road.'

'Waarom willen ze ons daarbij?' White Plains had een goed recherchebureau; die vroegen de staatspolitie meestal niet om hulp.

St. Pierre haalde zijn schouders op. 'Zeiden ze niet.'

Mo overwoog om hem te vertellen over zijn plan om een paar dagen ziekteverlof op te nemen, over zijn acute verlangen om naar huis te gaan en zich in bed te laten ploffen en een paar dagen de boel de boel te laten. Misschien dat Valsangiacomo, of Estey, deze zaak kon nemen. Maar St. Pierre leek zo gretig, als een grote, jonge hond, dat hij het niet kon opbrengen om hem teleur te stellen. Mike was nog nieuw genoeg om in de mystiek te geloven, om het kwaad te willen bestrijden. Een grote jonge vent met zandkleurig haar en een goed humeur, die een professionele honkballer had moeten zijn of iets anders dat gezonder en zonniger was. St. Pierre had nog niet door hoe ver het was van White Plains naar Hollywood, of van de kantoren van het recherchebureau voor Ernstige Delicten naar zijn huis in de buitenwijken, zijn vrouw en kinderen.

'O, hier,' voegde St. Pierre eraan toe, terwijl hij hem zijn pistool gaf. 'Marsden zegt dat je het terug mag.'

'Tof van hem,' zei Mo.

3

Het huis van de moord was de linkerhelft van een maisonnette van twee verdiepingen in een modale woonbuurt met vrijstaande huizen en maisonnettes met aluminium zijwanden, die in de jaren zestig en zeventig gebouwd waren. Het was weer zo'n buurt waar de oude iepen die de straat ooit enige charme hadden verleend dood waren gegaan en waar de gemeente lollystokjes van esdoorns voor had geplant, waardoor de trottoirs en de huizen er naakt uitzagen. Anderzijds waren de auto's die langs de stoepen stonden nieuw, de gazons goed onderhouden en omzoomd met bloementuinen. Voor 1431 stonden enkele ambulances, drie patrouillewagens en diverse White Plains-wagens zonder speciale markeringen. Ze hadden al tape rond het huis en de tuin gespannen. Hoewel het een mooie meimiddag was, zonnig, met roodborstjes die over de gazons trippelden, leek er niemand buiten te zijn. Mensen hingen in deuropeningen en ramen, keken van een afstand toe, ouders die hun kinderen vasthielden. Het gerucht was al de buurt rondgegaan en het was het soort gerucht waar mensen bang van werden.

Mo en St. Pierre begroetten de agenten bij de deur en gingen naar binnen om de rechercheur van White Plains te zien die de leiding had. Ze vonden Jim Melrose in de woonkamer, waar hij voor een grote thuisbioscoop stond. Melrose had in het gunstigste geval een lang, grijs gezicht, en nu zag hij er opvallend slecht uit. Mo herkende de blik: een man met akelige beelden in zijn hoofd.

'Hoi,' zei Mo. Ze gaven elkaar een hand en Mo voelde een steek van medeleven. Soms kon je er grapjes over maken, stoer en blasé doen, en soms niet. 'Hoe gaat-ie?'

'Ik zou deze week op vakantie gaan,' zei Melrose. 'Toen gooiden we het schema om zodat we naar het huwelijk van mijn zus konden. En zo kwam ik uiteindelijk hier terecht.'

Hij vertelde hun het verhaal. Kind van de buren speelde in de tuin hiernaast, gooide een frisbee in de achtertuin van 1431, ging hem halen, zag iets door het raam en ging toen huilend naar huis. Moeder nam een kijkje, ging ook huilend naar huis en belde 911. Op grond van haar blik door het raam identificeerde de moeder het lijk als Daniel O'Connor, de eigenaar van het huis.

'En waarom wil je ons erbij, Jim?' vroeg Mo.

Melrose gebaarde slechts met zijn kin en leidde hen terug door het huis. Mooi huis, besloot Mo, gemeubileerd met rieten stoelen, Durie-tapijten en tafels van natuurlijk hout van Pier One en The Pottery Barn. Zoals altijd had hij het onbehaaglijke gevoel een voyeur te zijn; de licht perverse spanning waarmee onuitgenodigd door het huis van een volslagen vreemde lopen gepaard ging. Om van zo dichtbij te kijken. Te zien hoe andere mensen woonden; het leek zoveel op hoe jij woonde en was toch zo anders. Andere etensluchtjes, andere lichaamsgeuren, onbekende gezichten op foto's, het soort boeken dat jij nooit zou lezen. Misschien dat inbrekers meer plezier beleefden aan dit soort inbreuk op andermans privacy, maar in een huis waar een dode lag leek alles bevroren in de tijd, verlaten. Er waren hier akelige dingen gebeurd, nachtmerrieachtige dingen die nog steeds in de stille kamers hingen.

'Het is hier steenkoud,' klaagde St. Pierre. En Mo besefte dat hij gelijk had. Buiten was het vijfentwintig graden en hierbinnen kwam de temperatuur amper boven de vijftien.

'Ja,' zei Melrose, 'dat was mij ook al opgevallen. Er is een thermostaat in de woonkamer, een centrale airco die op de laagste stand staat.'

Wat goed zou zijn om het lijk te conserveren, dacht Mo. Maar het was nog maar medio mei, nog niet zo heet, dus waarom had O'Connor het zo koud willen hebben? Of had de moordenaar de temperatuur ingesteld?

Vanuit de woonkamer kwamen ze in een centrale hal en wierpen een blik in een vrolijke keuken: zwart-witte linoleumvloer, rond tafeltje met een open krant en een koffiekopje. Ze liepen langs een kleine badkamer en gingen toen aan de achterkant van het huis een grote kamer binnen die de rest van de begane grond besloeg. Laagpolig groen tapijt, een Stairmaster, een rekje met gewichten, een fiets en een kajak aan haken aan de rechterwand, een televisie, een computertafel en een cd-speler. Het was duidelijk dat O'Connor dit had gebruikt als een combinatie van trainings-, opslag- en kantoorruimte. Helder verlicht door een paar grote ramen en een glazen deur met jaloezielatten die naar de achtertuin leidde. Daar stonden een paar andere White Plains-jongens rond te kijken. Mo zag het lijk niet tot Melrose gebaarde dat hij zich om moest draaien.

Ja, het was er eentje die je niet snel zou vergeten.

O'Connor had roodblond haar, een jongensachtig gezicht en sproetige armen en schouders, goedgebouwd. Hij was naakt en rechtstandig opgehangen met een of andere dunne draad die aan zijn enkels en knieën, ellebogen, polsen en nek was bevestigd en omhoogliep naar negen stalen oogjes die in de wand waren verzonken. Afgezien van de polyester draad hing er aan elke pols een soort nylon wegwerphandboei. Zijn hoofd en schouders hingen naar voren en zijn gewicht werd in gelijke mate ondersteund door zijn armen, die tot hoofdhoogte waren opgeheven, en zijn benen, met de enkels opgetrokken en de knieën in een scherpe hoek gebogen. Een marionet aan draden. Zijn huid was ziekelijk, paarsachtig wit, afgezien van de plaatsen waar de draad het bloed had afgekneld, en waar de lager gelegen oppervlakken van zijn lichaam door de lijkverkleuring helderrode vlekken hadden. Afgezien hiervan en de insnijdingen van de dunne draad leek het lichaam op het eerste gezicht ongeschonden. Toen zag Mo twee kleine wondjes in het haar van O'Connor, eentje vlak boven elk oor. Opgedroogd bloed, niet veel, was weggelopen en gestold onder de wondjes, en had de korte blonde krullen nog meer doen krullen.

Mo keek speurend de kamer rond, richtte zijn blik weer op O'-Connor, keek nogmaals de kamer rond, terwijl hij de zaken in zijn hoofd op een rijtje probeerde te zetten voordat het hier een nog groter gekkenhuis werd. Binnen enkele minuten zou het busje van het sporenonderzoek van White Plains komen, zouden Marsden en anderen van het recherchebureau komen kijken en zouden er fotografen en mensen van de technische recherche en de patholoog-anatoom ter plekke zijn. Fototoestellen zouden flitsen en stofzuigers zouden razen en mensen zouden vingerafdrukken nemen, en door alle activiteit zouden het aanzien en de sfeer van de ruimte veranderen.

Hij snoof voorzichtig in de richting van het lijk en ving niet meer dan een bijzonder vage geur van bedorven vlees op. Toen hij zachtjes tegen het hoofd duwde, voelde hij weerstand, wat suggereerde dat het lichaam nog niet geheel verslapt was. De airco zou het bederf enigszins zijn tegengegaan, maar samen betekenden die twee dingen dat O'Connor nog niet zo lang dood was. Van zo dichtbij kon hij zien dat de lijn die was gebruikt om het lichaam op te hangen geen zware polyester vislijn was, zoals hij aanvankelijk had gedacht, maar het scherp getande draad dat in onkruidwieders werd gebruikt.

Melrose hield afstand, alsof waar O'Connor aan was overleden besmettelijk was. Mike St. Pierre stond ook een eind bij het lijk vandaan, nu niet meer zo enthousiast.

Met de grote ramen pal tegenover het lijk aan de wand, de gordijnen helemaal open en de plafondverlichting aan, was het duidelijk dat het lijk opzettelijk tentoon was gesteld – een schouwspel dat gewoon wachtte om door iemand ontdekt te worden. Mo maakte een rondje door de kamer, maar hij wist al wat hij zou vinden. Op een bijzettafeltje zag hij een verzameling objecten die in geometrische patronen waren geordend: een opgevouwen zonnebril tussen twee tuinhandschoenen. Daarboven een verzameling pennen die in een keurige zigzaglijn waren geschikt met op iedere hoek een muntstuk. Een paar stapeltjes muziek-cd's, volmaakt uitgelijnd met de tafelrand, met op elk stapeltje een leeg frisdrankflesje. Op de computertafel waren diskettes naast elkaar op een rij rond het toetsenbord gelegd en was een kurken prikbord met dezelfde precisie geordend. Ansichtkaarten en cartoons en velletjes met aantekeningen waren in het midden in een symmetrisch patroon opgehangen en omringd door driehoeken van gekleurde punaises. Enzovoort. Een dwangmatige symmetrie. Als het je eenmaal was opgevallen, was er een mysterieus, onbewust patroon in de manier waarop alle kleine dingetjes in het vertrek waren geordend, een beetje eng, zoals wanneer je de diamanten op een ratelslang in het gras ziet, of de zandloper op een zwarte weduwe.

'Leuke patronen, niet?' vroeg Melrose. 'Slaapkamer is hetzelfde.'

Mo's hoofd begon weer zeer te doen en hij kon elke verrekte spier en elke blauwe plek voelen. Hij dacht: *als ik de balie maar had gehaald en mezelf had afgemeld voor ziekteverlof. Een voorsprong van maar twee, drie minuten, en dan had iemand anders deze klus gekregen.*

'Herken je dit, Mike?' vroeg hij aan St. Pierre.

'Lijkt net die kerel, hoe noemen ze hem ook alweer, de manipulator...'

'Ja.' Mo vroeg zich af of Mike begreep wat dat betekende.

De staatspolitie van New Jersey was begonnen om hem Howdy Doody te noemen, naar de beroemde tv-marionet uit de jaren vijftig. De eerste moorden met de opvallende signatuur van ledematen aan draden en geritualiseerde arrangementen van voorwerpen waren vroeg in 1999 begonnen. Drie mensen vermoord in het noordelijke deel van New Jersey, toen drie in Manhattan en nog eentje in de Bronx na een periode van dertien maanden, het meedogenloos versnellende moordritme dat typerend was voor seriemoordenaars. Mo kende Ty Boggs, die in de Bronx het onderzoek had geleid en deel uitmaakte van de eenheid die bestond uit personen met verschillende rechtsbevoegdheden, en ze hadden wat over de moorden gesproken. Maar Ty was krenterig geweest met details. Zoals bij elke seriemoordenaar hadden de politie en de FBI veel bijzonderheden van de moorden niet vrijgegeven aan het grote publiek. Dit had verschillende bedoelingen: om de moordenaar niet aan te moedigen zijn gewoontes te veranderen en misschien zijn stijl te camoufleren, om valse bekentenissen eruit te kunnen halen en om een onderscheid te kunnen maken tussen moorden door de oorspronkelijke artiest en die van mogelijke imitators in de toekomst.

Seriemoorden waren de meest gruwelijke en moeilijkste soort om op te lossen. Het was vreselijk omdat de gewoontes van de moordenaar, de herhaling van bepaalde soorten martelingen of verminkingen, getuigden van een of andere onpeilbare zielsziekte, van een geest die werd geteisterd door innerlijke demonen die een specifiek ritueel eisten. Dat gold ook voor de motivatie: het moorden zelf was het doel van de moordenaar, het ging niet echt om het eindresultaat.

Als je daarbij stilstond, kon je er flink van in de war raken.

De moeilijkheid bij het vangen van seriemoordenaars kwam voort uit het feit dat, in tegenstelling tot de meeste delicten, de slachtoffers niet met de moordenaar waren verbonden door een netwerk van interpersoonlijke contacten, een normaal motief of een oorzaak-en-gevolggebeurtenis. Seriemoordenaars kwamen van buiten de sociale sfeer van hun slachtoffers, zodat je hen niet te pakken kon krijgen door verband te leggen tussen mensen met typerende motieven zoals jaloezie of hebzucht of wraak. Doorgaans was de enige connectie te vinden in de psychologie van de moordenaar, de obsessies, waanideeën, angsten of begeertes die hem ertoe brachten om te moorden. Je moest de psychologische implicaties van elk sterfgeval onder de loep nemen, het verhaal van de symbolen tot in alle vreselijke details onderzoeken.

Het was ook niet gezond om zo diep door te dringen in de geest van mensen die meerdere moorden hadden gepleegd.

En afgezien van dat alles, dacht Mo, waren er vanuit een strikt professioneel standpunt nog andere dingen waardoor dit op een nachtmerrie zou kunnen uitlopen. De administratieve complexiteit die het met zich meebracht als je jouw werk moest coördineren met een lopend onderzoek van de FBI en andere gezagsinstanties, de speciale eenheden met verschillende rechtsbevoegdheden en de daaruit voortvloeiende toename van de papierwinkel, gezagsconflicten en rivaliteit in het najagen van aanwijzingen, bewijsmateriaal en roem. De officier van justitie zou hier ook een vinger in de pap willen hebben, een dikke vinger. Er zou veel publiciteit zijn en publiciteitsgeilheid en politieke druk, en zondebokken als het allemaal niet goed liep.

En dan was er nog een probleem, zo herinnerde Mo zichzelf somber.

Melrose begon erover voordat hij het zei: 'Ja, die regelneef, de Howdy Doody-moordenaar. Maar die vent hebben ze drie, vier maanden geleden opgepakt. In de stad.'

Mo keek naar O'Connor, dood en op een groteske manier sereen aan de muur als de slappe Jezus van de Pietà, en voor een moment benijdde hij hem bijna.

Toen hoorde hij mensen in de gang, en daar was Angelo Antonelli, de waarnemend patholoog-anatoom. Achter hem kwam Marsden, en toen een vrouw in een overall die een grote aluminium koffer met instrumenten bij zich had, en nog een stel andere bewijstechneuten. En toen was het domweg tijd om ertegenaan te gaan.

4

'Yo, Mo,' zei Angelo vrolijk. 'Zeg, ik keek net naar je maatje, hoe noemen jullie hem... Grote Willie. Krijg je daar heibel mee of hoe zit dat?' Hij keek naar Marsden en zei om hem erbij te betrekken. 'Weet je wat, ik schrijf wel dat het dood door ongeval was. Dat hij zijn hoofd in de badkuip heeft gestoten of zo.'

'Niet grappig,' zei Marsden. 'Daar moet je geen geintjes over maken.' De geïrriteerde huid naast zijn neus was felrood en zag er pijnlijk uit.

Mo zag Angelo af en toe als ze iets gingen drinken in The Edge, en voordat zijn relatie met Carla in een mijnenveld was veranderd waren ze zelfs een paar keer met zijn vieren uit geweest met Angelo en zijn vriendin. Hij was klein en pezig, donkerharig, met de verleidelijke grote ogen en de lange donkere wimpers van een stereotype Italiaanse renaissanceminnaar. Het was zijn vak om mensen open te snijden die op allerlei gruwelijke manieren om het leven waren gekomen. Hij werkte in een labyrint van grijze tegelvloeren met afvoeren, stalen koelkasten en wreed ogende medische instrumenten. Je zou verwachten dat hij morbide, terughoudend zou zijn, maar in feite hield Angelo van zijn werk, van zijn klanten en zijn collega's, en behield hij een onstuitbaar goed humeur. Hij was een verwoed fluiter, en floot vaak vrolijke deuntjes als hij in de buikholte of de hersenpan van slachtoffers van moorden en ongevallen wroette.

Toen hij O'Connor zag verscheen er op Angelo's gezicht een blik van verrassing en vrolijke verwachting. Aan zijn bijzonder pissige blik te oordelen herkende Marsden de werkwijze van Howdy Doody en de problemen die dat met zich mee zou brengen.

Angelo en zijn assistente inspecteerden het lijk. Angelo had oog voor detail en gebruikte een memorecordertje om zijn observaties hier op te nemen, net zoals hij in het lijkenhuis dicteerde wat hij zag en deed als hij begon te snijden. Ze namen de luchttemperatuur en algemene lichamelijke gegevens op, testten de mate waarin het lijk verstijfd was, maten de oppervlakte van de lijkbleke vlekken, peuterden aan opgedroogde bloedplekken en bewaarden die in cellofaan enveloppen, bekeken elke vierkante centimeter huid met een verlicht vergrootglas, en deden alle haren, vezels, roos en vuil in zakjes.

Ten slotte schoven ze papieren zakken over de handen en haalden ze met Mo's hulp het lijk naar beneden, dat ze op een brancard lieten zakken. De assistente deed de doorgesneden draden en de nylon handboeien in een zak toen die los waren. Het viel niet mee te bedenken hoe ze O'Connor op zijn plek moesten houden tot alle draden waren doorgeknipt, en vervolgens moesten zeulen met een logge, naakte, volwassen man van 170 pond die in zo'n houding was verstijfd. De draad om de nek sneed echt diep in de geplooide huid. Angelo had de leiding terwijl ze met z'n drieën steunden en zwoegden: 'Daar.' 'Ho!' 'Wacht – daar, nu zachtjes duwen. Tillen.' 'Laat me even – nee, ho!' Mo had de wonderlijke zware, buigzame stijfheid van lijken eerder gevoeld, maar dit was wel bijzonder luguber. Dansen met een dode. Toen ze de draden doorknipten waarmee de polsen vastzaten, vielen de armen een paar centimeter naar voren, waarna ze op en neer gingen dankzij de resterende elasticiteit van hun pezen, als iemand die speelde dat hij een monster was om een kind bang te maken. Toen ze hem op zijn rug op de brancard legden, bleef hij in diezelfde houding, zijn hoofd nog steeds naar voren en een eindje van de bekleding af, zijn armen omhoog ter hoogte van het hoofd, en, dat was het ergste, de benen omhoog waarbij de gebogen knieën en de hielen net boven de bekleding bleven hangen. Ze legden een laken over hem heen, maar de verwrongen, graaiende gedaante onder de tent maakte het in zekere zin erger.

Fotografen begonnen de plaats delict vast te leggen, op foto's en video, de ruimte werd ook getekend door een tekenaar en de technici van het sporenonderzoek gingen met de oppervlakken aan de slag. St. Pierre ging naar buiten om met de agenten in uniform en de buren te praten, en terwijl de technici verder gingen met hun werk nam Marsden Mo terzijde. Ze gingen de kleine keuken in, waar de geometrische rangschikking van de aanwezige spullen op het aanrecht en werkblad in het oog sprong.

Mo trok een nieuw paar handschoenen aan en neusde voorzichtig in laden en kasten. Marsden stond kwaad uit het raam boven de gootsteen te kijken.

'Dus we hebben een imitator,' zei Marsden. 'Die hier in White Plains begint.'

'Daar ziet het wel naar uit.'

'Je ziekteverlof is ingetrokken.'

'Dat dacht ik al.' Mo deed de koelkast open, keek naar de koude, in plastic verpakte stukken vlees, een zak wortels, flesjes Heineken, melk, jus d'orange. Gewone dingen. De moordenaar had zijn dwangneurotische neigingen niet op de koelkast losgelaten.

Marsden zei: 'Ik ken Biedermann een beetje; hij is de FBI-vent die de leiding had over het Howdy Doody-onderzoek, afdeling Manhattan. Je zal met hem contact op moeten nemen. En ook met de andere leden van de eerste speciale eenheid, om te horen wat zij je over de oorspronkelijke moordenaar kunnen vertellen. Ik heb begrepen dat de FBI er een externe adviseur bij heeft gehaald om Gedragswetenschappen bij te staan, een psychiater uit Manhattan. Misschien is het zinnig om hem ook te raadplegen.'

Mo gebruikte zijn pen om de rand van een pannenlap op te lichten en tuurde eronder. 'Misschien hebben ze de verkeerde, hebben we hier met de oorspronkelijke moordenaar te maken.'

'Wat ik heb gehoord is dat ze hem bijna op heterdaad betrapt hebben.' Marsden keek even naar Mo, terwijl hij zijn gekruiste armen op zijn dikke buik liet rusten. 'Waarom is het hier zo koud?' klaagde hij.

'Centrale airconditioning. Iemand heeft hem op de laagste stand gezet. Het komt ons weliswaar goed uit, maar ik vraag me af waarom.' Mo deed nog een la open, vond het keukengerei en boog zich er overheen om met zijn pen door aardappelschillers, messen en keukenscharen te woelen. Waarschijnlijk had de moordenaar zijn eigen spullen meegenomen, maar het zou goed zijn om elk mogelijk stuk gereedschap in het huis mee te nemen en te zoeken naar resten van de plastic lijn, vingerafdrukken, misschien wat DNA.

'Het ellendige is,' zei Marsden, 'dat die eerste vent tegen het eind een ritme had van ongeveer één keer per maand. We weten niet hoe die nieuwe het gaat doen. Maar het zou kunnen betekenen dat we een klotezomer tegemoet gaan, als we één keer per maand zoiets op ons bord krijgen.' De stem van de inspecteur was bedachtzaam geworden en klonk bijna droevig. 'Dan is er nog iets wat mij betreft; ik heb het hier met niemand over gehad. Ik heb last van mijn hart. Heb vorige week zo'n inspanningstest gedaan, waarbij ze je met draden aan je borst op een tredmolen laten lopen. Slecht resultaat; ik heb een verstopping in de kransslagaderen. Aan het eind van de maand gaan ze een angiogram van me maken. Maar als ik een bypass moet hebben, zal ik een hoop tijd verliezen of misschien zelfs wel naar een andere afdeling overgeplaatst worden, en daar komt nog bij dat ik in de tussentijd stress, zorgen, overwerk en zo moet zien te vermijden. Alsof dat erin zit. Ik zou ook moeten afvallen, ophouden met roken.'

Mo keek naar Marsden. Zoveel vertrouwelijkheid was ongehoord, en hij vroeg zich af waar zijn baas op aan stuurde. 'Jezus, het spijt me, Frank. Ik moet zeggen, je hebt het goed weten te verbergen. Ik bedoel, je ziet er goed...'

'Lulkoek.'

'Oké. Je ziet er niet slechter uit dan anders.'

Marsden grijnsde zuur. 'Ik heb me afgevraagd wie mij moet vervangen als coördinator van de eenheid. St. Pierre is uitgesloten, te nieuw. Paderewski is oké, maar zij kan met de helft van de jongens niet opschieten. Benoit is zo stom als het achterend van een varken – ik weet niet hoe hij er ooit bij is gekomen – en Estey en Valsangiacomo houden alleen maar van pistolen en auto's; zij kunnen niet met papierwerk en mensen overweg. En dan hebben we Mo Ford. Hij is de slimste van het stel, heeft de meeste zaken opgelost, maar raakt steeds in de problemen en heeft een paar vijanden gemaakt. Misschien is hij niet zo begaan met een carrière als hij zou moeten zijn voor iemand die een eenheid moet coördineren. Misschien heeft hij niet het geduld om het spel volgens de regels te spelen. Misschien zit zijn persoonlijke leven hem in de weg? Je snapt dus wel dat ik het niet makkelijk heb.' Marsden gebaarde naar de deur, de achterkant van het huis waar het lijk van O'Connor had gehangen. 'En dan komt dit... gedoe... erbij, alsof er niet al genoeg druk op de ketel stond.'

Mo hoorde de indirecte vleierij en verbaasde zich erover hoe goed het aanvoelde. Hij was onder de indruk van Marsdens inzicht in zijn persoonlijke leven, waar Mo het uitdrukkelijk nooit over had gehad. Hij bedacht hoe hij moest reageren toen Marsden met zijn kin naar het raam gebaarde. Buiten waren een paar donkere wagens aan komen rijden, en Mo herkende de grote gestalte van officier van justitie Flannery die uitstapte met een paar van zijn onderzoeksassistenten.

Marsden hees zichzelf van de rand van het aanrecht. 'Bijna vier uur. Ik moet met Biedermann gaan praten over hoe zij de public relations aanpakten bij de Howdy Doody-moorden, en vervolgens met de burgemeester. Ik zal Flannery en jou alleen laten voor een tête-à-tête. Wat is je volgende stap?'

'Ik zal het hier afronden, met de White Plains mensen praten over het opstarten van een huis-aan-huisonderzoek in de buurt. Dan zal ik de dossiers over Howdy Doody opvragen. Ik wil zien hoe precies deze vent het origineel volgt, wat voor profiel ze van hem hebben, wat voor bronnen er on line zijn voor een soortgelijk delict. En dan zal ik kijken of ik ervoor kan zorgen dat Angelo vaart zet achter de autopsie.'

'Ja,' zei Marsden zwaarmoedig. 'Oké. Vertel me maandag hoe het ervoor staat.' Hij liep naar de deur van de woonkamer, krabde onbewust aan de branderige huid naast zijn neus en keek naar de technici die daar aan het werk waren. 'Die eerste kerel nam er zeven te grazen voordat ze hem te pakken kregen. Zeven.' Hij keek Mo veelbetekenend aan. 'In een plaatsje als White Plains zou deze nieuwe vent iedereen uit kunnen roeien. Moeten ze het bevolkingsaantal op de bebouwde-komborden veranderen, hè?' Een vermoeide poging tot humor. Ook een smeekbede: *Mo, doe dit nou voor één keer goed. En grijp die klootzak snel.*

Toen de officier van justitie de kamer binnenkwam waar de moord was gepleegd, gingen zijn wenkbrauwen omhoog en kreeg hij een scherpe blik toen hij de werkwijze van Howdy Doody zag. Zijn radertjes begonnen te draaien. Iedereen wilde erbij zijn als er een zaak was 'waar je je tanden in kon zetten', een belangrijke moord, maar politieke dieren dachten daar anders over, maakten andere berekeningen. Flannery praatte een tijdje met de rechercheurs van White Plains en kwam toen naar Mo. Mo vertelde hem wat hij er tot dusver van dacht en over de volgende stappen waarover hij en Marsden het hadden gehad. Flannery knikte bedachtzaam, zonder zijn ogen ook maar een moment van het lijk van Daniel O'Connor af te wenden, waar Angelo op zijn verzoek het laken vanaf had gehaald. Toen Mo klaar was, gebaarde hij met zijn hoofd in de richting van de achtertuin. 'Wat dacht je ervan om even buiten te gaan babbelen, rechercheur?'

Ze liepen door de achterdeur en gingen een paar meter bij het huis vandaan staan, terwijl ze om zich heen keken. De tuinen waren al helemaal groen en in een lichte bries vielen er roze bloesems van een klein appelboompje in de tuin ernaast. Flannery was bijna vijf centimeter langer dan Mo; een grote kerel van halverwege de vijftig die had geleerd om zijn sadistische kant te verhullen met een gladde, glimlachende, beerachtige charme die hij goed wist uit te buiten. Zijn vroegtijdige kaalheid deed niets af aan zijn gespierde lichaam; nog een persoonlijke eigenschap die hij had leren benutten – soms vond hij het leuk om de pers te woord te staan terwijl hij op de loopband in zijn kantoor aan het trainen was; goed voor zijn imago als daadkrachtige aanklager. Of misschien was hij niet echt kaal, dacht Mo, schoor hij zich gewoon kaal om op Jesse Ventura of wie dan ook te lijken. Nu deed hij zijn armen over elkaar en stond hij met een peinzende blik op Mo neer te staren.

'Inspecteur Morgan Ford. Jij krijgt echt al het lekkers, hè?'

'Zo lijkt het wel,' beaamde Mo.

Flannery keek taxerend de buurt rond. 'Frank Marsden – ik heb echt bewondering voor die vent. In feite zou ik hem een goede vriend noemen.' Hij zweeg even, maar toen Mo gewoon wachtte tot hij doorging met zijn gelul, fronste hij zijn wenkbrauwen. 'Ik breng dit ter sprake omdat je doordat Marsden voor jou instaat voorlopig je penning kan houden. Die stunt van je in de parkeergarage mag misschien bij sommige mensen goed vallen, maar je moet weten dat mijn kantoor een grondig onderzoek zal instellen. Omdat dit voor jou al de tweede keer is. Ik wil niet dat iemand zegt dat ik slechte politieprocedures in Westchester County vergoelijk of door de vingers zie.'

'Ga je gang. Alsjeblieft. Zeg tegen Marsden dat hij me eraf moet halen.' Mo wees met zijn duim naar het huis. 'Je hebt het daarbinnen gezien. Denk je echt dat ik daar iets mee te maken wil hebben?'

Flannery's ogen vernauwden zich en hij glimlachte vaag. Hij sloeg zijn arm om Mo's schouder en stuurde hem naar de stoep die de achtertuin in tweeën deelde. Twee kerels die een vriendelijk, vertrouwelijk gesprek hadden. Dat was Flannery's idee van politieke innemendheid. Mo haatte de sturende druk van de grote arm, maar probeerde dat niet te laten merken.

'Jou eraf halen? Als jij de perfecte man bent voor deze klus?' zei Flannery. 'Meen je dat? Laten we eerlijk zijn, rechercheur, ik denk dat je het recht hebt om te weten hoe de zaken ervoor staan. A, je bent goed. Mijn goede vriend inspecteur Marsden zegt dat jij zijn beste man bent. B, jij bent de perfecte zondebok als er iets misgaat – we kunnen allemaal de schuld geven aan de onbezonnen, impulsieve diender naar wie al kritisch wordt gekeken vanwege zijn vroegere zonden. Jij bent mijn dekking! En het beste, C...' Flannery kuchte quasi-beschroomd. 'Nu ja. Dat zijn redenen genoeg, niet dan?'

'C,' zei Mo voor hem, 'met dat gedoe rond Grote Willie heb jij iets om me in het gareel te houden, om te zorgen dat ik de zaken zo aanpak als jouw kantoor wil.' Ondanks zichzelf was hij onder de indruk: Flannery was hier nog maar tien minuten en nu al had hij al deze invalshoeken gezien.

'Je bent écht slim! Man!' Flannery gaf hem een klap op zijn rug. 'Maar dat is een beetje bot. Ik zou het zo stellen: ik zou zeggen dat het voor een onderzoek altijd goed is als de diverse politie-instanties de belangen van het kantoor van de officier van justitie in het oog houden. Uiteindelijk zullen wij in dezen de aanklager zijn. Wij zijn degenen die vooruit moeten lopen op de globale juridische strategie die we nodig hebben om deze kerel achter de tralies te krijgen. Juist?'

Het kantoor van de officier van justitie van Westchester hield er een sterke staf van onderzoekers en aanklagers op na, maar klaagde er altijd over dat ze onderzoekers te kort kwamen. Als Flannery Mo met Grote Willie onder de duim kon houden, en hem kon laten doen wat hij wilde, zou dat bijna net zoiets zijn als een nieuwe werknemer krijgen zonder zijn salaris te hoeven betalen. Nog beter, omdat Mo ook toegang had tot bepaalde hulpbronnen van de staatspolitie, en Flannery een zondebok buiten zijn eigen toko zou hebben. En als ze de imitator te pakken kregen, zou hij Mo kunnen gebruiken om ervoor te zorgen dat alle eer naar het kantoor van de officier van justitie en hemzelf persoonlijk ging.

'Juist,' zei Mo.

Flannery gaf hem een dreun op zijn rug terwijl ze zich omdraaiden en terugslenterden in de richting van het huis. 'Kijk eens. Het is mooi om te weten dat wij het met elkaar eens zijn!' Toen hij zag dat Mo zijn enthousiasme niet deelde, zei hij: 'Kom op, je moet het niet zo zwaar opnemen. Zie het als een onderdeel van je politieke vorming. Jij zou in mijn plaats hetzelfde doen. Niet dan? Zeg eens eerlijk – niet dan?' Voor Flannery was dat een retorische vraag. Zijn brede grijns was volledig oprecht.

5

St. Pierre hielp met het eerste buurtonderzoek en kreeg toen van een van de agenten in uniform een lift terug naar de kazerne. Mo vertrok er om acht uur, na zonsondergang. Een van de laatsten die wegging. De mensen uit de buurt, die van negen tot vijf werkten, waren weer thuis, hun auto's stonden weer langs de trottoirs en op de opritten. Het was een prachtige vrijdagavond medio mei en in de lucht hing de zoete geur van de bloesems aan de bomen, maar de gazons en de trottoirs waren verlaten. In alle huizen brandde het licht, maar de gordijnen waren dicht en Mo wist dat de deuren op slot zaten. De straatverlichting was aangegaan en insecten cirkelden in de lichtkegels. Af en toe schoot er een jagende vleermuis tussendoor. De milde vochtigheid en de afkoelende lucht hadden iets dat Mo herinnerde aan zijn kindertijd: de avonden na school als de zomer naderde, de opwinding van het alleen al buiten op straat rondlopen, op je fiets door de lentelucht suizen. Hij vroeg zich af hoe lang het zou duren voordat de kinderen hier weer zorgeloos buiten zouden kunnen zijn.

Even overwoog hij vol verlangen om naar huis te gaan, terug

naar de onwaarschijnlijke maar mogelijke troost van Carla's armen, misschien zelfs de reinigende gloed en vervoering van een vrijpartij. Ze waren een paar keer uit hun rol gevallen nadat ze hadden besloten om apart te slapen. En toen herinnerde zijn lichaam zich de afschuwelijke omhelzing van het lijk van O'Connor toen de laatste draad werd doorgeknipt en het gewicht op hem viel terwijl hij en Angelo met man en macht het rubberachtige, graaiende geval op de brancard probeerden te krijgen. Misschien moest hij daar eerst wat afstand van nemen voordat hij Carla, of wie dan ook, weer in zijn armen nam.

Hij lichtte de tape rond de plaats delict op, stapte in zijn auto en begon aan de terugrit naar de kazerne, terwijl hij dacht: *Misschien is dit niet echt een baan voor mij*. Toen hij net was bevorderd tot rechercheur bij Ernstige Delicten, kende hij weliswaar diverse agenten bij ED en had hij al wat akelige dingen gezien, maar was hij niet klaar geweest voor wat het met je deed. De stress en de spanning, de tegenover elkaar staande partijen. Een van zijn instructeurs aan de academie had een agent bij moordzaken ooit vergeleken met een honkbalspeler: Honkballers lopen een groot risico op bepaalde soorten blessures, had hij gezegd. Waarom? Omdat ze lang staan en dan opeens explosief moeten bewegen. Je staat op de plaat, je slaat de bal het veld in, en dan moet je als een gek naar het eerste honk sprinten. Of je staat bij het tweede honk te wachten en dan komt er bijna vijf meter links van je een bal met een snelheid van meer dan driehonderd kilometer per uur en moet je er helemaal voor gaan. Dan ga je tot aan de grens van de rekbaarheid van je pezen en daaroverheen. Je zal waarschijnlijk gewrichtsbanden in je lies verrekken, knieën en enkels verstuiken, je onderrug blesseren, doordat je zo snel vanuit stilstand volledig in beweging komt.

Agenten bij Moordzaken hadden hetzelfde probleem, zei de instructeur, maar dan psychologisch. De films zaten ernaast, het ging niet om achtervolgingen in auto's en schietpartijen en erotische ontmoetingen. Vijfennegentig procent van het werk is louter verveling – verklaringen, papierwerk in drievoud, regels doornemen, debriefings, dossiers lezen, gesodemieter met schema's, verhoren die niets opleveren, vergaderingen, in de rij staan bij het lab of een andere afdeling. En die andere vijf procent? Dat is louter horror. Je gaat bij iemand de keuken binnen en glijdt uit over half gestold bloed, en dan is er die geur die niet meer uit je kleren gaat, en dat verwrongen gezicht dat je niet kan vergeten, en misschien moet je rondroeren in ingewanden of hersenen of sperma of kots of stront. Of het slachtoffer is een dame die op je vrouw lijkt, of een jongen die op je eigen kind lijkt, en je kan nooit meer op dezelfde manier naar hen kijken. En de enige afwisseling is de resterende tiende procent van het werk, en dat is het dubieuze genoegen om achter een moordenaar aan te gaan en het met hem uit te vechten; dat is weer eens iets anders. En dat alles voor vijfenveertig ruggen per jaar?

Waarom zou hij het dan doen?

Mo had zich dat de laatste tijd vaak afgevraagd. De meesten van de andere mensen bij Ernstige Delicten die hij kende werden gemotiveerd door een oprecht verlangen om te dienen, net als mensen bij de strijdkrachten, waar velen bij hadden gediend. Ze wilden het kwaad bestrijden. Misschien hadden ze religieuze overtuigingen waardoor ze het volhielden en min of meer bij hun gezond verstand bleven. Weinigen zouden het ronduit toegeven, omdat het niet zo hip of flitsend leek. Maar ondanks het populaire beeld waren dit geen hippe of flitsende mensen. De meesten waren bedachtzame, bezorgde mensen die zich, althans aanvankelijk, de pijn van slachtoffers en nabestaanden erg hadden aangetrokken en een soort persoonlijke eed hadden gezworen om hun leed te wreken. Dat gold zelfs voor de stoere jongens die het alleen was begonnen om de pistolen, het lef en de glamour – ze deden doorgaans blasé omdat dat makkelijker was dan toegeven dat wat ze zagen en deden hen niet in de kouwe kleren ging zitten.

Zelfs Valsangiacomo, een echte cowboy. Mo was hem ooit in The Edge tegen het lijf gelopen. Hij was bij hem aan de bar gaan zitten, had een tijdje gekeken hoe hij glazen Jack Daniels achteroversloeg en hem toen gevraagd wat de reden was voor zijn alcoholconsumptie. Valsangiacomo, één vijfentachtig en een bodybuilder, liet zijn schouders zakken. 'Vanmorgen wilden Helena en ik net een wip gaan maken, maar dan komt die kleine de slaapkamer binnen. Dus we kappen en houden het te goed tot vanavond, oké?' Helena was een adembenemende, donkerharige vrouw met volle borsten die Valsangiacomo had leren kennen toen hij bij familie in Napels op bezoek was. Hij had haar als een gek het hof gemaakt en haar mee terug naar de VS genomen. Mo kon zich goed voorstellen hoezeer hij naar vanavond uitzag. 'En dan worden Estey en ik opgeroepen voor een geval in Bedford. Vrouw, naakt op de vloer van de slaapkamer, geweldig lijf, denk ik. Wat zonde. Ze is overal gestoken, doodgebloed; omstandigheden wijzen erop dat ze ook verkracht is, dus moeten we naar sperma zoeken. We kijken met wattenstokjes en zaklantaarns in al haar lichaamsopeningen, de natuurlijke en de door de dader aangebrachte. Op onze knieën in het bloed. En Helena zit nu thuis op mij te wachten, heeft allerlei geweldige plannen. En ik weet dat ik vanavond niets klaar zal spelen, maar ik wil haar niet vertellen waarom ik er geen zin in heb. Ik probeer mijn werk niet mee naar huis te nemen, maar wat moet je dan zeggen?'

Voor dit probleem was er niet echt een oplossing, dus ging je maar naar The Edge om het te verdrinken.

Sommigen konden het beter aan dan anderen. Zij schudden de beelden af die ze overdag hadden gezien. Ze namen elk geval voor wat het was en dachten niet in termen van het bestrijden van al het kwaad in de wereld. Carla had Mo jarenlang voorgehouden dat hij het zo moest zien, maar misschien dat als je bepaalde gevoeligheden had, of de gewoonte om naar de grote lijnen te kijken, je alle misdaden en al het leed alleen op een soort collectieve manier kon bezien. En de last was groter geworden. Mo had het gevoel alsof met elke dag dat hij zijn werk deed zijn gevoel voor de menselijke waardigheid en goedheid iets verder afbrokkelde. Hoever kon je dat laten gaan voordat je een grote fles Thunderbird kocht en in de goot ging liggen en het allemaal opgaf?

Maar wat moest hij dan doen? Hij kon boeken kopen en lezen over ontslagregelingen of hoe hij zijn midlifecrisis moest omschrijven of hoe het ook heette als je later in je leven voor een andere loopbaan koos. Hij kon zich blauw betalen aan een of andere loopbaanadviseur om hem te testen op zijn vaardigheden en interesses en hem te vertellen dat hij een hersenchirurg of een boswachter of zo had moeten worden. Of, wat waarschijnlijker was, voor een veel lager loon beginnen aan een carrière in een hamburgertent en daar bevroren schijven rundvlees in een magnetron schuiven.

Húúh, dacht Mo.

Hij remde op de linkerrijbaan om te wachten tot drie langzame fietsers de ingang van de parkeerplaats bij de kazerne voorbij waren. Al deze overwegingen hadden hem prikkelbaar en somber gemaakt, en hij wachtte ongeduldig terwijl de fietsers langspeddelden, met druk knipperende minuscule rode lichtjes op de frames van hun fietsen. Het waren twee mannen en één vrouw, slank als plastic hazewindhonden in strakke zwarte trainingspakken met bonte fluorescerende strepen, walnootvormige helmen met kleine, elegante achteruitkijkspiegeltjes die bij de slapen vastgeklikt waren, speciale handschoenen en schoeisel. Ze leken alle drie dezelfde bouw te hebben, slank en met lange, pezige benen alsof ze tot een andere soort behoorden, bionische buitenaardse wezens van een of andere gestroomlijnde planeet. *Wat is dit godverdomme, de Tour de France?* mopperde Mo. *Kunnen niet eens een eindje gaan fietsen zonder drie ruggen aan kleren en spullen. Is er iets mis met een T-shirt en een korte broek?* Hij kon zich de laatste keer niet herinneren dat hij een volwassene had gezien die iets anders droeg dan hightech Eurokleding, en opeens leek de hele trend een symbool voor de ondergang van de westerse beschaving, het verval van alle waarden.

Toen was de laatste voorbij de ingang en reed hij de parkeerplaats op. Hij vond zijn plek, sloot de auto af en bleef even kijken naar de felverlichte ramen van de kazerne, vijftien meter verderop. Binnen bewogen mensen, silhouetten achter de ramen; iemand liet iemand anders papieren zien, praatte erover, liep door. Agenten kwamen en gingen onder het verlichte portiek bij de ingang. Ze maakten een vastberaden en bekwame indruk.

Terwijl hij er zo naar keek, begreep hij opeens Marsdens onverklaarbare vertrouwelijkheid, waar hij werkelijk over in zat. Marsden was een moederkloek; hij hield werkelijk van zijn eenheid en maakte zich zorgen wat ervan zou worden als hij er niet zou zijn om er toezicht op te houden. Marsden kon niet altijd met zijn vrouw overweg en hij had geen kinderen. Maar iedereen had een zeker nestinstinct en voor Marsden was de werkplek zijn thuis geworden. Mo en Valsangiacomo en de anderen waren zijn kinderen. Het had iets aandoenlijks. Marsden was hier al zo lang, dat hij dit zag als iets dierbaars dat de moeite waard was om ervoor te werken. Ondanks zijn gebruikelijke cynisme ving Mo even een glimp op van de kazerne zoals Marsden die moest zien. Het had iets te maken met de sfeer van stille bedrijvigheid, zelfs zo laat op de avond, de vertrouwelijkheid en de kameraadschappelijkheid. Professionalisme, samenwerking. Een kleine citadel van relatieve orde, een bolwerk tegen de waanzin, slechtheid en chaos van de wereld.

Zonder enige reden voelde Mo zich opeens beter. Het probleem van het waaróm leek verder weg. *Een Howdy Doody-imitator,* dacht hij, *kon misschien interessant zijn.* Hij liep in de richting van het felverlichte portiek. Het idee om de dossiers in te zien en wat vat op deze zaak te krijgen begon hem te bevallen. Hij was trouwens nu niet in de stemming voor een confrontatie met Carla.

6

Maandagochtend na een van de ergste weekends die hij zich van de afgelopen tijd kon herinneren. Omdat Mo het gevoel had dat hij weg moest van het huis en de problemen van het huiselijke leven, of liever gezegd het gebrek daaraan, en zijn toevlucht zocht in bezig zijn, ging hij heel vroeg naar zijn werk. Hij belde special agent Biedermann op het veldkantoor van de FBI in Manhattan, en terwijl hij wachtte tot die hem terugbelde, nam hij de Howdy Doody-dossiers door die hij vrijdagavond bij VICAP had opgevraagd. Hij zat nog geen uur aan zijn bureau toen zijn telefoon ging en hij werd gebeld door iemand die zich voorstelde als Roland Van Gleek, politiecommissaris in de stad Buchanan. Marsden had hem doorverbonden.

'Wat kan ik voor u doen, commissaris Van Gleek?' vroeg Mo.

'We hebben een lijk, een moord. Een stel kinderen vond het lichaam hier gisteren laat in de middag in de oude krachtcentrale.'

'Oké...' zei Mo, terwijl hij zijn stem een vragende toon gaf en zich afvroeg: *waarom heeft Marsden deze naar mij doorverwezen?*

Van Gleek beantwoordde zijn gedachte. 'Uw chef zei dat het misschien in de lijn ligt van een zaak waar u aan werkt. Dat is een beetje een woordspeling – de dader heeft het lichaam vastgebonden, aan de muur, met vislijn, veel lijnen die vastzaten aan oogjes in de muur.'

Godallejezus, dacht Mo. *O'Connor is nog maar drie dagen geleden vermoord. Als deze vent nu al iemand anders heeft vermoord, is hij flink op dreef.*

Nadat Mo van Van Gleek de lokatie had opgekregen, gaf hij hem de instructie om de plaats delict af te grendelen en belde hij om technische bijstand. Toen meldde hij zich af en reed naar Buchanan, dertig kilometer ten noordwesten van White Plains aan de oevers van de rivier de Hudson.

Hij nam de 287 naar het westen en ging daarna over de Sprain Brook Parkway naar het noorden. Het rijden had een kalmerend effect en stelde hem in staat om goed na te denken. De spreekwoordelijke helderheid die je krijgt als je lekker door kan rijden, dacht hij. Maar toen hij de 9A opging, kwam hij achter een grote beige Landrover waar hij niet langs kon en waar hij niet omheen of overheen kon kijken, waardoor die fantasie snel verbleekte. De wegen zaten potdicht.

Maar dan nog. Vrijdagavond had hij Angelo gebeld die net klaar was met het opbergen van het verwrongen lijk van O'Connor voor het weekend. Angelo had zijn verzoek om een versnelde autopsie verwacht, maar zei tegen hem dat hij er onmogelijk vóór dinsdag aan toe kwam, zelfs als hij een stel andere klanten even in de ijskast zette. Toen had Mo het veldkantoor van de FBI in Manhattan aan de telefoon gekregen, waar de telefoniste, die dag en nacht paraat was, hem vertelde dat hij Biedermann niet voor maandag kon bereiken. Hij had wat dossiers over Howdy Doody gedownload van de VICAP-site van de FBI en had een paar uur lang lekker zitten lezen tot zijn ogen begonnen te tranen en hij naar het grote huis en Carla toe ging. Het was bijna middernacht.

Ze zat op de bank te lezen bij het licht van de zwanenhalslamp, het enige licht dat in het hele galmende huis aan was. Ze had muziek op staan, een grote symfonie van Mahler waarvan het ongepast leek om hem zo zachtjes af te spelen. Toen hij binnenkwam, was hij blij dat ze nog op was. Ze zag er in haar exotische pyjama mooi en schimmig uit.

Hij zei 'Hoi', zij zei 'hoi' en ze legde haar boek neer. Hij wilde naar haar toelopen om haar een kus te geven, maar bedacht zich toen. Misschien dat zijn kleren nog roken naar zijn omhelzing met het lijk van O'Connor en zij zag er trouwens ook niet uit alsof ze een kus wilde. In plaats daarvan ging hij naar de keuken voor iets te eten.

'Ik heb wat soep gemaakt, die je alleen maar hoeft op te warmen,' riep ze hem na.

Dat klonk goed. Zonder het keukenlicht aan te doen, waste hij zijn handen, waarna hij het gas onder de pan aanstak en een kom uit de kast pakte. Hij nam een biertje uit de koelkast, trok het open en ging naar de woonkamer. Hij trok zijn jasje en zijn overhemd uit. In zijn T-shirt vond hij het minder erg om in haar nabijheid te zijn. 'Hoe is-t-ie?' vroeg hij. Zij zei: 'Best.' Het soort openingen waar mensen op terugvielen als ze de druk voelden dat er belangrijker dingen gezegd moesten worden maar zich daar nog niet toe konden zetten. 'Vraag me maar niet naar mijn dag,' zei hij, een code die ze hadden bedacht om aan te geven dat het misschien gruwelijk was geweest. Maar ja, waar moest je het dan nog over hebben?

De symfonie ging over op een broeierig mineurdeel, en Carla zag er ondraaglijk mooi uit toen ze hem vertelde dat ze bij haar vriendin Stephanie in Mount Vernon in zou trekken, wat misschien sowieso beter was omdat het dichter bij haar klanten was. Mo hoefde zich niet te haasten om een andere woning te zoeken. Ma was op hem gesteld, en waarschijnlijk kon hij hier blijven zolang hij wilde, als hij ooit aan het schilderwerk en zo toe kwam.

Ze had duidelijk van tevoren nagedacht over wat ze ging zeggen, omdat het er gladjes uitkwam, goed beredeneerd, logisch. In feite was het verbazend met hoeveel details ze rekening had gehouden, hoe ze hier al mee bezig was geweest, terwijl hij steeds had gedacht dat het nog de moeite waard was om te proberen de relatie te redden. Dat zei hij tegen haar, terwijl hij op de koffietafel zat en het biertje tussen zijn knieën liet bungelen, en zij legde een warme hand op zijn wang en zei: 'Ik denk dat we allebei graag een relatie zouden willen hebben waarbij het er niet om draait om iets te "redden".' En ze kwetste hem door de manier waarop ze het zei, alsof het ging om een krottenwijk of een rot gebit. Maar ze had ook gelijk en dat was bijna net zo slecht. Hij had opeens ingezien dat hij zich niet zozeer aan *deze* relatie als wel aan *een* relatie vastklampte. Opeens zag hij dat het nooit echt goed had aangevoeld in de drie jaar die ze samen waren geweest. Ondanks wat echte tederheid en wat goede seks, was er altijd een onbehagen geweest, dat gevoel dat ze niet nader tot elkaar kwamen. Dat er, ja, dat er iets gered moest worden.

De soep was aangebrand. Ze hadden, weer, apart geslapen en hij had het weekend doorgebracht met haar te helpen om de spullen in te pakken voor de verhuizing.

Bij Briarcliff Manor liep het verkeer weer vast en hij schudde net op tijd zijn gedachten van zich af om te voorkomen dat hij achter op nog zo'n ellendige Landrover knalde. In feite reed er achter hem nog net zo een, een Toyota-versie, en toen hij de weg rondkeek, leek het wel alsof elke auto een of andere zwaar uitgevoerde safaritruck was, met gigantische banden met diepe profielen en glimmende stalen rambumpers en enorme bagagerekken op de hoge, vierkante daken. Bakbeesten die gebouwd waren voor diep in de wildernis, om over de ongebaande harde aarde van Afrikaanse savannes te rijden, met plaatstalen treeplanken en reservewielen die met bouten aan de achterkant vastzaten. Massief als militaire voertuigen, reden één op vier, en dat allemaal over de goed onderhouden wegen van Westchester met achter het stuur anorectische, elegant ogende huisvrouwen die op weg waren naar hun manicure, hun aerobicsklas of hun tandarts. *Waar gaat het heen met ons?* dacht hij verontrust. Even schold hij op de modegrillen en het kudde-instinct van het mensdom, om vervolgens te besluiten dat hem niks kon verdommen. Hij zette zijn zwaailicht op het dashboard, deed het aan en baande zich een weg over de kruising.

Van Gleek had hem een goede routebeschrijving gegeven naar de oude krachtcentrale: Buchanan in en dan in de richting van de rivier en naar het zuiden, langs de kerncentrales bij Indian Point. Hij zag de rood-witte toren en de ronde koepels, en reed verder langs de dichtbeboste oever tot hij bij een witte Chevy Suburban kwam, die tegenover een stoffig kerkje geparkeerd stond. De agent uit Buchanan leidde hem naar een onverharde toegangsweg, en hij reed langzaam over de hoge, steile oever door een wirwar van bomen, klimplanten, kapot metselwerk, verlaten grindgroeven, afval. Eerst maakte hij zich zorgen over zijn carter, maar toen werd het vlakker en was er een opening in de bebossing met een weids uitzicht op de rivier de Hudson.

De oude centrale doemde op aan de rand van het water; een massieve bakstenen kubus die ongeveer drie verdiepingen hoog was. Hij had de hoge, van boven ronde ramen en het siermetselwerk van de vorige eeuw, maar nu waren de ramen bedekt met golfplaat. Oorspronkelijk was hij omringd door vele kleinere bijgebouwen, maar in de jaren sinds hij buiten bedrijf was gesteld waren die vervallen tot met onkruid en klimplanten overwoekerde puinhopen. De weg kwam uit op een stoffige parkeerplaats bij de hoge muur en Mo parkeerde zijn auto naast een paar patrouillewagens uit Buchanan.

De oever van de Hudson was hier een soort niemandsland, en hoewel het terrein van het energiebedrijf theoretisch verboden was voor het publiek, werd er veel gebruik van gemaakt door wandelaars en tieners, die genoten van de weidse vergezichten over de rivier en de rotsachtige oever. Toen Mo in New Rochelle op de middelbare school zat, ging hij soms met vrienden deze kant op. Ze namen bier mee, legden kampvuren aan, werden dronken en vreeën, keken uit over kilometers leiblauw water, de golvende landtongen, sleepboten die aken langzaam stroomopwaarts duwden, de fonkelende lichten aan de overkant. Twintig jaar later was de grond bezaaid met bierblikjes, piepschuimen bekertjes, afval van snacks, gebruikte condooms, opgewaaide kranten en plastic vuilniszakken die in het struikgewas verstrikt waren geraakt, en dat alles vermengd met industriële troep die was overgebleven uit de vroege dagen van de krachtcentrale: oude machineonderdelen, kapotte betonnen muren, spoorbielzen die in slordige stapels lagen te rotten. Langs de rivier waren kronkelende wandelpaden in het gras en de sumakstruiken gesleten. Even naar het noorden verhieven zich aan weerszijden van de rivier gigantische hoogspanningsmasten met slap hangende elektriciteitsleidingen van de kerncentrale.

Mo volgde een pad dat vlak langs de muur van het gebouw liep en vroeg zich af waar Van Gleek, of het slachtoffer en de moordenaar, naar binnen waren gegaan. Aan de andere kant, de kant van het water, vond hij een brokkelige brede betonnen trap die naar een bizarre, gigantische ceremoniële ingang leidde. New York, de Empire State. De deuren waren bedekt met plaatstaal dat onder de graffiti zat, maar één hoek van het roestige metaal was weggewrikt om een driehoekige, ongeveer anderhalve meter hoge opening te maken, groot genoeg om doorheen te kruipen. Hij ging net op zijn hurken zitten om naar binnen te gaan toen er een lange man in een bruin politie-uniform aan de andere kant de hoek omkwam.

'O,' zei de man. 'U bent rechercheur Ford? Ik wachtte op u, maar toen dacht ik dat ik maar wat rond moest kijken. Ik ben Van Gleek.'

'Opgehouden door het verkeer,' zei Mo tegen hem. De parade van Landrovers.

Ze gaven elkaar een hand. Van Gleek was een lange, benige man met een lange nek en een uitstekende adamsappel die zo groot en hoekig was dat Mo zich onaangenaam bewust werd van de zijne, die in zijn keel op en neer ging.

'Dit maken we hier niet vaak mee,' zei Van Gleek. 'Dit is mijn eerste, mijn eerste, eh...' Hij verstomde, omdat hij niet zeker wist hoe hij het moest noemen.

'Laten we maar een kijkje nemen,' opperde Mo.

Ze kropen door de opening in een toegangshal, die alleen werd verlicht door dunne strepen zonlicht die langs de randen van de stalen platen voor de deuren en de ramen kierden. De ruimte had betegelde wanden, en de lucht was vochtig, aardachtig en rook naar rotting en pis. Binnen liep de afvalberg gewoon door en varens groeiden in barsten in de vloer.

Van Gleek knipte een grote zaklantaarn aan waar vier batterijen in konden en scheen ermee langs het gewelf.

'In wezen,' zei hij, 'is dit slechts één grote ruimte, afgezien van die entree aan de voorkant en een paar kantoren of zo aan weerszijden. We moeten hierdoor,' hij scheen met zijn lamp op een deuropening tegenover de voordeuren, 'de hoofdruimte in, een trap af en dan terug tot onder waar we nu zijn. Ik heb daar beneden nu wat mensen.'

'Is dit de enige manier om binnen te komen?' vroeg Mo. Hij had zijn eigen zaklantaarn meegenomen en deed die ook aan.

'Ik geloof het wel. De kinderen die het lijk hebben gevonden zijn zo naar binnen en weer naar buiten gegaan, dus zo zijn wij ook naar binnen gegaan.'

Van Gleek ging hem voor de hoofdruimte in. Het was zoals hij had gezegd: één enkele kolossale ruimte waarin ooit de enorme ketels en turbines waren ondergebracht, maar die nu van de grond tot aan het plafond kaal en grotendeels leeg was. De ruimte ging recht omhoog naar de dakspanten hoog boven hun hoofd, spelonkachtig en duister, alleen verlicht door kieren in het plaatstaal. Zwaluwen schoten naar nesten in de spanten.

Ze gingen een trap af naar de begane grond. Hobbelig beton en zand waar schrale bosjes doorheen groeiden, overal afval, kleine cirkels van as en houtskool waar indringers kampvuurtjes hadden gemaakt. Mo voelde het voordat hij het bewust zag, de ordening van dingen, die je onbewust opmerkte: een cirkel van bierblikjes rond een stervorm van fineerplanken, zigzaglijnen van losse bakstenen met sigarettenpeuken op de hoeken. Onder aan de trap stuurde Van Gleek hem weer in de richting van de voorkant van het gebouw, waar het lager gelegen niveau in diverse ruimtes was opgedeeld. Mo hoorde het gemompel van stemmen en zag in een van de ruimtes andere zaklantaarns rondschijnen en toen ze dichterbij kwamen, rook hij het lijk. Ondanks zijn tegenzin om diep adem te halen, ging er even een enorme opluchting door hem heen: geen recent lijk; die nieuwe vent was niet bezig in een tempo van om de dag een moord. Dit lijk moest veel ouder zijn. Misschien was het zelfs een slachtoffer dat er nog lag van de oorspronkelijke Howdy Doody-moordenaar, die, hoeveel, vier maanden geleden was opgepakt.

De kamer waar het lijk lag was een ruimte van beton en baksteen ter grootte van een normale woonkamer, verlicht door zaklantaarns en door kieren daglicht rond een piepklein, met staal bedekt raampje bij het plafond. Van Gleek stelde hem voor aan de agenten uit Buchanan, een vrouw en twee mannen. Ze hielden allemaal zakdoeken voor hun gezicht. Mo zag in één oogopslag dat ze erg hun best hadden gedaan om de stoffige vloer te bedekken met afdrukken van politieschoenen.

Toen liet Van Gleek hem het lijk zien en de anderen richten gedienstig hun zaklantaarns op de muur. Ouder, ja. In feite was het lijk uit elkaar gevallen en zaten er nog slechts delen van met draden aan de muur: twee onderarmen en handen met grijpende skeletvingers, een geknakt hoofd dat op zijn plek werd gehouden door een polyester lijn rond een wervel van een blootliggende ruggengraat. De rest was vergaan of opgegeten door ongedierte tot het zijn eigen gewicht niet meer kon dragen en het bovenlichaam op de met afval bezaaide vloer was gevallen. Eén uitgedroogd been hing nog waar het al die tijd had gehangen, met strakke lijnen van de gemummificeerde knie en enkel naar de oogjes die in het beton waren verzonken, maar het andere been was op de grond gevallen. Het grootste deel van het lijk was een chaotische hoop op de grond, bedekt door een dun laagje witte schimmel. Mo richtte zijn zaklantaarn er vanaf en scheen ermee de kamer rond. Weer zag hij het veelzeggende arrangement van voorwerpen in het puin. Terwijl hij zijn adem inhield en zich vooroverboog naar het geknakte hoofd – op grond van het lange, goudblonde haar dat naar beneden hing, vermoedde hij dat dit een vrouw was geweest – gebruikte hij een tongspatel om in de verdroogde reep vlees te poeren, vlak boven waar het oor gezeten moest hebben. Daar was het, een klein rond gaatje dat tot op het bot ging, nog een wond die typisch was voor de Howdy Doody-moordenaar of zijn imitator. Geen spoor van de nylon handboeien, maar hij keek aandachtig naar de draden, en ja, het was de draad uit een onkruidwieder, met scherpe kartelranden. Geen vislijn.

'Zoals ik al zei, dit is de eerste van, eh, dit type waar ik, eh, ooit mee te maken heb gekregen,' zei Van Gleek. Zijn stem werd gedempt door de zakdoek die hij voor zijn mond en neus hield.

'Wie heeft haar gevonden?' vroeg Mo.

'Kinderen. Een paar jongens uit de stad, dertien, veertien jaar; ik ken de ouders van een van hen. Ze waren hier zondag een beetje aan het keten, daagden elkaar uit om hier naar beneden te gaan. Ze kwamen binnen, zagen dit en vertrokken toen halsoverkop. Ik hoorde het pas vanmorgen; de jongens fietsten naar huis en wisten niet zeker of ze het aan iemand moesten vertellen. Ze waren bang dat ze in de problemen zouden komen omdat ze hier op verboden terrein waren. Maar uiteindelijk hebben ze het allebei hun ouders verteld en die hebben mij gebeld.'

Het lijk was zo vergaan dat het alleen op grond van medische aanwijzingen moeilijk uit te maken zou zijn wanneer de moord gepleegd was. Er zou rotting, schimmel en schade door dieren en insecten zijn. Geen huid meer aan de vingers voor een identificatie, maar Mo zag een halve cirkel tanden onder op de stapel; misschien dat ze op basis van tandartsgegevens achter de naam zouden kunnen komen. Als ze het slachtoffer eenmaal geïdentificeerd hadden, zouden ze met vrienden of familieleden kunnen praten en kunnen vaststellen wanneer ze voor het laatst gezien was. Hij hoopte dat het vijf maanden geleden zou blijken te zijn geweest, en dan kon hij deze doorschuiven naar de aanklagers in de Howdy Doody-zaak.

'Hoe vaak denkt u dat hier mensen binnenkomen?' vroeg Mo.

Van Gleek haalde zijn schouders op. 'Niet zo vaak, geloof ik. Niet voor de schoolvakantie, over een paar weken. Waarschijnlijk komen er bijna elk weekend mensen in het gebouw, maar ik durf te wedden dat er niet veel hier beneden zullen komen: te eng en te donker. Ik weet dat ik het wel uit mijn hoofd zou laten.'

Dat klonk Mo redelijk in de oren. Hij vermoedde dat het lijk minstens een maand oud was, maar het had hier net zo makkelijk zes maanden of langer kunnen liggen, vooral als de moord in de winter was gepleegd. Het zou door ratten zijn aangevreten maar door de kou zou de schade door insecten en bacteriële verrotting beperkt zijn gebleven tot het warmer begon te worden.

'Oké,' zei hij en hij nam een besluit. 'Ik ga jullie vragen om allemaal achter elkaar het gebouw te verlaten zoals jullie ook naar binnen zijn gegaan. Vervolgens zou ik willen dat jullie een begin maken met het verwijderen van het metaal van de voordeuren zodat de mensen van de technische recherche en de patholoog-anatoom erdoor kunnen met hun spullen. Probeer zo min mogelijk in de buurt te komen van de hoek waar het gat zit, daar zullen wij op zoek gaan naar haren en vezels op de oppervlakken. En verder, als ik een van jullie mag vragen om op de parkeerplaats de anderen op te wachten en hen hierheen te brengen als ze komen, zou ik dat op prijs stellen.'

Ze keken elkaar aan, hoorden zijn afkeuring, maar deden wat hij zei. Ze wisten dat hij *veldwachters* dacht. Maar het was waar, hij wou dat ze eraan hadden gedacht om hier niet rond te banjeren en andere voetsporen uit te wissen, langs de ruwe muren te schuren en hun eigen kledingvezels en haren en huidschilfers achter te laten. Aan de andere kant zou veel daarvan toch onbruikbaar zijn, aangezien het al zo'n zes maanden geleden was gebeurd. Tussen de voetsporen van agenten in het stof op de vloer zag hij overal rattensporen door en over elkaar en hier en daar wat keutels. Daar in de grote ruimte zouden ongetwijfeld voetafdrukken van honderden bezoekers zijn, die tientallen jaren teruggingen.

Mo deed een stap bij het lijk vandaan en probeerde zich voor te stellen wat hier was gebeurd. Een vrouw zou niet alleen naar zo'n soort plek zijn gegaan, dus ze was of met de moordenaar meegegaan, wat betekende dat ze hem kende, of hij had haar elders te pakken gekregen en haar gedwongen om hierheen te gaan. Of, wat veel minder waarschijnlijk was, hij had haar elders vermoord en haar hierheen gesleept.

Hij schrok op toen er in een barst in de fundering een rat verscheen, die langs de muur wegscharrelde en in een ander gat verdween. Hij besloot om het vertrek uit te gaan terwijl hij op het forensische team wachtte en liep terug naar de deur, waarbij hij zorgvuldig zijn voeten in de sporen van de anderen zette.

Hij keek de grote ruimte rond. In het schemerige licht was het afval op de grond net zichtbaar. Het was een rotplaats om dood te gaan, dacht hij, eenzaam, eng en smerig. Wat was hier gebeurd? Wat had de moordenaar met haar gedaan? Hoe lang had het geduurd? Overal werd zijn oog getrokken door de opgestapelde en gearrangeerde geometrische patronen in de rotzooi; tekens van een gruwelijke obsessie. Het ordenen, behéérsen van de fysieke omgeving. Het ging allemaal om beheersing. Ongewenst kwam even de herinnering aan het huis van O'Connor in hem naar boven, de vreselijk verwrongen figuur aan de muur, een beeld dat door zijn ziel sneed voordat hij het met moeite verdrong.

Omdat hij vrijdags de Howdy Doody-dossiers had gelezen, wist hij dat wurging door de lijn om de nek de doodsoorzaak was. De hoofdwonden waren veroorzaakt door een antieke ijstang – toen ze Ronald Parker, de Howdy Doody-moordenaar hadden opgepakt, hadden ze de tang in zijn auto gevonden, waarvan de punten overeenkwamen met de wonden aan de slapen van zijn slachtoffers. Door de draden en de ordening van voorwerpen was het duidelijk dat het ritueel om mácht draaide, dat de moordenaar zijn slachtoffers absoluut wilde manipuleren. Niemand had een antwoord op de vraag of Parker de voorwerpen voor, tijdens of na de moord had gearrangeerd, of wat het arrangement precies te betekenen had.

Mo was het met Marsden eens dat Ronald Parker de dader was, dat het geen vergissing was. Hij was, vier maanden geleden, aangehouden in zijn auto, terwijl hij zich na zijn laatste moordpoging uit de voeten maakte, en de politie had een haspel met plastic draad, wegwerphandboeien, een tang en ander toebehoren in zijn koffer aangetroffen. Ze hadden vastgesteld dat hij eerder met minstens twee van zijn slachtoffers contact had gehad. Zijn achtergrond kwam overeen met het profiel dat de gedragswetenschappers van de FBI en de onafhankelijke psychiater die ze hadden geraadpleegd hadden uitgewerkt, en ze hadden ernaar uitgezien om hem te verhoren en psychologische tests af te nemen. Om de geest van het monster in kaart te brengen.

Maar Parker beantwoordde geen vragen. In de tweede nacht achter de tralies had hij zich in zijn cel opgehangen aan een pijp van zijn gevangenisbroek. De bewakers hadden hem op tijd gevonden om zijn leven te redden, zij het niet zijn geest: door het zuurstofgebrek had hij ernstig hersenletsel opgelopen. Op een van de foto's in Parkers dossier stond zijn cel nadat ze hem daar hadden weggehaald, de geometrische ordening van het toiletpapier, de haarborstel, de gevangenisslоffen. Ja, Parker was de dader, maar hij was niet in staat om iemand ook maar iets te vertellen.

Mo luisterde naar de stilte in de spelonkachtige ruimte. Het was een enge plek, zelfs voor een agent van één meter tachtig met een Glock 17, zelfs overdag, zelfs terwijl er buiten een stel andere agenten was. Voor het slachtoffer moest het huiveringwekkend zijn geweest, een helse angst voor de fysieke doodsstrijd begon.

Hij liep verder terug de grote, schemerige ruimte in, waarbij zijn zaklantaarn weinig meer verlichtte dan de grond voor zijn voeten. Van de met rommel bezaaide vloer rezen twee grote, taps toelopende bakstenen pilaren op, die ooit misschien drie meter hoog waren geweest maar nu verbrokkeld waren en waar de bakstenen uit loslieten. Ooit moesten dat de belangrijkste schragen voor zware vloerbalken zijn geweest, maar nu stonden ze daar eenzaam, zes meter uit elkaar, en wierpen ze donkere schaduwen waarin het beetje licht van bovenaf niet doordrong. Op zijn hoede liep hij naar een van de pilaren. Hij haatte het donker. Zijn rechterhand ging naar zijn nylon holster, het kalmerende gewicht van zijn pistool. Het was een irrationele angst; de moordenaar was allang weg. Gezien de staat van het lijk was het waarschijnlijk Parker geweest, die al achter de tralies zat.

De trapsgewijs gemetselde bakstenen van de pilaren waren versierd. In de lichtbundel van zijn zaklantaarn zag hij bierblikjes die keurig op elk treetje waren opgesteld en omringd waren door stukjes glas. Al dit schikken en ordenen moest uren hebben gekost. Praatte de moordenaar terwijl hij aan het werk was? Liet hij het slachtoffer toekijken? Ordende hij een tijdje, om dan weer een tijdje te martelen en dan weer te ordenen?

Nee, wist Mo plotseling. Opeens wist hij hoe het werkte; hij zag het duidelijk voor zijn geestesoog. Een misselijkmakend beeld.

Bám! Een metalige knal galmde door de grote ruimte. Mo's hart reageerde met een luid gebonk in zijn borst.

Bám! Nog een keer, en hij besefte dat het de agenten van Dobb's Ferry waren die aan de slag gingen met de voordeur. Klonk alsof ze mokers gebruikten, god nog aan toe. Maar misschien betekende het dat de anderen waren gearriveerd. Hij vermande zich en begon in de richting van de ingang te lopen. Hij dacht dat hij misschien maar even in de zon moest gaan zitten voordat hij weer naar beneden ging.

7

Dinsdags begonnen de dingen op hun plek te vallen. Mo slaagde erin om Biedermann te bereiken, die als een kille klootzak klonk, en sprak voor later op de dag met hem af in het veldkantoor van de FBI in Manhattan. Toen kreeg hij de secretaresse van dr. Ingalls te pakken, de psychologe die geraadpleegd was om samen met de Eenheid voor Gedragswetenschappen van de FBI te werken aan het profiel van de Howdy Doody-moordenaar. Hij had de mazzel dat er een gaatje was vrijgekomen vanwege een afgezegde lunchafspraak.

De politie van White Plains en St. Pierre waren iets verder gekomen met het buurtonderzoek en hadden vastgesteld dat, hoewel niemand bij Daniel O'Connor in de buurt iets bijzonder verdachts had gezien, het diverse buren was opgevallen dat de auto van O'Connor donderdag de hele dag op de oprit had gestaan. Bij een bezoekje aan de copy shop waarvan hij de bedrijfsleider was, bleek dat hij woensdag op zijn werk was geweest maar donderdag niet was komen opdagen. Het dagpersoneel had zich afgevraagd waar hij was en had boodschappen ingesproken op zijn antwoordapparaat, maar zij dachten dat ze zich misschien vergist hadden in het werkrooster en maakten zich daarom tot vrijdag niet ongerust.

Het lijk in de krachtcentrale bij Dobb's Ferry was weggehaald, en de Forensische Identificatie-eenheid had afdrukken van haar tanden gemaakt en foto's die verspreid werden onder tandartsen en orthodontisten. Na een snel onderzoek van de mate van verwijding van de schaamvoeg in het bekken had Angelo het vermoeden uitgesproken dat het slachtoffer achter in de twintig was, en hij had verklaard dat ze van nature blond was. Hij mat een dijbeen en deed een voorlopige schatting dat ze één meter zestig was. Dus was St. Pierre begonnen aan een zoektocht in de databanken naar rapporten van blanke blondines, ouder dan vijfentwintig, die het afgelopen jaar als vermist waren opgegeven.

De psychologe had een kantoor aan 85th Street, een chique buurt niet ver van Central Park. Mo reed erheen over de Saw Mill River Parkway, boog toen af de Henry Hudson op en ging in de rij staan bij de tolpoort. De grote stad die zich rondom hem samentrok, het uitzicht op de volgebouwde kust van New Jersey aan de andere kant van het water, de geur van een of andere milieuverontreinigende stof die naar brandende chocolade rook: het gaf hem nostalgische gevoelens. Een lentedag, de bomen in blad en bloesem, de hemel die er ondanks het broeikaseffect feestelijk uitzag en de fabrieksschoorstenen van New Jersey. Hij had zijn hele leven even ten noorden van de grote kolos Manhattan gewoond, was er via de diverse toegangswegen duizenden malen naar toe gegaan, en toch had hij nog altijd dat gevoel van aangename opwinding en spanning als Manhattan hem weer donker, vuil en onstuimig in de armen sloot. Wat had hij gedacht dat hij van zijn leven zou maken toen hij twaalf was en hier met zijn vader heen ging voor een bezoek aan het Natuurhistorisch Museum? Pa had zijn best gedaan om Mo's liefde voor historische, archeologische zaken aan te moedigen. Misschien dat hij een carrière als wetenschapper voor hem in gedachten had, wie zou het weten. Als hem gevraagd zou zijn waar hij zevenentwintig jaar later zou zijn, zou de twaalfjarige Mo waarschijnlijk hebben gezegd dat hij op een archeologische expeditie naar een exotische lokatie zou zijn als hij niet in zijn weelderige penthouse met uitzicht op het Park zou wonen. En hij zou waarschijnlijk hebben gezegd dat hij getrouwd zou zijn met Deborah Weinstein, een blond, vroegrijp meisje in de zevende die voor hem een heel semester de belichaming was geweest van het raadsel van de vrouw. Ze schreef hem tergend flirterige maar teleurstellend vage brieven in een rond, luchtig ogend handschrift met glimlachende gezichtjes in de O's.

Hoe dicht zat hij daarbij? Hij was nu negenendertig en was net gescheiden van de vierde grote liefde van zijn leven, hij was eenzaam en geil en woonde in het huis van zijn ex-schoonma, dat nu nog leger was, nu Carla's spullen weg waren. En hij was een onderbetaalde agent die zich alleen voelde in de politiegemeenschap die zijn enige contact met mensen was. Hij bracht zijn tijd door met onderzoek doen naar zieke geesten die mensen verwondden of vermoordden, en het enige wat hij deed dat iets van archeologie weg had was rondpoeren in de verdroogde resten van moordslachtoffers in verlaten krachtcentrales aan de rivier de Hudson.

Húúh, dacht Mo. Met zo weinig zelfrespect zou hij zich moeilijk kunnen handhaven in de komende besprekingen met doortastende psychiaters en succesvolle FBI-agenten. Hij deed een poging om zich weer op te peppen.

Hij miste de afslag bij 96th Street en moest doorrijden naar 79th, waar hij eraf ging en door de kleine straatjes terugreed, opgehouden door wegwerkzaamheden. Maar toen verrichtten de goden van Manhattan een van hun grillige wondertjes, de plotselinge verschijning van een parkeerplaats precies waar hij moest zijn, en kwam hij op tijd voor zijn afspraak met dr. Ingalls.

Het kantoor van dr. Rebecca Ingalls bevond zich op de derde verdieping van een elegant, vrij oud gebouw met marmeren vloeren en een grote lift die met notenhout en glimmend koper was afgewerkt. Toen hij daar aankwam, was de deur naar het kantoor open. Hij ging naar binnen en trof de secretaresse die hij had gesproken aan de telefoon. Op een bordje op haar bureau stond dat ze Marie Devereaux heette. Ze leek achter in de zestig en had net zo'n streng gezicht als hij op grond van haar telefoonstem had verwacht. Ze begroette hem aarzelend en vroeg of hij even wilde wachten in een van de met leer beklede stoelen, maar voordat hij kon gaan zitten, ging de binnendeur open en kwam er een zwaargebouwde vrouw van ergens halverwege de dertig naar buiten, die lachend wat papieren op het bureau gooide.

Ze zei tegen Marie Devereaux: 'Moet je kijken! Wat een sufkoppen! Dat hou je toch niet voor mogelijk!'

Marie Devereaux keek de papieren door en trok haar wenkbrauwen op.

'God nog aan toe!' zei de blonde vrouw. Ze wendde zich tot Mo en betrok hem erbij: 'Kan u de grap niet vertellen, maar het gaat om de boekhoudpraktijken van een van de instellingen die ik adviseer. Marie en ik hadden een weddenschap, en zij heeft net gewonnen. Verdomme!'

'Wat heeft u gewonnen?' vroeg Mo.

'Kaartjes voor "Chicago",' zei Marie Devereaux stug. 'Rechercheur Ford, dit is dr. Ingalls.'

Mo probeerde zijn verbazing niet te laten blijken. Hij had delen uit haar profielschetsen van de Howdy Doody-moordenaar gelezen, inzichtelijk maar erg technisch, en hij had gehoord dat ze in psychologische kringen in hoog aanzien stond en auteur was van diverse invloedrijke boeken. Hij had een vrouw zoals de secretaresse verwacht: ouder, serieus, misschien duf op een Weense fin de siècle-manier.

Dr. Ingalls nodigde hem uit om binnen te komen in haar kantoor en hij volgde haar naar een grote hoekkamer met hoge ramen en een verzameling vijgen- en citroenbomen in potten. Bureau met een laptop, een paar banken tegenover elkaar, diverse gerieflijk ogende stoelen. Vergrotingen van foto's van Yosemitepark van Ansel Adams aan de muren en ook wat woeste krijttekeningen van kinderen, allemaal mooi ingelijst. Een antiek dressoir met daarop gesneden houten vogels en vazen van geblazen glas in alle kleuren van de regenboog. Een boekenkast van de vloer tot aan het plafond, maar geen donkere leren chaise longue of de andere sombere meubelstukken die Mo onbewust verwachtte in het kantoor van een psychiater.

Dr. Ingalls stond afwachtend bij haar bureau. 'Honger? Dit is toch een lunchafspraak?'

'Zeker, eten zou leuk zijn.'

Dat leek haar te bevallen. 'Kunnen we gewoon iets laten komen? Er is een geweldige afhaalchinees maar twee straten verderop. Die brengen het wel zodat we hier kunnen picknicken...?' Ze wachtte tot hij knikte, nam toen de telefoon ter hand en toetste uit haar hoofd een nummer in.

Hij keek naar haar terwijl ze bestelde, nog steeds een beetje verbluft door haar informele manier van doen, haar gewoonheid, hoe ze eruitzag. Ze droeg een blauwe jurk, tot halverwege haar kuiten, en op haar hakken was ze bijna net zo lang als hij. Zware botten, stevig gebouwd, ja, maar wel een goed figuur. Dik, goudblond haar, een gezicht dat te gezond was om echt knap te zijn, maar leuke blauwe ogen, brede gulle lach. Helemaal niet wat hij verwacht had.

Toen ze de telefoon had neergelegd, nam ze hem mee naar de twee banken, liet hem op een van de twee plaatsnemen en ging zelf tegenover hem zitten, met een koffietafel tussen hen in. 'Ik hoop dat u het niet erg vindt,' zei ze. 'Om hier te eten, bedoel ik. Ik sterf van de honger en we hebben alleen dit uur. Als we niet de deur uit hoeven, kunnen we meer bespreken.'

'En hoe bevalt New York u?' vroeg Mo. Hij was blij te zien dat hij haar enigszins verraste, zodat ze wat meer op gelijke voet kwamen.

'Is dat een scherpe waarneming, of alleen een blijk dat u mijn cv heeft gelezen?'

'Een waarneming, maar veel scherpte is er niet voor nodig. Uw accent, uw informele manier van doen... Uit het midwesten, hè?'

Ze veinsde verdriet. 'Kan het niet verbergen, hè? Maar u heeft gelijk. Geboren en getogen in het zuiden van Illinois, op een dieet van zoete maïs en verse zuivel. Na mijn doctoraal was ik verbonden aan Columbia, dus toen heb ik hier gewoond, daarna ben ik voor een paar jaar weer teruggegaan naar Chicago. Ik ben hier een jaar geleden weer naar toe verhuisd en ik heb daar geen moment spijt van gehad. En u?'

'New York en omstreken, mijn hele leven.' Hij haalde zijn schouders op.

'Marie zegt dat u over Ronald Parker wil praten; het profielwerk dat ik voor de FBI heb gedaan. Hoe dat zo? Ik moet u waarschuwen. Ik zal hier een beetje voorzichtig moeten zijn, want ze willen me als getuige bij zijn proces gebruiken. Ik zal onder andere vertellen hoe hij overeenkomt met het psychologische profiel dat ik heb opgesteld.'

'Er is weer een moord gepleegd, in White Plains, die overeenkomt met alles wat ik over de werkwijze van Ronald Parker weet. Als het om een imitator gaat, dacht ik dat wat jullie met betrekking tot Parker hebben gevonden het beste beginpunt is voor zijn profiel. Ik heb vanmiddag een bespreking met de FBI-agent die de leiding had, en ik denk dat we uiteindelijk de speciale eenheid voor Howdy Doody weer gaan activeren... u zult ongetwijfeld van hem horen.'

Het baarde haar duidelijk zorgen te horen dat er een moord door een imitator was gepleegd. Haar wenkbrauwen vormden twee flauwe s-bochten, en het duurde even voordat ze behoedzaam antwoordde: 'Ronald Parker is absoluut het meest verontrustende geval waar ik ooit mee te maken heb gehad. Om verschillende redenen.'

'Zoals? Ik wil u geen ouwe koeien uit de sloot laten halen, maar deze zaak is me pas een paar dagen geleden in de schoot geworpen. Ik ken niet alle bijzonderheden.' Mo haalde zijn notitieblokje en zijn pen uit zijn zak.

Weer leek dr. Ingalls een ogenblik nodig te hebben om haar antwoord te formuleren. Ze stond op, deed haar haar in een paardenstaart en bond het bijeen met een blauwe haarband. Toen liep ze naar het raam en leunde op de vensterbank. Ze draaide zich om en ging erop zitten, zodat ze weer zijn kant op keek.

'Erik Biedermann zal u eruit werken, meneer Ford,' zei ze. 'Hij zal de speciale eenheid zo organiseren dat hij de leiding heeft en dat de staatspolitie niets te zeggen heeft over de richting van het onderzoek. Hij zal verklaren dat het een bijzonder ingewikkelde zaak is, die je maar beter aan de "echte profs" kan overlaten. Moet u onder die omstandigheden werkelijk de bijzonderheden weten? Ik probeer alleen om u tijd en energie te besparen.'

Mo begon te steigeren. Hij had Biedermann nog nooit ontmoet, maar hij had nog niets positiefs over hem horen zeggen. Een arrogante, waarschijnlijk roembeluste FBI-agent, met minachting voor de diverse regionale politieorganisaties waarmee hij moest samenwerken. Mo voelde zich even schuldig toen hij dacht aan zijn eigen reactie op de politie van Buchanan: *veldwachters*.

'Dat zien we dan wel,' zei hij tegen haar. 'Ik ben...' hij probeerde een manier te bedenken om het te zeggen zonder dat het te macho zou klinken, maar dacht toen aan de openhartigheid en de spontaniteit van dr. Ingalls en besloot: ach wat, hij zou gewoon terugslaan. 'Doorgaans kan het me niks verdommen wat kerels als Biedermann willen. Als het om mijn eigen zaken gaat, maak ik mijn eigen beslissingen. Wat ik moet weten, wat ik doe. Wij zijn ook profs. Met meer opgeloste misdaden en veroordelingen dan de FBI.'

Ze keek hem weifelend aan en grijnsde toen. Het was prettig om die lach weer te zien, besloot Mo. Het zou verslavend kunnen worden om deze vrouw te willen laten lachen.

'Eerst Ronald Parker,' begon ze. Ze sloeg haar armen en benen over elkaar, een mooie vorm tegen het licht van het raam. 'Wat ik zal doen is wat ik vóór zijn arrestatie over hem getheoretiseerd heb – waarvan het meeste accuraat bleek – combineren met wat we nu van zijn achtergrond weten. Als we achter een imitator aan zitten, zullen we parallellen willen zoeken op basis van feiten en niet op basis van gissingen.'

Mo knikte en drukte zijn pen in.

Oké, zei ze. Wat weten we van de slachtoffers? Zowel mannen als vrouwen, een ongebruikelijk patroon voor georganiseerde seriemoordenaars, die zich doorgaans slechts op één geslacht richten. Eerst hadden zij en de gedragswetenschappers van de FBI zich afgevraagd of de moordenaar biseksueel zou kunnen zijn. Maar gezien het feit dat de slachtoffers geen sporen van seksueel misbruik vertoonden, leek het waarschijnlijker dat de keuze van de slachtoffers gebaseerd was op de bijzonderheden van een trauma uit de kindertijd van de moordenaar. Seriemisdaden waren vaak symbolische herhalingen van of vergeldingen voor psychologische trauma's die in de kindertijd waren opgelopen, van misbruik, vaak door ouders, stiefouders of andere familieleden. Dat deze moordenaar geen voorkeur had suggereerde dat hij door beide geslachten misbruikt was, misschien zowel door zijn moeder als zijn vader, of althans beide ouders daarvan beschúldigde.

Verder was er een verontrustende consistentie in het uiterlijk van de slachtoffers. Ze waren allemaal blond, blank, lang of van een gemiddelde lengte. Dat suggereerde, wederom, dat de moorden symbolische vergeldingsacties of herhalingen waren, en dr. Ingalls was ervan overtuigd dat de moordenaar blond en blank zou blijken te zijn, ofwel omdat degenen die hem oorspronkelijk hadden misbruikt zijn ouders waren en hij hun uiterlijke kenmerken geërfd had, ofwel omdat hij zijn eigen trauma herhaalde en de slachtoffers surrogaten voor hemzelf waren.

'Dus toen keken we naar de doodsomstandigheden zelf,' zei ze. 'Het gebruik van handboeien, het ophangen van de slachtoffers door middel van vislijn en de zorgvuldige rangschikking van de voorwerpen op de plaats delict vertelden ons dat het allemaal om mácht draaide – het uitoefenen van absolute macht over de slachtoffers en hun persoonlijke ruimte stond centraal in het psychologische vertoog. Er zijn vele manieren om macht uit te oefenen en de specifieke techniek in dit geval suggereerde dat de moordenaar ooit op soortgelijke wijze in iemands macht was geweest, misschien was vastgebonden. We hebben zelfs een aantekening gemaakt dat we misschien littekens op de polsen of enkels van de moordenaar zouden aantreffen, en inderdaad zijn er bij Ronald Parker op beide plaatsen sporen van eerder huidletsel. Dat zal ik u laten zien.'

Dr. Ingalls rommelde in een dossierkast en kwam te voorschijn met twee foto's, die ze aan Mo gaf. Er was één close-up van de handen en de onderarmen, en nog eentje van de onderbenen en de voeten. Ze ging naast hem op de bank zitten en wees op de amper zichtbare, onregelmatige, blekere huidlijnen. 'Dat zijn de polsen en de enkels van Ronald Parker. We hadden gelijk dat bij zijn moorden zijn eigen eerdere trauma werd herhaald.'

Mo was onder de indruk. Hij probeerde haar nabijheid te negeren, de geur van haar haar, maar slaagde daar niet in. Ze stond weer op en liep terug naar het raam. Mo vervloekte zichzelf vanwege zijn puberale gevoeligheid voor de nabijheid van een mooie vrouw. En als een reactie op die gedachte vroeg hij zich af: was ze mooi? Sinds wanneer? Als hij nu naar haar keek, besloot hij, was ze inderdaad mooi, heel mooi zelfs, alleen niet op een klassieke manier. Jezus, hij was er slecht aan toe, dacht hij. En dr. Ingalls was scherp, ze zou het aan hem zien.

Ze ging verder, weer met die bezorgde blik: 'Wij dachten dat we slim waren, maar er waren wat zaken waar we nooit uit zijn gekomen. We hebben Parker niet kunnen ondervragen voordat hij – weet u dit? – voordat hij zichzelf ophing en zichzelf hersenletsel bezorgde. Hij zal ons bepaalde dingen niet kunnen vertellen.'

'Zoals...?'

'Het ordenen. Wat het precies voor hem betekende, hoe het verband hield met de manier waarop hij oorspronkelijk was misbruikt.

Ook het gebruik van de ijstang op het hoofd. Waarom hij hen op die specifieke manier wilde verwonden. En ook of hij de ordeningen aanbracht voor, tijdens of na...'

'Hij was niet degene die de ordeningen aanbracht,' zei Mo. Hij herinnerde zich het inzicht dat hij had gehad daar beneden in de schimmelige ingewanden van de krachtcentrale. 'Of beter gezegd, niet direct. Iedereen heeft aangenomen dat de reden waarom zijn vingerafdrukken nooit op de objecten, of waar dan ook, zijn aangetroffen, was dat hij handschoenen droeg...'

'Hij had een doos rubber handschoenen in de auto toen ze hem arresteerden.'

'Hij droeg inderdáád handschoenen. Maar hij bracht de ordeningen niet aan. Dat deden zijn slachtoffers. Terwijl hij hun draden in handen had. Terwijl hij hun hoofd draaide en ze met de ijstang verzonken in hun slapen van de ene plek naar de andere bewoog.'

'O Jezus,' zei dr. Ingalls. Ze ging snel op de andere bank zitten.

'U zei zelf dat het om macht draaide. Parker bewoog ze als marionetten. De hele bedoeling van het ordenen was niet meer dan machtsuitoefening – het ging hem niet zozeer om de omgeving, als wel om de sláchtoffers. Om te genieten van zijn vermogen om een levend iemand volledig in zijn macht te hebben. Urenlang.'

'O god.' Ze keek alsof ze het zich maar al te goed voor ogen kon halen. 'Wij... wij dachten dat de vingerafdrukken van de slachtoffers op die objecten zaten omdat hij ze altijd bij hen thuis vermoordde, en... en je zou verwachten dat hun afdrukken erop zaten. Maar het was ook omdat zíj de ordening aanbrachten. Hij liet het hen doen! Wat afschuwelijk!' Ze zuchtte diep, schudde haar hoofd, geschokt. Maar toen glimlachte ze weer, páf!, een brede plattelandsglimlach, ongegeneerd waarderend. 'Wat bent u een slimme juut! Hoe lang heeft u deze zaak, vier dagen? Ik ben onder de indruk!'

Mo genoot daar enkele ogenblikken van. En toen stak Marie Devereaux haar hoofd om de deur. 'Jullie lunch is er,' zei ze afkeurend.

8

Ze aten van papieren borden, zaten aan weerskanten van de koffietafel voorover gebogen over witte kartonnen dozen met moe-sji-varkensvlees, koeng-pao-kip, loempia's, witte rijst en wontonsoep. Dr. Ingalls had haar rok wat opgetrokken zodat ze makkelijker kon eten, maar nog steeds zedig vlak boven haar knieën, en had meerdere papieren servetjes in haar schoot gelegd. Ze at als een stuwadoor, en lepelde het eten van haar bord direct in haar mond met handige draaiende bewegingen van haar eetstokjes. Ze smakte. Het eten was geweldig, Mo had niet beseft hoeveel honger hij had.

Na een tijdje zei Mo: 'U lijkt me niet iemand die zich aan de forensische psychologie zou wijden.'

'Dat ben ik ook niet! Mijn belangrijkste studiegebied is kinderpsychologie. Mijn hele FBI-connectie berust op toeval – ze hadden me geraadpleegd naar aanleiding van een stel brieven van een kind dat door kidnappers werd vastgehouden, wilden dat ik aanwijzingen gaf omtrent haar emotionele toestand, misschien omtrent de identiteit van haar ontvoerders of de plaats waar ze haar vasthielden. Ik had een hoop dingen goed, dus begonnen ze me bij andere zaken te betrekken, die niet direct met kinderen te maken hadden. Gezien het feit dat psychoses bij volwassenen doorgaans het gevolg zijn van trauma's uit de kindertijd, heeft men bij het opstellen van profielen werkelijk veel aan een ontwikkelingspsychologische invalshoek. Ik ben er niet trots op, maar naar het schijnt heb ik een talent voor het afleiden van de gemoedstoestand van slechteriken. Dus blijven ze naar me toe komen.'

Ze veegde haar mond af met het servet en likte haar lippen. 'Maar dank u. Als ik zo vrij mag zijn, lijkt u me niet iemand die zich aan het onderzoeken van moorden zou wijden.'

'Hoezo?'

'Nou, u denkt te veel na, heeft te veel zelfkritiek, kunt te slecht tegen dood en pijn. Ik zou eerder hebben gedacht dat u, eh, een historicus zou zijn, of een schrijver van populaire boeken over iets als archeologie of nieuwe ontwikkelingen in de wetenschap...' Ze keek hem doordringend aan en zag dat ze er niet naast zat.

'En verder?' vroeg hij. Hij had het gevoel alsof hij een beetje te kijk stond.

'Onlangs gescheiden.' En toen leek ze verrast door zichzelf. 'Het spijt me, dat is...'

'Ligt het er zo dik bovenop? En u?'

Ze haalde haar schouders op en ging verder met haar eten, nam een zwart gebakken, opgekrulde peper, keek er goed naar voordat ze er voorzichtig een stuk vanaf knabbelde. 'Ik was... verloofd... in Chicago. Hij kon niet verhuizen. Het hield geen stand nadat we een paar maanden vijftienhonderd kilometer bij elkaar vandaan hadden gewoond.' Haar gezicht vertrok, door de pittige peper of door de herinnering.

'Je zou zeggen dat dat erin zat,' zei Mo. 'Wat de vraag oproept waarom u überhaupt verhuisd bent.'

Maar ze nam afstand met een frons op haar voorhoofd en leunde tegen de rug van de bank. 'Ik geloof dat we afdwalen, rechercheur Ford. Ik zou graag weer op Ronald Parker terug willen komen.'

Dus haar openhartigheid had zo zijn grenzen, dacht Mo, en als het nodig was kon ze hard, zakelijk zijn. 'Ja,' beaamde hij.

Ze wierp een blik op haar horloge en zei bij wijze van verklaring of verontschuldiging: 'Alleen omdat ik me bewust ben van de tijd... ik heb over een kwartier een andere afspraak...'

'Ga verder.'

'Oké. Wat wisten we van tevoren nog meer over hem? Lengte en gewicht meer dan gemiddeld, in goede lichamelijke conditie. Dat was simpel... vier van zijn slachtoffers waren mannen, overwegend goed in vorm, en hij zou minstens even sterk moeten zijn om hen te overmeesteren. Bovendien was er heel wat kracht voor nodig om ze omhoog te houden toen hij ze aan die oogjes ophing.'

Mo knikte. Hij herinnerde zich het gewicht van O'Connor toen ze hem van de muur haalden.

'Erg intelligent en een goed organisatievermogen, wat blijkt uit de hoeveelheid planning, het feit dat hij van tevoren het gereedschap en het materiaal vergaarde, het observeren van de leefgewoontes van slachtoffers – hij moest zich ervan vergewissen dat hij hen vele uren in zijn macht kon hebben zonder het risico te lopen dat hij gestoord zou worden. Dat hij erg intelligent was, misschien zelfs ervaring met politiewerk had, blijkt ook uit het feit dat hij het steeds wist te vermijden om sporen op de plaats delict achter te laten. De plastic politiehandboeien suggereren ook een achtergrond in gezagshandhaving. Daarin vergisten wij ons. Maar wat zijn opleiding betrof, vermoedden we dat hij minstens doctorandus was en dat was Parker ook.' Dr. Ingalls fronste haar wenkbrauwen om wat ze zelf zei. 'Heeft u hier überhaupt iets aan?'

'Absoluut.' Mo keek naar zijn notitieboekje en besefte dat hoeveel ze hem ook verteld had, hij nog niet halverwege zijn vragenlijstje was. Hij was zich bewust van het verstrijken van de tijd. 'Dus wie ís Ronald Parker... wat is zijn persoonlijke geschiedenis?'

'Zoals wij vermoedden was hij als kind geadopteerd. Zijn ouders zijn nu dood en we hebben geen ander bewijs van misbruik dan de littekens van draden op zijn polsen en enkels. Maar adoptie-, stief- of pleegouders zijn verantwoordelijk voor zeventig procent van al het kindermisbruik. Hij groeide op in New Jersey en New York. Het is interessant dat hij zelf ongeveer twee jaar voordat we hem te pakken kregen "vermist" werd. Ik geloof dat hij op dat moment door zijn pathologie werd overweldigd en dat hij zijn normale ik niet meer kon handhaven. Vandaar dat hij onderdook toen hij begon te moorden. We weten niet zeker waardoor hij door het lint is gegaan, waarom hij een comfortabel baantje als bankbediende in Newark eraan gaf. Maar we zijn bang dat er misschien andere slachtoffers zijn die we nog niet hebben gevonden of van wie we nog niet weten dat het de zijne zijn. Misschien dat hij die twee jaar heeft doorgebracht met "warmdraaien" voor het volledig uitgewerkte ritueel. Een seriemoordenaar heeft vaak diverse pogingen nodig om... vast te stellen waardoor zijn obsessie het meest wordt bevredigd.'

'Oké,' zei Mo. 'Hebben we nog tijd voor één vraag? Ik weet niet of u tijd nodig hebt om u op uw volgende afspraak voor te bereiden, of...'

'U bent heel attent. Zeker, we hebben nog tijd voor één vraag.' Ze zei het minzaam, maar ze was begonnen om de kartonnen dozen op te ruimen en de boel aan kant te maken.

Mo stond op om haar te helpen. 'Oké. Wat was de relatie tussen hem en de slachtoffers? Hoe koos hij hen uit?' Dit zou van vitaal belang zijn als ze de volgende stap van de imitator wilden voorspellen.

Tot zijn verbazing leek dr. Ingalls plotseling opvallend slecht op haar gemak. Ze graaide de kartonnen dozen bijeen en schoof ze in de zak van de afhaalchinees. Haar bewegingen waren bruusk en zakelijk. 'Dit was een moeilijk punt voor de hele speciale eenheid, en niemand heeft ooit vastgesteld wat de relatie was met alle slachtoffers. Maar wij geloven dat hij hen uitkoos naar aanleiding van toevallige ontmoetingen en beroepsmatige contacten, en op grond van twee criteria. Ten eerste, dat ze leken op zijn archetypische vervolger, een vrij lang blond iemand, van halverwege de twintig tot halverwege de veertig. Ten tweede, dat ze in de loop van hun contact op de een of andere manier "macht" over hem hadden. We weten dat hij met één slachtoffer contact maakte via de bank waar hij werkte en waar zij een klant was. Naar het schijnt beschuldigde zij hem ervan dat hij haar te weinig gaf toen ze een cheque verzilverde en ze schopte er zo'n stennis over dat het hem bijna zijn baan kostte en hem ongetwijfeld een hoop stress bezorgde. Een ander slachtoffer was een monteur die aan zijn auto had gewerkt. Parker geloofde dat de man er te lang over had gedaan om de koppeling te vervangen en hem toen te veel had berekend. In beide gevallen zien we mensen die "macht uitoefenen" over Parker, waarbij Parker wraak neemt door zijn eigen macht te doen gelden – absolute macht tot de dood erop volgt. Van de anderen weten we nog steeds niet zeker hoe ze zijn aandacht trokken, maar we veronderstellen een soortgelijk patroon. Ze hadden de pech dat ze leken op een of ander manipulatief monster uit Parkers verleden en zo met hem omgingen dat hij het gevoel had dat ze macht over hem hadden.'

Mo dacht daar even over na. Seriemoorden verliepen vaak volgens een voorspelbaar algemeen patroon, te beginnen met de verwervingsfase. Dat was wanneer de doelbewuste, georganiseerde moordenaar het slachtoffer uitkoos. De slachtoffers waren meestal mensen die op de een of andere manier op een specifieke manier pasten in de geesteswereld van de moordenaar – ze hadden het juiste voorkomen, de juiste beroepsmatige rol, de juiste leefgewoontes, iets waardoor zijn aandacht op hen viel en dat van hen een begeerlijk doelwit maakte. In deze fase verwerkte de moordenaar zijn slachtoffers in het systeem van zijn waan, terwijl hij meer kennis vergaarde over hun gewoontes en bedacht hoe hij hen moest benaderen. Het probleem was dat zonder enig patroon in de relaties tussen de slachtoffers – fysiek en materieel, en niet een of ander verwrongen psychologisch verband in de geest van de moordenaar – het nagenoeg onmogelijk was om een seriemoordenaar te pakken te krijgen.

'En,' zei Mo, 'dit alles in aanmerking genomen, hoe hebben jullie hem te pakken gekregen? Ik weet dat hij een poging verknalde en dat hij werd opgepakt toen hij vluchtte van de plaats delict. Hoe ging dat in zijn werk?'

Maar dr. Ingalls keek erg ongelukkig. Ze gaf niet meteen antwoord. In plaats daarvan verfrommelde ze de afvalzak en propte ze die in een prullenbak. Toen ging ze in de stoel achter het bureau zitten en Mo had duidelijk het gevoel dat ze zich daar verschanste.

'De FBI handelde proactief,' zei ze. 'En dat werkte. En nu, ja, zou ik graag even de tijd hebben om me voor te bereiden. Het was me een genoegen, rechercheur Ford.'

Hij wilde haar bijna naar de reden van haar plotselinge koele vormelijkheid vragen; ze leek het soort persoon dat je op die manier uit de tent kon lokken. Maar toen klonk de droge stem van Marie uit de intercom: 'Je afspraak van één uur is er.'

Dr. Ingalls stond op om hem een hand te geven. 'Veel geluk met special agent Biedermann,' zei ze met een zweem van sarcasme.

Hij liep naar de deur, terwijl hij het gevoel van afwijzing van zich af probeerde te zetten, en kwaad was op zichzelf omdat hij iets anders had verwacht. Ze keek naar hem terwijl ze de band van haar paardenstaart haalde en haar haar los schudde, een chaotische blonde fontein die haar gezicht even bedekte voordat ze hem snel weer naar achteren sloeg in een model dat professioneler oogde.

'Misschien dat ik u nog een keer moet raadplegen...' begon hij.

'Zeker. Als het even kan, zal ik mijn uiterste best doen om u van dienst te zijn. Bel Marie maar, die maakt dan wel een afspraak.'

Hij voelde zich rot toen hij de deur opendeed. Maar toen verraste ze hem en riep ze: 'Ik vond het een leuke lunch, meneer Ford.' Toen hij omkeek was ze druk bezig met het ordenen van papieren op haar bureau. Ze keek niet naar hem, maar hij was blij dat hij haar zag glimlachen terwijl ze werkte. Hij voelde zich meteen veel beter.

9

Het veldkantoor van de FBI in Manhattan bevond zich in het Federal Building, kilometers ten zuiden van het kantoor van dr. Ingalls. Omdat Mo nog een paar uur stuk te slaan had voor de bespreking van drie uur, koos hij ervoor om die kant op te rijden, de auto op een parkeerplaats bij Chinatown achter te laten en het laatste stuk naar Federal Plaza te lopen. Het was een mooie dag voor een wandeling, niet zo heet dat je er erg van ging zweten, en hij had altijd van dit deel van Manhattan gehouden. Als het je lukte om onder de wolk van cynisme boven je hoofd vandaan te komen, zou je van de verscheidenheid aan mensen alleen al kunnen genieten, hun talloze soorten en maten en kleuren, de eindeloos verbazende dingen die ze deden. Zelfs de lucht, de pisgeur van het metselwerk, de geuren van rottend eten uit vuilnisbakken, de verstikkende dieseldampen van bussen, leken verzadigd van bouwstoffen waarvan hij overtuigd was dat ze het bloed verrijkten.

Hij kocht een zakje suikerpinda's en knabbelde daarop terwijl hij voortkuierde. Er was veel dat hij dr. Ingalls niet had gevraagd. In feite was er geen garantie dat de dingen die zij of Biedermann hem over Ronald Parker konden vertellen noodzakelijkerwijs van toepassing waren op een imitator. Het werk van de imitator ging gepaard met nog een laag van psychologische complexiteit, want zijn vereenzelviging met een eerdere moordenaar maakte het nog moeilijker om zijn motieven en zijn volgende zetten in te schatten.

Een van de dingen die hij van Biedermann zou moeten horen, zouden de werkelijk specialistische forensische details zijn. Van een imitator kon je redelijkerwijs verwachten dat hij van zijn rolmodel af zou wijken, al was het maar omdat de nieuwe moordenaar niet alles over diens werk kon weten. Mo's idee was om een goed beeld van Ronald Parker te krijgen, en zich dan te concentreren op de verschillen in werkwijze tussen Parker en de nieuwe moordenaar. De labrapporten van de moord op O'Connor waren nog niet binnen, maar tot dusver had hij nog geen duidelijke verschillen gevonden. Dat wil zeggen, tenzij zou blijken dat de moord in de krachtcentrale door de nieuwe moordenaar was gepleegd, en niet slechts een slachtoffer van Parker was dat nog niet eerder was ontdekt. Maar of hij nu door Parker of door een imitator was gepleegd, de moord in de krachtcentrale zou de eerste zijn die niet bij het slachtoffer thuis had plaatsgevonden. Dat moest op de een of andere manier iets te betekenen hebben. Op zijn allerminst zouden vingerafdrukken die op de geordende objecten werden gevonden kunnen aantonen of Mo al dan niet gelijk had met zijn overtuiging dat de slachtoffers zelf waren gedwongen om de ordeningen aan te brengen.

Als ze Parker niet al hadden opgepakt en Mo bij het onderzoek naar de nieuwe moorden was betrokken, zou hij hebben aangenomen dat ze door dezelfde vent waren gepleegd. Het hing er helemaal van af hoezeer de werkwijzen overeenkwamen. Als ze te veel op elkaar leken, zou je een aantal zorgwekkende alternatieven in overweging moeten nemen.

Zoals wat? A, de moordenaar van O'Connor was wél dezelfde vent die al de anderen had vermoord, en Parker was de verkeerde. Maar ze hadden Parker op heterdaad betrapt; de zaak tegen hem stond als een huis. Dus dan was er B, en dat was een tamelijk enge gedachte: Ronald Parker had niet alleen gewerkt, zijn medeplichtige was nog op vrije voeten en was net weer opnieuw begonnen.

En dan was er natuurlijk nog C, een derde alternatief dat een verklaring zou kunnen zijn voor al te zeer met elkaar overeenkomende werkwijzen. Mo achtte dit nog waarschijnlijker maar in zekere zin nog enger. Het ging inderdaad om een imitator, maar de nieuwe moordenaar had toegang tot vertrouwelijke informatie over het onderzoek naar Parker. Of was betrókken bij het onderzoek.

Húúh, dacht hij.

Hij ontweek een voortijlende rollerblader, een lange zwarte tiener, die naakt was afgezien van een string, een iriserende groene zonnebril, als de ogen van een buitenaards wezen, en de hoofdtelefoon van een discman. De knaap suisde achteruit over het trottoir, sierlijk als de schaduw van Barysjnikov, en zigzagde zonder op of om te kijken tussen de andere voetgangers door, alsof hij ogen in zijn achterhoofd had.

Het was een goede onderbreking, besloot Mo terwijl hij keek hoe de dansende gestalte uit het oog verdween. Hij liep voor de zaken uit met zijn idee dat een insider verantwoordelijk was voor de nieuwe moorden. Het was beter om te wachten en te horen wat Biedermann hem te vertellen had.

Zijn gedachten gingen terug naar dr. Ingalls, Rebecca Ingalls, de aangename opwinding die hem in de loop van hun gesprek bevangen had. Hij besloot dat het stom van hem was om zijn kwetsbaarheid te tonen. Hij had lang geleden besloten dat liefde grotendeels een kwestie was van hoe je in de markt lag, van stand. Iedereen had een onbewust of in het gunstigste geval amper bewust idee van hoe hij of zij in de markt lag, hoe begeerlijk hij of zij als partner was. Misschien was het een inschatting van je uiterlijk, je sex-appeal, je sociale klasse, je opleidingsniveau, hoeveel geld je had – een beeld van jezelf dat je herkende als je er in een potentiële partner een glimp van opving. Misschien dat je hunkerde naar iemand die beter in de markt lag dan jij, zoals mensen op filmsterren vielen, maar realistisch gezien ging je zelden achter zulke mensen aan. Relaties kwamen wel voor tussen verschillende klassen van begeerlijkheid, maar ze waren zelden duurzaam. Omdat degene die bemerkte dat hij of zij een betere partner kon krijgen dat uiteindelijk ook zou proberen.

Was dat wat er met Carla was gebeurd? Mo's inschatting van hun relatieve marktwaarde was dat hij qua uiterlijk en intelligentie niet voor haar onderdeed, maar zij kwam uit een familie met geld en toen het haar het afgelopen jaar voor de wind ging met haar carrière had ze het gevoel gekregen dat zij kansen had die hij niet had. Tijd om de volgende tree van de relationele ladder te bestijgen.

Een nogal deprimerende kijk op de liefde.

Maar wat had dat alles te maken met dr. Ingalls? berispte hij zichzelf. New York was vol aantrekkelijke maar, voor Mo, onbereikbare vrouwen. Het was onjuist om haar zelfs maar in de categorie van 'potentiële partners' in te delen, een teken van zijn vertwijfeling en hunkering. Ze had er snel een eind aan gemaakt toen ze het gevoel kreeg dat hun gesprek een al te persoonlijke kant op ging. Ze was een vakvrouw. En, wat belangrijker was, zij wist ook hoe ze in de markt lag en dat ze wat beters kon krijgen dan Mo Ford. Zij zag dat, hij zag dat, einde verhaal.

Mo voelde zich opnieuw rot. Hij at de laatste pinda's op, maakte een prop van de zak, gooide die naar een prullenbak, miste, raapte hem op en stopte hem erin. Hij was bij Federal Plaza aangekomen. Tijd om weer een officiële en efficiënte indruk te maken.

Biedermanns kantoor bevond zich op de vierentwintigste verdieping, een echt paleis vergeleken met de grauwe hokjes die zijn ondergeschikten hadden. Niettemin was het vertrek uitgevoerd in de zakelijke stijl uit de tijd van de overheidsbezuinigingen, met zeer laagpolig grijs tapijt, een zwaar geëmailleerd metalen bureau, een Steelcase-bureaustoel en een kleine formica vergadertafel met zes plastic stoelen. Op een stel planken vergunde Biedermann zich de weelde van een paar persoonlijke parafernalia: foto's van de special agent met Al Gore, met Colin Powell, met gouverneur Pataki en anderen die Mo niet herkende. Een stel met pistoolschieten behaalde trofeeën, een paar eervolle vermeldingen. Een zware, roodleren hondenband met chromen knoppen en een groot Bowiemes op een gedenkplaat met inscriptie.

'Je zal je wel afvragen wat dat mes te betekenen heeft,' zei Biedermann. Hij was ongeveer vijf centimeter langer dan Mo, met een wit-blonde kortgeknipte militaire coupe, blauwe ogen in een gebruind gezicht met een krachtige kaaklijn. Zijn antracietkleurige pak was goed gesneden en wekte Mo's afgunst op, gezien het feit dat zijn enige vergelijkbaar stijlvolle pak door Grote Willie was verpest.

'Ja, hoe zit dat?' vroeg Mo. Het mes was voor Biedermann duidelijk een standaardrekwisiet om het ijs te breken.

'Een grap. Werkte vroeger bij Interne Zaken, in het veldkantoor in San Diego. Je bent nooit populair als je bij IZ zit, en dat is een understatement. Dus toen ik hierheen verhuisde, kreeg ik dit mes van de staf in San Diego – die zeiden dat ik het lang genoeg in hun rug had gestoken en dat ik het nu wel mocht houden.'

Mo grinnikte plichtmatig. Hij overwoog om naar de hondenband te vragen, maar er werd op de deurlijst geklopt en er kwamen drie mensen het vertrek binnen. Twee van hen waren leden van Biedermanns staf, een vrouw en een man die bij de speciale Howdy Doody-eenheid hadden gezeten, special agents Lisa Morris en Esteban Garcia, zo verklaarde Biedermann. Ze droegen allebei manilla dossiermappen, met rood-witte strepen langs de randen, die betekenden dat het dossiers van nog lopende zaken waren. De derde persoon stelde Biedermann voor als Anson Zelek, een lange, dunne man van voor in de zestig met een strak driehoekig gezicht, een kleine mond, en ogen die schuin omhoogstonden. Hij leek vaag bekend, en toen besefte Mo dat hij leek op de klassieke voorstelling van een buitenaards wezen. Hij vroeg zich af of dat uiterlijk het gevolg was van een facelift.

Biedermann zat aan het hoofd van de tafel, Zelek terzijde. Mo zat tegenover Morris en Garcia en genoot van de tocht van de airconditioning in zijn nek. Hij vroeg hen naar de structuur van de interdepartementale eenheid die aan de Howdy Doody-zaak had gewerkt, en special agent Lisa Morris somde op wie erbij betrokken waren: de FBI, de politie van Manhattan en de Bronx, het kantoor van de officier van justitie van New York en de lokale en staatspolitie van New Jersey. De staatspolitie van Connecticut en het kantoor van de officier van justitie van Westchester waren er ook bij betrokken, omdat zij volledig op de hoogte wilden zijn als de moordenaar binnen hun jurisdictie toe zou slaan.

Toen was Mo aan de beurt. Hij vertelde hun wat hij tot dusver wist van de moord op O'Connor en bracht hen op de hoogte van het lijk bij de krachtcentrale. Toen hij zei dat hij net van een bespreking met dr. Ingalls kwam, keek Biedermann hem doordringend aan, bijzonder geïnteresseerd. Ook de schuine, amandelvormige ogen van Zelek leken zich te vernauwen.

'Ze is erg goed, niet?' zei Biedermann neutraal.

'Ja, dat vond ik wel,' zei Mo. 'Maar onze afspraak vandaag was een kortetermijnaangelegenheid. Ik had niet de tijd om alle vragen te stellen die ik had willen stellen.'

'Wat had je verder willen weten?'

'Nou, ik vroeg haar hoe Parker werd opgepakt en zij zei dat dat kwam door jullie proactieve strategie. Maar ze gaf me geen bijzonderheden.'

De drie agenten aan de tafel wisselden blikken met elkaar en Biedermann knikte kort toen Morris hem vragend aankeek. Hij was duidelijk van plan om de leiding te houden over elke uitwisseling van informatie hier aan tafel.

Morris was een vrij kleine vrouw met rood haar in een praktisch kapsel en ze sprak met een licht zuidelijk accent. 'We hadden weinig om op af te gaan en onze moordenaar sloeg ongeveer één keer per maand toe. Tegen de tijd dat hij zijn zesde slachtoffer had gemaakt, begon men veel druk op ons uit te oefenen om tot een arrestatie te komen. De laatste paar moorden waren in Manhattan, de burgemeester zette ons onder druk en Washington zei dat we proactief moesten zijn. Het enige wat we op dat moment wisten was dat de dader vrij lange, blonde slachtoffers uitkoos en dat het bij zijn moorden leek te draaien om terugslaan naar mensen die macht over hem hadden uitgeoefend. Door op zijn beurt macht over hen uit te oefenen. Dus schoven we een waarschijnlijk slachtoffer naar voren. De kans was klein dat hij het op zou merken. Maar we hadden mazzel en dat meen ik oprecht.' Weer wierp ze Biedermann een vragende blik toe: *zeker weten dat dit oké is?*

Mo voelde zich verplicht om haar te onderbreken. 'Ik heb begrepen dat hij mensen vermoordde die hij tegenkwam, maar dat niemand er ooit achter is gekomen hoe hij hen in handen wist te krijgen. Hoe konden jullie ervoor zorgen dat zijn oog op die persoon zou vallen?'

Biedermann knikte en special agent Morris vervolgde: 'Ons profiel suggereerde dat de dader de persverslagen over zijn zaak zou volgen, dat de reactie van het publiek op zijn misdaden een van zijn motieven was. Dus zetten we de media naar onze hand. We identificeerden een vrij lange, blonde persoon die we door middel van zorgvuldig opgestelde nieuwsberichten konden presenteren als een machtsfiguur, in de hoop dat hij terug zou willen slaan. Zoals ik al zei, we hadden mazzel. We hielden het appartement van het potentiële slachtoffer in de gaten en toen Parker kwam, waren wij ter plekke.'

Het begon Mo te dagen. Jezus. Geen wonder dat ze over dit gedeelte niet had willen praten. Geen wonder dat ze zo snel in haar schulp was gekropen.

'Jullie hebben dr. Ingalls gebruikt,' zei hij.

Biedermann nam het over. 'Zij is een opkomende ster binnen haar vakgebied. Ze had net een boek gepubliceerd waardoor haar naam toch al in het nieuws was. Dus hebben we, met haar medewerking, haar in een reeks artikelen naar voren geschoven. *Superpsychiater zit Howdy Doody-moordenaar op de hielen*, zoiets. *FBI vol vertrouwen dat analiste identiteit van moordenaar zal achterhalen*. Hij moest zich door haar gemanipuleerd voelen. We hadden een uiterst zorgvuldig scenario voor haar uitspraken in de pers, waarbij we haar beeld van hem formuleerden in neerbuigende, uitdagende, manipulatieve termen. Hij hapte toe. We hadden mazzel.'

Mo dacht daar even over na. Het moest voor dr. Ingalls doodeng zijn geweest om elke dag rond te lopen in de wetenschap dat een zeer efficiënte, sadistische seriemoordenaar haar misschien zou belagen. Hij vroeg: 'En hoe ging het er uiteindelijk aan toe?'

Ditmaal knikte Biedermann haast onmerkbaar naar Garcia. Garcia ging net als Morris perfect gekleed, in een helderwit overhemd en een donker pak. Hij was een man met een brede borst en een v-vormige haarlok op zijn voorhoofd, en terwijl hij praatte gebaarde hij met dikke, zwaar beringde vingers. 'Ik had de tactische leiding over het arrestatieteam. Tegen de tijd dat we dr. Ingalls naar voren hadden geschoven, kenden we zijn ritme vrij goed en wisten we dat hij het binnen enkele dagen weer zou proberen. We hadden helemaal niet gemerkt dat hij zijn oog op haar liet vallen, en we hadden hem het gebouw helemaal niet zien naderen. Maar, eh, we hadden haar een polsalarm gegeven, zo'n LifeLine ding, dat ze kon indrukken als er iets gebeurde en dat dan bij ons zou overgaan. En op een avond is hij er, een vent die haar slaapkamer binnenloopt. Hij is lang en blond en hij heeft een zwarte plunjezak. Zij, eh, activeerde haar polsalarm, worstelde met hem, maar hij zag ons eraan komen. We weten niet zeker hoe hij ontkwam...' Garcia aarzelde weifelend.

Mo dacht: *weer een blunder van de FBI.*

'We kunnen ons verontschuldigen voor een paar vergissingen,' onderbrak Biedermann hem, 'of we kunnen met de eer gaan strijken, welverdiende lof, omdat wij het opgezet hebben, omdat wij dr. Ingalls beschermd hebben en hem te pakken hebben gekregen.' Hij wierp Mo een uitdagende blik toe en knikte toen dat Garcia verder moest gaan. 'Vertel het even in het kort, wat dacht je daarvan, Esteban?'

'Hij was slechts enkele minuten bij haar; ze was niet ernstig gewond. Toen hij bij onze afzetting aan ons ontkwam, gaven we het snel door aan de politie van New York en werd hij een paar straten verderop gesignaleerd door een patrouillewagen.'

'Goede interdepartementale samenwerking,' zei Biedermann, terwijl hij nog steeds naar Mo keek. Zelek leunde achterover, deed zijn benen over elkaar en keek enigszins geamuseerd.

Garcia rondde zijn verhaal af: 'Hij verzette zich tegen zijn arrestatie voordat hij overmeesterd werd. In de auto vonden we reserve nylonhandboeien, een snoerloze boormachine, een snoeischaar, de ijstang, rubberhandschoenen, een hele rol vislijn.'

Mo keek naar het drietal en zij namen hem even aandachtig op. 'Vislijn,' zei hij ten slotte.

Hun blikken kruisten elkaar.

'Niet echt vislijn,' zei Biedermann. 'Een zware polyester lijn die veel op vislijn lijkt.'

'Om precies te zijn, de lijn van een grasmaaier,' zei Mo. 'Gekarteld om het onkruid beter te kunnen wieden.'

'Eh, ja,' gaf Morris toe.

'Maar vislijn was wat jullie de mensen vertelden. Wat jullie de pers vertelden.'

'Public relations zijn cruciaal bij een zaak als deze,' zei Biedermann. 'Op elk detail moet gelet worden, anders verlies je de macht over het hele onderzoek.'

'Dat begrijp ik,' zei Mo. Biedermann beviel hem niet. Mácht was voor hem net zo'n obsessie als voor Howdy Doody. Voor hem en Flannery allebei heel verschillende manieren om dingen gedaan te krijgen maar allebei grote kerels met grote ambities. Hij vroeg zich even af hoe de special agent en de officier van justitie bij de eerste speciale eenheid met elkaar hadden kunnen opschieten, en hoe het zou zijn om als rechercheur klem te zitten tussen deze twee mega-ego's.

Biedermann vervolgde: 'Wat ons brengt op iets dat meteen duidelijk moet zijn, rechercheur. Wij hebben ervaring met dit soort zaken, op nationaal niveau. Als jullie in White Plains een imitator hebben, een zeer actieve, goed georganiseerde en mobiele moordenaar, dan zullen we voor het onderzoek een zeer duidelijke gezagshiërarchie moeten hebben. Mijn departement zal onbetwist de leiding moeten hebben als het gaat om de strategie van de speciale eenheid. Wij zullen jouw bevoegdheden volledig respecteren, maar jij zal ook die van ons moeten respecteren.'

Mo knikte. 'Dat doe ik ook. Absoluut. Dat doe ik heus. Daarom ben ik hier. Als eerste stap in onze samenwerking zal ik daarom het hele verhaal moeten hebben, kopieën van alle dossiers, foto's van de plaats delict, sectierapporten. En,' zei hij, toen Biedermann iets wilde zeggen, 'jullie kunnen van ons hetzelfde verwachten. Op dit moment ben ik benieuwd hoezeer de werkwijze van de imitator overeenkomt met die van de oorspronkelijke moordenaar. Als het een imitator is. En ik zou graag willen beginnen met enkele bijzonderheden waaruit ons dat meteen duidelijk zal worden. Wat weten we over de handboeien?'

Morris wierp een blik op Biedermann en zei toen deze knikte: 'Die zijn bij de meeste doden aangetroffen. Standaard politie-uitrusting, nylon wegwerphandboeien van het merk Flex-Cuf, nieuw vijfenvijftig centimeter lang maar kort afgeknipt bij de slachtoffers van Howdy Doody. Niet na te trekken – zij zijn het meest gebruikte merk bij zo'n tweeduizend politiebureaus over het hele land, ze zijn goedkoop en voor hun gebruik is geen vergunning nodig. Bovendien kan iedereen ze in grote hoeveelheden per postorder kopen bij Gall's politiebenodigdheden. Zoals je weet zijn ze makkelijk om te doen, dus wij vermoeden dat hij ze meteen heeft gebruikt om zijn slachtoffers in zijn macht te krijgen. Dit werd bevestigd door de, eh, ervaring van, eh, dr. Ingalls. Toen ze hun handen niet meer konden gebruiken, kon hij de tijd nemen voor de meer complexe knopen in het draad.'

Mooi, dacht Mo, *daarmee zijn we bij de echte kwestie aangekomen.* 'Ja, laten we het daar eens over hebben. De knopen.'

Morris had haar dossiers op haar schoot gehad, en terwijl Mo sprak, trok ze die onbewust tegen haar borst en keek ze afwachtend naar Biedermann.

Mo wachtte niet op Biedermanns reactie. Hij stak zijn hand uit, verraste Morris en trok de dossiers uit haar handen. Hij sloeg er snel een open en vond een fotomontage van een kleine massamoord: lijken die aan muren hingen, die verwrongen op brancards lagen, close-ups van wonden aan de slapen en schaafwonden, shots van de autopsie.

De amandelvormige ogen van Zelek vernauwden zich plotseling. De agenten verroerden zich geen van drieën, maar Biedermann liet zijn stem een half octaaf zakken. 'Ik geloof niet dat zo'n aanpak gepast is, rechercheur.'

Mo bladerde door de foto's en vond wat hij zocht: een verzameling knopen, van dichtbij gefotografeerd met de verkleurde huid van de slachtoffers als achtergrond. De foto's waren reeksgewijs geordend in uitvouwbare enveloppen van doorzichtig plastic. Elke reeks had een keurig etiket en bevatte zeven series knopen zodat het makkelijk was om ze met elkaar te vergelijken. Ja, daar was de opvallende lijn, de scherpgetande polyesterlijn van de onkruidwieder. Die zou dieper in de huid snijden dan een gladde vislijn en een betere grip geven als de huid nat was door zweet of bloed. Hij zou meer pijn doen en zorgen voor een snellere reactie op de commando's van de poppenspeler.

En ja, de knopen waren identiek. De knoop die zich strak trok rond het been van het slachtoffer was een vreemdsoortige schuifknoop, waarbij de lijn twee keer door een lus ging en toen met drie of vier wikkelingen op zijn plaats werd gehouden – een soort miniatuurstrop, maar dan dubbel. De andere was een ingewikkeld geval in het midden van de lijnen om de polsen, die duidelijk was bedoeld om de lijn naar behoefte langer of korter te maken. Mo kon zich de knopen die hij bij O'Connor thuis of bij de krachtcentrale had gezien niet precies herinneren, maar hij zag in één oogopslag dat deze hetzelfde waren.

Als de knopen overeenkwamen, zou dit echt een klotezaak worden. Want wat er verder ook openbaar was gemaakt in de loop van het onderzoek naar de Howdy Doody-moordenaar, dat gold niet voor de bijzonderheden omtrent de knopen in het draad. Als hier grote overeenkomsten waren, dan zou dat betekenen dat Parker de verkeerde was, of dat Parker een partner had gehad die er nu alleen op uit ging. Of dat de nieuwe moordenaar toegang had tot vertrouwelijke dossiers bij de politie of de FBI en zich opzettelijk van Parkers werkwijze bediende om onderzoekers uit te dagen of in verwarring te brengen.

Mo sloot het dossier en wierp het terug naar Biedermann. Morris en Garcia wachtten alleen maar, onzeker hoe ze moesten reageren. *Een van de beperkingen van een al te strak gerunde toko*, dacht Mo. *Dodelijk voor het eigen initiatief.*

'Oké,' zei Biedermann. 'Je hebt duidelijk gemaakt dat je een klootzak bent, en dat je denkt dat wij dat ook zijn.' Zijn gezicht had een vermoeid dreigende uitdrukking. 'Maar laten we een stap terug doen en proberen om de zaken weer op een rijtje te krijgen. Laten we proberen om objectief te zijn. Als er een duidelijke parallel is tussen Howdy Doody en die nieuwe vent van jou, zou de verdenking voor de hand liggen dat de moordenaar op de een of andere manier toegang heeft tot vertrouwelijke informatie. In dat geval kan je begrijpen waarom wij zo huiverig zijn om iedereen alle details te laten weten. Het heeft niets te maken met wat jij ziet als ons gebrek aan respect voor de jurisdictie van de lokale politie. Het gaat erom de kring van mensen met toegang tot die informatie te beperken. Als dat niet gebeurt, zullen we nooit kunnen achterhalen hoe iemand daaraan is gekomen, als dat inderdaad het geval is. Mee eens?'

'Ja,' zei Mo.

'Dus zullen we als volgt te werk gaan. Ten eerste verklaart dit departement dat deze zaak onder onze jurisdictie ressorteert, op basis van de overeenkomsten tussen de nieuwe moorden en de Howdy Doody-moorden. Ten tweede krijg je niet van alles kopieën. Als je knopen wilt vergelijken, kun je je foto's mee hierheen nemen en ze ter plekke vergelijken. Dat geldt ook voor de sectierapporten en de foto's. En voor de foto's van de plaats delict waarop de arrangementen te zien zijn. En voor íéder detail waarvan ik besluit dat niet iedereen er inzage in heeft. Je accepteert dat alleen de instantie die de leiding heeft het hele verhaal kent, en dat is hier, dat zijn wij. Jij speelt jouw rol, maar probeer níét meer dan dat te doen.'

Mo wilde protesteren, maar Biedermann stak zijn hand op. 'Ik heb met je chef gesproken nadat jij me voor het eerst hierover gebeld had. Hij zegt dat Morgan Ford echt goed is, maar dat hij graag de einzelgänger uithangt, hij heeft officiële berispingen in zijn dossier en hij brengt zijn eenheid in de problemen. Dat willen we niet bij dit onderzoek, Ford. Dus als je hier de macho wil uithangen, val dan maar dood. Als ik in mijn vingers knip, neemt iemand het over die makkelijker in de omgang is en dan lig jij eruit. Dit departement zal zijn volledige medewerking verlenen – bínnen een efficiënte gezagshiërarchie voor het onderzoek. En dat geldt ook voor dat van jou. En als dat je niet bevalt, wederom, val dan maar dood.'

Iedereen raakte gespannen, behalve Zelek, die een overwegend verveelde indruk maakte. Mo had even een oprisping van testosteron, maar die werd snel gevolgd door het onverschilligheidshormoon. Ja, hij zou graag Howdy de Tweede te grazen willen nemen en de wereld voor deze nieuwste bedreiging willen behoeden. Maar dat was niet alleen zijn verantwoordelijkheid, dit was een klus en geen kruistocht, en een klus waar hij ernstige bedenkingen bij had. Biedermann was een klootzak, maar slechts een van de velen, en je kon je niet door al die lui van de wijs laten brengen.

En trouwens, Biedermann had wat dit betrof gelijk.

Mo haalde zijn schouders op. 'Klinkt goed,' zei hij vrolijk. 'Dus ik kom hier morgen met wat bijzonderheden over de nieuwe moorden in White Plains en Buchanan. En dan zou ik graag inzage in jullie dossiers willen hebben. Schikt twee uur?' Tot zijn genoegen zag hij dat zijn opgewekte aanpak Biedermann stak. De special agent viel even uit zijn rol, zijn opeengeknepen lippen tuitten zich toen hij zag hoe Mo hem zat te stangen. Zelek keek hem peinzend aan. Morris en Garcia keken slechts onzeker naar hun baas.

10

Het was halfvijf toen Mo het Federal Building verliet en zich opgelucht in het spitsuur in Manhattan stortte. De straten waren nu vol met voetgangers en auto's en bussen, en er was een stemming van gretige en prikkelbare vertwijfeling over de stad neergedaald. *Zware dag, snel naar huis, een veilig heenkomen zoeken, ontspannen.* Voor deze ene keer had Mo niet zo'n haast.

Voordat hij de FBI-kantoren verliet, had hij Ty Boggs gebeld om hem te laten weten dat hij vrij was en eraan kwam. Ze hadden eerder afgesproken om elkaar te treffen bij Ty's favoriete Vietnamese restaurant, Pho Bang, in de Bowery bij Mott Street. Ty moest van zijn bureau in de Bronx komen, wat Mo een halfuur de tijd gaf om een afstand van slechts enkele straten af te leggen. Dus deed hij het op zijn gemak. Hij keek geamuseerd toen een brullende processie van brandweerauto's door het verkeer probeerde te komen, met gierende sirenes en blatende claxons, terwijl ze net als alle andere auto's vast stonden. Niemand kon een kant op en toch was de straat een panische heksenketel van rode lichten, zware glimmende voertuigen met bulderende motoren en loeiende sirenes. Ondanks al het gedrang gleed er een gestage stroom voetgangers zonder op of om te kijken tussen de bumpers van de stilstaande monsters door. New Yorkers.

Gek genoeg had de bespreking met Biedermann hem opgevrolijkt. Dr. Ingalls had gelijk gehad over hoe de special agent Mo en de staatspolitie van New York buiten de zaak zou willen houden. Maar Biedermanns dwingende houding, de zwijgende, griezelige aanwezigheid van Anson Zelek, wie hij ook mocht zijn, en dan nog alle intriges van Flannery: al met al een goede herinnering om bij deze klus afstand te bewaren. Even voelde hij zich aangenaam onbetrokken bij de hele zaak.

De muur van brullende machines kwam eindelijk in beweging en Mo bleef lopen. Hij keek ernaar uit om Ty te zien; misschien dat hij wat licht zou kunnen werpen op een aantal van de zaken die hier meespeelden. Op zijn allerminst zou hij misschien kunnen helpen bedenken hoe hij om of door Biedermann heen kon.

Mo kende Tyndale Boggs van colleges die ze allebei hadden gevolgd aan City College, achttien jaar geleden. Ty was ouder en had in Vietnam gediend voordat hij weer ging studeren. Hij was nu inspecteur bij de politie in de Bronx, terwijl Mo nog altijd slechts een rechercheur bij de staatspolitie was, met een brigadiersloontje. Ty beweerde dat hij zijn promoties te danken had aan het feit dat hij op het juiste moment en op de juiste plaats zwart was en een naam had die min of meer de namen van twee beroemde honkballers combineerde, maar dat was niet waar. Hij was er gekomen doordat hij slim en bekwaam was, en een pitbull als hij op een zaak zat. Hij was halverwege de vijftig, een stevig gebouwde vent met een martelaarsgezicht. Alle ellende in de wereld had twee diepe horizontale lijnen in zijn voorhoofd gegroefd. Hij was nu gescheiden en woonde bij zijn zuster en haar twee kinderen. In Vietnam was hij door zijn wang geschoten, aan de ene kant erin, aan de andere kant eruit, en dat had littekens nagelaten en een aantal voortdurende problemen met zijn gebit. Hij en Mo waren een tijd heel dik met elkaar, maar de laatste paar jaar zagen ze elkaar veel minder. Mo wist niet zeker waarom.

Mo arriveerde vóór Ty bij Pho Bang en ging aan een tafel aan de voorkant zitten en bestelde een lichee-noten-ijsthee om de tijd te verdrijven. Het was nog maar vijf uur, een beetje vroeg voor de avonddrukte, en het restaurant was vrijwel verlaten. Toen Ty door de deur kwam, bewoog hij zich door de ruimte als de schaduw van een regenwolk, donker en ietwat dreigend. Mo vond dat hij veel ouder was geworden sinds de laatste keer dat hij hem had gezien, zes maanden geleden.

Ty trok een stoel van de tafel en liet zich erin ploffen. Hij zakte al in elkaar voordat hij goed en wel zat. 'Hoi,' zei hij.

'Je ziet er goed uit,' zei Mo tegen hem.

Ty gromde iets en pakte een menukaart. Mo zag dat als een teken om naar de zijne te kijken.

'Ik heb net anderhalf uur doorgebracht met je maatje Biedermann,' zei Mo na een paar minuten. Hij had het uitgelegd van de Howdy Doody-imitator toen hij Ty had gebeld.

'Mazzelaar,' zei Ty. Hij greep een handvol tsjou mein-noedels uit de kom voor hem, hield zijn hoofd achterover en goot ze in zijn mond. Een ober kwam om ijswater en een theepot op de tafel te zetten.

'Leuk om mee te werken?' vroeg Mo. Toen Ty hem uitdrukkingsloos aankeek, vroeg hij: 'Denk je dat het gewoon zijn stijl is, of is Howdy Doody een bijzondere obsessie voor hem?'

'Allebei.'

Ty was dikwijls nors en zwijgzaam, maar zelfs voor hem was dit erg, besloot Mo. 'Hé, Ty,' zei hij, 'als dit een slechte dag voor je is om hierover te praten, kunnen we...'

'Neuh.' Ty wuifde het idee weg met de rug van zijn hand. 'Howdy Doody was alleen geen lolletje. Ik zou er liever niet meer mee te maken hebben dan strikt noodzakelijk. Ik doe wat ik moet doen om te zorgen dat de zaak voorkomt en dan zal ik blij zijn als het achter de rug is.'

'Wat was er zo erg? Biedermann?'

'Biedermann is een zakkenwasser, ja, maar er zijn ook andere, ingewikkelde, toestanden waardoor het moeilijk was om aan de zaak te werken. Ik hou mijn seriemoordenaars graag overzichtelijk.'

'Wil je het me vertellen?'

Maar de ober was teruggekomen. Ze bestelden allebei. Mo koos een kom met noedelsoep, Ty diverse schotels die hij in het Vietnamees bestelde. Twee modieus geklede jonge stelletjes kwamen binnen en gingen aan een van de ronde tafels zitten.

Ty wachtte tot de ober weer in de keuken was. 'Ja, ik zal het je vertellen, maar het is allemaal vrij vaag. Ik weet niet precies hoe het zit.' Zijn gezicht kreeg een ernstige uitdrukking, de lijnen in zijn voorhoofd werden diepe kloven. 'Er speelt iets achter de schermen. Iedereen weet het, maar niemand weet wat. Ik bedoel, afgezien van dat gedoe met Biedermann en die psychiater – die ze er voor het profiel van de dader bij hebben gehaald.'

Mo voelde een steek in zijn hart. 'Wat was dat?' kraste hij.

'Er was begrip voor. Je had het er niet over, maar soms maakte het de zaken ingewikkeld om te doen alsof het niet gebeurde, alsof het geen belemmering was. Ik geloof dat het technisch gezien geen onprofessioneel gedrag was; ze is een burger. Knap. Kan het Biedermann niet kwalijk nemen. Weet niet zeker of ze nog steeds samen zijn, maar dat hij druk op haar uitoefende om zich als lokaas te laten gebruiken, dat moest toch voor spanningen zorgen.' Ty schonk zich een kopje dampende thee in en sloeg het kleine kopje in een gloeiende slok achterover. Hij zette het kopje neer en keek fronsend naar de pot.

Dat verklaarde veel van de houding van Biedermann en dr. Ingalls ten aanzien van elkaar, dacht Mo. Hij was het met Ty eens: als ze nog samen waren, dan moesten er spanningen zijn. Dat kreeg je met seriemoordenaars. Maar hoe het er op dit moment ook voorstond met hun relatie, hij kon niet ontkennen dat ze inderdaad goed bij elkaar zouden passen: twee grote, knappe, zelfverzekerde, blanke mensen die qua carrière in de lift zaten. Twee mensen die wat betreft hun marktwaarde werkelijk aan elkaar gewaagd waren. Hij voelde een onredelijke teleurstelling en haatte zichzelf daarom.

'En verder?' vroeg hij met klem.

'Er is iets met het onderzoek, een soort extra laag waar we niet vanaf mogen weten. Je zag het telkens aan de manier waarop informatie werd gedeeld of meestal niet werd gedeeld. Aan de manier waarop Biedermann de ene onderzoeksaanpak de kop indrukte en je intussen achter de vodden zat om op een ander terrein vorderingen te maken. Ik probeerde erachter te komen hoe het zat, en zei toen gewoon: ach, wat kan het mij verdommen, ik doe gewoon wat ik moet doen, rond de zaak af en bemoei me er niet meer mee. En dan nog iets, op een dag ben ik een beetje aan het flirten met een meisje van personeelszaken en dan vertelt ze dat Biedermann mijn personeelsdossier had opgevraagd. Niet alleen van mij, naar blijkt, hij heeft de personeelsgegevens ingezien van iedereen bij de politie van New York die aan de zaak werkte. En dan spreek ik Tommy MacArthur, hij is mijn tegenhanger in Newark, en Biedermann deed bij hen hetzelfde. Wij vroegen ons af waarom hij zo geïnteresseerd was in onze achtergrond. Ik vraag: kan die vent dat zomaar doen? En het antwoord is kennelijk: ja, hij heeft een of andere speciale permissie.'

'De mogelijkheid van een connectie bij de politie,' zei Mo. 'Dat de moordenaar een zekere forensische opleiding had?' Het was één mogelijke verklaring voor Biedermanns houding, vooral gezien zijn voorgeschiedenis bij Interne Zaken.

'Misschien, maar wat dacht je hiervan?' zei Ty hoofdschuddend. Hij begon voor het onderwerp warm te lopen. 'Ongeveer negen maanden geleden moest ik terug voor een behandeling bij de kaakchirurg, ongeveer de tiende keer dit jaar? Dus ik op en neer naar de Veteranenadministratie voor mijn dossiers, weet je wel. Zij moeten die ellende dekken. Ik heb botsplinters in mijn tandvlees en in mijn rotsbeen. Die blijven daar een paar jaar prima zitten, en besluiten dan om rond te gaan zwerven en me pijn te bezorgen.' Ty vertrok zijn gezicht en wreef over zijn kaak. 'Dus bel ik het archief, ik ken daar een stel mensen intussen vrij goed, en die vent van de VA zegt: Hé, Boggs, ja, jouw dossiers zijn laatst nog opgevraagd. Ik denk: wie in godshemelsnaam? Vertelt hij me dat het de FBI is, dat zij als federale organisatie inzage hebben. En ik vraag me af waarom Biedermann goddomme zevenentwintig jáár teruggaat voordat hij erop vertrouwt dat ik mijn werk doe en dat ik er geen bijbaantje als seriemoordenaar op nahoud. En dat van iemand die donders goed weet dat nikkers geen seriemoordenaars zijn.'

Het was een feit dat bijna alle seriemoordenaars blank waren, dacht Mo, bijna geen zwarten. Hij kon Ty's wrok begrijpen. Biedermanns voorzorgsmaatregelen leken buitensporig.

'Enig idee waarom hij zo geïnteresseerd is? Waar is hij naar op zoek?'

Ty haalde zijn schouders op. Hij nam nog een kopje thee en zoog die ditmaal als een mondspoeling tussen zijn tanden door.

Zo zaten ze een tijdje, Ty onderuitgezakt in zijn stoel, terwijl ze allebei keken hoe het restaurant vol begon te lopen. Een van de nieuwkomers was een jonge Vietnamese vrouw die vlak bij de kassa bleef rondhangen en duidelijk op iemand wachtte. Ze droeg hoge hakken en een kort zwart rokje dat haar benen goed deed uitkomen; de fraaist gevormde benen die Mo, voor zover hij zich kon herinneren, ooit had gezien. Met haar donkere haar en haar slanke figuur deed ze hem een klein beetje aan Carla denken, en terwijl hij naar haar keek, voelde hij de grond onder zich wegzakken, werd hij plotseling overmand door een heel leven van hopeloze tedere hunkeringen. Alsof hij een gat had waar zijn hart zou moeten zitten. Om het nog erger te maken kwam er een paar minuten later een al even knappe jonge man binnen, en de manier waarop de ogen van de vrouw oplichtten brak Mo's hart. De jongen droeg een zwarte bandplooibroek en een wit overhemd met bloezende mouwen, een Vietnamese Valentino. Ze kusten elkaar gretig voordat ze aan tafel gingen. Ze waren zo blij elkaar te zien dat Mo het niet aankon en zijn blik moest afwenden.

Maar toen bracht de ober hun eten, een welkome afleiding. Mo kreeg een kom zo groot als de wasbak bij hem in de badkamer, een nest noedels in dampende bouillon met stukjes rundvlees en hele garnalen en er bovenop een hoopje koriander en munt en basilicumblaadjes. Ty zette zijn schotels voor zich op een rij en ging ze met eetstokjes te lijf; een man die wist hoe hij moest eten.

'En, hoe is het met Carla?' vroeg Ty tussen twee happen door.

'Ik ben vrijgezel,' zei Mo.

Ty trok zijn wenkbrauwen op, maar hij stopte niet met eten. 'Je wist dat het eraan zat te komen. Al zo'n beetje het hele afgelopen jaar.'

'Ja. Maar als het niet jouw idee is, ben je er nooit echt op voorbereid.'

'Heb je nog andere ijzers in het vuur?'

Mo schudde zijn hoofd.

'Wat mij betreft, ik probeer het niet eens als ik weer eens bij de kaakchirurg loop,' vertrouwde Ty hem toe. 'Zelfs als dat niet zo is, ben ik al een klootzak. Niemand zou met mij opgescheept moeten zitten.'

Daar kon Mo niet tegenin gaan. In plaats daarvan concentreerde hij zich op zijn eten. De soep was heerlijk, de groenten knapperig vers en de mengeling van smaken steeds verrassend.

Na nog een lange stilte zei Ty: 'Een paar keer zaten er wat mensen bij besprekingen van de speciale eenheid die Biedermann niet voorstelde. Meestal was het die stille kerel met dat grijze gezicht...'

'Dat buitenaardse wezen? Ik heb hem net leren kennen. Hij heet Anson Zelek.'

'Buitenaards wezen, ja. Toen ik die kerel zag, was het eerste wat ik dacht: *Washington*. Toen dacht ik, Biedermanns kantoor zit toch op de vierentwintigste verdieping? Dat is de verdieping van de Nationale Veiligheidsdienst. Ik heb het opgezocht. Ik dacht dus: zoals Biedermann ons als marionetten manipuleert, zo is hij ook een marionet. Alsof er iemand hogerop zíjn touwtjes in handen heeft, dat hij daarom zo'n keiharde proceduremaniak is.' Hij propte een hap opgerold en gevuld rundvlees in zijn mond en kauwde zorgvuldig.

Een interessante ironie, dacht Mo: om een poppenspeler te vangen heb je een poppenspeler nodig. Ty's inschatting van Zelek leek er niet ver naast: een of ander geheimediensttype op Washington-niveau. Mo had in zijn ervaringen met de FBI geleerd dat het niet ongebruikelijk was dat er een agent van buiten bij zat, doorgaans als een zaak toezichtkwesties met zich meebracht of mogelijke verbanden met andere onderzoeken; vaak zaken op het gebied van de georganiseerde misdaad. Een andere gedachte kwam in hem op: 'Was de officier van justitie bij een van de besprekingen van de speciale eenheid?'

'Ja, Flannery. Hij of een van zijn assistenten. Nog zo'n klootzak. Als die nieuwe moordenaar in Westchester actief is, dan zal Flannery wel alles naar zich toetrekken, niet dan? O, jij mazzelaar.'

Er kwam een nieuwe vraag in Mo op: 'En wie heeft de touwtjes van Biedermann in handen? Zelek?'

Ty haalde weer zijn schouders op. Hij was nu halverwege zijn maaltijd en soms kromp hij ineen terwijl hij kauwde. 'Wie weet? En ach, Mo, wie kan het werkelijk wat schelen? Als je mijn raad wilt, als deze imitator weer zo'n grote zaak wordt, wees dan inschikkelijk en doe gewoon wat er van je verwacht wordt. Waarom zou je je druk maken over Biedermanns verborgen agenda?'

Ty begon weer humeurig te worden en Mo besloot om op dit moment niet op bijzonderheden aan te dringen. 'Doe me een lol,' zei Mo. 'Wil je me inzage in jouw dossiers geven en met me over de zaak praten als we ermee bezig zijn?'

Ty keek hem weer uitdrukkingsloos aan. 'Soms denk ik dat jij solliciteert naar problemen, god nog aan toe. Ik heb nooit begrepen waarom. Als ik even als chef mag spreken, ik benijd Marsden niet. Je bent soms een echte klootzak.'

'Dank je,' zei Mo. 'Ik wist dat ik op je kon rekenen.'

11

Zowel het soort als de mate van wraak moet toepasselijk zijn. Dat was beslist een goede leidraad. Hoe zou je dat in het Latijn zeggen? vroeg de poppenspeler zich af. Een inscriptie in een gedenkplaat en die boven de deur van het huis hangen, zoals de geweldige motto's die universiteiten boven de ingang van het hoofdgebouw hadden. Verheven betekenissen in een dode taal, als dat geen aardige ironie was...

Maar natuurlijk ging het niet alleen om wraak. Machiavelli en anderen mochten het principe dan filosofisch op een hoger plan gebracht hebben, dit was echter meer dan een kleinzielig, persoonlijk verlangen naar vergelding. Dit was een daad van verzet, een uiting van opstandigheid, een hartstochtelijke verdediging van het persoonlijke in een tijd dat het individu verpletterd werd door de staat en de op hol geslagen anonieme hordes. Misschien dat het oude vaandel van de Amerikaanse revolutie meer toepasselijk zou zijn: *Trap niet op mij*, geïllustreerd met een primitieve, opgerolde slang die onder de woorden geborduurd was. Met als implicatie: *ik bijt*.

Probeer mij niet te beheersen.

Meneer Smith was aan het winkelen. Het winkelcentrum in Danbury was een gigantisch, protserig complex, groot genoeg om in te verdwijnen, met als extra voordeel dat het zich aan de andere kant van de staatsgrens bevond. Het was een van de negen winkelcentra die hij beurtelings bezocht om voorraden in te slaan. Niet dat die aankopen een alarm af zouden doen gaan, maar het verschafte een zeker genoegen om zulke voorzorgsmaatregelen te nemen. Het herinnerde hem eraan dat hij een guerrilla was, een geheim eenmansleger.

Hij zette zijn auto midden op de parkeerplaats, sloot hem af en snoof de meilucht op. De zon was nog niet onder, de hemel was helder: een mooie, aangename avond. Hij besloot dat hij vaker de deur uit moest.

De meeste benodigdheden kon hij kopen bij de doe-het-zelfwinkel, een uitgestrekt, hangarachtig gebouw aan de andere kant van de parkeerplaats tegenover het grote winkelcomplex. De accu van zijn snoerloze Skil boormachine leek te snel leeg te raken en meneer Smith had besloten dat hij een nieuwe moest kopen. Je moest je infrastructuur in topconditie houden. Nog een stelletje oogjes, een stuk of tien, bij wijze van reserve. Hij had nog steeds twee haspels met draad, dus dat kon wachten, maar het zou goed zijn om nog een doos handschoenen te kopen. En ook nog wat van dat schoonmaakmiddel met een geurtje, van het type tegen dierenluchtjes, met enzymen die urine en andere onwelriekende vloeistoffen letterlijk verteerden.

De winkel had een duizelingwekkende verzameling maten en merken van alles. En het was allemaal zo keurig en mooi opgesteld. Doe-het-zelvers dwaalden door de gangpaden met karretjes die kreunden onder het gewicht van twee bij vier duimsbalken, bladblazers met dieselmotoren, cirkelzagen, stukken pvc, vierliterblikken verf. *Veel plezier, klootzakken*, dacht de poppenspeler. *God weet dat jullie er alles voor hebben opgeofferd.*

Hij bracht zijn keuze naar de caissière, een knappe jonge vrouw met een plastic naamplaatje waarop ongeduldige klanten werd verteld dat ze nog in opleiding was, een manier om uit te leggen waarom ze hun aankopen zo traag en onhandig afhandelde, om haar aarzelingen en verontschuldigingen te verklaren. De poppenspeler had medelijden met haar terwijl de rij steeds langer werd. Toen hij aan de beurt was, betaalde hij contant en tot op de cent het juiste bedrag, waarvoor ze dankbaar naar hem glimlachte. Een knap, donkerharig meisje.

Vervolgens moest hij wat meer gespecialiseerde aankopen doen in het paleiselijke hoofdgebouw van het winkelcentrum. Sharper Image en Brookstone, heerlijke hightechwinkels vol vernuftige elektronische apparaatjes die makkelijk voor andere doelen omgebouwd konden worden. Toen wat basiscomponenten bij Radio Shack, waar de man bij de kassa zijn telefoonnummer vroeg, dat hij niet wilde geven. Hij zei tegen de vent dat hij al op genoeg mailinglijsten stond. Toen naar Lecter's, waar ze uitstekend keukengerei verkochten, waaronder ook een merk messen van zulk goed staal dat je ze kon slijpen tot ze zo scherp waren als de scalpel van een chirurg. Er waren tegenwoordig zo weinig mensen die wisten wat je met een goed mes kon doen, hoe verbluffend een echt scherp stuk gereedschap kon zijn. Natuurlijk moest je wel weten hoe je ze behoorlijk moest slijpen, een ooit wijdverbreide vaardigheid die de meeste mensen nu niet meer beheersten. Amerikanen waren, samen met zoveel andere dingen, de messen vergeten die de Viet Cong zo efficiënt had gebruikt; hoe snel een kleinere man met een lang, vlijmscherp mes korte metten kon maken met een grote, zwaarbewapende en bepakte Amerikaanse soldaat.

Tevreden en zwaarbeladen verliet hij de tempel der commercie, met diverse boodschappentassen vol dingen die hij met eerlijke dollars had betaald. Eerst feliciteerde hij zichzelf dat het allemaal goed was gegaan. Maar toen kwam er een kink in de kabel toen hij de parkeerplaats probeerde te verlaten en moest wachten voor verkeer dat vastzat bij de uitgang van het winkelcentrum. Een van de stoplichten was kapot en bij de oprit van Route 7 was men bezig met enkele reparaties, vandaar dat een agent het verkeer regelde. Hij droeg een potsierlijk oranje reflecterend vest en een douchemuts van oranje plastic over zijn politiepet. Alle chauffeurs raakten een beetje in de war, hun reflexen afgestompt door de verdoving van het winkelen, vertraagd door deze afwijking van de normale gang van zaken. De agent kon het amper aan, eigenlijk was het een klus voor twee mensen. Toen meneer Smith het kruispunt op wilde rijden, stak de geplaagde agent een witte handschoen op en keek hij hem verbaasd en dreigend aan. Hij wuifde met zijn andere hand als een ziedende schoolfrik, en bewoog een opgeheven vinger heen en weer terwijl hij in de baan van de auto van meneer Smith ging staan, voordat hij zich omdraaide om het verkeer van de andere kant te regelen. Zoals hij daar vastzat op het kruispunt, als een stierkalf voor de slacht in een veekraal, voelde meneer Smith de ader in zijn nek opzwellen en kronkelen als een slang. Zijn gezicht begon te gloeien. Zijn bloeddruk ging pijlsnel omhoog. Hij kon bijna voelen hoe de hippocampus onder aan zijn hersenen zwol en zich krampachtig samentrok, als een naakte larve. De verachting en de arrogantie in de gebaren van de diender. Even kwam de gedachte in hem op om hem een lesje te leren, om hem van een afstand te observeren en hem naar zijn huis te volgen. Toen overwoog hij om de volgende fase met Nummer Vier te versnellen, alles was toch al bijna klaar.

Maar dat was stom. Hij maande zich tot kalmte, herinnerde zich aan de noodzaak van voorzichtigheid. Het ging om meer dan persoonlijke veiligheid, het was nagenoeg een kwestie van staatsveiligheid. Je verloor niet de macht over jezelf, je nam de macht in handen. Zo sloeg je terug. Zo maakte je duidelijk wat je bedoelde. Zo liet je hen boeten en zo kreeg je de overhand. Over jezelf, over anderen, over het leven. Dit was in hoge mate een metafysische queeste.

Niettemin was het goed dat de agent er niet te lang over deed om zich om te draaien en hem te wenken dat hij door kon rijden. Het blonde hoofd met de oranje douchemuts knikte geruststellend en bijna verontschuldigend, en er viel een enorme last van hem af. Tijd om naar huis te gaan.

De poppenspeler deed met de afstandsbediening de poort open en reed de lange oprit op. Medio mei en het huis was prachtig in het licht van de ondergaande zon, een beetje mysterieus. Huize Smith. Het terrein lag in de beschutting van grote eiken, de bladeren van vorig jaar lagen dik op de bosgrond tussen lage mirtestruiken. Na de bocht, het gazon en de helling naar het huis.

Het huis was niet groot, maar het was een prima tweede huis voor een man alleen, en met de dubbele garage en de kleine vleugel die hij aan de achterkant had aangebouwd had hij alle ruimte die hij nodig had. Een klassiek Westchester boshuis, dat eruitzag alsof het uit de aarde was opgeschoten, een steil, bemost dak, met klimop begroeide stenen muren, zware schoorsteen, kleine raampjes. Hier in de buurt noemden ze de stijl 'rustiek Tudor', maar hij zag er altijd iets Duits in, een sprookjeshuis uit het Zwarte Woud. Het was gebouwd lang voordat deze streek de welgestelde enclave werd die het nu was, en in feite was het land achter het huis, in de richting van de beek, veertig jaar eerder een vuilnisbelt geweest. Dat was in de tijd voor de milieuwetten en de bestemmingsplannen. Nu was de oude belt allang overwoekerd, een struikachtig bos dat verstikt werd door klimplanten en waarin hier en daar de roestige karkassen stonden van Studebakers en DeSoto's met hun ronde achterkanten. Het was een handige plek om de honden te begraven, en hij was cruciaal voor de latere fasen van het conditioneringsproces, een soort proefterrein.

Het speet hem dat hij slechts 1,3 hectare had, maar door de omvang van de landerijen aan weerskanten, de oude belt en het niemandsland van de snelweg niet ver daarvandaan had hij meer dan genoeg privacy. Nergens op zijn terrein kon je andere huizen zien, en vanuit de ramen aan de voorkant van het huis kon je alleen in de winter auto's zien passeren.

Hij reed naar de garage en zette de auto voor de rechterdeur. Hij bracht zijn aankopen naar de werkplaats, en nadat hij het licht had aangedaan, begon hij die in kasten en laden op te bergen. De elektronicawinkel had zijn eigen hoek in de grote ruimte, tegenover de zwaardere machines, en voorlopig zette hij de weegschaal die hij bij Brookstone had gekocht daar op de werkbank. De weegschaal was een vernuftig instrument dat je niet alleen woog maar ook je lichaamsvet mat door een zwakke elektrische stroom door je heen te sturen via de chromen platen waar je op stond, en die eigenlijk elektrodes waren. Toen hij de technische specificaties van het apparaat had gelezen, was hij opgetogen dat de gebruikte stroom exact was wat hij had berekend voor de volgende experimenten met directe neurale prikkels en hem de tijd zou besparen om daarvoor speciale componenten te maken. Hij gaf de weegschaal een teder klopje en keek ernaar uit om hem later uit elkaar te halen.

Toen hij klaar was, ging hij naar de operatiekamer om te kijken hoe het met de honden was. De twee honden wachtten jankend, elk in zijn eigen kooi. Een golden retriever en een Duitse herder, allebei ongeveer twee jaar, geadopteerd via advertenties in het wekelijkse advertentieblaadje van Hartford. Het waren goede honden, nog steeds mooi ondanks de detonerende kale schedels boven hun bezorgde wenkbrauwen. Hij had ze gisteren geschoren, en had ze voor hun goede gedrag met lekkers beloond. Nu sprak hij ze sussend toe terwijl hij de slang door het gaas stak en hun waterbakken bijvulde.

Toen hij weer in de hoofdruimte was spitste hij zijn oren in de richting van het huis. Hij hoorde niets, wat suggereerde dat alles daar nog steeds in orde was. Toen ging hij aan de werktafel zitten en sloeg hij de *Times* open die hij in het winkelcentrum bij een muntautomaat had gekocht. Hij nam hem zorgvuldig door en vouwde hem toen weer dicht. De *Daily News* en de *Journal News* nam hij even zorgvuldig door. Het artikel van maandag over de moord op O'Connor was teleurstellend vaag geweest, en kreeg vandaag geen vervolg.

Toen hij al het nieuws had doorgenomen, vouwde hij de kassabonnetjes van zijn boodschappen van vandaag open en spreidde hij ze op de tafel uit, om de bedragen te controleren. Dat van Lecter's viel hem al snel op. Hij pakte een rekenmachine en tikte het bedrag in om het nog een keer te controleren. Hij had gelijk gehad; ze hadden hem te veel berekend. *God. Ver. Dom. Me.* Die grote, klungelige gozer bij de kassa, die vals glimlachte terwijl hij de bedragen aansloeg en of er een zootje van maakte of er opzettelijk vijf dollar bovenop deed.

De ader begon weer in zijn hals te kronkelen en zijn schedel leek te klein om de druk daarbinnen in bedwang te houden. Die vijf dollar waren niet zo belangrijk, het ging om het princípe, het systeem dat voortdenderde en hem in zijn mácht had, hem zo manipuleerde dat het ervan profiteerde, hem belazerde. En het ergste was nog dat hij niet terug kon naar het winkelcentrum om een scène te maken, dat hij niet het risico kon lopen om op te vallen of op wat voor manier dan ook een indruk achter te laten. Hij herinnerde zich eraan dat hij met dit soort dingen geduld moest hebben. Hij zat in de tang, werd gemanipuleerd, gewoon één klein poppetje in een enorm poppenspel en er was goddomme niets dat hij eraan kon doen.

Behálve, herinnerde hij zichzelf. Behalve wat hij al deed. Behalve de klus waarmee hij bezig was. Toen de sensatiebladen eindelijk lucht hadden gekregen van de verbanden tussen de moorden in New Jersey en toen in Manhattan, hadden ze die het werk van een 'monster' genoemd. Dat vond meneer Smith niet echt erg, hoewel hij liever erkenning had gekregen voor het inzicht en de vaardigheid die de moorden hadden vereist. Het was waar dat, op een bepaald niveau, iedereen die zoiets kon doen inderdaad een monster was. Maar hij deed alleen maar wat ze hem geleerd hadden, waarvoor hij was opgeleid, wat hij van hen moest doen, dat waar hij goed in was, waarvan ze hem hadden verzekerd dat het essentieel was dat hij het deed. Als hij een monster was, hadden zij dat van hem gemaakt, en was het niet meer dan eerlijk dat zij nu de consequenties moesten dragen.

Die gedachten knaagden aan hem, als hongerige piranha's, duizenden kleine, gemene beetjes, en zijn handen trilden toen hij de bonnetjes opborg. Ondanks zijn zelfbeheersing wist hij uit ervaring dat die gedachten en de druk niet zouden verdwijnen zonder de opluchting van een catharsis.

Gelukkig had hij daar zo zijn middelen voor.

Hij deed het licht in de garage uit, deed zachtjes de deur naar de keuken van het slot, en sloop toen het donkere huis binnen, waarna hij de deur geluidloos achter zich dichtdeed. Het verrassingseffect van een plotselinge verschijning. Toen hij eenmaal binnen was, liep hij de keuken door en bleef hij bij de deur naar de woonkamer staan. Er hing een lichte geur van schimmel en urine, en het enige licht kwam van de digitale klok in de magnetron. Hij wachtte. Vervolgens stampte hij hard met zijn voeten en sloeg hij op een pan op het aanrecht. Tot zijn genoegen hoorde hij in de daaropvolgende stilte een snel geschuifel en gekrabbel in de donkere kamer, alsof een klein dier zich in een hoek had teruggetrokken en daar nu zat te wachten. Een tastbaar gevoel van angstige verwachting.

'Ik ben er weer,' zei hij. Een strenge, vaderlijke stem. 'Ik kom binnen.' De enige reactie was weer een zacht geschuifel en nog enig angstig stilzwijgen. Het was heel bevredigend.

12

Woensdag begon nat, een lichte motregen die uit een laaghangende, tinkleurige bewolking neerdaalde. Mo vond het niet erg; het betekende dat hij binnen kon werken zonder uit het raam te kijken en te zien dat het weer zo'n prachtige lentedag was terwijl hij geen tijd had om naar buiten te gaan. Hij ging in zijn stoel zitten en negeerde het gebabbel van Estey en Paderewski aan de andere kant van het vertrek. Er was wat materiaal van de moord op O'Connor doorgekomen, waaronder een samenvatting van het buurtonderzoek van de politie van White Plains en St. Pierre. St. Pierre was misschien onervaren, maar hij barstte van de energie. Hij had al een gesprek gehad met de zuster van het slachtoffer in Poughkeepsie, de mensen in de copy shop van O'Connor en een vrouw met wie hij onlangs een verhouding was begonnen. Volgens zijn aantekeningen was O'Connor tweeëndertig geweest, geen kinderen, twee jaar geleden gescheiden; zijn ex woonde nu in Californië. Een verwoed fietser en kanoër, amateur natuurfotograaf. De vriendin zei dat ze zo'n zes maanden met elkaar omgingen, en zowel zij als de zuster was ingestort tijdens het vraaggesprek met St. Pierre. Zoals Mo had geopperd hadden de mensen van White Plains en St. Pierre speciaal navraag gedaan naar onenigheden of woordenwisselingen die O'Connor mogelijk met mensen had gehad, alles waardoor hij de indruk had kunnen wekken dat hij 'macht uitoefende' en hem in de ogen van de moordenaar tot een doelwit maakte. White Plains probeerde nog steeds zijn ex-vrouw in Sacramento te bereiken, maar iedereen wist dat het hier niet ging om een wraakzuchtige ex.

Het stak Mo om een levensverhaal zo samengevat te zien. Elk leven dat je herleidde tot de van buitenaf zichtbare feiten, een pakje papier, leek een verzameling algemene, willekeurige, zielloze gegevens. De samenvatting van Mo's eigen leven zou na zijn dood ook behoorlijk deprimerend zijn. Als je het papier en de vleselijke resten op de plaats delict bij elkaar optelde, moest je je afvragen wat een leven inhield. De antwoorden die dat suggereerde waren niet opbeurend.

Mo keek of hij iets meer had aan het materiaal van het lab dat ook was doorgekomen. Angelo had op dinsdagmiddag de autopsie verricht en zijn verslag zat erbij. Het tijdstip van overlijden was vrijdagochtend heel vroeg, wat betekende dat O'Connor donderdag thuis was vastgezet voordat hij naar zijn werk ging en dat de moordenaar hem misschien achttien uur lang had gebruikt. Volgens Angelo's aantekeningen had O'Connor, nadat hij aan de muur was opgehangen, zijn eigen gewicht kunnen dragen met de draden aan zijn armen en benen, en was hij pas gewurgd toen zijn ledematen de spanning van het draad rond zijn nek niet meer konden houden. Op de close-up foto's van de plek waar de lijn om zijn polsen en zijn knieën had gezeten waren schaafwonden te zien en bloedingen in één bepaalde richting, zoals je kon verwachten bij iemand die een tijd had geleefd nadat hij aan de muur was opgehangen.

Het was een akelige gedachte dat iemand uit alle macht probeerde om overeind te blijven tot zijn kracht het begaf en hij langzaam stikte. Mo deed even zijn ogen dicht en wreef over de brug van zijn neus.

Het feit dat de huid helemaal verkleurd was rond de plaatsen waar de lijn had gezeten suggereerde dat O'Connor langdurig als een marionet was gemanipuleerd. Geen spoor van seksueel misbruik, ongebruikelijk voor dit type ritualistische moordenaar. De staat van zijn organen en zijn spiertonus waren goed, wat betekende dat O'Connor fit was geweest en in goede gezondheid had verkeerd. Dat maakte de bewering van dr. Ingalls dat de moordenaar ook vrij sterk moest zijn waarschijnlijk. Angelo had incisies gemaakt bij de wonden aan de slapen en had er zowel foto's als tekeningen in dwarsdoorsnede van gemaakt. Mo was geen deskundige op het gebied van oud gereedschap, maar de omvang en de vorm van de wonden leek wel zo'n beetje overeen te komen met een antieke ijstang waarvan de punten waren aangescherpt. Net als de tang die destijds bij Ronald Parker was gevonden.

Angelo had een reeks close-up foto's van de knopen in de lijn genomen, die het belangrijkste vergelijkingsmateriaal met de Howdy Doody-moorden zouden vormen. Vanmiddag, als hij met dit materiaal terugging naar het veldkantoor van de FBI in Manhattan, zou Mo precies weten hoe diep deze beerput was. Hij kon het niet zeggen zonder ze naast elkaar te leggen, maar terwijl hij naar de foto's keek, voelde hij de moed in zijn schoenen zakken. Ze leken erg op wat hij zich herinnerde van de knopen die hij in Biedermanns dossiers had gezien.

En ja, de handboeien om O'Connors polsen waren van het merk Flex-Cuf dat special agent Morris had geïdentificeerd bij de slachtoffers van Parker – Angelo had gewoon de merknaam en het logo van de banden afgelezen.

Ten slotte was er een verzameling foto's van de geordende objecten die bij O'Connor thuis waren aangetroffen, waaruit duidelijk bleek dat verschillende soorten patronen herhaald werden. De zigzaglijnen met voorwerpen op de hoekpunten, een ster van kleinere voorwerpen rond een groter object, enzovoort. Een bepaald arrangement van slachtoffers en objecten was niet ongebruikelijk bij seriemoordenaars, en de precieze aard van de arrangementen zou veel over de psychologie van de dader kunnen onthullen. Speciale aandacht voor de genitaliën van het slachtoffer suggereerde een seksueel georiënteerde psychopathologie. Swastika's, kruisen of andere symbolen zouden aanwijzingen kunnen verschaffen omtrent de culturele achtergrond van de dader. Het gebruik van bloemen, het bedekken van het gezicht, of het aan het oog onttrekken van wonden zou een symbolische begrafenis kunnen voorstellen, en suggereerde dat de dader berouw of schaamte voelde. In feite had de Eenheid voor Gedragswetenschappen van de FBI een encyclopedische catalogus van dergelijke arrangementen opgesteld, met een uitvoerige analyse van de psychologische implicaties van elk arrangement.

Het zou ook interessant zijn om deze foto's te vergelijken met Biedermanns foto's van de arrangementen van Ronald Parker. En, zo herinnerde Mo zichzelf, met de arrangementen en andere bijzonderheden van de plaats delict in de krachtcentrale.

Tegen de tijd dat hij al het nieuwe materiaal had doorgenomen was het halftwaalf. Estey had het kantoor verlaten. Paderewski zat met haar voeten op haar bureau, bladerde door een tijdschrift en luisterde met een hoofdtelefoon naar muziek tijdens haar koffiepauze. Mo had net besloten dat het voor hem ook tijd was voor een pauze toen de deur openzwaaide en St. Pierre binnenkwam. Hij kwam naar Mo's bureau en schoof wat papieren opzij zodat hij op het bureau kon gaan zitten.

'Heb je tijd om even bij te praten over dat lijk bij de krachtcentrale?' St. Pierre wuifde met de dossiermap die hij bij zich had.

'Laat maar zien,' zei Mo.

'De forensische identificatie-eenheid werkt vanuit twee invalshoeken. Wat de odontologie betreft, hebben we röntgenfoto's en foto's van de tanden, en ik heb persoonlijk kopieën naar elke tandarts in de county gebracht. Onze tandenmensen zeggen dat ze een probleem met kauwen had, buitensporige slijtage, en dat als ze zich daarvoor liet behandelen, bijvoorbeeld met zo'n plaatje dat je in hebt als je slaapt, de tandartsen misschien haar gebit sneller als dat van een patiënt zouden herkennen.' Hij gooide een aantal foto's op het bureau, shots van de boven- en onderkaak vanuit verschillende standpunten. 'Wat de sieraden betreft, de oorbellen stelden niet veel voor, heel gewone, maar de ring leek dermate bijzonder dat er misschien een verhaal aan vastzat. Dus ben ik met foto's ervan alle juweliers in de county afgegaan, om te kijken of zij hem ooit hadden gezien, hem misschien hadden verkocht of aan de zetting hadden gewerkt.' St. Pierre haalde nog twee foto's uit het dossier en gaf die aan Mo.

Angelo had de sieraden tussen de resten van het lijk gevonden. De ring zag er inderdaad opvallend uit. Een kleine opaal in een barokke antieke zetting; het soort ding dat een erfstuk zou kunnen zijn.

'Goed werk,' zei Mo oprecht. St. Pierre de streber.

Mike nam het compliment bijna kwispelend in ontvangst, als een puppie die geprezen werd. 'Ten slotte staan we op de wachtlijst voor een gezichtsreconstructie, maar dat kan nog wel een paar weken duren. Ik heb ook weefselmonsters aan het DNA-lab in Albany gegeven voor een definitieve identificatie als we iets hebben om het mee te vergelijken.'

'Vingerafdrukken op de gearrangeerde voorwerpen?'

'Op alles goede afdrukken. En we zijn ze aan het natrekken. Maar ook dat zou een tijdje kunnen duren...'

'En hoe zit het met het draad? Ik ben vooral geïnteresseerd in de knopen.'

Voor het eerst keek St. Pierre bezorgd. Zijn wenkbrauwen bewogen onafhankelijk van elkaar alsof ze niet konden besluiten welke kant ze op moesten. 'De lijn is een gekartelde polyesterlijn van 0,95 mm voor een onkruidwieder, gefabriceerd door Unibrand en verkocht bij ijzerwarenwinkels, Home Depots, Wal-Marts; onmogelijk te achterhalen. Wat betreft de knopen, eh, daar heb ik Lazarre naar gevraagd, maar die hield me aan het lijntje. Ik begreep niet waarom. Misschien dat je met haar zou moeten praten.'

Húúh, dacht Mo, die zag welke kant dit op ging. Liz Lazarre was het hoofd van de technische recherche in het countylab in Grasslands. Haar domein was een reeks afgesloten vertrekken met onderdruk en HEPA-filters, die weinig meer bevatten dan felle lichten, droogrekken, gigantische wit emaillen tafels en fotoapparatuur. De tafels werden zorgvuldig schoon gehouden en waren zo groot dat alles erop kon dat mogelijk aanwijzingen kon verschaffen, van een duimnagel tot een autobumper tot een bank. Ze zou de lijnen uit de krachtcentrale op een van haar tafels gelegd hebben om ze met pincetten en microscopen te bestuderen en ze onder verschillende belichtingen te fotograferen. Liz had de bijnaam Eva Braun gekregen, in een poging om haar dictatoriale stijl aan te geven, hoewel Mo niet echt wist of de oorspronkelijke Eva even verbeten was geweest als haar maatje Adolf. Mo had een donkerbruin vermoeden waarom zij St. Pierre aan het lijntje had gehouden.

'Overig nieuws,' zei St. Pierre trots. 'Ik ben net gebeld dat mijn vrouw weeën heeft gekregen en ik ga nu meteen naar huis om bij de bevalling te zijn. Ik zal morgen waarschijnlijk vrij moeten hebben.'

Mo keek slechts naar hem, het grote zonnige gezicht, de jongensachtige lach. Hij leek zich niet bewust van de ironie hier, dat hij in één adem praatte over verdroogde lijken en baby's die geboren werden, of dat hij één lullig dagje vrij nam om het nieuwe leven te verwelkomen terwijl hij de rest van zijn dagen aan de dood besteedde.

'Dat is geweldig, Mike,' zei Mo. 'Veel geluk. Ik weet zeker dat het geweldig zal gaan.' Hij gaf St. Pierre een hand, heel stevig. Hij wist dat hij het in zijn broek zou doen als hij St. Pierre zou zijn.

Aan de andere kant van het vertrek keek Paderewski naar St. Pierre. Ze glimlachte en klapte in haar handen. Mo kon er niet bij hoe ze iets door haar hoofdtelefoon kon horen. 'Ga je op sigaren trakteren?' vroeg ze.

Met een telefoontje naar Liz werden Mo's verdenkingen bevestigd. Liz was een rookster die gekweld werd omdat ze er tijdens haar werk niet eentje op kon steken, chagrijnig door een voortdurend gebrek aan nicotine. Het was niet makkelijk te zeggen hoe je Liz voor je in kon nemen, als dat überhaupt al mogelijk was, maar je wilde haar zeker niet tégen je innemen. Dus toen ze hem vertelde dat ze de lijnen en de knopen al op Biedermanns 'verzoek' versneld naar Manhattan, naar het veldkantoor van de FBI had gestuurd, klaagde Mo niet. In plaats daarvan bedankte hij haar en reed hij naar Grasslands Campus in Valhalla, tien minuten naar het noorden. Het kantoor van de patholoog-anatoom.

Angelo bracht zijn dagen in de kelder door, waar hij met lijken werkte en met enkele medewerkers en assistenten die bij Mo de indruk wekten dat ze net zo dood waren als hun klanten. Het verbijsterende was dat ze allemaal daar beneden lunchten, dat ze vrolijk zaten te knabbelen in een personeelskantine pal tegenover de opslagruimte met de roestvrij stalen britsen die bedoeld waren voor zeer diepe slapers.

Angelo was stipt als het om zijn etenstijden ging en Mo trof hem, zoals verwacht, met zijn voeten op de tafel, verdiept in een of ander vakblad terwijl hij een grote belegde baguette at. Zijn assistent was er ook. Over de tafel gebogen at hij aardappelsalade uit een plastic bewaarbak. Angelo wees met zijn wijsvinger naar Mo en stond op om hem te begroeten.

'Ik had al zo'n idee dat ik jou vandaag zou zien,' zei Angelo.

'O ja?'

'Tja. Ik krijg er hier niet zo vaak drie van jou tegelijk. Wie wil je eerst zien? Ik ben klaar met Willard en O'Connor. De dame uit de krachtcentrale zal iets langer duren, alleen vanwege de toestand waarin ze verkeert. We gaan een microscopische weefselanalyse doen en wat insectenwerk – er zijn wat eieren en larven die ons kunnen helpen bij het inschatten hoe lang ze daar al was. Wil je het zien?'

'Vandaag niet. Eigenlijk kwam ik om jou te zien.'

'Ik voel me gevleid. Laten we weer naar binnen gaan, dan kunnen we praten.' Zijn sombere toon was Angelo niet ontgaan; hij had het begrepen. Hij maakte een prop van de verpakking van zijn sandwich, gooide die weg en leidde Mo door de gang naar de autopsieruimte. Ze liepen door een paar klapdeuren de hoofdruimte binnen, een groot raamloos vertrek met tegelvloeren en felle lichten. Zes wit emaillen operatietafels namen het grootste deel van de ruimte in beslag, en de wand aan de andere kant bevatte twintig roestvrij stalen laden die bestemd waren voor de huidige klanten.

Toen hij de deur achter zich had dichtgedaan, zei Angelo: 'Het gerucht gaat dat Carla weg is. Hoe ben jij daar onder?' Hij keek naar Mo en wreef over een baard die er niet was, zodat hij meer op een psychiater dan een lijkensnijder leek.

'Ach, niet zo best. Je weet wel.'

Angelo wendde zich af en liep naar de chromen wand, waar hij even peinzend bleef staan voordat hij een van de handvaten een ruk gaf. De lange lade gleed naar buiten en daar was Grote Willie. Zijn huid was blauwig en zijn enorme borst gespleten door de grove hechtingen van een Y-vormige incisie; zijn hoofd en nek werden gesteund door een groen plastic blok. Angelo keek even kritisch naar Willie voordat hij zei: 'Ik weet het. Je bent in de rouw. Maar waarom? Rouw je om Carla en Mo, of om de liefde zelf?'

Het was een goede vraag en Mo spreidde zijn handen terwijl hij zich omdraaide, zodat hij Grote Willie niet hoefde aan te kijken. 'Als je bijna veertig bent...' begon hij. Waarmee hij wilde zeggen dat, ja, je na een tijdje inderdaad begon te vrezen dat je het niet meer mee zou maken, dat de liefde die je net achter de rug had misschien wel de allerlaatste was.

'Luister, help me met jouw makker hier,' onderbrak Angelo hem terwijl hij op Willies arm tikte. 'Ik heb deze la nodig, maar we willen hem nog hier houden zolang jouw beoordeling nog niet is afgerond, en trouwens, we hebben nog geen familieleden kunnen achterhalen, weten niet wat we met hem moeten doen. Ik moet hem naar de opslagruimte verhuizen. Zou je die brancard hierheen willen rijden?'

Mo rolde de brancard gehoorzaam tot naast de lade. Angelo stelde de hoogte bij en blokkeerde de wielen.

'We kantelen hem gewoon. Het maakt niet uit als hij op zijn gezicht ligt; uiteindelijk komt hij in de koelkast weer op zijn rug te liggen.' Angelo ging bij de benen van Grote Willie staan en keek afwachtend naar Mo. Mo legde zijn handen onder de zware schouders en tilde toen Angelo knikte. 'Toe maar. Mooi. Mooi,' zei Angelo bemoedigend. Mo had al zijn kracht nodig om het lijk op zijn zij te draaien, en toen rolde het plotseling vanzelf door, om met een schok op de brancard te belanden.

Ze reden Grote Willie een zijgang in en naar de opslagruimte. Angelo deed de geïsoleerde deur open en binnen ging het licht automatisch aan, als bij een koelkast. Het was een kleine, heel koude ruimte met aan weerskanten twee rijen van vijf stalen britsen boven elkaar, die met verticale kettingen op of neer werden gehaald. Op de britsen aan de rechterkant lagen enkele lijken, en Mo had het onaangename gevoel dat hij in de slaapkamer van een vreemde binnendrong. Ze blokkeerden de wielen van de brancard en Angelo trapte op een pedaal waardoor de brancard omhoogging.

Toen hij zich ter hoogte van een van de legplanken aan de linkerkant bevond, wendde Angelo zich weer tot Mo. 'Ik wil nooit meer dat gezeik horen dat je je beste tijd gehad hebt,' zei hij. Hij ging zo staan dat hij Grote Willie om kon rollen, en toen ze allebei duwden, draaide het lijk om zijn as, om op zijn rug op de legplank te belanden. Angelo legde een van Grote Willies armen goed en ontgrendelde toen het hefmechanisme en de remmen van de brancard, terwijl hij zei: 'Het is gelul, Mo. Ten eerste ben je te jong om zo te denken. Ten tweede was je eenzaam in die relatie. Als je mijn mening wilt horen, heb je mazzel dat Carla het lef had om er een eind aan te maken.' Hij trok zijn wenkbrauwen op – *niet dan?* – en benadrukte zijn woorden met zijn donkere ogen.

Mo haalde zijn schouders op. Er een eind aan maken, een beetje beter je best doen, hoe wist je dat het tijd was voor het een of het ander? Waar lag de grens? Mo was altijd uitgekomen op een beetje beter je best doen. 'Misschien kunnen we over het werk praten,' zei hij na een ogenblik. 'Je autopsie van het lijk in de krachtcentrale, niet je necrologie van mijn relatie. Kunnen we hier weg?'

'Zeker.' Angelo bleef hem aankijken om Mo te laten weten dat hij de ontwijkende reactie niet helemaal accepteerde.

Ze verlieten de opslagruimte. Angelo duwde de lege brancard terwijl ze terugliepen in de richting van de autopsiezaal.

Mo ademde opgelucht de warmere lucht van de gang in. 'Ik ben geïnteresseerd in de draden...'

'Heb er vier in de stoffelijke resten gevonden. Heb ze naar Liz gestuurd.'

'Die ze heeft bekeken en naar Federal Plaza heeft doorgestuurd.'

Angelo knikte peinzend terwijl hij de brancard weer de felverlichte hoofdruimte in reed. 'Mmm. Je zou ze graag willen zien, hè?'

'Nou...'

'Je hebt geluk,' zei Angelo, 'dat ik een paar close-up foto's voor mezelf heb bewaard. Ik bewaar altijd beeldmateriaal van dat soort dingen in situ.' Hij knipoogde, liep naar een roestvrij stalen wasbak en begon zijn handen te wassen. 'Kan nooit kwaad om nog wat documentatie achter de hand te hebben.'

'Ik begrijp dat je eerder met Biedermann hebt gewerkt,' zei Mo.

Twintig minuten later zat Mo weer aan zijn bureau en keek hij naar foto's van de knopen, kopieën die met Angelo's 1200 DPI laserprinter waren afgedrukt van zijn scanner. Op de linker: een knoop rond de polsbotten en de zwart uitgeslagen pezen van het lijk in de krachtcentrale. Op de rechter: een knoop rond O'Connors nog volledig vlezige pols. Zelfde draad, de gekartelde polyester lijn. Zelfde knopen, de kleine dubbele strop met drie of vier wikkelingen, de ingewikkelde knoop in het midden van de lijn om de spanning te regelen. Details die zo specifiek waren dat je doorgaans op grond daarvan zou vermoeden dat de twee door dezelfde vent vermoord waren. Aardig om te weten voordat hij weer een bespreking met Biedermann en zijn jaknikkers had.

Mo keek op zijn horloge. Tot nu toe ging alles goed. Nog één boodschap en dan kon hij maar beter naar Federal Plaza gaan.

13

Mo liep door een enorme ruimte vol borsthoge grijze hokjes met FBI-mensen achter hun beeldschermen. Uit het plastic toegangspasje dat aan zijn revers bungelde bleek dat hij een buitenstaander was. Hij volgde het gangpad door het midden van de ruimte naar een reeks kantoren en vergaderzalen bij de buitenmuur, waar de eerste persoon die hij zag dr. Rebecca Ingalls was. Ze stond net in de deur van een vergaderzaal, droeg een groene rok en een bijpassend jasje en praatte met iemand die zich net buiten Mo's blikveld bevond. Mo werd diep getroffen door het silhouet van haar figuur tegen het raam: stevige dijen en zachte ronding van haar buik, verbazend smalle taille. Het was een aangename aanblik, tot de breedgeschouderde gestalte van special agent Biedermann langs haar stapte en naar buiten kwam om hem te begroeten.

'Aha. Rechercheur Ford, kom binnen, welkom,' zei Biedermann. De woorden waren hartelijk maar de stem niet – Biedermann werkte kennelijk aan zijn sociale vaardigheden, maar had duidelijk geen aangeboren talent. 'Dr. Ingalls was zo goed om tijd vrij te maken in haar agenda. Ik dacht dat zij bij ons kleine tête-à-tête zou moeten zijn, om uw materiaal te zien, en op de hoogte gebracht te worden van deze nieuwe situatie. Rebecca, ik geloof dat jij Morgan Ford van de staatspolitie al hebt ontmoet?'

Ze knikte en gaf hem een hand. 'Leuk u weer te zien,' zei ze. *Baf*, een Annie Oakley-glimlach, breed en open als de Great Plains.

'Goed u te zien,' beaamde Mo.

Ze gingen aan een grote tafel zitten. Vandaag slechts met z'n drieën, Biedermann aan het hoofd en Mo en dr. Ingalls tegenover elkaar. Mo maakte zijn aktetas open en stalde wat van het materiaal uit dat hij had meegebracht. Dr. Ingalls pakte een dossier en een notitieboekje. Biedermanns kant van de tafel was opvallend leeg.

'Laten we dan maar eens kijken wat u hebt.' Biedermann wreef verwachtingsvol in zijn grote handen.

'Nou,' zei Mo, 'het materiaal van onze labs, de sectieverslagen en mijn personeelsdossier heeft u al. Daar kan ik dus niet veel aan toevoegen, behalve mijn mening, die ik graag met u wil delen als u daar prijs op stelt. Daarna zou ik graag uw dossiers willen inzien.'

Op Biedermanns gezicht verscheen een blik vol tegenzin. 'Wacht eens even...'

'Het is mijn mening dat als de advocaat van Ronald Parker erachter komt dat deze nieuwe moord volledig identiek is aan die welke aan Parker worden toegeschreven, hij naar de pers zal gaan voordat hij naar de rechter stapt, en zal beweren dat jullie de verkeerde in de kraag hebben gevat. En dat hoewel ik deze knopen en handboeien en schaafwonden als gevolg van ligatuurdraad niet aan de kranten kan laten zien...' hij wierp kopieën van de foto's van Angelo in Biedermanns richting '... ik wel ontlastend bewijsmateriaal aan zijn advocaat kan vrijgeven, en daar zelfs toe verplicht ben. Die hoeft zich niet aan dezelfde regels te houden als ik en hij zal met genoegen jullie stiekeme spelletje aan de kaak stellen. Ik ben echter bereid om die verplichting voorlopig te vergeten als ik in de komende zestig seconden enkele dossiers op deze tafel zie verschijnen. De afspraak voor vandaag was geen gezellige bijeenkomst, maar dat ik inzage in júllie materiaal zou krijgen.'

Biedermann stak zijn kaak een beetje naar voren, een ijzervretersuiterlijk dat hij waarschijnlijk voor een spiegel had geoefend. Dr. Ingalls leek een beetje uit het veld geslagen doordat de twee mannen meteen op zo'n gespannen voet stonden, maar ze was ook nieuwsgierig en observeerde hen aandachtig.

'Ik heb je gisteren al gezegd,' zei Biedermann kortaf, 'dat ik geen gezeik van jou pik.' Hij reikte naar een telefoon die achter hem stond, toetste een nummer in, wachtte en sprak toen in de hoorn: 'Verbind me door met Frank Marsden in de kazerne van de staatspolitie van White Plains.' Terwijl hij wachtte, zei hij tegen Mo. 'Je ligt eruit, Ford. Zo simpel is dat. Marsden zal je zo snel de straat op schoppen...'

'In feite,' onderbrak Mo hem, 'heb ik hem net gesproken voordat ik hierheen ging. Heb hem contact laten opnemen met een dame die Francine Jacobs heet, van personeelszaken. Hij was kwaad dat je mijn dossier had opgevraagd, en het zíjne, zonder zo beleefd te zijn om dat met hem te overleggen. Hij is al erg pissig en zal het niet op prijs stellen dat hem gezegd wordt wat hij moet doen. Doe jezelf een lol en probeer een meer coöperatieve managementstijl.' Mo hield zijn stem vlak en keek slechts hoe Biedermann reageerde.

Biedermann aarzelde, terwijl hij met zijn ene hand de telefoon voor zijn gezicht hield en de andere vlak op de tafel had. Hij staarde naar Mo.

'Er is nog iets dat je moet weten,' voegde Mo daaraan toe, 'en dat is dat Richard Flannery persoonlijk in deze zaak geïnteresseerd is. Je hebt de officier van justitie van Westchester toch ontmoet? Hij heeft mij, persoonlijk, gevraagd om hem, persoonlijk, op de hoogte te houden, en het hem te laten weten als ik zijn hulp ergens bij nodig heb.' Mo had besloten dat één manier om het werken met zowel Flannery als Biedermann te overleven was om hen tegen elkaar uit te spelen. Biedermann kon misschien een nederig rechercheurtje koeioneren, maar het was iets anders om de macho uit te hangen tegenover de hoogste gekozen juridische autoriteit van de rijkste county van New York. 'In feite heb ik hem gesproken vlak voordat ik hierheen ging. Hij vroeg om morgen een volledig verslag uit te brengen. Misschien zou je hem moeten bellen in plaats van Marsden.'

Biedermann had nog steeds de telefoon in zijn hand en het had twee kanten op kunnen gaan, maar toen lachte dr. Ingalls. Ze schudde haar hoofd en tikte met haar pen op de rug van Biedermanns hand. 'God, wat hou ik toch van mijn werk!' zei ze oprecht. 'Jullie geven me een klassíéke demonstratie van competitief hiërarchisch gedrag! Erik, je hebt dit soort kritiek al eerder gehoord. Misschien is het tijd om toe te geven dat er iets in zit? Bovendien heeft rechercheur Ford al een paar zeer goede ideeën gehad en ik geloof niet dat je het je kan veroorloven om geen gebruik te maken van zijn onmiskenbare talenten. Laten we aan het werk gaan.'

Het moest Biedermann worden nagegeven dat hij op één wang een wrange grijns te voorschijn wist te toveren. Hij wierp de hoorn weer op het toestel, stond op en liep naar de deur. Onderweg gaf hij Mo een harde klap op zijn schouder. 'Esteban,' riep hij naar het kantoor aan de andere kant, 'wil jij ons de Howdy Doody-dossiers brengen? Dank je wel.' Toen wachtte hij in de deuropening, terwijl hij naar hen beiden keek. 'Dit zou wel eens een geweldig team kunnen worden,' zei hij weinig enthousiast.

Het draad dat bij de oorspronkelijke Howdy Doody-moorden was gebruikt was een gekartelde lijn van 0,95 mm van Unibrand, net zoals de lijn die op het lijk van O'Connor was aangetroffen, verkrijgbaar in grote haspels bij meer dan drieduizend winkels in het hele land. Hetzelfde gold voor de oogjes, gegalvaniseerd stalen vraagtekens van 9,3 millimeter die bij Save-Rite Hardware werden gemaakt en die in het hele land te koop waren voor vijftig cent per stuk. Hetzelfde gold voor de wegwerphandboeien, van het merk Flex-Cuf, een nylonband van één centimeter bij anderhalve millimeter. De meest veelbetekenende parallellen waren de knopen, die overeenkwamen, en de blauwe plekken en de schaafwonden op de plaatsen waar de lijn had gezeten, die vertelden dat de slachtoffers op dezelfde wijze misbruikt en gemanipuleerd waren. Ten slotte waren er talloze parallellen in de meest voorkomende manieren waarop de voorwerpen waren geordend. Geen van deze bijzonderheden was vrijgegeven aan de pers.

Ze bekeken het materiaal alle drie, legden foto's naast elkaar om ze te vergelijken. Even stond Biedermann achter Mo, waarbij hij over hem heen leunde om het materiaal opnieuw te bezien. De nabijheid van zijn grote lichaam gaf Mo een gevoel van claustrofobie. Toen hij naar zijn stoel terugliep, ging hij slechts zitten, speelde met een pen, terwijl hij peinzend en bijna droevig keek. Dr. Ingalls pakte het materiaal toen Mo ermee klaar was en toen zij het had doorgenomen haalde ze diep adem. Ze sloeg haar handen achter haar hoofd ineen, leunde achterover in haar stoel en staarde naar het plafond.

Mo was de eerste die iets zei. 'Ronald Parker is de verkeerde.'

'Nee,' hield Biedermann vol. 'Onmogelijk.'

'Hoe kunnen we dat zo zeker weten? Oké, jullie hebben hem aangehouden in zijn auto met alle toebehoren, zijn profiel klopt, maar misschien heeft men hem, ik weet het niet... erin geluisd? Misschien...'

'Morgan,' zei dr. Ingalls zachtjes, 'er was een ooggetuige. Dit alles in aanmerking genomen zou ik zelf ook twijfelen aan de ooggetuige... als *ík* het niet zou zijn. We hadden een val gezet. Ronald Parker kwam mijn woning binnen. Hij... deed me pijn. Hij had de spullen bij zich. Mijn getuigenis tegen hem zal er niet alleen over gaan dat het profiel klopt.' Ze keek naar Mo alsof ze beducht was voor zijn reactie.

'Maar wat dan? Parker had een, een medeplichtige, iemand die zijn signatuur door en door kende, en die het nu alleen doet, nu Parker in de bak zit?'

'Misschien,' zei dr. Ingalls. 'Er zijn alleen twee bezwaren. Ten eerste was Ronald Parker alleen toen hij naar mijn huis ging. Ten tweede, zelfs als twee mensen samen moorden plegen, kunnen zij niet precies dezelfde psychopathologie hebben. Hun verschillende psychologische behoeften zouden vroeg of laat in de misdaad tot uitdrukking moeten komen. Vooral als ze niet meer samenwerkten.'

'Een identieke tweelingbroer?' probeerde Mo, hoewel hij wist dat het vergezocht was. 'Parker was geadopteerd... kan hij zijn tweelingbroer ooit weer ergens tegen zijn gekomen? Ik bedoel, je leest altijd van die verhalen over gescheiden bij de geboorte...'

Dr. Ingalls schudde haar hoofd. 'We zijn teruggegaan, hebben zijn geboortegegevens gevonden. Hij is als enig kind geboren.'

'Dan blijft alleen het insiderscenario over,' zei Mo. 'De nieuwe moordenaar is iemand die nauw betrokken was bij het oorspronkelijke onderzoek en die zich als een imitator voordoet om verwarring te zaaien. Wie wisten er zoveel over het onderzoek?' Hij keek naar Biedermann om diens reactie te peilen. Hij had gezien hoe Biedermann zijn zaken aanpakte, hoe weinig hij uit handen gaf. Het antwoord kon niet erg vleiend zijn. Mo durfde te wedden dat er maar heel weinig mensen waren die over alle informatie beschikten om de misdaad zo exact na te kunnen bootsen. Iemand in het kantoor van Biedermann. Misschien iemand op het kantoor van de officier van justitie van New York. Misschien iemand bij de politie van New Jersey of New York, maar te oordelen naar Ty's wrok over de manier waarop het onderzoek gerund werd, waarschijnlijk niet eens daar. Wie nog meer? Zelek, het buitenaardse wezen, of iemand anders op zijn niveau? Mo overwoog om Biedermann daarmee te confronteren, maar besloot toen dat hij zijn geluk vandaag al te veel op de proef had gesteld.

'Zelfs dat scenario heeft zo zijn problemen,' zei dr. Ingalls.

'Zoals...?'

'Het motief. Waarom zou een gezagshandhaver deze mensen vermoorden, die naar het schijnt willekeurig geselecteerd zijn? En zelfs als een psychopathologie het enige motief is, als je de forensische kennis hebt om te zorgen dat je geen sporen achterlaat, waarom zou je dan de moeite nemen om de werkwijze van iemand anders te imiteren als het zoveel.... bevredigender zou zijn om je eigen werkwijze te bedenken? Als zo'n imitatie voor de politie zou suggeréren dat de dader beschikt over vertrouwelijke informatie?'

'En ik moet zeggen,' zei Biedermann, 'dat ik aanstoot neem aan de implicatie dat iemand in dit kantoor er op enigerlei wijze bij betrokken is.' Mo besefte dat dit de eerste keer was dat hij in lange tijd gesproken had.

'Wat is dan het alternatief?' vroeg Mo.

Niemand antwoordde. Na nog een minuut zoemde de telefoon achter Biedermann. Hij nam hem op. 'Biedermann. Ja. Oké. Twee minuten,' zei hij. Toen hij had opgehangen, stond hij op en liep naar de deur. Hij haalde zijn brede schouders op en kreeg zijn air van gezag weer terug. 'Er zijn andere zaken die mijn aandacht vragen. Rechercheur Ford, ik stel voor dat we deze discussie uitstellen tot we meer gegevens over de moord bij de krachtcentrale hebben. Als we dat materiaal hebben, zullen we een bespreking met de volledige speciale eenheid beleggen.' Hij knikte naar elk van beiden en zijn ogen bleven even op dr. Ingalls rusten, voordat hij het vertrek verliet.

Dr. Ingalls begon haar spullen in haar aktetas te stoppen en Mo deed hetzelfde. Hij voelde zich opeens opgelaten omdat hij alleen met haar in het vertrek was. Mo besefte dat hij zich tijdens de hele bespreking uitermate bewust was geweest van de manier waarop zij en Biedermann met elkaar omgingen, dat hij naar aanwijzingen omtrent de huidige staat van hun relatie had gezocht. Ze noemden elkaar bij hun voornaam, maar dat betekende niets, gezien het feit dat ze bijna een jaar met elkaar hadden samengewerkt. En dan was er dat moment dat ze een eind aan de confrontatie had gemaakt, waarbij ze had gelachen en een soort emotioneel gezag over Biedermann had vertoond...

Hij schrok op toen iets zijn borst raakte en er een klein propje aluminiumfolie over de tafel stuiterde. Hij keek verbluft op en zag dat dr. Ingalls naar hem keek, die net een stuk kauwgom in haar mond stopte.

Ze kauwde een paar keer en grijnsde toen een beetje om zijn verbazing. 'Jij kan Erik niet uitstaan, hè? Hé, het is halfvier – wil je een kopje koffie gaan drinken?' De woorden hadden een flirtpotentieel, maar haar glimlach was erg wrang, bijna spijtig. Niettemin sloeg zijn hart over.

'Best,' zei hij.

14

Maar ze veranderde van gedachten zodra ze buiten waren. 'Heb je zin in een wandeling in plaats van koffie? Als het waar is wat iedereen me vertelt, zijn dagen als deze zeldzaam in Manhattan. Pluk de dag en zo.'

Mo stemde er gretig mee in. De regen was overgewaaid en een groot stuk blauw verdreef het natte weer; een ribbelige rij wolken die boven de stad weggleed als een ooglid dat openging. Na een halve dag regen waren de straten nat en zag alles er fris, schoongeboend uit, en toch zorgde een lekker briesje dat het niet al te vochtig was. Ze had gelijk, het was niet iets om geen gebruik van te maken. Bij Broadway sloegen ze af naar het zuiden, in de richting van Battery Park.

Rebecca liep met lange, kalme passen en liet haar aktetas in een grote boog zwaaien. Ze zag eruit als een buitenlander, groot en blond, terwijl ze rondkeek met het enthousiasme van een toerist. 'Je moet begrijpen,' zei ze, 'dat het enige dat me spijt van mijn beroep is dat ik veel binnen zit en veel praat. Ik vind het hier heerlijk, maar toch krijg ik een beetje last van claustrofobie.'

'Dat kan ik me voorstellen. Ik ben weliswaar een stadsjongen, maar toch vind vind ik het fijn om een wandeling te maken zodra ik de kans krijg.'

Ze wierp hem een snelle, goedkeurende blik toe. 'Ik vond dat je Erik goed aanpakte toen hij je op je nummer wilde zetten. Had je je voorbereid op die eventualiteit?'

'Dat is tot op zekere hoogte typisch voor interjurisdictionele projecten.'

'Nou, ik dacht dat we het daarover zouden kunnen hebben.' Weer had ze die spijtige blik. 'Ik geloof dat je moet beseffen dat Erik een harde is, maar dat hij oprecht probeert om het beste van een complexe situatie te maken.'

'Denk je niet dat je je in je mening laat bevooroordelen door je persoonlijke relatie?'

Een beetje van haar stuk gebracht wierp ze hem een blik toe om te zien of hij het bedoelde zoals het klonk. 'Jij doet echt je huiswerk, hè?'

'Ik probeer alleen maar om mijn eigen, eh, professionele objectiviteit te bewaren. Kritisch denken, de vooroordelen van je bronnen ter discussie stellen. Een goede gewoonte, vind je niet?'

'Heel wijs. Weet je zeker dat het louter professionele belangstelling is? Geen vooroordelen aan jouw kant?'

Ze sloeg terug, keerde het om. Maar op een aardige manier, peilend en niet oordelend. Ze moest een kei van een psychiater zijn; een moeilijk iemand om iets voor te verbergen.

'Laten we uitspraken doen,' stelde hij voor. 'We zijn er allebei aan gewend om mensen te ondervragen – verschillende scholen en stijlen, dat geef ik toe, maar ik durf te wedden dat wij eindeloos elkaars vragen met wedervragen kunnen beantwoorden.'

'Alleen uitspraken.' Ze knikte met een brede glimlach omdat de uitdaging haar aanstond. 'Oké. Laten we eerst iets ophelderen. Ik geloof dat jij mij leuk vindt. Ik geloof dat ik jou leuk vind. Daar zit ik niet mee. Ja, de relatie tussen Erik en mij heeft waarschijnlijk inderdaad wat in de weg gezeten tijdens ons werk aan Howdy Doody, maar niet wezenlijk. Nee, ik geloof niet dat het me nu bevooroordeelt.'

Mo liep naast haar. Jezus, ze kon de bal met een rotklap over het net naar je terugspelen. Jezus, wat geweldig. Als hij nu naar haar keek, zag hij meer dan een knappe vrouw: veeleer een persoon met zelfkritiek, die niet bang was voor haar eigen karakter en die haar eigen stijl aanvaardde. Bereid om het leven tegemoet te treden op de voorwaarden die zij eraan had gesteld. Hij wilde vragen, verifiëren, of haar relatie met Biedermann tot het verleden behoorde, maar dat was een vraag en de uitspraak, ontdaan van alle camouflage, zou iets zijn als *Ik wil dat je beschikbaar bent voor een relatie*. Wat veel te snel was onder de gegeven omstandigheden.

Ze liepen achter een gezin van Japanse toeristen, een moeder en een vader en vier kinderen die naast elkaar de hele stoep in beslag namen, in een rijtje van oplopende grootte, als zes orgelpijpen. Ze droegen een korte broek en witte sokken en opzichtige loopschoenen en vrolijke sweaters met merklogo's erop. Het kleinste meisje sprong over barsten in de stoep terwijl de vader worstelde met een grote uitklapkaart van Manhattan, die hij tot twee keer toe ondersteboven keerde. Rebecca vertraagde haar pas, keek geamuseerd naar hen, en Mo hield ook zijn pas in. Het waren leuke kinderen. Het was goed om de vorige uitspraken even te laten bezinken. Twee minuten lang zeiden ze helemaal niets.

'De meeste mensen noemen me Mo,' sprak hij tenslotte. 'Ik zou jou graag Rebecca willen noemen.'

Ze keek vergenoegd naar hem. 'Dit is leuk!' zei ze. 'Wie had dat gedacht? Oeps! Telt dat als een vraag? Oeps!' En ze lachte om zichzelf.

Vier uur en Battery Park was lekker ruim, gazons en bomen en ijzeren hekken die eindigden bij stenen golfbrekers, het water van de daarachter gelegen Upper Bay. De teen van de bekousde voet van het eiland Manhattan, de boeg van het grote schip. Duiven paradeerden over de paden, pikten naar sigarettenpeuken om die geïrriteerd weg te gooien. Overal de gebruikelijke geliefden, peinzende eenlingen, joggers. Een paar toeristen staarden over het staalgrijze water naar Ellis Island en het Vrijheidsbeeld, naar de voorttuffende, vuil oranje ferry van Staten Island. Een ploeg parkwerkers was de afvalbakken aan het legen. Twee kerels maakten de metalen manden schoon en een vrouw duwde een golfkarretje vol met vuilniszakken. Vanuit het zuidoosten waaide een licht briesje dat een zeelucht meevoerde.

Ze bleven even bij het water staan en leunden tegen de reling. Rebecca was weer serieus geworden. 'Wat ik over special agent Biedermann had willen zeggen had op een waarschuwing moeten uitlopen.'

'Een waarschuwing?'

Ze knikte. 'Je moet begrijpen dat ik relatief nieuw ben in het werken met de FBI. De enige keer dat ik bij benadering te maken heb gehad met dat niveau van intriges was toen ik als adviseur optrad bij een federaal programma dat gewijd was aan vorming in de vroege kindertijd. Dat lag politiek erg complex en ging met een hoop politieke druk gepaard. Maar ik weet dat er hier andere dingen meespelen die domweg niet met elke politie-instantie... gedeeld... kunnen worden die daar misschien in geïnteresseerd is. Ik ben zelf niet van al die zaken op de hoogte en dat wil ik ook niet zijn. Ik ken jou niet zo goed, maar ik kan me zo voorstellen dat jij de soort persoon bent, de soort speurder, die alles wil weten. En die niet loslaat, en die... moeite heeft met orders.' Ze glimlachte heel even om te laten zien dat ze dat niet als kritiek bedoelde.

'Wat was de waarschuwing?'

'Alleen dat de scheiding der departementen die Erik wil misschien het beste is. Dat je waarschijnlijk echt niet alles wil weten, of er zo verregaand bij betrokken wil raken als je anders zo nodig zou moeten.'

Mo dacht daar even over na, terwijl hij probeerde te bedenken welke kant dit opging. 'Heeft die Zelek iets te maken met die "andere dingen"?'

'Ik vermoed van wel.'

'Kun je me enig idee geven wat die andere dingen zijn?'

Ze maakte een hoofdgebaar, *ja en nee*. 'Ik heb mijn eigen speculaties of zorgen, maar meer dan speculatief is het niet. Maar ik geloof dat Erik speciaal voor de Howdy Doody-zaak uit San Diego hierheen is overgeplaatst.'

'Weet je waarom?'

'Niet helemaal. Maar op basis van wat hij zich heeft laten ontvallen, geloof ik dat hij met een soortgelijke zaak te maken heeft gehad.'

'Wat!'

De spijtige blik. 'Geen lange reeks moorden. Twee misschien.'

'Weet je of ze die kerel te pakken hebben gekregen?'

'Ik vermoed van niet. Hopelijk zullen ze vaststellen dat het Ronald Parker was. We weten nog steeds niet waar hij was in de periode van twintig maanden dat hij verdwenen was. Misschien zat hij in Californië en begon hij daar zijn ritueel te ontwikkelen.'

'Ja. Alleen is nu die imitator, of wat het ook mag zijn, erbij gekomen.'

'Dus je kan wel begrijpen dat Erik bezorgd is. Ik geloof dat hij zich erg ongerust maakt over die imitator.'

'Wil je me vertellen over die speculaties van je?'

Ze dacht daarover na, fronste haar wenkbrauwen en schudde haar hoofd. 'Ik geloof dat ik graag weer het uitsprakenspelletje wil spelen. Je hebt me vijf vragen achter elkaar gesteld.' Ze probeerde er luchthartig over te doen, maar hij kon zien dat ze ergens mee zat.

'Ik zou graag blijven lopen,' zei hij.

Ze liep bij het hek vandaan en wilde terugwandelen in de richting van de ingang van het park en de zich vaag aftekenende klippen van de gebouwen van Manhattan. 'Dat is goed, als het maar duidelijk is dat ik honger begin te krijgen en snel wat zou willen eten.'

'Ik zou graag met je uit eten gaan,' zei hij.

Ze bleef staan en draaide zich naar hem toe. 'Mo, de studie van de psychologie en neurologie van de mens heeft enge aspecten. Soms draait het in mijn werk om pijn en levens die maar niet op de rails lijken te kunnen komen, maar over het algemeen is het niet zo naar, gaat het om genezing. Niet iedereen houdt zich echter uit altruïstische motieven bezig met psychologie. Mensen houden zich er ook mee bezig met de bedoeling om de wetenschap als een instrument te gebruiken, een wapen, om leed en pijn teweeg te brengen.'

'Zoals Ronald Parker, zijn machtsobsessie? Het manipuleren van mensen. Hen kwetsen.'

Ze aarzelde heel even, alsof ze iets heel belangrijks wilde zeggen. Toen leek ze zich te bedenken. 'Ja,' zei ze. 'Zoiets.'

Ze draaiden zich om en liepen door, deden een groepje duiven opfladderen dat zich had verzameld rond een hotdog die iemand had laten vallen. Een van de duiven moest wegrennen en sleepte met een gewonde of mismaakte vleugel. Even voelde Mo een diepe verwantschap met de vogel. De medeloser.

Toen ze bij de straat aankwamen, legde Rebecca haar hand op Mo's schouder. 'Ik hoorde je suggestie om te gaan eten. Maar niet nu. Misschien een andere keer. Ik wil nu een taxi en naar huis.' Geen spoor van een glimlach.

'Ik ben teleurgesteld. Maar ik zal een taxi aanhouden,' zei hij. De uitspraken deden hen nu klinken als robots, emotieloze bewoners van de planeet Vulcan. Ze gebruikten feitelijke uitspraken om hun gevoelens te verbergen in plaats van ze te onthullen. Hij besefte dat er nog veel meer vragen waren die hij had willen stellen, en veel meer uitspraken die hij had willen doen.

Een taxi, een gele Honda, stopte en Rebecca stapte in, waarbij ze haar mooie benen elegant optrok voordat ze zich op de achterbank omdraaide. Zodra de deur dichtging, miste hij heel erg haar aanwezigheid naast hem, de beweging en het licht die samen met haar waren verdwenen. Een kort handgebaar, een vaag glimlachje, en weg was ze.

15

Donderdagochtend. Mo had de nacht woelend en verstrikt in zijn lakens doorgebracht. Hij had het lege huis van Carla's moeder gehaat, had aan Rebecca Ingalls gedacht en geprobeerd om erachter te komen of hoe hij zich in haar gezelschap voelde domweg een gevolg was van zijn kwetsbare, post-relationele gemoedstoestand of dat het iets beters was. Later had het hem, doodmoe, moeite gekost om de griezelige complexiteit van de zaak te scheiden van het feit dat hij zich tot haar aangetrokken voelde, en ten slotte was hij in een lichte slaap gevallen en had hij nachtmerries gehad over seksuele afwijzing en manipulatie door sinistere krachten. En toen hij was opgestaan en zich naar de spiegel in de badkamer had gesleept, bezorgde de aanblik van zijn gezicht hem een schok die alle negatieve conclusies die hij had getrokken bevestigde. Op zijn voorhoofd en zijn linkerwang waren de blauwe plekken van zijn gevecht met Grote Willie veranderd in onregelmatige groene, gele en paarse ringen, en hij had wallen onder zijn bloeddoorlopen ogen. Dus vluchtte hij van de badkamer naar de keuken, waar hij een handvol pillen, vitamines en sint-janskruid met twee kopjes zwarte koffie achteroversloeg; oploskoffie omdat Carla het koffiezetapparaat had meegenomen toen ze wegging. Een hete douche en wat oogdruppels hielpen maar een beetje. Het huis was een puinhoop en dat gold ook voor hem; hij kon net zo goed naar zijn werk gaan.

Maar eerst moest hij nog een ander soort boodschap doen. Als er één voordeel was van het rechercheur zijn waar hij echt van genoot, dan was het de relatieve autonomie. Je zat niet de hele tijd aan een bureau, je was op jezelf, je kon je eigen prioriteiten stellen. St. Pierre had gebeld om iedereen te laten weten dat Lilly na een makkelijke bevalling haar baby ter wereld had gebracht en dat ze nu weer thuis waren. Mike nam zijn dag vrij voor de grote gebeurtenis. Mo besloot om zelf een uur vrij te nemen en

Lilly wat bloemen te brengen.

De bloemenwinkel die hij zich herinnerde, zes straten van de familie St. Pierre, was ermee opgehouden, dus moest hij een stop maken bij de A & P, en het minst verdroogd ogende boeket anjers plus nog wat uitzoeken. Toen hij het geval op de autostoel zag liggen, vond hij het te mager: een doorzichtig cellofaantje, sticker met een streepjescode en een klein zakje met chemicaliën om de bloemen goed te houden. Wat dit soort gebaren betrof, was hij niet in vorm. Zijn sociale reflexen waren verwaarloosd.

Maar zo was het de beide andere keren gegaan dat hij de familie St. Pierre thuis bezocht. Na een van zijn bezoekjes had hij besloten dat al deze zelfkastijding kwam doordat hij bij een gezin was geweest, wat hem bewust maakte van het feit dat hij dat zelf niet had. Mike en Lilly hadden twee kinderen vóór deze nieuwe, eentje in de eerste klas, terwijl de andere nog een peuter was die in afzakkende Pampers rondliep. Ze hadden allebei rood-blond haar en blozende wangen, net als hun vader. Lilly was lekker mollig gebleven tussen de zwangerschappen in en was nu een full-time moeder. Het huis was een chaos van plastic speelgoed en half afgemaakte projecten, en rook altijd naar bakluchtjes, luiers, koffie en de geur van schone kleren die uit een droger kwam die altijd aan leek te staan. Telkens als Mo langskwam, hingen de kinderen aan hun ouders en veroorloofden ze zich allerlei vrijheden met hun kleren en lichaamsdelen. Een stelletje gelukkige zoogdieren in hun hol. Veel gelach en gekkigheid.

Mo stopte bij het huis en voelde zich klote. Je móést wel denken aan het contrast met je eigen situatie, zoals je woonde in het grotendeels lege huis van de moeder van je ex. Je leven zonder kinderen, broers of zussen; alleen een moeder en een vader die van Scarsdale verhuisd waren naar Kissimmee in Florida, een bejaarde joodse dame die zich voor alles en nog wat interesseerde, van dierenrechten tot zen, en een bejaarde katholieke vent die geen interesses had. Het was geen afgunst; wie zou de herrie en de zooi benijden? Het was alleen... wat? Uiteindelijk besloot hij dat het hem ook niks kon bommen. Hou je aan de agenda: geef Lilly het boeket, kus de baby, geef Mike een hand, ga weer aan het werk. Hij stapte uit en liep het tuinpad op, waarbij hij met het plastic boeket tegen zijn been tikte.

Het was een duffe, modale buurt, en het huis leek veel op dat van Daniel O'Connor. Zijmuren bekleed met aluminium in dezelfde tint; dezelfde kleine boompjes. Wat zou kunnen verklaren wat Mike had gevoeld, die dag in het huis van de dode, slechts een week geleden. Arme klootzak.

Mike liet hem binnen. Hij glimlachte verlegen en omhelsde hem onbeholpen met zijn grote slungelige lijf. Kennelijk raakte je emotioneel op momenten als deze. Ze liepen door de kindertroep naar achteren, naar de slaapkamer, waar Lilly op was en aan het bureau wat kleren opvouwde terwijl de twee oudere kinderen op het bed zaten en naar de bezoeker keken.

De baby sliep maar leek niet op haar gemak. Haar rode gezicht was verwrongen vanwege een of ander intern ongemak.

'Ze is prachtig!' zei Mo. Hij gaf Lily het boeket. 'Jij ziet er ook geweldig uit, Lil. gefeliciteerd.'

Lily droeg een slobberige trainingsbroek en een gigantisch overhemd en zag er moe uit. Maar ze bruiste ook van een bepaald soort energie, een soort gezag en zelfaanvaarding. De spreekwoordelijke gloed. Ze nam het boeket aan en kuste Mo op zijn wang. 'Wat lief van je. Dank je.'

'Ze heet Andrea,' vertelde het oudste kind van St. Pierre, het meisje, hem. 'Ze weegt zes pond en drie ons.'

Mo keek neer op het kleine koppie dat in de windsels verdween. Om baby's hing zo'n typische geur, besefte hij, een mengeling van waspoeder en melk, talkpoeder en pis. De peuter, een jongetje dat Peter heette, keek achterdochtig naar hem op en begon toen met een gebreid babyschoentje te spelen.

Brittany ging verder met haar uiteenzetting. 'Ze huilt 's nachts. Ik heb geholpen met het verschonen van haar luier. De bevalling duurde maar twee uur. Heb jij een pistool, net als mijn pappie?'

'Ik denk dat oefening kunst baart,' zei Lilly. 'Ga eens opzij, Brit, laat me even zitten.' Brittany maakte plaats en Lilly nam de baby op schoot. Ze leunde achterover tegen het hoofdeind van het bed en bezag haar kroost even. De zon scheen op de half geopende jaloezieën achter haar om haar met een gestreept aureool te omgeven, en Mo dacht *Madonna met kind, White Plains, 2000.*

'Hoe gaat-ie, Mike?' vroeg Mo. 'Heb je de sigaren voor Paderewski?'

St. Pierre grinnikte vermoeid. 'Ik was gisteren behoorlijk gespannen. Kon vannacht helemaal niet slapen. Maar goed dat ik vandaag vrij heb genomen.'

'Mijn knappe onbekende,' zei Lilly teder terwijl ze zijn hand pakte. 'Het is zo leuk om mijn man in het daglicht te zien. Ik ga vaker baby's krijgen.'

Mike rolde met zijn ogen. Mo glimlachte, maakte wat grapjes, probeerde te bedenken wat hij tegen de kinderen moest zeggen.

Mike ging ook op het bed zitten, zijn ogen zwaar van vermoeidheid, en nam het jongetje op schoot. Na een tijdje zei Mo dat hij zichzelf wel uitliet en liet hen daar met z'n vijven achter. Groot nest zoogdieren. Voorlopig gelukkig, vermoeid, redderend. Een gezin.

Niet voor iedereen, maar Mo kon zien hoe het voor iemand als St. Pierre eigenlijk zo gek nog niet was.

Volgende agendapunt: Flannery had hem ontboden, de eerste ruk aan de lijn. Dus reed Mo door de stad naar het gebouw van de countykantoren, een massief glas-met-stalen bouwsel dat Mo een mooi paleis vond voor iemand als Flannery, vol ondernemingsgeest en even groot, glimmend en nep als hijzelf. Hij ging met de lift naar boven en zat tien minuten in de wachtkamer voordat een secretaresse hem in het allerheiligste van de officier van justitie binnenleidde.

Flannery was in een grijs trainingspak bezig op zijn loopmachine. Op het bedieningspaneel van het apparaat bevonden zich een mobiele telefoon, een schrijfblok en een fles water. Zijn benen schaarden gestaag, lange ferme passen, terwijl de lopende band onder hem door draaide.

Flannery ging niet langzamer lopen toen hij Mo zag. 'Rechercheur Ford! Goed je te zien. Ik weet dat het onderzoek nog maar net begonnen is, maar met dat gedoe in Buchanan en omdat je gisteren bij die FBI-lui bent geweest, dacht ik dat het tijd was om even bij te praten.'

Leuk om te weten dat Flannery alles goed in de gaten hield, dacht Mo. Hij vertelde de officier over het lijk in de krachtcentrale en bracht hem op de hoogte van het weinige dat ze hadden opgestoken van de plaats delict van de moord op O'Connor. Flannery stelde een paar goede vragen over wat Angelo bij de sectie had gevonden, waarbij hij een beetje opschepte en Mo eraan herinnerde dat hij medicijnen had gestudeerd voordat hij op rechten was overgestapt. Mo vertelde hem over de lijn, de knopen, de andere overeenkomsten.

'Dus,' vatte Flannery samen, 'ook als het lijk in de krachtcentrale nog een slachtoffer van Ronald Parker blijkt te zijn, hebben we sterke overeenkomsten met de moord op O'Connor. Te sterk om te negeren. Wat zijn volgens jou de mogelijkheden?'

'Een partner van Ronald Parker van wie wij niets afwisten. Of iemand met toegang tot zeer vertrouwelijke informatie omtrent de door hem gepleegde moorden.'

Flannery bewoog zijn hoofd peinzend op en neer. Hij staarde uit zijn raam naar de skyline van White Plains terwijl hij zijn tempo opvoerde. De grote armen zwaaiden krachtig, maar hij hijgde niet, de gebruinde kale schedel was amper bezweet. Die vent was echt geweldig in conditie.

'Wat vindt Biedermann van die laatste?' vroeg Flannery ten slotte. 'Het insiderscenario? Aangezien hij persoonlijk boven op deze zaak heeft gezeten; zo wilde hij het. De connectie zou zich bijna in zijn kantoor moeten bevinden, niet dan?'

'Dat heb ik gesuggereerd. Hij was beledigd. Op dit moment zijn er heel wat mogelijke connecties, ook al probeert hij de inzage in de informatie te beperken – de politie van New York, de mensen uit New Jersey. Het zou een uitgebreid intern onderzoek vergen om uit te zoeken wie precies wat wist. Ik begrijp dat uw mensen er ook af en toe bij zaten.'

Flannery fronste zijn wenkbrauwen. 'Zeker weten! Wij wisten dat die vent zijn werkterrein kon verleggen naar onze jurisdictie. En we wisten dat die lui van de FBI het zouden verknallen. Zoals duidelijk ook het geval is. Ik ga die nieuwe vent niet zeven, acht mensen in mijn stad laten vermoorden, dank je feestelijk.'

De telefoon piepte en Flannery gaf een mep op het mobieltje dat voor hem lag. De beltoon werd afgebroken. Nog even fronste hij zijn wenkbrauwen en bleef hij doorbenen, maar hun gesprek leek zijn plezier in het trainen te hebben bedorven. Hij drukte op een knop, liet zich door de lopende band naar het eind van het apparaat brengen en stapte eraf. Hij greep een handdoek. Het eerste wat hij droogde was zijn hoofd, dat hij met een paar harde vegen deed glimmen.

Toen hij klaar was, keek hij Mo strak aan met helderblauwe ogen zonder enig spoor van de beerachtige humor die mensen met Flannery associeerden. 'Jij bent een goede waarnemer... wat denk jij van Biedermann?'

'Hij heeft de zaken goed in de hand. Lijkt het grijpen van die kerel als een persoonlijke uitdaging op te vatten.' Mo overwoog om de aanwezigheid van Zelek te melden, het zwijgzame buitenaardse wezen, maar besloot dat het niet de moeite waard was.

Flannery knikte. 'Huhhuh.' Mo zag de radertjes werken; de politicus die zijn opties tegen elkaar afwoog. Toen leek de officier tot een besluit te komen. 'Oké. Dit is goed, rechercheur. Hier hebben we veel aan. Laten we dit regelmatig doen. Overleg even met mijn secretaresse en maak een afspraak voor een wekelijkse sessie om even bij te praten. Tenzij er een belangrijke ontwikkeling is, dan doen we het zo vaak als nodig is. Gezien de noodzaak om de informatiestroom in te dammen, wil ik dat jouw contact met dit kantoor via mij persoonlijk loopt. Het is níet zo,' voegde hij daar snel aan toe, 'dat ik mijn personeel niet vertrouw. Alleen om het spel van de special agent mee te spelen. Alleen om te voorkomen dat iemand iets verkeerds gaat denken van mijn mensen, als dit op zoiets uitdraait. Al hopen we van ganser harte dat dat niet zal gebeuren, toch?'

De telefoon ging weer over en Flannery gooide zijn handdoek terug op de steun van de loopmachine. Mo had overwogen om te vragen naar de plannen van de officier van justitie omtrent het onderzoek naar Grote Willie, hoe lang hij zijn gecontracteerde slaaf zou moeten blijven. Maar dit was niet het moment.

Flannery nam de hardnekkige telefoon op. Meteen begon zijn gezicht te stralen, een brede jongens-onder-elkaargrijns. 'Búr-gemeester Rús-so! Precies degene die ik had willen spreken.' Hij glimlachte terwijl hij het zei, maar toen hij opkeek om Mo weg te wuiven, werd zijn gezicht weer volkomen serieus.

Een verontrustende transformatie, vond Mo; niet zozeer de ernstige uitdrukking alswel het gemak waarmee zijn stemming omsloeg. Hij was blij dat hij hier weg kon en weer aan het werk kon gaan.

16

Hij zou Gus Grisbach waarschijnlijk niet hebben gebeld als hij niet zo'n slechte bui had gehad. Het was niet zozeer dat hij Rebecca's raad in de wind sloeg – raak er niet meer bij betrokken dan noodzakelijk – alswel dat hij probeerde om erachter te komen wat het precies was waar hij maar beter niet bij betrokken kon raken.

Toen Mo net tot rechercheur was bevorderd, had hij het geluk gehad dat hij een tijd Larry MacKenzie als partner had gekregen, een goede mentor die Mo niet alleen inwijdde in de opsporingstechniek maar ook in een aantal van de officieuze standaardprocedures. Voordat hij aan prostaatkanker overleed, had Mac Mo een joekel van een officieuze hulpbron nagelaten, het telefoonnummer van Gus Grisbach. Gus was jarenlang rechercheur bij de politie van New York geweest voordat hij een kogel in zijn hersenen had gekregen en vervroegd met pensioen was gegaan. De logische vermogens van Gus waren nog altijd even scherp, maar de kogel had een akelig gat geslagen in zijn toch al niet geweldige sociale vaardigheden. Maar met zijn pensioen was zijn fanatieke strijd tegen de misdaad niet opgehouden. Door het letsel was de haat van Gus jegens criminelen opgevoerd tot een withete woede. Gezien het feit dat hij in een rolstoel zat en niet meer op straat kon patrouilleren, had hij zijn woning ingericht met, naar verluidt, een paar honderdduizend dollar aan computerapparatuur. Gus verschafte dienders informatie. Aangezien wat hij deed illegaal was, erkende niemand officieel zijn bestaan. Zijn nummer en een introductie werden omzichtig van de ene generatie rechercheurs op de andere doorgegeven, alsof het onbetaalbare erfstukken waren.

Mo belde via een telefooncel, kreeg een kort bericht van een antwoordapparaat en liet zijn huisnummer achter, zodat hij teruggebeld kon worden. Hij dacht dat het aardig zou zijn om wat meer te weten over Biedermann, over zijn beroepsmatige achtergrond, zijn verhuizing vanuit San Diego, de moorden daar. Misschien een aanwijzing omtrent Zelek en die 'andere dingen' waarover Rebecca het had gehad.

Terug bij Ernstige Delicten wijdde hij zich aan de telefoontjes en de faxen en struinde hij de databanken af. St. Pierre had dinsdag en woensdag geweldig werk verricht, en om één uur kreeg Mo een veelbelovend telefoontje. Het kon weken of maanden duren om aan een ongeïdentificeerd lijk een naam te verbinden, soms werd het nooit geïdentificeerd, maar hier was een juwelier die dacht dat de ring hem bekend voorkwam. Mo vroeg hem om zijn bonnetjes na te kijken en na nog een halfuur belde hij terug met de naam van degene die hem opdracht had gegeven om de steen schoon te maken en weer in de zetting te plaatsen: ene Irene Drysdale. De naam stond niet op de lijst mogelijkheden die ze uit de lijst van vermiste personen hadden samengesteld, maar er was wel een Irene Bushnell, een bewoonster van Ossining, die ongeveer zes weken geleden was verdwenen. Mo bracht nog een uur door met het terugbellen van tandartsen en om hun te vragen om in hun klantenlijst te zoeken naar een van beide namen. Tegen twee uur was het gebit met zekerheid geïdentificeerd. Voor één keer viel alles precies op zijn plaats.

Soms had je gewoon mazzel, dacht Mo. Het was natuurlijk behoorlijk macaber als jouw idee van 'mazzel' was dat je met succes gegevens van lichaamsdelen van doden met elkaar vergeleek. Dat zei toch wel iets over je leven.

'Haar naam was Irene Bushnell,' verklaarde Mo even later aan Marsden. 'Meisjesnaam Drysdale, vorig jaar getrouwd. Haar moeder heeft haar op drie april als vermist opgegeven. We vermoeden dat ze op die datum is overleden.' Hij was met het nieuws naar Marsdens kantoor gegaan en zat nu voor diens bureau, allebei kwaad vanwege de implicaties.

'Moeder? Hoe zit het met haar man?' Marsden zag er niet best uit. De grijs-groene huid van zijn wangen stak scherp af bij de uitslag naast zijn neus.

'Een vrachtwagenchauffeur, lange ritten. Hij zat op dat moment aantoonbaar in Nebraska.'

Marsden zweeg even, bladerde slechts met gefronste wenkbrauwen door de gefaxte röntgenfoto's van tanden. 'Ja. En Ronald Parker zat toen in de gevangenis en had hersenletsel.'

Waarmee hij wilde zeggen dat er een seriemoordenaar op vrije voeten was in het zuiden van Westchester County, en een behoorlijk geschifte ook. Iemand met de obsessie om de ingewikkelde moorden van Howdy Doody te imiteren en op de een of andere manier over de kénnis beschikte om ze perfect te imiteren.

'Nou,' zei Mo, 'dit verklaart althans enkele bijzonderheden van de moord op O'Connor.'

'Zoals?' snauwde Marsden.

'De airconditioning. Wie het ook was die Irene Bushnell heeft vermoord, was teleurgesteld dat ze zes weken lang niet gevonden werd. Hij wilde ervoor zorgen dat O'Connor in goede staat zou verkeren als hij daar een tijdje bleef hangen. Ook de plaats, pal voor een van de grote ramen. Dat suggereert dat het voor de moordenaar belangrijk was dat de moord werd opgemerkt, en dat hij het zekere voor het onzekere nam.'

Marsden keek hem door de spleetjes van zijn ogen kwaad aan. 'Eén bezoekje aan die dame van dat profiel en je verkoopt al psychologische prietpraat. Oké, wat heb je gisteren met Biedermann afgesproken? Heeft hij gespecificeerd welk deel van zijn lichaam wij moeten likken?'

Mo wist niet zeker hoeveel hij Marsden moest vertellen. 'De overeenkomsten tussen Ronald Parker en deze nieuwe vent zijn heel groot,' zei hij. 'Gezien het feit dat ze zo groot zijn, zullen we de speciale Howdy Doody-eenheid weer bijeen moeten roepen. Alleen maken wij daar nu ook deel van uit, en dat geldt ook voor White Plains. Biedermann zal de algehele leiding hebben en wij moeten hem koffie en zo brengen.'

Marsden bewoog zijn hoofd op en neer alsof hij dat had verwacht. 'En wat nu?'

'St. Pierre heeft vandaag vrij, maar morgen gaan we met de moeder en de man praten. We willen het arbeidsverleden van Irene Bushnell weten, haar sociale gewoontes, kijken wie ze eventueel tegen zich heeft ingenomen. Het gaat om macht, dus zullen we kijken wie het gevoel gehad zou kunnen hebben dat zij macht over hem had.'

'Oké. Zorg dat jullie bronnen voor vingerafdrukken van haar nagaan – werk in overheidsdienst, andere werkgevers, misschien arrestaties.'

Aan de ene kant zou je denken: *wat maakt het uit, we weten wie ze is, en bij het lijk kunnen we ze toch niet verifiëren*. Maar Marsden was al een stap verder. Mo keek hem even vol bewondering aan. 'Je bent best goed,' zei Mo.

Dat vond Marsden ook. Een klein zelfingenomen grijnsje. 'De krachtcentrale is als plaats delict een vreemde eend in de bijt. Als deze kerel probeert om een exacte kopie te zijn, heeft hij het al verpest, want hij heeft haar niet in haar eigen huis vermoord. Wat betekent dat we van de plaats delict iets nieuws te weten zouden kunnen komen. Te beginnen met de vraag wiens vingerafdrukken zich op de gearrangeerde voorwerpen bevinden.'

Mo knikte: Marsden had ook vermoed dat de poppenspeler hen de ordeningen liet uitvoeren. Irene had haar laatste uren doorgebracht in dat grotachtige hellehol, waar ze elk bevel van een machtswellustig monster moest gehoorzamen.

'Wil je over Biedermann praten?' vroeg Marsden. De manier waarop hij de naam uitsprak suggereerde dat hij niet veel aardigs te zeggen had, vooral niet nadat hij had gehoord dat de special agent zijn personeelsdossiers had opgevraagd.

'Jij zei dat je hem kende. Wat is er aan de hand? Ik hoorde dat hij speciaal voor de Howdy Doody-zaak naar het veldkantoor in New York is overgeplaatst.'

Marsden haalde zijn schouders op. 'Ik "ken" hem niet. Heb hem over de telefoon gesproken, dingen gehoord. Ik weet dat hij in Vietnam een oorlogsheld was; men denkt dat hij een politieke toekomst heeft – directeurschappen, ministerie van justitie, enzovoort. Hij neemt zijn werk heel serieus.'

Mo grijnsde om het understatement. 'Een deel hiervan gaat mij boven de pet. Ik bedoel, wat gebeurt er als het mogelijk is dat hier een insider bij betrokken is? Iemand die toegang heeft tot informatie over Howdy Doody, die de nieuwe moorden pleegt? Als het alleen om ons ging, zouden we het door onze Interne Zaken laten uitzoeken, maar wat gebeurt er als er zoveel instanties en jurisdicties bij betrokken zijn?'

'Wat er gebeurt is dat niemand weet hoe hij het moet aanpakken, en er is een hoop wantrouwen en intern bloedvergieten. Met als gevolg dat iedereen in een kringetje gaat lopen om elkaar te naaien. Als Biedermann speciaal hierheen is overgeplaatst om de leiding over de Howdy Doody-zaak op zich te nemen, denk ik dat dat is omdat hij gemachtigd is om de insidermogelijkheid aan te pakken. Zit wat in, gezien zijn achtergrond bij Interne Zaken. Dat zou verklaren waarom hij niemand iets vertelt.'

Mo dacht daarover na. Als dat waar was, suggereerde het dat Rebecca gelijk had, dat er eerdere moorden in Californië waren gepleegd, waarvan de werkwijze genoeg leek op die van Howdy Doody om het vermoeden te wekken dat het om een insider ging. En in dat geval...

'Dus je kan dit op twee manieren spelen, Ford,' zei Marsden. Hij had Mo sluw zitten opnemen en wat hij zag beviel hem duidelijk niet. 'Ten eerste kun je je gebruikelijke kunstjes flikken, proberen om Biedermann te passeren, je instinct volgen, Mo Ford de messiaanse cowboysmeris spelen en ons allemaal in de problemen brengen. Ten tweede kun je dit extra correct spelen, geheel volgens het boekje, elk stukje papier keurig in orde zodat we alles wat we doen kunnen verantwoorden en zeggen dat het helemaal volgens de regels ging, zodat niemand in ons departement ervoor opdraait als er iets in de soep loopt. Moet ik soms spellen wat ik liever heb?'

Als Marsden zo sprak, met die overdreven precisie, die kille toon in zijn knarsende stem, was het tijd om serieuze instemmende geluiden te maken en uit zijn kantoor te verdwijnen. 'Nee. Ik begrijp je,' zei Mo.

'Ik zal je nog iets vertellen,' vervolgde Marsden. 'Kijk eens naar mij. Ik voel me belazerd. We vervroegen dat kutangiogram van me; mijn cardioloog heeft de bypassoperatie al ingeroosterd voor meteen daarna omdat hij er vrij zeker van is wat dat angio te zien zal geven. Wat ik wil zeggen is dat ik niet meer stress nodig heb.'

Mo voelde zich plotseling oprecht ontzet toen hij dat hoorde. Marsden was meer dan intelligent; hij was taai en rechtvaardig en eerlijk en hij zorgde voor zijn eigen mensen. Als hij vertrok, zou het karakter van deze baan veranderen, en het kon alleen maar ten slechte veranderen.

'Ik begrijp je,' zei Mo nogmaals. 'Volgens het boekje. Maak je geen zorgen,' voegde hij daaraan toe, waarmee hij bedoelde: *over dat ik het verknal* en *over de operatie*. Marsden tuurde sceptisch naar hem en richtte zijn blik toen op een stel papieren. Mo verliet het kantoor in de oprechte hoop dat hij niet op zijn belofte terug hoefde te komen.

17

Mo ging eten in een restaurant, een hamburger met friet en een salade van het huis, en het was al een hele tijd donker toen hij thuiskwam. Hij stopte voor het huis en zat in de auto even te kijken naar de door bomen overschaduwde voorgevel, terwijl hij de energie bijeenraapte om naar binnen te gaan. Wat deed hij hier goddomme? Het was het soort oudere voorstad waar hij als kind jaloers op was geweest, maar waar hij nu een hekel aan had vanwege zijn zelfvoldane welgesteldheid en afstandelijkheid. De straat was donker door het dichte gebladerte dat de gloed van het straatlicht versnipperde in puzzelpatronen; de huizen werden van elkaar gescheiden door brede gazons en dikke heggen. De ramen in alle andere huizen waren warm en geel, terwijl het huis van Carla's moeder de zwarte, gordijnloze ramen had van een verlaten pand. De lucht was vochtig en te warm voor mei; de hete adem van het broeikaseffect die over het noordoosten kwam, zodat het er aanvoelde als het diepe Zuiden. Die rauwe, benauwde, overwoekerde sfeer. Kudzu was hier al ingeburgerd, dacht hij. Hoe lang zou het duren voor er goddomme ook nog Spaans mos zou groeien?

Klaag, klaag, berispte hij zichzelf. Hij pakte zijn aktetas van de stoel en stapte uit.

Binnen liep hij door de lege woonkamer naar de achterkant van het huis, waar hij wat lichten aandeed die de gaten onthulden waar Carla's spullen hadden gestaan. Het gat dat ooit door haar mooie antieke schommelstoel werd ingenomen. De plaats waar het stereomeubel had gestaan, waar nu een gettoblaster van vijftig dollar op de grond lag tussen stofvlokken en pennendopjes en zoekgeraakte munten die weer te voorschijn waren gekomen toen ze de installatie naar haar auto hadden gebracht. De boekenplank was er nog, maar nu lagen zijn eigen boeken door elkaar op de halflege planken, en de mooie dingen die er bovenop hadden gestaan waren weg en lieten slechts vage afdrukken in het stof na. Het enige dat er nog was waren enkele van zijn schiettrofeeën, van chroom en blauw plastic, die zonder Carla's curiositeiten niet meer een ironisch kitscherig voorkomen hadden en er nu slechts opzichtig en erg *déclassé* uitzagen. Vooral in het onflatteuze licht van de plafondverlichting – alle staande schemerlampen had ze meegenomen.

Hij keek in de koelkast of er bier was, maar dat was er niet meer. In plaats daarvan vond hij een pak limonade, waarmee hij even ging zitten om het uit het pak te drinken. Vannacht was hij van plan geweest om wat tijd te besteden aan het doornemen van de te huur-advertenties, maar hij was vergeten om een krant mee naar huis te nemen en nu was hij te moe om de deur uit te gaan en er eentje te kopen.

Even dacht hij aan dr. Rebecca Ingalls, hoe ze eruitzag en praatte terwijl ze in de richting van Battery park wandelden. Maar meteen voer hij tegen zichzelf uit: *ze ligt ver buiten jouw bereik, wees realistisch, kijk eens om je heen – wat wil je doen, haar hier uitnodigen?*

Ook vervelend was dat hoewel hij kwaad was omdat Carla het zo licht had opgenomen en zo makkelijk was vertrokken, en hoewel hij het ermee eens was dat het waarschijnlijk noodzakelijk was, enzovoort, enzovoort, hij haar toch miste. Op een avond zoals vanavond, een tijd geleden, had hij haar het hof gemaakt. Hij had zijn handen op haar heupen gelegd, had haar bekken vastgehouden om haar op haar voorhoofd, haar neus, haar lippen te kussen. Ze rook als een bloem die 's nachts bloeide en bedwelmde hem op slag. Terwijl ze nog stonden stak hij één been een klein beetje tussen haar benen, en hij voelde hoe ze begon te reageren, en na een tijdje vreeën ze en werd al deze subtropische hitte intrigerend sensueel, een aanvulling op het oerzweet en de geur van het vrijen.

Hij merkte dat hij afdwaalde en zette de gedachten van zich af. Met moeite maakte hij zijn hoofd weer leeg.

In de slaapkamer trok hij zijn schoenen uit en hing hij zijn pistool en zijn holster over de stoel naast het bed. Toen knoopte hij zijn overhemd open en gooide hij het bij de andere vuile was op de grond. Waarschijnlijk zou hij wat muziek op moeten zetten om de leegte te verdrijven, maar hij had even een moment nodig om weer bij te komen. Hij voelde het donkere lege huis om zich heen, een wattige stilte hier aan de achterkant, afgezien van het vage brommen van de koelkast door de keukenmuur.

Wat een kutzooi.

Een zware week. Hij had niet echt de fysieke aanleg voor moordzaken. Wat had Rebecca gezegd? *U kunt te slecht tegen dood en pijn.* Dat was het ten dele. Vanavond wist hij dat de beelden van die week terug zouden komen, de akelige plaatjes, de akelige gedachten. O'Connor opgehangen in zijn doodsstrijd. De brede, stuiptrekkende rug van Grote Willie en later zijn koude vlees en zijn dode gewicht toen het lijk op de brancard kantelde. Het hoofd en de ruggengraat van Irene Bushnell die ondersteboven tegen de bakstenen hingen toen de rat langs de muur naar beneden kwam...

Hij schrok op toen hij aan de voorkant van het huis iets hoorde. Een bonk en wat geklik en toen niets. In de stilte spitste hij zijn oren. Toen haalde hij de Glock uit zijn holster. Op zijn blote voeten sloop hij de slaapkamer uit, door de keuken, de eet- annex zitkamer in. Daarachter lag de donkere, door de straatlantaarns vlekkerig verlichte voorkamer, en de gang waar de trap naar boven was. Nog een bons, een schuifelend geluid. Zijn hart begon te bonken.

'Mo?' De stem van Carla.

Hij zuchtte opgelucht en stak snel het pistool in de heupband van zijn broek. 'Ja.'

Ze liepen terug naar de verlichte kamers. Carla droeg een kort, zomers jurkje van een of andere transparante stof, en ze zag er welgevormd en heel vrouwelijk uit. Ja, ze deed hem nog steeds iets, godverdomme. Ze kwam de woonkamer in en keek bezorgd om zich heen naar de onopgeruimde chaos. Mo ging op de bank zitten en gaf haar daardoor de keuze om te blijven staan of naast hem te komen zitten.

Ze ging zitten en keek naar de Glock toen hij die uit zijn riem trok en hem op de grond legde. 'Jezus. Wie verwachtte je?'

'Weet ik niet.'

'Hoe gaat het? Met je blauwe plekken gaat het al beter, dat is mooi.'

Mo maakte een vaag gebaar.

'Ik herinnerde me nog wat dingen die ik nodig had. En ik wilde je spreken. Wilde even kijken hoe het met je ging.' Ze keek hem alert aan. Een deel van de afscheidsretoriek was dat ze elkaar niet uit het oog zouden verliezen, dat ze contact zouden houden, misschien af en toe samen iets zouden doen.

'Hoe staan de zaken ervoor in Mount Vernon?' vroeg hij met moeite. 'Hemels?'

'Kom op, Mo. Alsjeblieft?'

Hij maakte nog een vaag gebaar; *oké* of misschien *wat je wil*. Eigenlijk zag ze er niet zo goed uit. Ze maakte een gespannen indruk. Haar ogen waren iets te helder, vond hij, en ze leek slanker, bijna te dun. 'En wat heb jij zoal gedaan?' vroeg hij, terwijl hij een andere tactiek probeerde.

'Ik heb erg goed aan het boek gewerkt. Het is echt heel handig om wat dichter bij de stad te wonen. Ik kan heen en terug als dat nodig is. Ik heb eindelijk een ingang bij die voodoogroep in Brooklyn, kon wat voorspellingsrituelen bijwonen van die oude Jamaicaanse vrouw. Heel bijzonder. O, en ik heb ook een afspraak voor een interview met Hope Christianson; zij staat nu heel erg in de belangstelling. De christelijke profeet?'

'Geweldig.' Hij had het gevoel dat ze ergens omheen draaide, iets uit de weg ging.

Ze grinnikte onoprecht. 'Al die mensen die ik interview? Ze nemen het zo seriéús. Ik bedoel, ze kijken in de toekomst, praten met de doden; sommigen onder hen zijn media voor geesten. Ze geven me het gevoel dat ik, bijna een soort, ik weet niet... hypocriet ben geweest. Ik ben er altijd zo... rationéél mee omgegaan.'

'Ben je hierheen gekomen om me dat te vertellen? Ben je daarvoor om tien uur 's avonds vanuit Mount Vernon hierheen komen rijden?' Hij had het gevoel dat hij haar moest kwetsen, een beetje maar.

Carla legde haar hand op Mo's dij. Hij kon niet uitmaken of het opzettelijk was of een kwestie van gewoonte, maar meteen hunkerde zijn lichaam naar meer. Hij verroerde zich niet.

'Dit is stom,' vervolgde ze, 'maar ik had een eng voorgevoel. Het leek heel echt. Over jou. Ik dacht dat ik het je moest vertellen.'

'Nou, tof,' zei hij zwartgallig.

'Mo, alsjeblieft? Wil je dat ik het je vertel of niet?'

'Klinkt alsof die lui naar wie je onderzoek doet je niet in de kouwe kleren zijn gaan zitten. Ik had nooit gedacht dat jij zo lichtgelovig was. Ik dacht dat je boek een objectieve kijk op...'

'Dat is helemaal niet waar! Ik heb mijn intuïtie altijd serieus genomen, ik heb alleen nooit beweerd dat hij onfeilbaar was. Als jij denkt dat het stom is, prima, maar laat het me vertellen en dan kan je het zelf uitmaken. En dan moet ik wat spullen bij elkaar zoeken en gaan.'

'Oké. Ga verder. Voor den dag ermee.' Ze leek echt de behoefte te voelen om het hem te vertellen. Hij zakte onderuit tegen de rugleuning van de bank en keek ongeïnteresseerd.

'Je neemt een houding aan van *best, om jou een lol te doen*, om me terug te pakken. Dat kan ik begrijpen. Hoor eens, het spijt me dat het tussen ons niets is geworden, oké? Maar zo ís het nu eenmaal! Dat moesten we toch onder ogen zien?' Er sprongen tranen in haar heldere ogen die ze snel wegveegde, en opeens voelde hij zich geroerd door haar oprechtheid. Dus zat hij daar met haar op de bank en luisterde hij, terwijl hij door de deuropening keek naar de schaduwvlekken in de woonkamer, de kale ramen aan de voorkant waar zware eikentakken voor hingen.

Het was na het bezoek aan de oude vrouw in Brooklyn. Carla had een techniek voor het krijgen van visioenen uitgeprobeerd die de voodoopriesteres had aanbevolen, zei ze, en onverwachts had het geleken alsof ze in een andere dimensie doordrong. Terwijl ze het hem nu vertelde, boog Carla zich gespannen voorover. Ze staarde met haar donkere ogen naar het midden van het vertrek alsof ze het nog steeds kon zien, alsof ze naar een onzichtbare film keek. Mo voelde een lichte huivering.

In die andere dimensie bevonden zich bewegende gedaantes. Er was een grote, donkere ruimte, maar met openingen, niet echt ramen, waar licht doorheen kwam; net genoeg licht zodat je kon zien. De bewegende gedaantes deden elkaar pijn en er hadden op die plek al eerder mensen pijn geleden.

Carla's stem was wat beverig geworden. 'Het was net als die keer, weet je nog, toen we naar Adirondack State Park gingen?'

Ze ging niet op de bijzonderheden in, omdat ze wist dat hij het zich maar al te goed herinnerde. Eerverleden zomer waren ze naar het noorden gereden om er even uit te zijn en naar een plek te gaan waar alles schoon en mooi was. Het plan was geweest om in een motel te logeren, maar op de eerste dag hadden ze picknickspullen mee naar het bos genomen, en hadden ze alleen maar gereden tot ze een plek vonden die ze aanstond. Daar waren ze gestopt en van de weg af gelopen. Het was een mooie zonnige dag. Ze waadden door een paar velden met hoog gras en toen het bos in, met het idee om wat te eten en te luieren op de deken en dan buiten te vrijen. Ze liepen een paar honderd meter het bos in, en gingen toen tussen een mooi groepje bomen zitten. Carla leunde achterover en kwam toen plotseling recht overeind, terwijl ze naar haar handpalm keek. Aú, zei ze. Iets had haar geprikt. Mo keek en er stak een half begraven stuk van het kaakbeen van een dier uit de aarde en ze was met haar hand op een tand gaan zitten. Oké, vervelend toeval, maar ze gingen gewoon iets verder op het heuveltje zitten, en installeerden zich opnieuw. Ditmaal zag Mo botten in de aarde, niet slechts eentje maar meerdere, ribben en lange botten, en toen een gespleten zwarte hoef die omhoogstak. Een dood hert. Dat gaf niet, de bossen waren vol herten, ze moesten toch ergens doodgaan. Wasberen en honden hadden het stoffelijk overschot her en der verspreid. Dus verplaatsten ze de deken en de draagtassen nog dertig meter verder over het heuveltje en spreidden ze alles weer uit aan de rand van een kleine open plek. Maar toen veranderde de wind van richting en voerde hij een geur mee die Mo maar al te vertrouwd was, en plotseling slecht op zijn gemak speurde hij het bos af. Plotseling raakte het hele landschap vól botten, alsof ze uit de aarde opsproten, en het waren ook geen schone botten. Aan vele zaten nog rottend vlees en haar. Schedels, poten en hoeven, rijen ribben met huidflarden eraan, knokige stukken ruggengraat. Hele vellen lege huid vol maden die uit het zand staken, of half waren ondergedompeld in poelen water met groen schuim. Het was een knekelhof, de aarde was vol dode dingen. Het was helemaal verkeerd, het was afschuwelijk; waarom zouden er zoveel dieren op één plek sterven? Ze renden bijna terug naar de auto, en nadat ze vijfentwintig kilometer hadden gereden, vonden ze een boswachterij. De parkopzichter had gelachen en hun verteld dat ze de pech hadden gehad om te picknicken op een plek waar doodgereden dieren werden begraven. De wegarbeiders in de staat en het personeel van het park raapten dode herten en andere dieren bij elkaar om ze in kuilen te gooien die ze elke lente met bulldozers groeven en in het najaar bedekten.

Carla's visioen of voorgevoel of wat het ook was had zich dus op zo'n plaats afgespeeld. Mo kon het zich voorstellen.

'Jij was een van de mensen die daar waren, Mo,' fluisterde ze bibberend. 'Toen ik zag dat jij het was, probeerde ik de details te zien. Ik vond dat ik het moest weten zodat ik het je kon vertellen.' Ze keek naar hem en vroeg met haar blik om begrip.

'Welke details?' vroeg hij. Hij besefte dat hij ook fluisterde.

'Ik kon een soort aura's om de mensen heen zien, om de bewegende gedaantes. En er liepen lijnen van een soort energie of... macht... tussen mensen.'

'Lijnen.'

Carla knikte. 'Ik probeerde de details te zien. Lijnen vanaf je handen, lijnen vanaf je voeten, vanaf je hoofd? Ze bewogen met je mee, of misschien dat zij, dat zij jou bewogen? Ik weet dat het nergens op slaat.' Ze leek teleurgesteld in zichzelf.

Huuh, dacht Mo. Dat kwam een beetje te dichtbij. Te dicht bij Howdy Doody. Hij had Carla met geen woord over de nieuwe zaken gesproken.

'Ik probeerde de andere gedaantes, mensen, te zien die daar met jou waren. Zij hadden ook die lijnen. De mensen waren, dit is moeilijk uit te leggen, *uitgeschoven*, of over elkaar heen geprojecteerd... of de een achter de ander en weer achter de ander, steeds verder weg. Ik wilde hen duidelijker zien, maar het enige dat ik zag was het beeld van een soort dókter. Niet in een witte jas en met een stethoscoop, geen fysieke gelijkenis, maar iemand die dingen over het menselijk lichaam weet? Een slechte dokter. De associatie die er nog het meest bij in de buurt kwam was die van een nazi die medische experimenten deed. Ik weet niet, zoals dr. Mengele of zo.'

Carla was steeds beveriger en onzekerder geworden terwijl ze doorging en zocht naar de juiste woorden, haar indrukken probeerde uit te kristalliseren, en Mo keek haar geschrokken aan. Ze leek zo zelfverzekerd en beheerst toen ze was verhuisd, nog maar vijf dagen geleden. Hij wilde bijna vragen naar de oude voodoovrouw die ze had bezocht, of drugs een rol hadden gespeeld in wat voor ceremonie het ook was geweest die ze hadden uitgevoerd. Toen bedacht hij dat hij dat maar beter niet kon zeggen. Het zou haar razend maken.

'Misschien is dit niet goed voor je,' zei hij. 'Het boek, de mensen die je ziet...' Hij zei bijna: *hier weggaan. Het met mij uitmaken.*

'Ik stel het niet op prijs als jij me vertelt hoe ik moet leven,' zei ze.

'Dat doe ik niet, ik wil alleen...'

'Ik dacht dat ik je dit moest vertellen! Oké? Heb ik dit ooit eerder gedaan? Heb ik ooit overdreven uitspraken over dit soort dingen gedaan? Je wéét dat ik een sceptisch mens ben. Je wéét dat ik je dit niet zou vertellen als ik niet zou denken dat het belangrijk was. God, ik wist dat je me zou uitlachen en je superieur zou voelen...'

'Carla, Jezus, ik lách niet...'

'Hoe vaak heb jij me verteld over een van jouw zaken en hoe je "gevoel" of je "instinct" of die stomme "radar" van je je in de juiste richting stuurde? Dat elke rechercheur het zo doet, dat het cruciaal is voor politiewerk. Niet dan? En mag ik dan niet gebruik maken van diezelfde zaken als ik iemands persoonlijke problemen probeer op te lossen? Of als ik goddomme duidelijke signalen van mijn eigen "radar" krijg. Misschien zou jij je eigen hypocrisie onder ogen moeten zien!'

Ze had gelijk; hij had er nooit echt zo over gedacht. Maar in een reflex speelde hij het naar haar terug. 'Nog een manier waarop ik in mijn eentje onze relatie om zeep heb geholpen.'

Ze stond snel op. Hij probeerde haar arm vast te houden, maar zij schudde zijn hand van zich af. 'Ik moet gaan. Het is erg laat. Ik had hier wat van mijn cd's laten liggen.'

'Hoor eens, het spijt me. Je hebt gelijk.' Hij liet haar zijn vertwijfeling zien. En ze bleef staan, keek op hem neer, met die fijne jukbeenderen en die donkere ogen. Hij kon de nabijheid van haar lichaam voelen, haar gladde olijfkleurige huid en haar ranke taille en haar zoete zomeravondgeur. Na nog een moment zei hij zachtjes: 'Blijf hier vannacht bij me, Carla.'

Even leek ze het bijna te overwegen. Toen wendde ze zich af, liep naar de schoenendoos met cd's op de grond en begon erin te rommelen. Hij keek toe terwijl ze verschillende cd's vond en toen naar de kast liep, waar ze wat rondspitte en er een paar van haar sandalen uit haalde.

Hij liep met haar mee naar de voordeur, stond daar met haar in de donkere gang.

'Ik weet niet wat het betekent,' zei ze. 'Ik denk alleen dat je op jezelf moet passen.'

'Doe ik. Dank je. Jij ook, oké?'

Toen was ze de deur uit en stapte ze lichtjes over de treden van de veranda, een helderziende schaduw in de warme nachtlucht. Hij keek tot ze in haar auto was gestapt en was weggereden, terwijl hij dacht: *geloof me, Carla, ik lach niet.*

Later was hij nog wakker en lag hij naakt in het donker op bed. Hij had het te warm om zich zelfs maar met een laken te bedekken. Het lege huis zat hem dwars. Carla's beschrijving dat het een donkere plek was met lichtopeningen, met de sfeer van dat stuk bos vol dood, bleef hem bij. Je kon het je op allerlei manieren voorstellen. Het zou, bijvoorbeeld, de krachtcentrale kunnen zijn, een grote donkere plek waar akelige dingen gebeurd waren. Of het zou zelfs dit huis kunnen zijn, de lege donkere kamer, met de boomschaduwen die het straatlicht in scherpe blauwe scherven hakten, en de pijn die mensen daar hadden geleden was wat zij elkaar hadden aangedaan toen hun relatie ten einde liep. Of ergens anders. Of alleen in Carla's verbeelding ging er iets mis met haar.

Dit was krankzinnig. Hij moest een andere woning zoeken. Dit huis was geweldig maar hij had er echt de pést aan. Hij voelde de lege kamers boven, de kelder beneden, die hem met lagen van duisternis omklemden. Na nog een uur ging hij zitten en haalde hij de Glock 17 uit zijn holster. Glocks waren rare pistolen. Hij was er eerst niet in meegegaan toen de staatspolitie van de oude Smith & Wesson Model 65 op de Glock overging omdat hij vond dat de Glock niet prettig in de hand lag – de al te grote, al te vierkante greep, de geblokte loop. Maar ze schoten prettig, hadden een betrouwbaar magazijn en een hanteerbare terugslag. En als je hem eenmaal in je vingers had, voelde de trekker lekker aan. Bij de staatspolitie werd je getraind om naar je doelwit toe te lopen, je hele magazijn leeg te schieten en een pleitbezorger van de Glock had ooit gezegd: Als je tegenstander nog op je kan schieten nadat je achttien schoten met een van deze schatjes hebt afgevuurd, dan verdíén je het om te sterven.

Mo stond op, met het pistool in zijn hand, en sloop door het huis. Hij haatte de druk van de lege kamers en het scherpe licht daarbinnen, en hij wilde terugslaan, de beklemming van zich af schuiven. *Wat is dit, Ford?* vroeg hij zichzelf, *ben je boos op dat waar je bang voor bent, of ben je bang voor dat waar je boos op bent?* Hij liep zachtjes door de woonkamer met zijn glimmende vloeren, toen door de gang, terwijl hij het pistool vasthield alsof hij verwachtte dat hij het zou moeten gebruiken. *Kom op*, dacht hij, *kom het maar halen.* Hij ging al even stilletjes de trap op. Lange gang aan weerskanten, zes donkere deuropeningen. Bleef staan om te luisteren, hoorde alleen zijn eigen hart en af en toe een licht getik en geritsel van het huis. Het was twee uur en het begon nu pas af te koelen. Hij sprong door de deuropening elke kamer in, de ene na de andere, landde met zijn benen wijd in de schiethouding en zwenkte snel naar links en naar rechts. Donkere lege kamers, bedompte lucht, kale ramen met een paar dode vliegen vaag zichtbaar op de vensterbanken.

Kom op, dacht hij woest. *Kom dan.*

Maar er was niets, zoals hij al wist. Hij sloop naakt en gek en bang door het huis van de moeder van zijn ex, en joeg op niets anders dan de eenzaamheid van Mo Ford, en hij wist het, en geen enkele godvergeten Glock zou daar godverdomme ook maar iets aan veranderen.

18

Eén dag voor de nieuwe baby, voor de vermoeide echtgenote, voor de nestdrang, en toen was St. Pierre op vrijdag weer vroeg op zijn werk. Mo zei er bijna iets van, maar bedacht toen dat St. Pierre het verkeerd zou kunnen opvatten. Met slechts een paar woorden over Mikes huiselijke leven gingen ze weer over tot de orde van de dag.

Ze besloten om de moeder en de man van Irene Bushnell onderling te verdelen en elkaar dan weer bij de krachtcentrale te treffen om nogmaals de plaats delict in ogenschouw te nemen en te proberen om erachter te komen wat die zou kunnen vertellen wat het huis van O'Connor niet vertelde. St. Pierre nam de moeder voor zijn rekening, die in Tarrytown woonde, zodat Mo naar het huis van het slachtoffer moest rijden, tien minuten verder naar het noorden.

Hij reed met een hand aan het stuur, terwijl hij met de andere in zijn ogen wreef. Hij had misschien twee uur geslapen. Na zijn existentiële jacht door het huis, was hij naar bed gegaan en in slaap gevallen. Maar na slechts enkele minuten was de telefoon overgegaan. In de slaapkamer was het nog steeds pikdonker, maar de wekker vertelde hem dat het bijna vier uur was. Hij zocht op de tast naar de telefoon, sloeg die van de tafel, vond hem in de berg kleren op de vloer. Toen hij eindelijk de hoorn met de goede kant naar zijn oor had gebracht, kraste hij: 'Mo Ford.'

'Rechercheur Ford,' zei de stem. 'Jij wilde mijn hulp.'

'Gus,' zei hij. 'Bedankt voor het terugbellen...'

'Wat moet je.' De stem van Grisbach leek amper tot een vragende uitdrukking in staat. Hoewel hij Grisbach nooit had ontmoet, had Mo een duidelijk beeld van hem: ergens in Manhattan in een verduisterd appartement vol met esoterische hightechapparatuur, een bleke huid en ontzettend vet in zijn rolstoel, een spin in het midden van zijn web.

'Ik hoopte dat jij me wat informatie zou kunnen verschaffen over – dit ligt een beetje gevoelig – over een FBI-man. Ik ben betrokken bij een speciale eenheid en ik dacht gewoon dat ik wat meer zou moeten weten over wie deze vent is zodat...'

'Naam?'

Mo voelde zich even opgelucht. Hij was bang geweest dat het natrekken van een federale agent buiten Grisbachs bereik zou liggen, of iets dat hij om allerlei redenen niet zou willen doen. Gelukkig leek zijn aanvankelijke gevoel te kloppen: door Gus zijn oude loopbaan had hij de voor een stadsagent typische achterdocht en afkeer ten aanzien van de FBI. 'Erik Biedermann,' zei hij. 'Thans special agent bij het veldkantoor in Manhattan, voorheen in San Diego. Heeft naar verluidt in Vietnam gevochten; ik weet niet bij welk onderdeel. Ik ben vooral geïnteresseerd in zijn werk aan misschien twee moorden in San Diego en omstreken, misschien twee, drie jaar geleden. Alles wat je kan vinden over zijn overplaatsing hierheen. Al zijn connecties met, eh, andere instanties.' Toen Mo stopte, kon hij aan de andere kant de toetsen horen ratelen.

'Verder nog iets?'

Mo dacht na. 'Een vent die Zelek heet. Anson Zelek, ook van de FBI.' Alleen uit nieuwsgierigheid.

Ratelende toetsen, en toen: 'Ik bel je.'

'Hoor eens, ik ben echt dankbaar...' begon Mo. Toen besefte hij dat de lijn al dood was. Nee, Grisbach had weinig op met sociale fijngevoeligheden.

Hij had zich op zijn zij gerold en geprobeerd om weer in slaap te komen, en toen ging de wekker en was het tijd om op te staan. Het daglicht was als zand in zijn ogen.

Het adres van Byron Bushnell dat St. Pierre hem had gegeven was een boerderij met zijmuren van vuilwit aluminium, in een armere, semi-landelijke buurt van soortgelijke huizen. Het was makkelijk te vinden omdat het het enige terrein langs de weg was waarop een halfvrijstaand huis van zeventien meter stond met een Diamond Reo-vrachtwagen, een voertuig dat groter was dan het huis zelf. Mo parkeerde op het kale gras naast een witte Toyota pick-up en stapte uit. Hij zag iets bewegen achter het raam en toen deed Byron Bushnell de voordeur open.

Bushnell zag er belazerd uit. Hij was een vrij kleine man met afhangende schouders en lang haar, een T-shirt, een spijkerbroek die laag op zijn heupen hing, en een sigaret tussen zijn lippen. Zijn rode, gezwollen ogen suggereerden dat hij gehuild of gedronken had of allebei, en de geur van oude sigarettenrook sloeg Mo als een muur in het gezicht toen hij de trap op kwam. Toen Mo zich voorstelde en Bushnell condoleerde, draaide deze zich slechts om en maakte hij een vaag gebaar met de rug van zijn hand. Hij liep weer het huis in, liet zich in een grote ligstoel neerploffen en graaide naar een blikje bier op een bijzettafeltje. Hij legde zijn sigaret neer om uit het blikje te drinken, terwijl hij Mo verdwaasd en vijandig aankeek.

'Ik hoop dat u me meer kunt vertellen over uw vrouw. Iets dat ons zal helpen om haar moordenaar te identificeren – haar contacten in de gemeenschap, haar vrienden, haar werk, wat ze in haar vrije tijd deed, dat soort dingen.' *En ook over haar man*, dacht Mo. Of de werkwijze nu al dan niet op een imitator wees, je begon altijd met de man.

'Als jullie die hufter niet te pakken krijgen, dan krijg ik hem wel,' zei Bushnell. 'Ik laat hem godverdomme zijn eigen ballen opvreten.'

'We zullen hem te pakken krijgen. Met uw hulp.' Bushnell was vrij labiel; hij zou flink gestuurd moeten worden. Mo pakte demonstratief zijn notitieblok en zijn pen en deed zijn best om een officiële indruk te maken. 'Waarom beginnen we niet met haar baan? Werkte ze?'

'Waarom beginnen we niet met dat jullie dood kunnen vallen. De juten geven geen zak om ons, vallen ons telkens lastig, en nu is Irene dood en wát gaan jullie voor haar doen?' Bushnell dronk het blikje leeg en gooide het door de kamer. Het kwam tegen de muur en viel op de grond waar al diverse andere lagen. Hij staarde naar Mo met een blik van: *het kan me niet verdommen.*

Mo zweeg even. Hij wist niet zeker hoe hij verder moest. Bushnell zou een lastige worden.

Na een ogenblik legde Mo zijn notitieblok neer, liep naar de bierblikjes op de grond, raapte ze een voor een op en zette ze op de formica eettafel. De laatste hield hij op terwijl hij zich naar Bushnell omdraaide. 'Heb je hier nog meer van?'

Het gebaar verraste Bushnell. 'IJskast,' zei hij.

Mo liep een keuken in die de zijne deed lijken op iets uit *Huishouden op rolletjes* en deed de koelkast open. Die bevatte voornamelijk bier van verschillende merken. Hij trok een paar blikjes uit de strip, liep weer naar de woonkamer en gaf Bushnell er eentje. Mo trok zijn blikje open, hoewel hij eigenlijk niet zo vroeg al wilde drinken. Maar ach wat, besloot hij. Hij maakte zijn das los en ging aan de eettafel zitten terwijl hij een slok nam.

Het kostte even wat tijd, maar hij wist Bushnell enkele bijzonderheden te ontfutselen. Naar het scheen had Irene vijf dagen in de week in verschillende huizen gewerkt voor een schoonmaakbedrijf dat door een andere vrouw uit de buurt werd gerund, een bedrijf dat The Gleam Team heette. Wat haar levenswijze betrof, had ze de kerk en haar moeder en verderop wat vriendinnen. Byron en Irene vonden het leuk om als ze konden naar stockcarraces te gaan, en gingen in de weekends naar een paar kroegen in de buurt. Ze speelden pool met een informeel groepje stamgasten. Irene was vrij goed. Ze waren allebei in de buurt opgegroeid, dus tien jaar nadat ze van school af waren kenden ze nog steeds een hoop mensen van de middelbare school. Mo kreeg de indruk van een levenswijze die al te lang in het snelle, losse stadium was blijven steken, een hartstochtelijk maar vaak wankel huwelijk, af en toe opgepakt door de plaatselijke politie voor vechtpartijen of rijden onder invloed. Nee, Bushnell kon geen ruzies tussen Irene en wie dan ook bedenken; niets waardoor iemand had kunnen denken dat ze macht over hem uitoefende.

Na een uur begon Bushnell door zijn bruikbare bijzonderheden heen te raken en steeds nostalgischer te worden, en Mo besloot dat het tijd was om het over een andere boeg te gooien, om te zien hoe hij reageerde. 'Ze klinkt als een echt geweldig iemand,' zei hij begripvol. 'Je bent er behoorlijk kapot van, hè?'

Even gleed er een boze blik over Bushnells gezicht, de weerstand van een man tegen gewroet in zijn gevoelens. En toen vertrok zijn gezicht en stroomden de tranen uit zijn ogen. 'Ze was zes weken weg, maar ik hoopte nog steeds; ik bleef hopen dat ze misschien...' Zijn lichaam klapte dubbel en vouwde zich rond zijn verdriet, terwijl hij gierend huilde, het schokkende lichaam van iemand die aan zijn rouw toegeeft.

Bushnell kunnen we wel schrappen als verdachte, dacht Mo. Hij klapte zijn notitieblok dicht, borg het weg, stond op en gaf Bushnell op weg naar de deur een klap op zijn schokkende schouder.

Bij de krachtcentrale was de plaats delict totaal veranderd. Mo hobbelde over de toegangsweg naar de parkeerplaats, die vol stond met auto's, trucks, busjes. Veel FBI-nummerplaten. Hij zag de auto van St. Pierre tussen de andere staan.

Het hele gebouw was afgezet met gele tape en ook delen van het terrein buiten waren afgezet. Een van de FBI-voertuigen was een grote bus van het reactieteam voor sporenonderzoek, met satellietschotels op het dak, de achterdeuren open en mensen die in de laadbak met apparatuur in de weer waren. Er was ook een truck met een grote generator die in een hoog tempo stationair draaide en van waaruit zware kabels het gebouw in liepen. Alleen al de hoeveelheid middelen die hier werd ingezet wees erop dat Biedermann dit heel serieus nam.

Mo volgde een paar FBI-technici rond het gebouw naar de hoofdingang, en stond daar tot zijn verrassing oog in oog met dr. Rebecca Ingalls. Haar wenkbrauwen schoten omhoog toen ze hem herkende en toen glimlachte ze.

Hij was zich ervan bewust dat hij er niet op z'n best uitzag, maar beantwoordde haar glimlach. 'Wat doe jij hier?' vroeg hij.

Ze haalde bescheiden haar schouders op. 'Ik zorg voor de – hoe noemen ze wat tv-commentatoren doen, die ex-profs die niet meer meedoen, maar aan de kant zitten en...'

'"Kleur." Jij zorgt voor de kleur?'

'Ja.' Ze fronste haar wenkbrauwen. 'Ik probeer de psychologische achtergrond te verschaffen, de implicaties van de keuze voor de plaats om haar te vermoorden. Wat het betekent dat het niet bij haar thuis is; wat ons dat over deze moordenaar vertelt. Ik was beneden, maar ik, eh, ik moest er even tussenuit.' Ze boog haar hoofd achterover, deed haar ogen dicht, gaf haar gezicht even over aan het zwakke zonnetje.

'Ik weet wat je bedoelt. Conclusies?'

Ze boog haar hoofd weer voorover. 'Nee. Behalve dat het een vreselijke plaats is om doodgemarteld te worden.' Het was duidelijk dat ze niet genoot van dit bezoek aan het platteland van Westchester.

Mo knikte. De metalen platen op de deuren van de hoofdingang waren verwijderd en de voorkant van het grote bakstenen gebouw gaapte in de openlucht. Binnen galmden vage stemmen en uit de donkere opening walmde een vochtige stank.

'Erik is binnen,' zei ze.

'Jammer.' Mo schuurde met zijn schoen over het gebarsten betonnen pad.

Dat amuseerde haar een beetje.

Hij aarzelde, wilde toen naar binnen gaan. Maar zij riep naar hem: 'Ik sprak je collega – Mike, toch? Hij is zo'n aardige jonge man. Hij denkt dat jij de beste bent, weet je dat?' Dat was vleiend, dacht Mo verrast. Rebecca vervolgde: 'Hij heeft er alle vertrouwen in dat jij dit zal oplossen, dat niemand je kan stuiten, dat je een echte Sherlock Holmes bent. En ook dat Erik de duivel is.'

Nog mooier, dacht Mo. 'St. Pierre is een goeie vent,' gaf hij toe, 'maar hij is nog maar een paar maanden geleden naar Ernstige Delicten bevorderd.'

Ze keek hem even snel aan voordat ze zich weer naar de zon toedraaide. 'Ik ben over een paar minuten weer beneden,' zei ze.

De benedenverdieping van de krachtcentrale baadde in het licht. Biedermanns mensen hadden lichtmasten in alle vier de hoeken van de grote ruimte neergezet, met aan elk daarvan drie felle panelen, en vanaf de trapleuning schenen nog twee lichtinstallaties naar beneden. In het licht zag het er nog erger uit, vuil en schimmelig, vol dode planten, gebruikte condooms, ander afval. Er bevonden zich in de puinhoop nu waarschijnlijk twintig mensen van het reactieteam voor sporenonderzoek. Ze zaten gehurkt of stonden met hun hoofd naar beneden, terwijl ze de grond afspeurden. Mike St. Pierre zat op de onderste tree van de trap, en zag eruit alsof het hem allemaal een beetje te veel was.

'Hoi,' zei Mo terwijl hij achter hem naar beneden kwam.

'Hoi,' zei St. Pierre op zijn beurt.

'Waar is Biedermann?'

'Ah. Achter in de sterfkamer. Hij laat de mensen nu pas aan de slag gaan. Ze hadden daar een paar uur lang fotografen, vertrouwen er niet op dat die van ons het goed doen.'

'Vertelt hij je iets?'

St. Pierre haalde zijn schouders op, schraapte met zijn voet door de laag stof en aarde op de kapotte betonnen vloer. 'Het stof en vuil op de vloer is een voordeel, iets wat bij de mensen ontbrak. Voetafdrukken, sporen van een worsteling zouden ons misschien meer kunnen vertellen over hoe het in zijn werk ging. Ze hebben foto's van boven gemaakt, om de plaats delict in kaart te brengen. Biedermann doet alsof hij de boel graag zou willen afbreken om hem ergens anders weer in elkaar te zetten, als een neergestort vliegtuig. Maar ik wilde je vertellen...'

Maar hij stopte toen Rebecca de trap af kwam en met een vastberaden uitdrukking naast hem kwam staan. Met zijn drieën keken ze even naar het tafereel, zonder iets te zeggen. Het was indrukwekkend om op één plek zoveel geconcentreerde menselijke bedrijvigheid te zien.

'En? Wat denk je dat hier gebeurd is?' vroeg Mo haar ten slotte.

'Er is iets misgegaan,' zei ze onmiddellijk. 'Dit hoorde niet bij het plan.'

'Plan?' vroeg St. Pierre.

'Niet precies een "plan". Maar dit was een vergissing; hier had hij de zaak even niet in de hand.'

'En daar is het hem juist om begonnen,' dacht Mo hardop.

Ze knikte. 'Erik had zijn mensen wat video-opnamen laten maken met camera's aan een statief erboven. Hij heeft er delen van bekeken, denkt dat er aanwijzingen van een worsteling zijn, misschien zelfs van seksueel misbruik. Op basis van sporen in het slijk en de andere vuiligheid – vanaf de grond kan je het niet echt zien.'

Dat was slim, gaf Mo met tegenzin toe. Biedermann benutte de bijzonderheden van deze afwijkende plaats delict ten volle. En als Irene Bushnell verkracht was voordat ze vermoord werd, betekende dat een wezenlijk verschil met de werkwijze van Howdy Doody. Dan nog zouden alle mogelijke sporen, afgezien van vingerafdrukken die overeenkwamen met die in een of ander dossier, hen niet helpen om de moordenaar te vinden. Mo's instincten zeiden hem dat het antwoord lag in het nagaan van Irene Bushnells contacten met andere mensen. Ergens was een raakvlak tussen haar wereld en die van de moordenaar, had ze zijn aandacht getrokken. Op de een of andere manier had hij haar op deze plek gekregen. Hij dacht aan Byron Bushnell, de mogelijkheden die hun sociale leven suggereerde, The Gleam Team, haar kerk. En hij durfde er heel wat om te verwedden dat hij en St. Pierre en de plaatselijke contacten van de staatspolitie van New York beter waren in het uitzoeken van dat soort zaken dan de mensen van de FBI.

'Waar is hij hier dan naar op zoek?' vroeg Mo. 'Wat verwacht hij te vinden?'

Rebecca gaf meteen antwoord. 'Soms is het bijna alsof hij al weet wie het is en in de sporen een bevestiging hoopt te vinden.' Toen leek ze versteld van zichzelf, alsof ze niet zoveel had willen zeggen. Ze fronste haar wenkbrauwen en wees toen met haar kin in de richting van de deur naar de sterfkamer. 'Maar waarom vraag je het Erik niet?'

Biedermann kwam uit het vertrek met een mobieltje aan zijn oor. Hij keek serieus en een beetje afgetobd, en wreef geïrriteerd met zijn hand over zijn stekeltjeskapsel. Toen hij opkeek en Mo zag, fronste hij zijn voorhoofd. Mo salueerde laconiek voor hem.

Toen Biedermann naar hem toe kwam, klapte hij de telefoon dicht. 'Rechercheur Ford,' zei hij.

'Heel indrukwekkend,' zei Mo, terwijl hij gebaarde naar de statieven en de lichten en het leger van forensische vakmensen. 'Nog iets interessants gevonden?'

'We zullen het er bij de volgende bespreking van de speciale eenheid over hebben. Nu moet ik terug naar Manhattan.'

'Dr. Ingalls zegt dat je rekening houdt met de mogelijkheid van seksueel misbruik.'

Biedermann passeerde hem op de trap en keek kwaad naar Rebecca. 'Is mogelijk, ja. Ik hou je absoluut op de hoogte.' Hij holde de trap op met de lome souplesse van een grote, fitte man, zonder ook maar even om te kijken. Boven gaf hij kortaf orders aan een van zijn mensen, terwijl hij de ruimte rondwees. Toen was hij door de voordeur verdwenen.

Mo keek hoe zijn brede rug uit het zicht verdween en vond hem opnieuw antipathiek: het gebrek aan beleefdheid, die bezitterige frons naar Rebecca.

'Aardig van hem dat hij ons op de hoogte houdt,' zei St. Pierre. 'Hé, Mo, wat ik je wilde vertellen...'

Mo zei: 'Rebecca, nog één vraag over Erik, en dan beloof ik dat ik over hem op zal houden. Je weet toch dat mes dat hij in zijn kantoor op die gedenkplaat heeft, een cadeautje van de mensen die bij Interne Zaken onder zijn toezicht stonden?'

'De grap over iemand die anderen in de rug steekt. Volgens Erik krijgt elke supervisor bij IZ er eentje als hij vertrekt.'

'Juist. En hij heeft ook die hondenband, die mooie rooie met die knoppen en zo? Hij zou me daar nog over vertellen, maar daar kwamen we niet aan toe. Wat is daarmee?'

Ze grijnsde. 'Ook een grap. Een cadeautje van zijn team toen hij uit San Diego vertrok. In grote lijnen hetzelfde idee. Op het hondenplaatje staat iets als *Deze kan je terugkrijgen; die hebben wij lang genoeg om gehad*. Wat suggereert dat Erik een moeilijke baas is.'

Mo kauwde op zijn lippen, knikte. Hij staarde nog steeds naar de trap. 'Juist. Dat zal wel.'

Ze keek naar hem en na een moment werden haar ogen zichtbaar groter. 'Wacht even. Waar stuur je op aan?'

Hij dacht er een ogenblik over na. 'Nergens. Maak je geen zorgen.' En dat was waar. Hij had zichzelf hardop laten denken, slecht idee, en trouwens het was echt aanmatigend van hem, veel te voorbarig.

19

Hij reed weer over de wegen van Westchester, terug naar White Plains. Ditmaal reden er in de parade van terreinwagens ook de restanten van de vorige mode op autogebied mee: luxe personenbusjes.

Wat St. Pierre hem had proberen te vertellen was wat informatie die de moeder van Irene Bushnell hem had verschaft. Op zijn gebruikelijke bescheiden manier had hij gezegd: 'Ik weet niet of we hier iets aan hebben. Ik bedoel, misschien maak ik er meer van dan...' Mo had geprobeerd om hem te instrueren in de kunst van het overtuigd overkomen, met het doel om hetzelfde gevoel bij anderen op te roepen, maar zover was hij nog niet. Maar dat waarvan St. Pierre terecht had gedacht dat het belangrijk was in het gesprek met de moeder, was dat, ten eerste, zij dacht dat Irene misschien onlangs een verhouding had gehad. Het was een kans, informatie over omstandigheden van het leven van Irene waar haar man niets van afwist of die hij tegenover niemand toe zou willen geven.

Het tweede detail was dat mevrouw Drysdale had gezegd dat haar dochter heel geïnteresseerd was geweest in de Howdy Doody-moorden, het nieuws over het onderzoek in de kranten had gevolgd en er af en toe over gesproken had. Het was het soort detail dat schreeuwde om aandacht, ofwel ironisch ofwel toeval ofwel – zo hoopte Mo – een aanwijzing omtrent haar relatie met degene die haar had vermoord.

Het was twee uur en Mo wilde meteen met mevrouw Drysdale

gaan praten. Rebecca bood aan om met hem mee te gaan naar Tarrytown, op voorwaarde dat Mo haar daarna een lift naar New York zou geven, en Mo dacht: Méén je dat? Strikt professioneel gezien was het verstandig om er een vrouw bij te hebben, vooral iemand die psychologisch goed onderlegd was, bij een tweede vraaggesprek met een oudere, rouwende vrouw.

Dus nu reden ze voort, zonder iets te zeggen. Rebecca's gezicht stond serieus, bijna boos.

'Ik wil alleen alle mogelijkheden openhouden,' zei hij ten slotte. 'Ik ga, zoals ze dat noemen, buiten mijn boekje.'

'Jij denkt dat Erik de insider is. Degene die de werkwijze van Howdy Doody goed genoeg kent om hem zo precies te imiteren. En dat stelt me werkelijk teleur, omdat ik dacht dat je kritischer was ten aanzien van jezelf. Hij is geen seriemoordenaar en jij laat je,' ze struikelde over de rest van de zin, 'in je oordeel duidelijk beïnvloeden door andere emoties. Ik dacht op zijn allerminst dat jij een betere speurder was.'

Hij reed voort en voelde zich vrolijk. 'Welke andere emoties?'

'Ik laat me niet verleiden tot puberale flauwekul. Ik ben niet meegekomen om een beetje met je te flirten. Ik vond dat ik van de gelegenheid gebruik moest maken om een werkelijk bijzonder onheilzame en destructieve gedachtegang van jou de pas af te snijden.'

Zijn vrolijkheid verdween op slag. 'Waarom ben jij er zo zeker van dat niemand Erik onder de loep zou moeten nemen? Omdat jij hem zo goed kent? Omdat jij onmogelijk met een moordenaar naar bed zou kunnen gaan?'

Haar ogen fonkelden en ze keek achterom alsof ze overwoog om uit de rijdende auto te stappen. 'Dit was een vergissing. Breng me terug naar de krachtcentrale. Je overschrijdt de professionele grenzen, rechercheur Ford.'

'Ik zeg niets over jouw professionele oordeel dat jij net niet over het mijne zei.'

Ze wilde terugsnauwen, maar accepteerde het toen. 'Ik ga niet met een moordenaar naar bed,' zei ze zachtjes.

Wat je op twee manieren kon opvatten, dacht Mo. *Dat ze niet met hem naar bed ging*, dat was mooi. Of alleen maar dat ze *niet met een moordenaar* naar bed ging.

'Hij is er van meet af aan bij betrokken,' zei Mo. 'Hij is echt overdreven waakzaam ten aanzien van wie informatie over de moorden krijgt. Hij geeft blijk van een bijzonder intense belangstelling voor de zaak, besteedt er persoonlijk meer aandacht aan dan ik een special agent ooit heb zien doen.'

'Hij heeft de zaak tóégewezen gekregen, hij beperkt de toegang tot de informatie omdat er mogelijk een insider is en hij is een heel góéde leidinggevende agent die aan élke zaak persoonlijk aandacht besteedt.'

'En hij is een heel dominante persoonlijkheid...'

'Hoeveel denk je dat er daarvan zijn bij de staatspolitie, de FBI en de kantoren van de diverse officieren van justitie?'

Mo knikte en gaf toe: 'Zo'n beetje allemaal.' Ja, hij was voorbarig geweest in het uitspreken van verdenkingen ten aanzien van Biedermann. Het kwam waarschijnlijk door de houding van die vent op de trap dat hij het hardop had gezegd. Ze had gelijk om hem dat te vertellen. En misschien had ze gelijk, misschien was het niet zo'n goed idee geweest om haar nu mee te nemen, in aanmerking genomen hoezeer hij met zichzelf overhoop lag.

In Tarrytown nam hij een afslag van Route 9 en reed naar het oosten. St. Pierre had hem verteld dat mevrouw Drysdale een avonddienst deed van twee tot tien bij Quality Plastics, een groot magazijn annex fabriek aan de rand van de stad, en hij probeerde zich te herinneren waar het precies was. Met wat geluk zou mevrouw Drysdale hun een paar bijzonderheden verschaffen, zou hij Rebecca om vijf uur met een stug afscheid bij haar huis afzetten en tegen zevenen terug zijn in het prachtige huis van Carla's moeder.

'Mag ik een persoonlijke observatie doen?' vroeg ze. Ze had tegen de deur aan de passagierskant geleund en met haar armen over elkaar gekeken hoe hij reed.

'Ja. Best. Waarom niet.' Hij hoopte dat het niet al te onflatteus was.

'Ik ben niet goed in eromheen draaien en taalspelletjes doen. Je zou denken van wel, omdat ik de hele dag woorden gebruik om mensen er met zachte hand toe te brengen om zichzelf vanuit een constructief perspectief te bezien... Maar ik heb er een hekel aan om met mensen te schermen over belangrijke zaken. Het druist tegen mijn filosofische principes in, het gaat me niet makkelijk af en het levert nooit iets op. Ik ken je niet erg goed, maar ik geloof dat jij ook ongeveer zo in elkaar zit. Het geen-geleuter-type.'

'Da's waar. Dank je.'

'Ik zeg dit omdat, als je niet van deze zaak wordt afgehaald door stom en impulsief te doen, jij en ik waarschijnlijk zullen samenwerken. Daarom wil ik je vertellen dat ik op dit moment geen persoonlijke relatie heb met Erik Biedermann. Ik zeg dat niet als een soort uitnodiging, ik zeg het als iets waar ik niet de hele tijd omheen wil draaien als jij en ik elkaar spreken. Niet één keer meer.'

'Oké. Het spijt me, eerlijk...'

Ze stak haar handen op om hem het zwijgen op te leggen. 'Als ik uitnodigend wil zijn, dan doe ik dat niet op die manier, maar zo: Mo, tot dusver geloof ik dat je heel tof bent. Ik geloof dat ik weet waar jij je nu bevindt, emotioneel gezien. Laten we na het werk samen een keer iets doen, misschien een etentje. En laten we er dan voor zorgen dat we onze persoonlijke belangen, als we die uiteindelijk hebben, buiten onze beroepsmatige samenwerking houden.'

En meteen voelde hij zich weer geweldig. Hij stopte bij een stoplicht en keek naar haar. Ze nam hem op, doodserieus, eerlijk. Zoals ze daar zat, naar hem toegewend, met de fraaie welving van haar dij op de stoel, zag ze er ongelooflijk mooi en indrukwekkend uit. Het verkeer kwam in beweging en hij gaf weer gas voordat hij haar kon antwoorden.

'Jij bent me er eentje,' zei hij ten slotte tegen haar. 'Weet je dat?'

De fabriek van Quality Plastics bestond uit een paar gigantische rechthoekige stalen gebouwen met een laag, bakstenen kantoor aan de voorkant van de ene, naast het bord van het bedrijf en drie dode jonge boompjes in cirkels van sequoiaschors. *Industriepark*, dacht Mo vol walging. *Nog zo'n orwelliaanse Newspeak oxymoron*. Bij het kantoor aan de voorkant liet hij zijn legitimatie zien en de man die daar de leiding had zei dat hij al wist van de dood van Irene Bushnell. Hij leidde hen naar een kleiner kantoor in het magazijngedeelte van de fabriek, piepte mevrouw Drysdale op en liet hen daar achter.

Het inwendige van het magazijn was spelonkachtig. Quality Plastics maakte allerlei dingen, die hier onder felle tl-buizen waren opgestapeld en op geschraagde planken lagen, die tot aan het plafond reikten, twaalf meter boven hun hoofd. Aan het eind van het gangpad gebruikte een werknemer een vorkheftruck met een as eraan om een rol noppenfolie zo groot als een personenbusje op een hoge plank te laden. Verderop reed een andere vorkheftruck rond enorme platen bleekgroen schuimplastic. Er hing een scherpe geur van plastic en de propaanuitlaatgassen van de vorkheftrucks.

Vanuit de verte kwam mevrouw Drysdale aanlopen, een klein figuurtje dat verloren ging in een canyon van plastic producten. Toen ze dichterbij kwam, kon Mo zien dat ze een korte, dikke vrouw met een droevig gezicht was, die een spijkerbroek droeg en een rode sweater met het logo van Quality Plastics erop. Ze was vermoedelijk nog maar rond de vijftig, maar haar haar was grijs en hing slap halverwege haar afhangende schouders. Toen ze naar de balustrade van het hulpkantoor liep, zei ze tegen hen dat als ze haar wilden spreken ze mee moesten komen naar waar zij werkte. 'Ik wilde me vandaag ziek melden,' zei ze, 'maar aan de andere kant wilde ik niet alleen thuis zitten. Ik moet aan andere dingen denken.'

Ze volgden haar terug door het magazijn tussen torenhoge stapels schuimrubber en folie. Andere werknemers keken nieuwsgierig naar hen: een vent in een donker pak met in grote letters *smeris* op zijn voorhoofd, en deze rijzige, adembenemende blondine, die achter de gedrongen, droeve mevrouw Drysdale aan liepen. Terug in het middelste gedeelte van het gebouw bleef ze staan bij de eerste van een rij enorme schuimplasticblokken, die allemaal zo groot als een stadsbus waren. De rij nam een halve straatlengte in beslag.

'Dat zijn de broodjes,' legde ze uit. Ze had een inventariscomputertje in haar hand, dat ze nu aandeed. 'Die gaan later naar de lintzaag. Ik moet de zendingen die verzaagd moeten worden bijhouden.' Ze leken inderdaad op gigantische broden, afgezien van het feit dat ze van vleeskleurig plastic waren, het vlees van een ongelijkmatig gebruinde blanke. Mo porde in het dichtstbijzijnde broodje en trok zijn hand schielijk terug toen hij ontdekte dat het oppervlak een taai vel was dat veel weghad van menselijke huid. Mevrouw Drysdale vond een label dat aan het broodje was geniet en tikte lusteloos op haar computertje.

'Mevrouw Drysdale,' begon Mo, 'rechercheur St. Pierre had het over diverse punten die ter sprake kwamen tijdens zijn eerdere gesprek met u, en ik vond dat we die meteen verder moesten uitzoeken. Het spijt me dat ik details met u moet bespreken waar u misschien moeilijk over praat, maar elk merkwaardig feitje dat u ons vertelt zou datgene kunnen zijn waardoor wij de moordenaar van Irene zouden kunnen pakken. En wij willen hem heel graag te pakken krijgen.'

Mevrouw Drysdale liep door naar het volgende broodje, met haar onelegante rug naar Mo en Rebecca terwijl zij achter haar aan liepen. Ze maakte een eenzame en verloren indruk tussen de vlezige hompen.

Toen ze weer bleef staan en op haar computer begon te tikken, vervolgde Mo: 'U suggereerde dat Irene misschien een, eh, relatie met iemand heeft gehad.'

'Zij en Byron,' zei mevrouw Drysdale zachtjes. 'Die zouden zich nooit settelen. Ik zei tegen Irene: als je trouwt, zou dat iets moeten betekenen. Het is best als je net van de middelbare school komt en wat rondneust, wat flirt, je vent jaloers maakt, dat mannen misschien om je vechten, dat geeft een goed gevoel. Maar als je zevenentwintig bent, kan je niet in een soapserie leven.' Ze sloeg met haar vlakke hand op de computer. 'Dat rotding. Ik haat die dingen. Doen nooit wat je wil.' Haar vingers ratelden over het toetsenbord en ze gaf het nog een klap, terwijl haar gezicht zich vertrok.

'Waarom denkt u dat Rebecca de laatste tijd een verhouding had?' vroeg Rebecca zachtjes. 'Wat heeft ze gezegd waardoor u dat dacht?'

Mevrouw Drysdale ging op weg naar het volgende broodje en zij liepen achter haar aan. Onderweg kwamen twee tienerwerknemers in een golfkarretje, met een vaartje van twaalf kilometer per uur, de hoek omscheuren. Ze zagen mevrouw Drysdale en minderden vaart, werden serieus en reden weg. Het gerucht van haar rouw had zich snel verspreid onder het personeel van Quality Plastics.

Mevrouw Drysdale zou waarschijnlijk het hele magazijn door zijn gelopen zonder iets te zeggen, maar Rebecca haalde haar in. Ze pakte haar zachtjes bij haar arm, stuurde haar in de richting van een schuimplaat zo dik als een dij en liet haar daarop plaatsnemen. 'Dit is een heel moeilijke tijd voor u. Het is een tijd dat je op jezelf moet passen. Waarom blijft u hier niet even zitten om met ons te praten als u dat kunt? Soms helpt het om te praten over een beminde die je verloren hebt.' Mevrouw Drysdale huilde zachtjes en Rebecca begon haar voorhoofd te strelen. Mo was ervan onder de indruk hoe makkelijk dat haar afging: contact leggen, troosten, zorgen. Rebecca hurkte voor haar, met een hand op de dij van mevrouw Drysdale. Goede lichaamstaal voor een niet-confronterende ondervraging, besefte Mo, jezelf lager opstellen dan de ondervraagde, haar alle aandacht schenken, een houding die troostrijk was maar ook een reactie afdwong.

Mevrouw Drysdale zakte in elkaar; ze had het helemaal gehad. 'Ze stelde me vragen. "Ma, stel dat ik een verhouding had." Het was iets waarover ze wilde praten. De eerste keer zei ik tegen haar: "Ik wil hier niets over horen, je weet hoe ik erover denk." Dan, een week later, vraagt ze: "Heb jij ooit met een andere vent gerotzooid toen pa nog leefde?" "Denk je dat als By iets met iemand anders heeft, het oké is als ik het ook doe?" Dat soort dingen.'

'Heeft ze ooit iets gezegd waaruit je zou kunnen opmaken wie de man was? Hoe ze hem heeft leren kennen, of waar?'

'"Ma, heb je ooit gedacht hoe het zou zijn om een vent met wat geld te hebben?"' herinnerde mevrouw Drysdale zich. '"Denk je dat ik mijn haar anders moet laten doen?" Ze dacht misschien aan een Lady Di-coupe, waardoor het zou lijken alsof ze uit de betere kringen kwam. Dus ik geloof niet dat het een van haar gewone vrienden is.'

'Dat is uitstekend. Dat is precies waar we naar op zoek zijn,' spoorde Rebecca haar aan. 'U doet het prima.'

Dus wie de geheime vlam van Irene Bushnell ook was geweest, dacht Mo, ze was zich bewust geweest van de factor marktwaarde. Ze wist dat ze streefde naar een hogere klasse qua uiterlijk of inkomen.

Mevrouw Drysdale reageerde goed op Rebecca's aanmoediging. 'Daardoor dacht ik dat het misschien iemand was voor wie ze werkte. En dat vond ik een slecht idee.'

'Vertel ons daar eens over.'

'Ik weet er niets van. Ze maakt... máákte huizen schoon. Je moet wat geld hebben om je huis schoon te laten maken. Misschien was het een van de mensen voor wie ze werkte. Ik weet het niet.'

'Zou Byron het weten? Zouden ze erover gepraat hebben als ze op iemand anders verliefd was?'

Mevrouw Drysdale fronste haar wenkbrauwen. 'Nooit.' Toen gingen haar wenkbrauwen in het midden weer omhoog, een uitdrukking van hopeloosheid. 'Misschien de dame die The Gleam Team runt, maar Irene zou niets tegen haar gezegd hebben. Ze zou bang zijn geweest om haar baan kwijt te raken.'

Ze gaven haar even de tijd, maar ze zei verder niets meer. Ze speelde lusteloos met haar inventariscomputertje. Aan alle kanten omringd door het schuimplastic was de stilte net alsof hun oren dichtzaten.

Mo verbrak het zwijgen. 'U vertelde rechercheur St. Pierre dat Irene belangstelling had voor de Howdy Doody-moorden. Hoe wist u dat?'

'Ze zag dat tv-programma, *Onopgeloste raadsels*, voordat ze hem te pakken kregen; we keken er samen naar. Ze vond het vreselijk dat hij mensen met vislijn vastbond. Een paar keer zaten we te praten en had ze het erover. Ze wist alles wat de kranten erover schreven, hoeveel mensen er gestorven waren en zo.'

'Heeft ze ooit laten doorschemeren waarom juist die zaak haar zo interesseerde? Was ze in andere sensationele moorden of andere gebeurtenissen in het nieuws geïnteresseerd?'

Mevrouw Drysdale schudde slechts haar hoofd. 'Soms. Hoofdzakelijk alleen Lady Di – het auto-ongeluk. Ze kocht een herdenkingsplaat.'

Rebecca nam het over. Ze peilde mevrouw Drysdale voorzichtig, in een poging om iets te vinden dat haar geheugen zou prikkelen, maar er kwam niets. Ze zat in elkaar gedoken op de doorbuigende schuimplaat. Na een tijdje klonk er ergens een zoemer en stond ze op, terwijl ze de schuimkruimels van haar spijkerbroek veegde.

'Ik had hier al klaar moeten zijn. Deze moeten naar de lintzaag.' Ze begon haar eenzame wandeling door het gangpad tussen de broodjes, bleef bij de volgende staan, tikte op haar computer, sloeg erop uit frustratie en droogde haar ogen. Rebecca keek haar vol medeleven na. Ze keek Mo aan. Hij knikte. Dit gesprek zat erop.

Zodra ze weer in de auto zaten, vroeg ze: 'Nou?'

'Laten we nou dat etentje maar doen,' zei Mo.

'Kan vanavond niet. Ik heb een afspraak voor een telefonische vergadering met twee psychologen van Stanford, het soort dingen dat eindeloos kan duren. Ik bedoelde, wat ben je wijzer geworden van mevrouw Drysdale?'

Hij gaf het op, kwam ter zake. 'Twee dingen zou ik zeggen. Ten eerste, de minnaar. Misschien had Irene iets met de imitator, besloot hij om haar te vermoorden, regelde hij het zo dat ze onder een of ander voorwendsel naar de krachtcentrale gingen voor een onderonsje. Ten tweede, de mogelijkheid dat er een verband met haar werk bestaat. Ze wist iets over Howdy Doody – misschien was ze aan het schoonmaken, vond ze wat attributen die haar verdacht voorkwamen, kwam hij daarachter en moest hij haar vermoorden.'

'Geen van beide scenario's past ook maar enigszins in het motiefprofiel van Howdy Doody.'

'Ja, maar dat geldt ook voor de krachtcentrale. Je zei zelf al dat er iets erg mis was gegaan.'

'Dat is waar.' Rebecca dacht daarover na, keek bezorgd en staarde door de voorruit naar niets in het bijzonder.

Mo werd door haar stemming aangestoken. Er zou ook helemaal geen verband kunnen bestaan tussen de moord op Irene Bushnell en haar baan of haar hypothetische verhouding. En er bleef te veel onverklaard. Het hele probleem van de imitator was veel te complex. Waarom zou iemand Howdy Doody imiteren? Bij Irene misschien om de politie op een dwaalspoor te brengen. Maar aan de andere kant, wat dan? De moordenaar ontdekt dat hij het leuk vindt om precies op die manier te moorden, kiest een willekeurig iemand en vermoordt Daniel O'Connor? Bovendien, hoe weet hij het van de onkruidwiederlijn van Howdy Doody, de knopen en de andere bijzonderheden?

Ze reden een tijdje zonder iets te zeggen. Even later zei hij: 'Je deed het heel goed met haar. Ik bewonderde je techniek. Ik waardeerde ook je begrip voor haar.'

'Ik wilde juist hetzelfde tegen jou zeggen.' Rebecca glimlachte. 'Jij zit vol tegenstrijdigheden, hè?'

Mo haalde zijn schouders op. Hij voelde zich in haar richting neigen, een vreemd gevoel van onontkoombaarheid. Hoe behaaglijk hun stiltes aanvoelden. Het genoegen dat hij schiep in haar aanblik als hij haar kant op keek. Het gevoel dat ze altijd heel aanwézig was, intelligent, opmerkzaam. En toch geheel zonder pretenties. Toen hij zich voor het eerst tot haar aangetrokken had gevoeld, had hij zich afgevraagd of het alleen kwam doordat hij eenzaam en geil was en net een relatie achter de rug had, een van die dingen. Maar dit voelde steeds meer aan als iets wezenlijkers. Daar had je een instinct voor, je moest het vertrouwen. Het zou je altijd verrassen; het zou je gegarandeerd overvallen als je er niet op bedacht was. Bij Carla had hij zich nooit zo gevoeld. Bij haar was het altijd bij pógingen gebleven; drie jaar vissen naar het gevoel maar het nooit echt krijgen. Ten slotte was hij veel om haar gaan geven en ja, dat was een bepaald soort liefde, en hij was bereid geweest om te proberen dat genoeg te laten zijn. Misschien was hij gek, behoeftig, of wat dan ook, maar dit voelde totaal anders aan. Dit voelde aan als de naald van het kompas die ronddraaide om telkens weer het magnetische noorden aan te wijzen. Nee, het was als twee tandwielen die perfect in elkaar pasten en samen begonnen te draaien. Nee, het was...

Hij schudde zijn hoofd, verbaasd hoever hij heen was.

20

Meneer Smith was aan het werk met de honden. Hij had hier de hele week naar uitgezien, maar nu voelde hij zich een beetje moe; een van de nadelen van op twee plaatsen wonen en, eigenlijk, twee banen hebben. De baan overdag was in meerdere opzichten noodzakelijk, maar dit was zijn echte werk, zijn echte roeping. Hij haalde diep adem, genoot van de vertrouwde alcoholgeur en vermande zich.

Hij stond er altijd weer versteld van dat de hersenen geen gevoelszenuwen hadden. Om de oppervlakkige pijn te vermijden had hij de Duitse herder een plaatselijke verdoving ingespoten, een lichte onderhuidse injectie vlak boven en achter elk oog. Nu was de hond plat vastgesnoerd aan de roestvrij stalen operatietafel. Klaarwakker keek hij met gevoelige bruine ogen naar hem op terwijl hij boorde, maar waarschijnlijk voelde het dier bijna niets. Er was een beetje bloed, maar hij had de botdiepte heel nauwkeurig opgemeten voordat hij de boor instelde, en hij had er het volste vertrouwen in dat de hersenen zelf niet geraakt waren. Hij was hier goed in.

'Toe maar jongen,' zei hij bemoedigend terwijl hij de boor uit het tweede gat haalde. 'Brave hond.' De hond keek naar zijn gezicht om zijn stemming te peilen. Meneer Smith wist zeker dat hij met zijn staart gekwispeld zou hebben als hij die had kunnen bewegen. Brave drommel.

De volgende stap was veel penibeler: de messen onder de juiste hoek en tot de benodigde diepte inbrengen. Hij had hier geen apparatuur om de hersenen in beeld te brengen en de anatomie van hondenhersenen was heel anders dan die van het menselijk hoofd. Maar hij was met de herder naar een dierenarts op het platteland van Massachusetts gegaan en had de dokter verteld dat zijn hond door een auto was aangereden, alleen zijn kop; het leek in orde, maar zouden we wat röntgenfoto's kunnen laten maken? De dierenarts had graag voldaan aan dat verzoek, en meneer Smith had gevraagd of hij de foto's mee naar huis kon nemen, voor het geval er later toch iets bleek te zijn, zodat hij ze aan zijn eigen dierenarts kon geven. Hij had dezelfde transactie herhaald met de golden retriever, bij een dierenarts in Pennsylvania: 'Ik ben in deze staat op bezoek, en mijn hond is net aangereden...' Hij had, uiteraard, contant betaald.

Het eindresultaat was een stel goede foto's van de koppen van beide honden, laterale en dorsale aanzichten, en terwijl hij met de herder bezig was, raadpleegde hij regelmatig de röntgenfoto's, die hij in een lichtbak had opgehangen. Niet zo goed als CT-scans, maar onder de gegeven omstandigheden niet slecht. In Vietnam had hij dikwijls met minder gewerkt.

Meneer Smith had de messen zelf gemaakt, door een stel zeer goede schilmessen die hij had gekocht bij te slijpen, zodat er een dun lemmet overbleef, dat twaalf centimeter lang en slechts drie millimeter breed was, heel stevig, en aan het eind zo scherp als een lancet. Hij bepaalde de hoek met een oude medische hoekmeter, voelde het eerste contact met het hersenoppervlak, en tikte tegen de achterkant van de greep tot het lemmet erin zat tot aan een van tevoren aangebrachte dieptemarkering. Geen echte weerstand, alleen zacht spul. Meneer Smith dacht: *en meer is het niet, de vriendelijkheid van de hond, al die dierlijke kameraadschap, al dat vertrouwen, al die zaken die de moordlust indammen – slechts zes millimeter zacht, nat, roze spul.* Eigenlijk was het verdrietig. Je zou gewenst hebben dat zulke dingen van een meer duurzaam materiaal waren.

Er ging een huivering door het vastgesnoerde lijf, maar de herder staarde nog steeds naar hem met die waterige, gevoelige ogen. Meneer Smith trok het lemmet terug, veranderde de hoek enigszins en herhaalde de procedure. Ditmaal leken de ogen even dof te worden, haast alsof er toen de neurale circuits werden doorgesneden een of ander deel van het bewustzijn van het dier verdween. Bloed welde op uit de wond, dat meneer Smith opdepte voordat hij de andere kant deed.

'Brave jongen,' zei hij even later. 'Brave jongen. Helemaal klaar.'

De hond keek naar hem. De ogen stonden nu anders, alsof hij aan iets anders dacht, iets vaags dat hem ergens dwarszat. Soms ging er een schok door meneer Smith als hij dat mysterieuze iets uit de, menselijke of hondse, ogen zag verdwijnen. *Het meest elegante en belangrijke aspect van een wezen, ongeacht of het een hond of een mens was,* dacht hij, *en toch hebben we er niet eens een naam voor. Dat zegt toch wel iets.*

Hij maakte de wonden dicht met een paar snelle hechtingen, veegde het bloed weg. Toen was het tijd om de hond terug te stoppen in zijn kooi. Een paar dagen voor het herstel, en dan door met de conditioneringsfase. Ditmaal zou het een vergelijkend experiment zijn, waarbij de Duitse herder als controledier zou dienen en de elektrodes bij de golden retriever werden ingebracht. Hij zou hun vorderingen vergelijken, de snelheid waarmee ze geconditioneerd werden, hoe lang de conditionering daarna standhield, het gemak waarmee ze gemanipuleerd konden worden. Heel spannend.

Hij maakte de banden los, en liet de klampen rond de kop tot het laatst zitten. Die mormeltjes konden verraderlijk zijn in dit stadium. Toen de laatste riem was verwijderd, trok de hond zijn poten in maar bleef hij daar liggen. Hij maakte een gedesoriënteerde indruk. Meneer Smith sloeg zijn armen om de brede borst en hees het dier op de tafel op zijn poten, een beetje bezorgd dat hij zich vergist had, dat hij een bewegingscircuit had doorgesneden. Maar de hond bleef zelf staan, eerst wat wankel, maar toen steeds steviger op zijn poten. Meneer Smith keek naar zijn bruine ogen, waar de afwezige afstandelijkheid af en toe werd doorbroken door meer duistere glinsteringen en schaduwen, oerdriften en emoties die door zijn kop schoten en dan weer verdwenen. Als haaien vlak onder het oppervlak van de nachtelijke zee, dacht hij. Daar waren ze, en weg waren ze, donker in het donker.

'Oké, kanjer,' zei hij. 'Tijd om naar bed te gaan.' Hij tilde de hond op, voelde de huiveringen in zijn grote lijf en droeg hem naar de open deur van zijn kooi. De hond stapte in de doos van plaatgaas, draaide zich om, keek hem vaag aan en sprong toen plotseling met een schorre grauw naar zijn gezicht. Meneer Smith deinsde net iets te laat terug, de lange hoektanden boorden zich vlak boven zijn schouder in zijn nek, voordat hij in een reflex met de zijkant van zijn arm een dreun op de snuit gaf. De kale kop van de hond sloeg tegen de metalen deurlijst, en voordat hij zich kon herstellen, smeet meneer Smith de deur dicht. De herder sprong nog een keer tegen het gaas met diezelfde gorgelende oergrauw. Meneer Smith bracht zijn hand naar zijn gescheurde overhemd en keek naar het bloed aan zijn vingers. Zijn hart bonkte, zijn hele lichaam gierde van de adrenaline. Jezus, dat was snél. Oef. Het was verbijsterend hoe hun reflexen eigenlijk beter werden als de neurale remmingsmechanismen werden uitgeschakeld.

Die gedachte beviel hem en hij glimlachte naar de hond, die nog steeds bibberde maar nu kalmer was en een nogal verwarde indruk maakte. 'Brave jóngen! Jij bent mijn bráve jóngen,' zei meneer Smith goedkeurend. 'Wat een brave hond!'

Een paar uur later, toen de wond ontsmet en verbonden was, voelde hij een opwelling van dankbaarheid ten aanzien van de herder. Het verband irriteerde hem, vlak onder zijn kraag aan de rechterkant, maar het was slechts een oppervlakkige keep van ongeveer tweeënhalve centimeter. En die stoot adrenaline had hem helemaal wakker geschud, had zijn dufheid verdreven. Het was nu midden in de nacht en hij draaide nog steeds op volle toeren.

Hij haalde een stuk draad van de haspel en knipte die door met een draadknipper. Dat deed hij bedachtzaam zodat de proefpersoon kon toekijken en de bijzonderheden kon gadeslaan. De proefpersoon, Nummer Vier, was al vastgebonden met zes stukken lijn en kende het dwingende gevoel, de weinig subtiele manier waarop de scherpe kartels van het draad zich in de huid boorden. Hij had tegen Nummer Vier gezegd stil te zijn, en geen enkel geluid te maken tot dat gezegd werd. Als alle lijnen eenmaal vastzaten, zou hij een kleine verhandeling houden. Het was tijd voor een beetje achtergrondinformatie. Het grootste voordeel bij het conditioneren van mensen ten opzichte van honden was dat ze verbale communicatie konden begrijpen.

Ze hadden ook een krachtige verbeelding en konden zich toekomstige ontberingen of bedreigingen voor de geest halen.

Meneer Smith hield het eind van de lijn dicht bij het gezicht van de proefpersoon en demonstreerde de knoop nogmaals. 'Het elementaire Pavloviaanse conditioneringsmodel is heel simpel,' legde meneer Smith uit. 'Het organisme, in dit geval jíj, heeft diverse basale biologische programma's en bij conditionering van het gedrag maakt het daarvan gebruik om specifieke gedragingen te bevestigen of te ontmoedigen. Het vermijden van pijn is een belangrijke, niet dan?' Hij trok de lussen van de knoop aan en keek naar de proefpersoon. 'Je kan antwoord geven. Het vermijden van pijn is een belangrijk motief, niet dan?'

'Ja.' Een beverige stem.

'Echt heel belangrijk?'

'Ja...'

'Heel goed. Als je doet wat er van je wordt verwacht, word je niet gepijnigd. Als je níet doet wat je moet doen, word je bezeerd. Heel simpel. Noem nog eens een motief?'

'Een beloning krijgen,' mompelde de proefpersoon.

Meneer Smith knikte goedkeurend. Hij gebaarde dat Nummer Vier de linkerarm moest opsteken en tot zijn genoegen werd daar meteen aan voldaan. Toen liet hij de lus in de lijn over de pols glijden, trok hij hem strak aan en keek hij naar het gezicht tot hij het zag vertrekken van de pijn. De huid had diepe schaafwonden van de eerdere keren en de lijn sneed in bloedige huidflarden.

'Mooi. En beloning kan zoiets simpels zijn als het einde van een straf, of het verschaffen van genot of het inwilligen van wensen of behoeften. Zou het bijvoorbeeld een beloning zijn als ik je zou waarderen? Zou je je dan goed voelen? Zou het een bepaald gedrag stimuleren?'

Nummer Vier aarzelde, wat meneer Smith opeens razend maakte. Even overwoog hij om iets drastisch te doen, maar toen kreeg hij zichzelf weer in de hand en besloot hij om alleen door middel van zijn lichaamstaal uiting te geven aan zijn afkeuring en rukte hij met heftige bewegingen stukken draad van de haspel. Proefpersonen zouden gevoelig moeten zijn voor zulke nuances.

Hij was blij te zien dat de proefpersoon het opmerkte, banger keek. 'Ja!'

'"Ja," wíé?' zei meneer Smith op een nare toon. Hij zou zijn macht nu tot het uiterste beproeven, hem verstikkend maken, geen enkele ruimte overlaten.

'Ja, pappie.'

Beter. 'Zeg het drie keer.'

'Ja, pappie. Ja, pappie. Ja, pappie.' Bij deze woorden traanden de ogen van Nummer Vier van angst. Het was altijd vreemd om een volwassene in deze situatie te zien, om de woorden te horen, maar je moest het doen; je moest helemaal teruggaan op de emotionele grondslagen van een proefpersoon. En vaders waren immers zo vaak onderdrukkers.

'Mooi,' zei hij, kortaf en autoritair nu, terwijl hij een lus in de knoop bij de elleboog maakte en er een ruk aan gaf die beslist pijn moest doen. Hij sloeg de lijn om de nek voorlopig even over, pakte de laatste twee lijnen en maakte die vast. Toen de knopen er eenmaal in zaten, beproefde hij de lijnen een voor een, tot zijn tevredenheid. Net genoeg speling zodat de proefpersoon zich een beetje kon bewegen.

'Maar wij mensen zijn natuurlijk geen dieren, hè? Wij praten, gaan complexe relaties aan. Wij kunnen ons veel van ons leven herinneren, niet dan? Je kan antwoord geven.'

'Ja, pappie.' De proefpersoon maakte nu een zieke, zwakke indruk, en zat naakt en bleek ineengedoken tegen de muur.

'Wat betekent dat eenvoudige conditionering van het gedrag niet genoeg is, niet voor een dier dat zo ingewikkeld is als wij, hè? Wij vereisen een meer subtiele aanpak – een psychologische aanpak. Dus in aanvulling op de Pavloviaanse conditionering bedienen wij ons ook van het psychiatrische model, waarbij het nodig is dat wij beschrijvende verhálen van onze levens maken, vooral onze vroege levens. Omdat de manier waarop wij denken en voelen en ons nu gedragen, als volwassenen, gevormd wordt door onze ervaringen toen wij nog kinderen, zelfs peuters waren. Ja toch? Je kunt antwoord geven. En til ook je rechterbeen op.'

Nummer Vier tilde het been op, hield zich moeizaam in balans en huilde in de wetenschap dat het zware gedeelte, het pijnlijke gedeelte, kwam. 'Ja. Ik bedoel, ja pappie.'

'Zet het been neer. Til nu het linker op. Mooi. Neer. Mooi. Nu je linkerarm – optillen om voor me te salueren. Mooi. Neer. Mooi. Nu je rechterarm, hetzelfde. Mooi. Nu lachen.' Zo ging het een tijdje door, waarbij het tempo van de commando's van meneer Smith steeds hoger werd. 'Mooi,' zei meneer Smith en toen kwam hij met de hamvraag: 'Vertel me nu: haat je me?'

Nummer Vier had zich goed gedragen, had dit alles zo snel geleerd, maar aarzelde nu. Dit deel was penibel, op het emotionele vlak waren ze altijd onzeker.

'Geef antwoord.' Meneer Smith pakte de tang en zag tot zijn genoegen dat de ogen van de proefpersoon groter werden. De neusvleugels gingen uitstaan, een duidelijk teken van een hormonale angsttoestand. Er liep nog steeds vocht uit de wonden aan de slapen; die pijn zou nog fris in het geheugen liggen. 'Haat je pappie nu niet? Zou je niet willen dat ik weg zou gaan? Zou je niet willen dat je kon bewegen zonder dat ik je dat zei? Je kan antwoord geven. Wil je me geen pijn doen? Je kan maar beter antwoord geven.' Hij legde de woede in zijn stem, in zijn gezicht.

Trillend, zachtjes: 'Ja. Ja, pappie.'

Te bang, nog niet kwaad genoeg. 'Wat staat je niet aan? Wat haat je het meest aan pappie?'

'Macht,' kraste de proefpersoon. 'Pappies macht.'

'Macht. Heel goed. Het is noodzakelijk dat je begrijpt, ten volle begrijpt, hoe belangrijk dit is, waarom de factor mácht zo belangrijk is. Wat is macht eigenlijk? Het is een feit dat het verlangen naar macht ten grondslag ligt aan alles wat we doen, van onze laagste zelfzuchtige activiteiten tot onze hoogste ambities. Ik wed dat je denkt van niet, maar het is waar. Wat is "democratie"? Het draait om mácht, niet dan? – mensen die de macht van enkelen verwerpen en macht over hun eigen leven eisen. Wat is "religie", wat is "bidden"? Een passief-agressieve poging om macht uit te oefenen over wat God doet – wees aardig voor me omdat ik onderdanig en dankbaar en devoot ben, of: "Alstublieft, laat me leven of gezond zijn of rijk worden!" Wat is "kunst"? Een poging om orde aan de chaos op te leggen, om macht uit te oefenen over tastbare media en de emotionele reacties van andere mensen te manipuleren! Ja toch? Zie je dat? Zie je hoe belángrijk dit is?'

Vier knikte, zenuwachtig over welke kant dit op ging. Meneer Smith dacht er zelf over na en hoopte dat de proefpersoon hier klaar voor was. 'Dus onze levens, de menselijke geschiedenis, het draait allemaal om mensen die mácht nastreven. En macht kan een wreed wapen zijn, niet dan? Om te krijgen wat je van anderen wil hebben. Een manier om anderen te laten lijden.'

Tegen zijn wil voelde hij zichzelf bezwijken voor zijn eigen retoriek. Het was allemaal waar. Plotseling had hij het gevoel dat hij elk moment in tranen uit kon barsten, een brok in zijn keel dat hem verstikte terwijl hij probeerde te praten. 'Kijk naar mij, mijn leven. Sinds de tijd dat ik een jonge man was ben ik gemanipuleerd. Ik was intelligent en veelbelovend, juist omdát ik zo intelligent en veelbelovend en idealistisch was, moesten ze mij manipuleren. Mij gebruiken. Ze gebruikten mijn beste eigenschappen om me te manipuleren – mijn verlangen om mijn land te dienen, mijn verlangen om mijn medemens te helpen, mijn intelligentie en mijn vaardigheid. Ze hebben al die goede dingen gebruikt om van mij een monster te maken – omdat zíj een monster nodig hadden! En kijk eens wat er van mij geworden is! Een heel leven doorgebracht met geheimen en intriges, een heel léven undercover, geïsoleerd van de rest van het mensdom alsof ik een ziékte had! Kon ik trouwen? Kon ik kinderen krijgen? Nee... niets! Ik heb niémand, geen familieleden of beminden. Mijn herinneringen. Een archief van gruwelen! En alsof dat alles niet genoeg is, en alsof dát álles niet genoeg is, willen ze me vangen, me vermoorden. Er zijn teams van mensen die geen ander doel hebben dan mij te vernietigen! En daarom moeten we een gebaar maken, niet dan? Hoe zielig, hoe hopeloos het ook is, we moeten ons eenzame gebaar van verzet maken, niet dan? Alleen jij en ik.'

Plotseling vervulde de onrechtvaardigheid van de gang van zaken hem met woede. De ader in zijn nek kronkelde pijnlijk, de druk leek zijn schedel op te lichten. Hij wist dat hij zijn medische objectiviteit kwijtraakte, dat hij op zijn beurt iemand pijn wilde doen. Maar gelukkig vielen die twee doeleinden samen.

'Spring,' beval hij plotseling. Nummer Vier werd erdoor overvallen en gehoorzaamde met een schok na een korte aarzeling.

'Mooi. Nu drie keer, snel. Mooi. Steek je tong uit. Mooi. Nu drie keer, snel. Nu weer springen. Sneller, nog een keer. Nog een keer.'

Vier sprong, het harde plastic van de lijnen zwaaide en ritselde.

'En wat moeten we doen als mensen ons in hun macht hebben? Blijf springen. Je kunt antwoord geven.'

'Ik, eh...'

'Je zei dat je pappie haatte. Je zei dat wat je het meest aan pappie haatte...'

'Macht,' zei Vier schor.

'En wat moet je doen, móét je doen!, als mensen je in hun macht hebben?'

'Hen pijn doen. Hen ook pijn doen.'

'Blijf springen. Sneller! Ja, pijn doen, maar het is veel belangrijker dat jij op jouw beurt macht over hén uitoefent. Dus waarom doe jij pappie nu geen pijn? Laat je hem niet ophouden?'

'Bang.'

De proefpersoon was nu buiten adem en had een rood gezicht. Maar het ging goed: de antwoorden kwamen nu sneller, het tempo ging omhoog. 'Waarom probeer je het niet? Je zou moeten probéren om pappie te laten ophouden, niet dan?'

'Het doet te veel pijn als ik...'

'Het gaat godverdomme nog veel meer pijn doen als je het niet probeert.' Kom op, dacht meneer Smith, *doe het. Geef eraan toe. Het is paradoxaal om verzet te cultiveren binnen een kader van onderwerping, maar je kunt het. Het is de volgende belangrijke stap, en je bent er bijna.* 'Kom en doe pappie pijn. Kom nu, anders kom ík en dan doe ik jóú pijn. Ik ga je pijn doen. Daar kom ik, pappie komt eraan...' Hij liet de punten van de tang tegen elkaar klappen: *klak klak.*

De proefpersoon huilde, hijgde, maar het tergende, tirannieke, onophoudelijke gesar begon te werken. Nummer Vier sprong op hem af, met uitgestrekte armen, klauwende handen, de mond een grimas van haat. Een razende vroege primaat, een bang primitief reptiel dat naar zijn vijand uithaalde. Meneer Smith bleef net buiten bereik toen de lijnen strak werden getrokken en diep in de polsen en enkels sneden en zo het springende naakte lichaam met een ruk tegenhielden. Vier zonk ineen tegen de in elkaar verstrikte lijnen en bloedde rond de knopen.

'Nog een keer. Haat pappie. Kom maar en doe pappie pijn.' Meneer Smith boog zich uitdagend naar de proefpersoon.

Grote ogen, een flits van verzet, toen weer die vertwijfelde sprong, de snijdende lijnen, het ineenzakken.

'Nog een keer,' beval meneer Smith. Een uitdagende stap dichterbij, misschien heel misschien net binnen bereik. En nog een keer en nog een keer.

Ten slotte een schreeuw van razernij, de aders en pezen tekenden zich duidelijk af in de hals, de blauwe ogen bloeddoorlopen, de spieren als kabels voor de sprong. De harde ruk waarmee de lijnen strak werden getrokken, het geluid van ellebogen en knieën die de grond raakten, de verstrikte lijnen, het gekronkel.

Jeetje, dat scheelde niet veel, dacht meneer Smith. Misschien was het tijd om het er even bij te laten. Je moest dit doseren, anders zou je de proefpersoon kunnen beschadigen. Hij wilde niet dat er vanavond voortijdig een eind aan kwam.

Hij legde de tang weg en kwam behoedzaam naar voren, terwijl hij naar het gekromde, naar lucht happende lichaam keek. 'Oké,' zei hij. 'Dat is het voorlopig. Dat viel toch wel mee?' Hij kwam dichterbij, boog zich voorover, stak een hand uit, raakte de schouder aan. Vier negeerde de aanraking. Hij boog zich nog verder voorover, streelde het voorhoofd, veegde het bloed en de tranen weg. Vier bedaarde enigszins, reeds ten dele gewend aan de conditionering. Verbluffend.

Meneer Smith zat in kleermakerszit op de grond, deed de lijnen goed, en trok het hijgende lichaam naar zich toe. Hij maakte de lijnen rond de polsen een beetje losser en hield het huilende gezicht tegen zijn schouder. 'Oké,' zei hij nogmaals troostend. 'Oké, oké. Alles komt goed. Pappie zal je nu geen pijn doen. Dit is het voorlopig.' Hij streelde het blonde haar, wiegde de proefpersoon zachtjes en wachtte tot hij de heftige snikken voelde afnemen. Hij masseerde de nek, kneedde en suste. 'Kijk eens. Zie je wel dat pappie van je hóúdt? En jij houdt toch ook van pappie? Hou je van pappie? Je kunt antwoord geven.'

De proefpersoon hield even op met ademen, bleef volkomen roerloos zitten, het gezicht nog steeds begraven in het overhemd van meneer Smith. Eén hartslag, twee, drie. En toen: 'Ja, pappie.' Een gedempte stem.

'Zeg het.' Hij legde een heel licht dreigende klank in zijn stem.

'Ik hou van je, pappie.'

Meneer Smith knikte goedkeurend. Maar hij mocht het niet te makkelijk maken. Hij klemde zijn hand stevig rond de nek en boog zich zover naar het oor van Nummer Vier dat zijn lippen er tegenaan kwamen. 'Zeg het drie keer,' fluisterde hij, terwijl hij de dreiging nu duidelijk liet doorklinken.

21

Mo had besloten om zaterdag te werken en tot zijn verbazing stond St. Pierre erop om mee te gaan, ondanks zijn nestdrang. Misschien ging het hem om de overuren; een nieuwe baby kost geld. Biedermann en eventuele nieuwe sporen uit de krachtcentrale zouden tot maandag moeten wachten, maar de gesprekken met mevrouw Drysdale hadden diverse deuren geopend, en het was belangrijk om snel iets te doen met dit soort dingen. Als je te lang wachtte, vervaagden de herinneringen, of hoorden getuigen of verdachten dat je kwam en gingen ze ervandoor. Je kon maar beter meteen doorstomen.

Op vrijdagavond had hij Rebecca bij haar woning afgezet, een mooi gebouw niet al te ver van haar kantoor aan de Upper West Side. Haar afscheid op de stoep was verlegen geweest en misschien ietwat onwillig. Een hand, maar wel een warme. Aan de ene kant had hij het gevoel alsof ze snel op iets afkoersten. En toch, ondanks de directe, openhartige manier waarop ze over haar gevoelens sprak, was ze discreet, had ze zichzelf goed in de hand – maakte ze dingen bespreekbaar, maar stelde ze ook grenzen, behield ze een redelijke mate van controle en professionalisme. Een bewonderenswaardige combinatie.

Rebecca had gelijk. Hij had niet echt reden om Biedermann op wat voor manier dan ook als verdachte te beschouwen. Maar tegelijk vertelde zijn instinct hem dat er iets niet in de haak was met die kerel, en het zou niet al te moeilijk moeten zijn om zijn verdenkingen te ontkrachten of te bevestigen. Ten eerste zou hij kijken met wat voor informatie Gus op de proppen zou komen; misschien nog een keer met Ty praten. Als een van beide mogelijkheden iets opleverde dat ook maar enigszins dubieus was, dan lag de tweede stap voor de hand: vaststellen waar Biedermann was geweest op de dag dat Irene Bushnell was verdwenen en op die donderdag dat Daniel O'Connor niet op zijn werk was verschenen. Simpel. Dus zette hij het van zich af en concentreerde hij zich in plaats daarvan op wat hij wel kon doen, en dat was de contacten natrekken die Irene Bushnell via haar werk had gehad. Zelfs met alle hightech in de wereld, ging er niets boven traditionele onderzoekstechnieken zoals er zelf op uit gaan, vraaggesprekken voeren en deductief redeneren.

Op zaterdagochtend kwamen hij en St. Pierre in aparte auto's bij het huis van mevrouw Ferrara, de eigenares van The Gleam Team. Zij runde het schoonmaakbedrijf vanuit haar huis in Ossining, een goed onderhouden witte villa. Ze had een echtgenoot die het gazon maaide toen ze aankwamen en twee kinderen, die achterdochtig toekeken terwijl hun moeder haar bezoekers van de politie meenam naar een kantoor aan de voorkant van het huis. Mo, St. Pierre en mevrouw Ferrara zaten daar, terwijl Joe Ferrara, die eruitzag alsof hij de oefening van een handmaaier kon gebruiken, aan de andere kant van het raam heen en weer reed op zijn grasmaaier. Het gedreun van de machine die kwam en ging maakte het ongeveer om de minuut moeilijk om een gesprek te voeren.

Maar mevrouw Ferrara was behulpzaam. Ze was een lange, slanke vrouw van achter in de veertig, met donker haar dat in één enkele dikke vlecht was samengebonden, en had een intelligent gezicht. Ze droeg een korte broek, sportschoenen die onder het gras zaten en een mannenwerkoverhemd: zaterdag was voor de Ferra-ra's kennelijk een dag om in de tuin te werken. Mo liet St. Pierre de aantekeningen maken.

Ze vertelde hun dat ze het bedrijf zo'n acht jaar geleden was begonnen, en dat ze het nu fulltime leidde en zo'n twaalf schoonmaakkrachten had. Haar werk bestond uit het adverteren, het inroosteren, het uitbetalen en het onderhouden van relaties met de klanten. Op dit moment deed The Gleam Team schoonmaakwerk voor tweeënvijftig klanten, van wie de meesten particulieren waren. Ten tijde van haar dood had Irene Bushnell bij zeven klanten schoongemaakt, bij twee van hen twee keer in de week, bij de rest één keer. Ze had echter in de drie jaar dat ze bij The Gleam Team zat ook bij anderen schoongemaakt en was af en toe ingevallen voor andere werknemers, zodat het totale aantal klanten met wie ze contact had gehad eenentwintig was.

'Irene was een beste meid,' zei mevrouw Ferrara. 'Ze was betrouwbaarder dan de meesten, ze brak niet vaak iets en stal niet. Dat zijn de twee meest voorkomende problemen.'

'Heeft ze ooit gesproken over persoonlijke conflicten met een van haar klanten?' vroeg St. Piere. 'Onenigheden, eh, iemand die bazig deed? Iemand die haar probeerde te verleiden?'

Mevrouw Ferrara had een paar dossiermappen, eentje met Irene's naam erop, en nu keek ze daar in. 'Ik maak aantekeningen van alle eventuele problemen in de dossiers van mijn klanten en mijn personeel; doorgaans hoor je het van twee kanten. Maar Irene – nou, hier is een klacht dat ze te laat was... hier is een klacht dat ze een spiegel brak... Hier is een klacht van háár over een waakhond die haar probeerde te bijten. Eh, maar dat is het. Een meer dan gemiddelde staat van dienst.'

Mo nam de papieren, las ze door. 'Wordt u vaak geconfronteerd met problemen naar aanleiding van seksuele contacten tussen klanten en werknemers?'

De vraag leek mevrouw Ferrara in verlegenheid te brengen. 'Ik heb vroeger zelf schoongemaakt. Je krijgt een bepaalde... nu ja, aandacht van mannelijke klanten. Je maakt hun slaapkamers schoon, soms ben je alleen met hen in huis, en dan... Maar onze contracten verbieden het nadrukkelijk. Als u denkt dat Irene een, eh, contact had, dan weet ik daar niets van. Niet dat ze het mij verteld zou hebben. Nee.'

Joe Ferrara denderde langs het raam terwijl St. Pierre plichtsgetrouw aantekeningen maakte in zijn boekje. Mo kon zich zijn aantekeningen voorstellen: *Ondervraagde zegt slachtoffer rapporteerde geen seks. cont., welke contractueel verboden zijn.* Mike leek te genieten van de houterige taal van politierapporten. Mo vroeg zich af of hij ooit de impliciete subtekst noteerde, zoals: *Niet dat ze het mij verteld zou hebben, nee, maar ik zou er niet versteld van staan.*

Uiteindelijk gaf mevrouw Ferrara hun een uitdraai met de namen en de telefoonnummers van alle mensen bij wie Irene ooit had schoongemaakt, met tekentjes naast de zeven klanten bij wie ze had gewerkt ten tijde van haar dood. Veel telefoontjes, veel gesprekken, dacht Mo, die automatisch een inventarisatie maakte van de onderzoeksprioriteiten. En het zou waarschijnlijk niets opleveren.

Hij en St. Pierre stonden bij hun auto's en hadden het over hun strategie. Ze leunden op de open portieren en zweetten in de middaghitte toen Mo's pieper trilde. Hij keek naar het nummer, herkende het nummer van Marsdens kantoor en dacht in een flits van helderziendheid: *o, barst, en O'Connor is nog maar een week geleden.*

St. Pierre moest stoppen om te tanken, dus was Mo er eerder. Toen hij de weg af reed en in een rij politieauto's parkeerde, was zijn eerste gedachte: *o ja, zo'n plaats. Het heimelijke landschap.* Ze bevonden zich op een landweggetje veertien kilometer ten noorden van White Plains, met dichte bossen aan weerskanten, behalve hier, waar de weg met een bruggetje over een stroompje ging. Minder dan anderhalve kilometer verderop was een mooie, semi-landelijke woonbuurt met kapitale huizen. Op dezelfde afstand de andere kant op was de 684, de zesbaans snelweg waarover auto's naar Manhattan gingen, vierenzestig kilometer naar het zuiden. Verder van de weg af werd het stroompje breder en ging het over in een drassige vlakte van modder, gras en miezerige boompjes waar agenten in uniform van de staatspolitie en de gemeente North Castle nu voorzichtig tussendoor liepen. In de verte werden de oevers steiler en werd het water weer ingesloten door bomen. Dit was noch de stad noch het platteland, maar het had de slechtste eigenschappen van beide: Net als de stad had het de verkeersherrie en de uitlaatgassen van de snelweg, laag overvliegende vliegtuigen van het vliegveld van Westchester, overal afval, soms liepen er ongure types rond. Net als het platteland was het verlaten, barstte het er van het ongedierte en de modder, was er veel struikgewas en geen straatverlichting. Het was het soort niemandsland waar eigenlijk niemand naar toe ging, te stedelijk en vervuild om te picknicken of te vissen of te vrijen, te landelijk en te verlaten voor andere vormen van vertier. Ouders lieten hun kinderen op zulke plaatsen niet spelen: aan de rand van grote wegen of spoorbanen, die terreinen achter het winkelcentrum of net aan de andere kant van een nieuwbouwwijk of achter een stortplaats. Dood land, besmeurd land, onbevolkt land. Niemand leek het op te merken, maar als je om je heen keek, was het er altijd. Een geweldige omgeving om iemand te vermoorden of een lijk te dumpen, en Mo had er op dit soort plekken vele in vuilniszakken boven water zien komen. Er reden waarschijnlijk dagelijks vijfduizend mensen langs, waarschijnlijk dertigduizend per uur op de snelweg even naar het zuidoosten. Mo dacht cynisch: *hebben jullie stomme klootzakken enig idee wat er gebeurt aan de andere kant van de berm van die snelweg? Willen jullie het eigenlijk wel weten?*

St. Pierre arriveerde, ze stapten over de vangrail en liepen de helling af naar de oever van het stroompje. Een agent uit North Castle wees hen verder het moeras in, ergens tussen kreupel ogende, miezerige sumakboompjes. Het stonk hier naar modder en zwavel; een rottingslucht die in gelijke mate leek te bestaan uit rottende plantenresten en menselijke vervuiling. Mo's voet sopte in de modder en meteen drong er koud water door zijn sokken.

Terwijl ze zich een weg stroomopwaarts baanden, zag Mo een vorm tussen het struikgewas verschijnen die door mensenhanden was gemaakt, en al gauw zag hij dat het een betonnen duiker was, iets dat ofwel was blootgelegd door een of andere overstroming in het verleden, ofwel twintig jaar geleden was vervangen en hier gewoon was achtergelaten om te vergaan. Het dichtstbijzijnde uiteinde was een ronde betonnen tunnel die bijna twee meter hoog was en misschien drie meter lang. Het andere uiteinde, waar zich de meeste andere agenten verdrongen, was groter, een vierkante ondiepe betonnen bak met ribben van ongeveer tweeënhalve meter.

Mo zag een paar gezichten die hij herkende en knikte. Toen wrongen hij en St. Pierre zich om de hoek en zagen ze het lijk, dat was opgehangen in het vierkante uiteinde van de vervallen duiker.

Het slachtoffer was ditmaal een jonge vrouw. Naakt, zoals ze altijd waren, een blondine met een goed figuur dat nu verkleurd was door bloed en blauwe plekken. De draden waarmee ze vastzat waren niet goed opgemeten, zodat haar lichaam zich achterover boog met haar buik naar voren en haar hoofd tegen de muur. De lijnen rond haar knieën waren geknapt en hingen naar beneden. Uit haar schaafwonden bleek dat ze had teruggevochten.

Ze was werkelijk mooi geweest, dacht Mo, onmiddellijk kwaad

op zichzelf vanwege de ongepaste gedachte, om zich vervolgens te vergeven: Je moest beseffen wat een verspilling het was, je moest gevoelig zijn voor wat ze was geweest en daarom rouwen. Op de dag dat je dat niet meer deed, had je echt een groot probleem.

'Wie heeft de leiding over de plaats delict?' vroeg hij.

'Dat ben ik.' Een gezette agent in uniform die tegen zijn pensioen aanzat stak zijn hand op en Mo las zijn naamplaatje: agent Bradley.

'Wie heeft haar gevonden?'

Bradley maakte een gebaar alsof hij zich voor iets wilde verontschuldigen en raadpleegde een notitieboekje dat hij uit zijn zak haalde. 'Een buurtbewoonster van verderop, ene mevrouw, eh, mevrouw Pilz. Ze gaat hier vlakbij joggen met haar hond, de hond rukt zich los en rent hierheen, hij wil niet terugkomen. Dus gaat mevrouw Pilz de hond halen. De hond moet het lijk geroken hebben.'

Mo boog zich voorover om de draden van nabij te bekijken en herinnerde zich plotseling dat in tegenstelling tot wat de meeste mensen dachten, lijken wel degelijk ademen. Niet zo dat ze een spiegeltje zouden doen beslaan, maar als je er van zo dichtbij overheen hing, rook je de gassen die uit hun huid walmden, het bederf dat uit de poriën wasemde. Toch rook hij ook een vleugje parfum in de rottingslucht, dat veel weghad van het parfum dat Carla gebruikte. Wat was het ook alweer? Sunflower.

Na een moment richtte hij zich weer op. Hij voelde zich ellendig, want hij had gezien wat hij al verwacht had. De handboeien waren van nylon, met het logo van het merk Flex-Cuf erop. De lijn was de gekartelde lijn van een onkruidwieder, de knopen waren een dubbele strop met drie wikkelingen. De vele schaafwonden bij de plaatsen waar de draden hadden gezeten en op de ellebogen en de knieën vertelden hem dat ze vóór haar dood zwaar was mishandeld. En ook de wonden aan haar slapen.

Hij voelde zich wat zwakjes toen hij een stapje terug deed, voor de zoveelste keer geschokt door de nabijheid van de gewelddadige dood. Er was ook iets anders dat hem beverig maakte, een gevoel dat alleen bepaalde mensen, bepaalde dienders, kenden. Het was een haat jegens degene die dit had gedaan, een woede die geen kant op kon en dus in je bleef rondrazen en je gek en ziek maakte. Het was meer dan de gruwel van de moord, meer dan de verspilling van leven en jeugd en schoonheid; het was de onrechtváárdigheid dat één iemand werd aangewezen om zoveel van andermans pijn te ondergaan. En dit poppenspel was het ergste; de macht en de kwellingen die maar doorgingen en tegen elk gevoel voor zelf en zelfbeschikking indruisten. God, wat deze vrouw had moeten doormaken.

St. Pierre stond daar slechts tot aan zijn enkels in modderig water en probeerde een professioneel afstandelijke indruk te maken, waar hij niet in slaagde.

Mo vroeg Bradley: 'Heeft mevrouw Pilz haar herkend? Misschien een van haar buren?'

'Zegt dat ze niet zo dichtbij wilde komen, niet wilde kijken.'

Mo knielde om het onderlichaam te bestuderen. Vanwege de betonnen wand had de poppenspeler geen oogjes gebruikt, maar had hij de draden bevestigd aan stangen van de metalen wapening die boven de verbrokkelde rand van de bak uitstaken. De lijnen rond de knieën waren strak aangetrokken voordat ze gebroken waren, waarschijnlijk vóór de dood, en waren nog steeds diep in geplooid vlees verzonken. Het hoorde niet bij de werkwijze, maar de plaats delict in de krachtcentrale en de smoezelige vlekken op de betonnen vloer hier waren suggestief, dus keek hij aandachtig tussen haar benen en naar de binnenkant van haar dijen.

Ja, Rebecca, dacht hij moe, *je hebt gelijk. Er is iets misgegaan met het 'plan'*. Omdat het ernaar uitzag dat zij naast al het andere bovendien was verkracht.

Hij stond weer op. Bradley stond tegen St. Pierre aan te leuteren, maar Mo negeerde hem terwijl hij om de duiker heen liep. Hij wilde zijn penning op de grond gooien en hier weglopen; dit ging hem echt niet in zijn kouwe kleren zitten. Stervende mensen, stervende liefde, Sunflower-parfum, verkeerslawaai, modder. Misschien kon je als diender niet efficiënt zijn als je zelf te veel existentiële zorgen had. Of misschien was het goed als je telkens zo getroffen werd.

'Mo.' Een vertrouwde rauwe stem deed hem zich omdraaien in de richting van de weg.

Hoofdrechercheur Marsden sopte naar hem toe, zijn broekspijpen een paar keer omgeslagen om niet in de modder te komen, zodat zijn bleke enkels zichtbaar waren. Hij pufte en piepte terwijl hij erbij kwam en het lijk en de plaats delict bezag. 'O, barst,' hijgde hij. 'O, barst.' Hij knikte gedag naar St. Pierre en Bradley en liep toen naar de bak in de duiker om aandachtig naar het lijk te turen.

'Die vent begint er een potje van te maken, hè?' vroeg hij over zijn schouder. 'Zijn werkwijze wordt wisselvallig. Slaat één keer per week toe, vreemde omgevingen, de slordige bedrading. Zijn er weer voorwerpen geordend?'

'Niet voor zover ik tot nog toe heb gezien.'

Marsden knikte. 'Hij kan ook niet meer zijn slachtoffers uitpikken met de zorgvuldigheid die Howdy Doody in acht nam, neemt er de tijd niet voor.'

'Ik geloof dat ze verkracht is, Frank,' zei Mo zachtjes tegen hem. 'Biedermann onderzoekt ook de mogelijkheid van verkrachting in dat geval bij de krachtcentrale.'

Marsden keek. Hij pufte nog steeds toen hij zich weer tot Mo wendde met ogen die niet meer waren dan zwarte spleten, alsof hij helemaal geen oogbollen had en de kieren onder zijn half gesloten oogleden slechts een zwarte, doodse leegte in zijn hoofd onthulden. Hij zei: 'Weet je, ik begin echt een hekel aan deze hufter te krijgen. En jij?'

22

Ze kwamen achter haar identiteit tijdens het eerste huis-aan-huisonderzoek, toen een van de agenten in uniform de pech had dat hij bij haar ouders langs moest en per ongeluk het nieuws vertelde, als een olifant in de porseleinkast, op de ergste manier. Haar naam was Laurel Rappaport, een studente aan SUNY-Purchase die gisteren voor het voorlaatste weekend van school was thuisgekomen. Haar ouders hadden zich zorgen gemaakt toen ze haar 's avonds niet hadden gezien, maar de campus was slechts een klein eindje rijden; ze was nu twintig en ging soms tot diep in de nacht uit met vrienden of bleef zelfs bij vriendinnen thuis logeren. Ze hadden geprobeerd om haar zover te krijgen dat ze telefonisch contact hield, maar sinds ze naar school was gegaan deed ze dat niet altijd. Nu namen ze aan dat ze vrijdag aan het eind van de middag was gaan joggen, en dat de moordenaar haar op de een of andere manier tijdens het hardlopen in handen had gekregen.

Mo bleef op de plaats delict tot het donker werd, toen de politie van North Castle een wagen achterliet om het terrein te bewaken hoewel het onderzoek voor die nacht werd afgeblazen. Het had geen zin om het op de spits te drijven. Zelfs bij daglicht had niemand iets gevonden. Ze hadden vijfhonderd meter aan beide kanten van de duiker de bedding van het stroompje afgezocht zonder kleren of spullen van de poppenspeler te vinden. Op enige afstand, op de drogere oevers, waren diverse voetafdrukken, maar tien meter rond de duiker stond er minstens vijf centimeter water, en in de modder daaronder bleven geen bruikbare afdrukken achter. Ze hadden wat bierblikjes, sigarettenpeukjes, een kapotte zonnebril en zelfs een kapotte broodrooster meegenomen, maar iedereen wist dat ze van de plaats delict niets wijzer zouden worden.

Mo zat vermoeid in zijn donkere auto, de enkele politieagent uit North Castle dertig meter achter hem, onzichtbaar in zijn eigen wagen. De geur van het Sunflower-parfum hing nog steeds in Mo's neus, verbonden met een hunkering in zijn binnenste. Hij vroeg zich af hoe het met Carla ging. Hij draaide het raampje naar beneden en keek over het amper zichtbare landschap uit. Met de duisternis was een koele vochtigheid gekomen, die met de modderstank kwam opzetten, en hier en daar kwaakten kikkers in het moeras. De bosjes en de sumakbomen beneden in de rivierbedding waren slechts donkere vlekken. Vlakbij de weg waren ze nog van elkaar te onderscheiden, maar verderop gingen ze in elkaar over tot een ononderbroken scherm van schaduw. Ongeveer een kilometer naar het zuidoosten dreunde de snelweg met zijn onnatuurlijke gloed voortdurend over de donkere bomen heen.

Gewoon een mooie avond in mei hier in de leegte, de ruimte, het stervende land.

Gisteren was hij hier om deze tijd nog bezig geweest om haar te vermoorden, dacht Mo. Die twee zouden daar samen in die duistere verlatenheid zijn geweest en dat vreselijke, ongelijke drama hebben uitgespeeld in de bak van die vergeten duiker. Wie zou zoiets kunnen doen? Laat de psychologie maar zitten, die was te gruwelijk en bovendien te speculatief om bij stil te staan. Nee – wie zou het, fysiek, hebben kunnen doen? De moordenaar moest zich hier veilig hebben gevoeld. Moest op de een of andere manier van de duiker hebben afgeweten; je kon hem vanaf de weg niet zien. Moest waarschijnlijk het levensritme hier in de omgeving hebben gekend, om te voorkomen dat hij gezien werd, om te weten dat geschreeuw niet gehoord zou worden. Moest hebben geweten hoe hij in het duister over dit verraderlijke terrein daar naar toe en daar vandaan moest gaan.

Plotseling hoorde Mo vlakbij het knerpen van grind, voetstappen in het donker, en op hetzelfde moment hield hij zijn adem in en had hij als bij toverslag zijn Glock in zijn handen. En toen verscheen en verdween de lichtbundel van een zaklantaarn: de man uit North Castle die zo attent was om hem op de grond te richten zodat hij Mo niet verblindde.

'Hoe is-t-ie, rechercheur?' vroeg de man. 'Mooie avond.' Hij boog zich naar het raampje, een grote, brede agent in een grijs uniform, zijn gezicht bijna onzichtbaar. Hij zag het pistool in Mo's schoot.

'Hoi,' zei Mo. 'En met jou? Jij moet hier de hele nacht blijven.'

De agent wees met zijn kin naar de Glock. 'Dat deed ik net ook, een paar minuten geleden. Een wasbeer of zo. Ik deed het bijna in mijn broek.'

Ze grinnikten allebei. Toen werden ze weer serieus en staarden ze samen even naar het donkere moeras. Vervolgens zeiden ze goeienavond en knerpte de man terug naar zijn wagen.

Mo bleef nog even zitten, tot zijn hartslag weer normaal was. Jezus, wat werd hij schrikachtig. Het duurde een tijdje tot hij weer wist waar hij was gebleven in zijn gedachtegang. Oké, wie kon zo iets gedaan hebben? Tenzij hij domweg echt wanhopig was en echt mazzel had, moest het iemand zijn die de omgeving kende, die hier eerder was geweest.

Kwam hij lopend, of met de auto? Wachtte hij, of kwam hij en sloeg hij onverhoeds toe? Gezien de korte tijd sinds O'Connor had hij Laurel al een tijdje gadegeslagen, of was dit iets impulsiefs waar hij toevallig klaar voor was?

Maar alle vragen leken te cirkelen rond de andere wie, het andere hoe – de vereiste gemoedstoestand om dit te doen, de geest van de moordenaar. En daar wilde Mo zich vanavond werkelijk niet mee bezighouden. De lucht begon koud aan te voelen. Hij draaide het raampje omhoog, startte de auto en reed weg, terwijl hij zich afvroeg of dit misschien de doodse plaats was die Carla had gezien in haar visioen of profetie of wat het in godsvredesnaam ook geweest mocht zijn.

De rinkelende telefoon rukte hem uit zijn slaap. Mo rolde erheen en greep de hoorn. Zijn handen trilden door de plotselinge versnelling van zijn hartslag. Het was acht over halftwee in de ochtend.

'Gus,' zei de vlakke stem.

'Gus,' zei Mo, terwijl hij ging zitten en verwoede pogingen deed om zijn hersencellen wakker te schudden. 'Bedankt voor het bellen. Ja, bedankt, ik...'

'Heb wat gevonden over die vent van jou, die Biedermann. Je bent waarschijnlijk iets op het spoor. Die vent heeft een verborgen leven. Niet na te trekken.'

'"Niet na te trekken" wil zeggen...'

'Dat wil zeggen dat iemand stukken van zijn verleden heeft uitgewist. Niet alles, maar wel dermate systematisch dat het opzettelijk moet zijn geweest. Het begint dertig jaar geleden; Biedermann zit in het leger. Kreeg een zilveren ster voor een of andere operatie in Cambodja, nog een paar medailles voor bijzondere verdiensten. Dan is zijn dossier een tijdje in prima staat. Vervolgens verdwijnt hij nagenoeg voor tien jaar. Maar ik heb hem achterhaald bij een aantal niet-militaire wetenschappelijke conferenties in de loop der jaren, zoals een conferentie van de Amerikaanse Raad voor de Psychiatrie over de psychologie van het geweld, in 1970. En nog eentje over neuroleptische farmacologie. Ik heb ontdekt dat hij in 1972 sprak op een forum van het Congres over Vietnam, in wezen een onderdeel van een zorgvuldig georkestreerd koor van Nixon over drastische tactische opties naar aanleiding van het feit dat Vietnam, zoals iedereen wist, een verloren zaak was. Het onderwerp en de inhoud zijn geheim; waarschijnlijk omdat er nucleaire opties werden besproken.'

'Dus hij heeft te maken gehad met, wat, geheime technologieën, of...'

'Duikt de daaropvolgende vijf jaar hier en daar op bij hoorzittingen van het Congres, conferenties van geheime diensten en een aantal medische conferenties. Het onderwerp is niet altijd duidelijk, maar ik zeg altijd: soort zoekt soort, dus trek ik de anderen bij dit soort gelegenheden na en dan staat hij meestal op dezelfde lijst als mensen van de contraspionage van de CIA, wat mensen van de FBI en van Delta...'

'Wat is Delta?'

'Delta Force. Geheime tak van het leger, de militaire versie van een vliegende brigade. Hightech, radicale tactieken, wetenschappelijk het nieuwste van het nieuwste, orders van het hoogste niveau. Als het dodelijk, snel, chirurgisch, geheim moet zijn, dan wordt Delta gezien als het beste tactische instrument. Kan zowel in binnen- als buitenland ingezet worden, met goedkeuring van de president. Maar zoals alle federale instanties op dit moment, verprutsen ze veel. Zij waren ook betrokken bij dat fiasco van de Branch Davidian in Waco.'

Gus zweeg even en gaf Mo een ogenblik om daarover na te denken. Biedermann had dus een ruimere achtergrond op het gebied van gezagshandhaving en inlichtingenwerk. Maar wat dan nog? En het wordt dus voor een deel geheim gehouden – nou en? Moet hij een speldje dragen waarop staat *Kus me, ik ben een ex-geheim agent*? Mo was zelf benaderd door de FBI en was daar om diverse redenen niet op ingegaan.

'Zijn naam duikt op nog een interessante plek op,' vervolgde Gus. 'Herinner je je dat er vorig jaar iets in het tijdschrift *Time* stond over die speciale legereenheid die naar verluidt naar Vietnamese en Cambodjaanse dorpen ging om gedeserteerde Amerikaanse soldaten af te maken? Die jongens van geheime operaties uit die tijd, de jongens die dat hadden gedaan, spraken er voor het eerst over.'

'Ja, dat weet ik nog...'

'Toen, een week later, werd het allemaal ontkracht, *Time* en CNN nemen afstand van het bericht, alle getuigen komen terug op hun getuigenis, diverse kopstukken van het leger komen voor het voetlicht om te zeggen dat het gelul was, ja? Raad eens wiens naam daarbij valt.'

'Je meent het niet.'

'O ja. Biedermann werd door een paar veteranen van geheime operaties genoemd als iemand in het hogere echelon destijds. Toen het vorig jaar tijd was voor de doofpot, haalden ze dus onze jongen erbij, een onderscheiden veteraan en nu een succesvolle FBI-agent op hoger kaderniveau, allemaal openbaar en betrouwbaar. Zegt dat hij inderdaad de leiding had over enkele geheime missies, maar het ging niet om het vermoorden van onze eigen mensen, god, nee. Het waren Russen, een stel Russische spionnen achter wie ze aan zaten; dat waren die blanken die ze in die dorpen neerschoten en vergasten. Het staat allemaal in het tijdschrift *Time*.'

'Ja, dat heb ik gelezen.' Wat aannemelijk zou zijn, dacht Mo, afgezien van het feit dat die hele opgelegde weerlegging, nadat *Time* en CNN het nieuws bekend hadden gemaakt, zo overduidelijk een poging was om het in de doofpot te stoppen.

Gus dacht kennelijk hetzelfde. Hij lachte, of althans dat was het volgens Mo, een reeks scherpe sissende geluiden. 'Ik heb zelf in Vietnam gevochten, gewoon bij de infanterie, niets heldhaftigs, heb zelfs geen schrammetje opgelopen,' zei Gus scherp. 'Maar persoonlijk had ik echt de pokkentering aan die Vietcong, wilde ze echt goed te grazen nemen, werd kotsmisselijk van al die verontschuldigingen achteraf. Maar je hoeft geen genie te zijn om door te hebben dat die doofpot allemaal gelul was. We hadden het er destijds over; we wisten allemaal wat er zou gebeuren als we op een of ander spleetooggrietje zouden vallen, of het vertrouwen in de oorlog verloren en er vandoor gingen om ergens onder te duiken. Iedereen wist dat er een eenheid was die dan achter je aan zou komen om je dood te maken.'

Mo wist uit de overlevering dat het zelden voorkwam dat Gus zoveel persoonlijke mededelingen deed, wat erop wees dat het onderwerp hem hoog zat, althans voor zover Gus in staat was om iets te voelen.

'En hoe zit het met zijn FBI-carrière?' vroeg hij. 'Iets over zijn tijd in San Diego?'

'O ja. En hier wordt het raar. In 1983 komt Biedermann opeens uit het leger en gaat hij bij de FBI. Omdat hij onderscheidingen had en ervaring met inlichtingenwerk, maakt hij snel carrière. Hij komt bij Interne Zaken, een leuke plek voor een ex-spion, niet? En dan zwaait er in 1995 iemand met een toverstokje en wordt hij opeens special agent in San Diego. Doet dat een jaar, gaat terug naar Interne Zaken, en dan twee jaar geleden, is hij, paf, weer special agent, ditmaal in New York. Alsof hij voor iets bijzonders uit de kast is getrokken.'

'Zoals?'

'Moeilijk te zeggen. Hij heeft daar de leiding gehad over een aantal zaken en hier waarschijnlijk ook over een handvol. Wie weet wat belangrijk is? Jij was geïnteresseerd in een mogelijke reeks moorden in San Diego, maar het waren er waarschijnlijk een stuk of zes waar hij daar bij betrokken was. Zal me wat meer tijd kosten om de bijzonderheden van al die zaken te achterhalen.'

Gus werkte zijn lijstje af en gaf Mo de elementaire persoonlijke gegevens over Biedermann: adres in Manhattan, niet ver van Rebecca's kantoor aan de Upper West Side. Geboortedatum, model auto en kenteken, internetprovider. Mo noteerde het allemaal braaf, terwijl hij zich afvroeg hoe Gus hier in godsnaam allemaal aan kon komen. Hij had al een hoop gekregen om over na te denken, maar toen kwam er nog een vraag in hem op. 'Gus, weet jij wanneer hij in New York is begonnen?'

Een toetsenbord ratelde als een machinegeweer en toen zei Gus: 'Oké, ja – overgeplaatst naar het veldkantoor in New York in oktober, '98.'

Mo schreef de datum op in zijn notitieboekje. 'Bedankt. Hartelijk bedankt, Gus. En hoe zit het met die andere vent? Zelek?'

'Daar wilde ik het net over hebben. Er is geen Anson Zelek. Bestaat niet. Niet bij de FBI. Niets in hun openbare personeelsdossiers of bij hen op de loonlijst. En ook niet bij de CIA. Dit is moeilijker voor mij.'

Barst, dacht Mo. 'Suggesties?'

'Ja, ik heb een suggestie. Dit gaat je boven de pet. Stel jezelf andere prioriteiten. Maak iets van je leven.' Gus schraapte zijn keel in de telefoon, een kwaad, fluimachtig gegorgel. En toen hing hij op.

Mo rolde op zijn rug en staarde naar het vaag verlichte plafond. Het was pikdonker in de kamer, afgezien van de rode gloed van de cijfers op de digitale wekkerradio. Het grote lege huis kraakte en kreunde zachtjes aan alle kanten om hem heen. Na een tijdje zocht hij op de tast op de vloer tot hij zijn onderbroek vond die hij over de display van de klok hing. Beter.

Jezus, dacht hij, *hoe krankzinnig gaat dit überhaupt worden?* Wie was Zelek in godsnaam? Natuurlijk, misschien was Zelek een bijzaak, onbelangrijk. Maar wie was *Biedermann* in godsnaam? Omdat het idee dat Meneer Deskundig speciaal naar het oosten was overgeplaatst om achter Howdy Doody aan te gaan een groot probleem met zich meebracht. Biedermann kwam in oktober '98 naar New York. En de eerste bekende moord van Howdy Doody was pas in januari '99.

23

Zondag, na de ontwikkelingen van die nacht leek het best begrijpelijk om wat schietoefeningen te gaan doen. Alleen om in vorm te blijven, zei Mo tegen zichzelf, altijd een goed idee. Nee, dat had helemaal niets te maken met Biedermann.

Het Dale Schietcentrum was een particuliere baan in New Rochelle, halverwege tussen White Plains en Manhattan. Dale beviel Mo omdat de apparatuur eersteklas was en het centrum open was op de onregelmatige tijden wanneer hij het af en toe nodig vond om te oefenen. Dus nam hij zijn twee pistolen mee, de Glock en de kleine Ruger.22 die hij soms rond zijn enkel droeg, en reed hij erheen.

Toen hij de foyer in liep, kreeg hij een verrassing waardoor hij dacht: *synchroniciteit*. Of misschien was het meer iets als *serendipiteit*. Omdat degene die bij de balie haar koptelefoon haalde dr. Rebecca Ingalls was.

Toen ze zich omdraaide en hem zag, begon ze te stralen. 'Mo! Wat doe jij hier?'

'Dat wou ik jou net vragen!'

Ze toonde hem een compacte Smith & Wesson.38 automaat. 'Na mijn, eh, onverwachtse bezoeker? Na mijn bijnadoodervaring met Ronald Parker vond ik dat ik een van deze moest leren gebruiken. Ik heb hem vier maanden geleden gekocht en kom hier ongeveer eens in de twee weken om te schieten. Ik ben niet erg goed. Misschien is het een filosofische weerzin; ik ben nooit een groot voorstander van vuurwapens geweest. Maar, jeetje, ik heb echt geprobeerd om met die klootzak te práten en dat leek niets uit te halen, weet je wel?'

Hij bewonderde het dat ze ten aanzien van dit onderwerp haar gevoel voor humor wist te behouden. 'Waarom rijd je van New York helemaal hierheen?'

'Voornamelijk omdat iedereen die ik het heb gevraagd zei dat dit de beste schietbaan in de buurt was – ik neem aan dat jij daarom ook hier bent. Maar ik dacht ook dat het goed zou zijn om even de stad uit te zijn. Ik zou liever niet een van mijn cliënten of patiënten tegen het lijf lopen en moeten uitleggen waarom ik hier ben.'

Ze schreven zich in, kregen koptelefoons en hokjes toegewezen, en liepen door de gang naar de schietbanen. Rebecca droeg een spijkerbroek en sportschoenen en een kort bruin leren jack over een wit overhemd. Hij had haar nooit zo informeel gekleed of zo mooi gezien en hij stond versteld van hoe ze eruitzag, een doffe klap op zijn borst. Het totaal van alle verlangens.

'Is dit het lot, of hoe zit dat?' vroeg ze. 'Jou hier tegenkomen. Ik dacht net aan je.'

'O?'

'Nou, ik vond dat jij en ik een bijzonder efficiënt interviewteam vormen.'

'Dat vond ik ook.'

'En,' vervolgde ze, terwijl ze haar hoofd heen en weer liet rollen terwijl ze liepen, een niet overtuigende poging tot nonchalance, 'ik dacht dat we, tja, het is niet anders, iets moesten afspreken. Een afspraakje waarvan we toegeven dat het een afspraakje is.' Ze had zich duidelijk voorgenomen om direct te zijn in emotionele zaken, maar het viel haar niet altijd makkelijk. Dat vond hij heel prettig.

'Dat zou mooi zijn,' zei hij tegen haar. Hij wist niet goed wat hij moest zeggen.

Ze verstomden allebei toen ze bij de schietbanen kwamen. Niet erg veel schutters vandaag. Slechts twee hokjes in gebruik. Hun schoten galmden zo nu en dan door de ruimte. Ze namen hokje elf en twaalf, zetten hun dozen met munitie neer, controleerden hun wapens en laadden ze. Ze stapte uit haar hokje en leek problemen met haar magazijn te hebben, maar hij bood niet aan om haar te helpen, want dat leek hem neerbuigend. In plaats daarvan bracht hij de Glock omhoog en schoot hij het pistool leeg op het doelwit in de vorm van een man, achttien snelle schoten. Hij drukte op de knop die het doelwit bij hem bracht en toen hij opzij keek zag hij dat ze hem met grote ogen aangaapte. Hij zette zijn koptelefoon af en zij ook.

'Wat deed jij in hemelsnaam?' vroeg ze.

'Hoe bedoel je?'

'Zo snel schieten. Moet je niet mikken?'

Maar het doelwit wapperde naar zijn hokje en ze draaiden zich allebei om om ernaar te kijken. Het was een vrij goeie groep, vond Mo, één rafelig gat dat de kleine X in het midden had weggevaagd en waar misschien acht schoten doorheen waren gegaan, en toen nog een stel binnen een cirkel van vijf centimeter eromheen. Maar twee gaten zaten er bijna een handbreedte naast, een duidelijk teken dat hij niet in topvorm was.

'Jezus,' zei ze, terwijl ze naar het doelwit keek. 'Ik wist niet dat mensen dat... werkelijk... kónden. Is dit dan iets dat jij veel doet?'

Mo haalde zijn schouders op, in verlegenheid gebracht omdat hij niet wist of zij schietvaardigheid als een psychologisch pluspunt beschouwde. 'Niet echt. Het is gewoon iets natuurlijks. Goed in de verte kunnen zien of zo.'

'Uh-huh,' zei ze sceptisch. Ze keek ontmoedigd naar de kogels in haar hand, die ze nog niet had geladen. 'Nu durf ik niet meer te schieten.'

Maar ze raakte er overheen. Toen ze klaar was met het laden van haar pistool maakte ze zich op om te vuren. Hij deed een stapje terug om naar haar te kijken, en besefte dat het niet haar schiethouding was waar hij naar keek, maar haar smalle taille en haar lange, mooie benen, terwijl ze goed ging staan en het pistool met twee handen vasthield. Hij kon zien dat ze een belabberde schutter was door de manier waarop haar pistool alle kanten op ging. *Dit is het moment waarop je achter haar moet gaan staan en haar moet helpen om haar armen te stabiliseren en in haar oor moet praten over haar vorm en haar greep en al dat soort clichés*, dacht hij, en de gedachte dat hij zo dicht bij haar was deed zijn buik gloeien en zijn knieën knikken. En hij dacht: *jezus, wat is er met mij aan de hand?* Hij voelde zich duizelig, benéveld door haar uitstraling, en zocht daarom een hokje verderop, nadat hij nog een magazijn had leeggeschoten, alleen om wat afstand van haar te nemen. Ze deed een stap terug en keek hem vragend aan. Hij gebaarde naar de schietbaan, wat suggereerde dat er iets mis was met de apparatuur. Ze knikte en ging verder met erop los knallen.

Mo schoot nog een tijdje met de Glock en maakte het moeilijker voor zichzelf door de cijfers op de ringen van de schietschijf te raken. Vervolgens schoot hij met de kleine Ruger, die bij lange na niet zo nauwkeurig was, te korte loop, niet echt bedoeld voor deze afstand. Maar niettemin voelde hij dat hij er weer in begon te komen terwijl zijn lichaam één werd met de wapens en intuïtief de banen en de snelheden en de terugslag incalculeerde. Hij had niet tegen haar gelogen; het was echt iets instinctiefs. Maar nee, hij was geen slechte schutter.

Ze hadden samen een late lunch, waarbij ze haar auto bij de schietbaan lieten staan en met die van Mo naar een eettentje langs de weg aan de noordkant van de stad reden, met picknicktafels aan de achterkant van het parkeerterrein. Bij de balie bestelden ze allerlei diepvriesspul, hamburgers en worstenbroodjes en patat en uiringen, waarna ze het eten meenamen naar een tafel in de schaduw van een boom aan de oever van een smal riviertje. Ze zaten aan een druk bedrijfsterrein, vijftien meter verderop sprongen zes kinderen rond op verbleekte plastic speeltoestellen van het restaurant. Het leek in geen enkel opzicht op het niemandsland van gisteravond, maar niettemin moest Mo daar weer aan denken door de aanblik van het riviertje.

Rebecca moest iets aan zijn gezicht hebben gezien. 'We zouden ergens anders heen kunnen gaan, maar als kind was ik al dol op dit soort plekken...'

'Nee. Dit is prima. Ik dacht aan iets, gisteren...'

'Plek waar een misdaad is gepleegd?'

'Dit is zo heerlijk; ik geloof niet dat dit de tijd is om...'

'Ik ben psycholoog. Voor de dag ermee, Mo.' Ze knabbelde aan een uiring, terwijl ze hem strak aankeek.

'Je hoort het morgen wel. Het gaat om de Howdy Doody-imitator,' erkende hij somber. 'Of wat hij ook mag wezen.'

Ze trok het uit hem. Met tegenzin vertelde hij haar van Laurel Rappaport, de duidelijke verwording van de werkwijze van de imitator, dat het slachtoffer waarschijnlijk verkracht was. Geen van hen raakte het eten aan. Rebecca kon goed luisteren. Ze ontlokte hem zowel zijn emotionele reacties op de plaats delict als de forensische details. Toen hij klaar was, voelde hij zich bevrijd van de geschokte verwarring die hem sinds gisteravond in zijn greep had gehad. Maar hij had wel weer zijn gedrevenheid terug, zijn toenemende woede en angst.

'Hoor eens,' zei hij, 'ik moet het ergens met je over hebben. Kan dit onder ons blijven?'

'Natuurlijk!'

Hij keek snel om zich heen naar de andere klanten: een gezin van vier personen, twee tafels verderop, kwebbelend en knabbelend, zich nergens van bewust, en nog wat andere mensen in de buurt van de speeltuin, te ver weg om hen te kunnen verstaan. 'Ik wil dat je dit goed begrijpt, dat je niet denkt dat ik rare motieven heb. Het gaat over Erik Biedermann.'

Voor deze ene keer protesteerde ze niet. 'Oké.'

'Ik heb wat informatie over zijn verleden, over zijn overplaatsing naar het veldkantoor in New York, waarmee ik in mijn maag zit.' Mo aarzelde even. Hij vroeg zich af of het verstandig was om haar al zo snel zoveel toe te vertrouwen, maar ging toch door. Hij vertelde haar over Biedermanns rol bij het geheime doodseskader, zijn belangstelling voor de psychologie van het geweld, zijn 'uitgewiste' achtergrond bij de geheime dienst. Rebecca's ogen werden groter terwijl hij sprak en dat luchtte hem op: *dit wist ze niet. Ze is niet willens en wetens met een moordenaar naar bed gegaan. Huurmoordenaar Biedermann.*

'Hij heeft een heel vreemde geschiedenis bij de FBI,' besloot hij. 'Hij wordt opeens bij Interne Zaken weggehaald en krijgt dan de leiding over diverse moordzaken. Het probleem is alleen, althans bij Howdy Doody, dat de moorden pas beginnen nádat hij ter plekke is.'

'Wat zeg je nou!'

Mo ging nog zachter praten. 'Biedermann verhuisde in oktober '98 naar New York. De eerste Howdy Doody-moord is gepleegd in januari '99. En die Zelek? Die zit niet bij de FBI. Die bestaat niet.'

Dat trof haar en ze moest erover nadenken. Ten slotte zei ze: 'Mag ik vragen hoe je dit alles weet?'

'Nee.'

Ze zweeg nog een ogenblik, terwijl ze naar de kinderen in de omheinde speeltuin keek. Geleidelijk werd haar zonnige gezicht overschaduwd door iets dat ze daar zag. Ten slotte gebaarde ze met haar kin in de richting van de kinderen. 'Zie je hoe lief ze zijn? Kleine wilde beesten, onschuldig, willen alleen maar spelen. Ik werk het liefst met kinderen, omdat ik een zwak voor hen heb en ze me tot mijn beste werk inspireren. En ook omdat je daar de basiselementen van de menselijke psychologie kan vinden, nog niet ondergesneeuwd door de complexiteit die wij volwassenen hebben opgedaan. Lieve kleine mensjes, de onbedorven aard van de mens, hè? Maar moet je even naar hen kijken, Mo.'

Hij vroeg zich af waar ze heen wilde, maar deed wat ze zei. Er waren zes kinderen, van verschillende leeftijden, vier meisjes en twee jongens, die over de jungleachtige stellage van een klimrek klauterden, door een glijtunnel naar beneden gleden en aan ringen zwaaiden. De jongste was een jongetje van twee of drie met een waggelend loopje, de grootste was een kort, dik meisje van een jaar of zeven. De kinderen klommen de ladder naar de glijbaan op en werkten met hun ellebogen omdat ze geen geduld hadden om op elkaar te wachten. De kleinste had grote moeite met de sporten van de ladder, was bang voor de hoogte en ging langzaam. Terwijl Mo toekeek, keek het grote meisje snel naar de babbelende ouders om vervolgens het kleine jongetje van de ladder te rukken, zodat hij op zijn kont op de grond viel. Ze ging op zijn hand staan toen ze over hem heen op de ladder stapte. Hij schreeuwde en begon te huilen en gooide toen met grind naar haar.

'Mam!' gilde ze.

'Jimmy!' riep een van de vrouwen. 'Niet gooien! Jimmy, kom hier. Nu. Jimmy, ik meen het!'

'Voorspelbaar,' zei Rebecca terwijl ze zich weer tot Mo wendde. 'Omdat het een feit is dat wij geen aardige schepsels zijn. Zelfs als kind niet. In onze meest onschuldige staat hebben we allerlei akelige gevoelens – woede, haat, wedijver, jaloezie, sadistische opwellingen, wrok, noem maar op. We zitten vol listen en lagen. We kwetsen anderen. Kijk hoe zo'n jong meisje de situatie al naar haar hand zet. En Jimmy – als Jimmy een volwassene was die een emotie zou ervaren die qua intensiteit vergelijkbaar is met wat hij nu voelt, zou hij waarschijnlijk proberen om haar te vermoorden.'

Ja, Jimmy ging nu helemaal door het lint, een woedeaanval met alles erop en eraan. Terwijl zijn moeder hem probeerde weg te sleuren, klauwde hij naar het korte, dikke meisje.

'Wat ik wil zeggen,' besloot Rebecca droevig, 'is dat psychologie zijn enge kanten heeft.'

'Dat heb je al eerder gezegd. Ik weet nog steeds niet wat je bedoelt.'

Ze speelde met een losse haarlok alsof ze ergens over twijfelde. 'Kunnen we gaan rijden? Gewoon even rondrijden, waarna je me weer naar mijn auto brengt?' Voor het eerst sinds hij haar had leren kennen, zag Mo een diepe onzekerheid in haar gezicht; iets dat op angst leek.

'Wat ik bedoel,' zei ze, 'is dat de psychologie twee kanten is opgegaan. Dat zou me niet moeten verbazen – ik bedoel, voor welk menselijk streven geldt dat niet? We bedenken dingen die dienen om te helpen en te genezen, en we gebruiken diezelfde dingen om te kwetsen en te moorden. De metallurgie geeft ons zowel geweren als chirurgische instrumenten, chemie wordt zowel voor giffen als medicijnen gebruikt. Kernwetenschap heeft ons onschatbare medische beeldapparatuur en de atoombom gegeven.' Ze leunde tegen de deur aan haar kant, zowel om Mo aan te kijken als om, zo bedacht hij opeens, wat afstand tussen hen te bewaren.

Zonder erbij na te denken, reed hij de Hutchinson River Parkway op, naar het noorden. 'Jij wilt dus zeggen dat de wetenschap van de psychologie ook als wapen gebruikt kan worden?'

Ze knikte. 'Ten dele is dat uiteraard algemeen bekend. Er is het cliché van de "hersenspoeling", waarbij krijgsgevangenen geïsoleerd en uitgeput worden, hun ego's stelselmatig worden afgebroken en ze er op verschillende manieren toe worden gebracht om geheimen te vertellen. Tegenwoordig hoor je veel over de wetenschap van het "creëren van ondraaglijk psychologisch onbehagen" – weet je nog toen Noriega in zijn bastion in Panama zat, en de Amerikaanse strijdkrachten hem vierentwintig uur per dag met luide rock-'n-roll bestookten? Of bij het bolwerk van de Branch Davidian, dat door de ATF voortdurend werd bestookt met de schreeuwen van konijnen die geslacht werden? Om hen uit te putten, in verwarring te brengen en te demoraliseren. En het werkt.'

'Schreeuwende konijnen?' Die gedachte bezorgde Mo de rillingen.

'Door mijn doctoraalwerk weet ik wat meer over het onderwerp dan de meeste mensen. Maar vooral sinds ik me met forensische profielschetsen ben gaan bezighouden, heb ik wat... onregelmatig... onderzoek gedaan en ben ik bij een aantal bijzondere gevallen betrokken. Vandaar dat ik een glimp heb opgevangen van... het topje van een ijsberg. Ik heb minstens twee gevallen meegemaakt van wat ik *artificiële persoonlijkheden* zou noemen. Waar de medische wetenschap die ik bestudeer is gebruikt om dodelijke wapens te maken.'

'Wat is in gódsnaam een "artificiële persoonlijkheid"!?'

Ze keek niet meer naar hem, maar ze keek ook niet meer naar het landschap waar ze doorheen reden. 'Ik werd er door de staatsaanklagers bij gehaald in de zaak van een seriemoordenaar in Oregon. Ze hadden de moordenaar te pakken en ze wilden mijn mening omtrent zijn jeugdjaren om de psychologen van de aanklager te helpen. We waren met z'n drieën, twee psychologen en een neuroloog, en we waren allemaal, tja, we raakten er allemaal van overtuigd dat... er welbewust met deze man was geknoeid.'

'O, man...'

'Het spijt me. Maar bij elke psychologische test en persoonlijkheidsevaluatie vertoonde hij emotionele en cognitieve reacties als van een dier dat in een lab was geconditioneerd. Erger nog, op zijn hersenscans waren twee symmetrische kwetsuren aan zijn slaapkwabben te zien. Hij had *hersenchirurgie* ondergaan, Mo, maar dat kon hij zich niet herinneren, en er waren geen dossiers van! We wisten dat hij in Vietnam in het leger had gezeten, dus vroegen we zijn legerdossier op, maar we kregen telkens nul op het rekest. Toen we de aanklager vertelden dat we niets konden doen zonder de medische gegevens uit zijn tijd in het leger konden we, *húp*!, opduvelen. We werden van de zaak afgehaald. Ik denk dat ze iemand anders hebben gevonden, een of andere hoerige psycholoog die bereid was om te negeren wat overduidelijk was. Tegen die tijd hadden wij met z'n drieën, het psychologenteam, allerlei stukjes en beetjes achterhaald, genoeg om te vermoeden dat deze man deel had uitgemaakt van een experimenteel wapenprogramma. Een programma waarbij moordenaars werden gemaakt – op afstand bestuurbare moordenaars. We waren er zeker van dat iemand van hem een gespecialiseerde moordmachine had gemaakt. Een programmeerbare sociopaat. Hij had hersenchirurgie gehad die had geholpen om zijn normale remmingen ten aanzien van moorden uit te schakelen en hij was geconditioneerd of getraind om "programma's" te accepteren van degenen die hem manipuleerden. Ze zouden hem ríchten, hem op Ho Chi Minh af sturen, of plaatselijke Zuid-Vietnamese sympathisanten van de Vietcong, of Russische spionnen, of wat dan ook! Wij geloven dat hij terugkwam naar de vs en niet meer in de normale maatschappij kon herintegreren. Hij was gedreven om door te gaan met moorden. En hij was niet de enige. Ik was zijdelings betrokken bij een soortgelijk geval, met een andere dader die een Vietnamveteraan was, in Indiana.'

Mo reed een tijdje zonder iets te zeggen. Hij was zich nu ten volle bewust van waar hij heen ging en waarom, en hij was kwaad op Rebecca omdat ze hem eerder deze informatie had onthouden. Omdat hij haar met een beetje realiteit wilde confronteren, met de urgentie, van waar zij het tegen op moesten nemen.

'Met andere woorden,' zei hij, 'hij was een marionét, die in wezen werd bestuurd door zijn superieuren. En toen zijn draden ten slotte werden doorgesneden, ging hij gewoon door met dat waarvoor hij geprogrammeerd was.'

Ze leek nu pas voor het eerst te merken waar ze waren. 'Waar gaan we heen? Ik dacht dat je gewoon wat rond zou rijden...'

'Ik bedoel, je houdt het niet voor mogelijk, wie zou er goddomme zelfs maar ópkomen om iemand met het geluid van schreeuwende koníjnen te bestoken? Waar zou je trouwens een band kunnen krijgen van konijnen die geslacht werden? Om dat alleen al te bedenken zou je al ziek moeten zijn.'

'Waarom ben je kwaad op míj, Mo? Ik zie niet hoe ík op wat voor manier dan ook...'

'Geef antwoord, dr. Ingalls.' Mo reed over de afrit de zijweg op. Ze waren nu vlakbij. Hij werd steeds kwader, een druk die hij niet kon weerstaan. 'Ik ken het vakjargon van zielknijpers niet, maar laat ik wetenschappelijker zijn. Zou je niet een erg morbide verbeelding moeten hebben om dat te bedenken – schreeuwende konijnen? En wat is er geworden van al die experimentele moordenaars? Is het niet mogelijk dat sommigen van hen zich met andere vormen van regeringswerk zijn gaan bezighouden? Waarom niet? Hou ze aan jouw kant, bewaar hen voor mogelijk gebruik in de toekomst, zorg dat ze hun mond houden. Hou hen van de straat. Stel dat ze eigenlijk héél goed georganiseerd zouden zijn, héél intelligente, bekwame kerels, heel bruikbare kerels. Is het niet mogelijk, dr. Ingalls, dat die Erik Biedermann van jou in Vietnam diende als een van die geprogrammeerde moordenaars? Gezien het feit dat we wéten dat hij gelieerd was aan een geheim doodseskader, dat hij daarover zelfs het commándo voerde! Het stond in *Time*, oké? Is het niet mogelijk dat hij er misschien op zijn eigen wijze niet in is geslaagd om in de normale maatschappij te, hoe zei je dat, "herintegreren"?'

Zij werd nu ook kwaad. 'Ik wil dat je omkeert, nu, of me vertelt waar we heen gaan. Telkens als ik bij jou in een auto stap, word ik praktisch ontvoerd, Mo, en ik ben niet...'

'Ik neem je mee naar waar je morgen waarschijnlijk toch heen zal gaan, om voor die "kleur" van je te zorgen.'

'Ik wíl er vandaag niet heen, dank je...'

'En is het niet mogelijk dat de reden dat ze jóú bij bij deze gevallen halen is dat jouw kennis van deze "ongeïntegreerde" moordende proefkonijnen een voordeel is als jij profielschetsen maakt? Je gebleken bereidheid om je mond erover te houden?' Mo stuurde de auto scherp een bocht door, zodat ze tegen de deur aan viel.

'Mijn "gebleken"... Mo, ik kan het niet bewíjzen – wat moet ik dan doen?'

'Dat jij in zekere zin ook de hoer uithangt, dat je een leuke bonus krijgt om je mond te houden, met je vette adviseurshonorarium...'

'Genoeg. Dat is onvergeeflijk. Laat me nu uit deze auto, of ik dien een aanklacht in.'

Maar ze waren er al. Mo reed van de weg af en trapte hard op de rem, waarbij de auto een eindje doorschoot voordat hij in het grind van de berm tot stilstand kwam. Er stonden een busje van de technische recherche, een stel patrouillewagens van de staatspolitie en de auto van St. Pierre. Mo deed zijn deur open, stapte uit en ging op de vangrail zitten, met zijn rug naar Rebecca. Hij kon stroomopwaarts niemand zien; ze waren allemaal uit het zicht tussen de gebogen sumakboompjes. Een nevelige melkachtige hemel hing boven de vlakte, allejezus deprimerend.

Na een tijdje hoorde hij haar deur open- en dichtgaan. Hij wierp een blik opzij en zag haar op de brug staan. Ze keek uit over het moeras en een briesje trok slierten haar rond haar wangen. Hij kon zich niet herinneren dat hij zich ooit zo belazerd had gevoeld.

Hij hield het nog een minuut vol, meer kon hij niet aan, en liep toen naar haar toe en leunde tegen de reling naast haar. 'Het spijt me,' zei hij.

Ze reageerde niet op hem.

'Ik wil werkelijk dat je me vergeeft omdat ik daarnet mijn zelfbeheersing verloor. Omdat ik deed alsof het jouw schuld is. Het komt gewoon doordat daar een mooi meisje is doodgegaan, en daardoor voel ik me rot. Ik word doodsbang van de dingen die jij me vertelt. Ik wil er iets aan doen, maar ik heb geen idee wat ik moet doen. Wil je me alsjeblieft aankijken?'

Hij was dankbaar dat ze dat deed, met haar blauwgrijze, nog steeds zeer gereserveerde ogen.

'Ik wil geen ruzie met je maken. Ik, ik... voel me best tot je aangetrokken. Niet alleen maar "aangetrokken", verkeerd woord. Het is beter dan dat.' Zijn vocabulaire liet hem volledig in de steek. 'Ik vind je echt geweldig en ik wil dat jij... van mij hetzelfde vindt.'

Dit was niet de manier of de plek waarop hij het had willen zeggen als het aan hem lag. Maar haar ogen werden iets warmer. Toen tuurde ze weer naar het landschap.

Op dat moment viel het muntje bij hem. 'Je gaat er niet heel hard tegenin. Wat Biedermann betreft. Er is nog iets, hè?'

St. Pierre kwam in beeld, diep in het moeras, zag Mo, wuifde. Mo knikte met zijn kin ter begroeting. Rebecca wendde zich af, met haar armen nog steeds over elkaar. Ze liep over de brug, terwijl ze naar haar voeten staarde, kwam toen weer terug naar Mo.

Toen ze naar hem opkeek, waren haar ogen vochtig. Hij wist niet of dat door de straffe bries of door iets anders kwam. 'Bedankt dat je dat alles hebt gezegd,' zei ze zachtjes. 'Voor een smeris ga jij erg goed met je eigen gevoelens om, wist je dat? Ik geloof dat je net als ik bent, dat je er niet graag omheen draait als het om iets belangrijks gaat.'

'Dat is waar. Dank je.'

'Dus ga ik je iets vertellen wat ik niet zou moeten vertellen, en ik hoop dat je het zal begrijpen. En ik hoop dat je me zal helpen om erachter te komen wat het betekent. Eh, zowel persoonlijk als professioneel.'

'Wat het ook is.'

'Dat zullen we nog wel zien.' Ze grijnsde droevig. 'Vertel eens, Mo, van wat voor seks hou jij?'

De vraag bracht hem van zijn stuk. Toen hij naar haar keek, leek ze alleen maar bang, niet koket of ironisch. 'Met zo'n vraag weet ik niet wat je wilt horen, een eerlijk antwoord of een...'

'Een eerlijk antwoord.'

'Ik geloof dat ik hou van wederzijds bevredigende, tedere seks. In technisch opzicht ben ik geloof ik, eh, vrij conventioneel. Ruimdenkend, maar waarschijnlijk vrij traditioneel.'

'Ja, nou, ik ook. Nou, je had gelijk dat Erik en ik iets met elkaar hadden,' zei ze bitter. 'Ik was heel eenzaam toen ik net in New York was; op de réden wil ik niet ingaan. Er kwam om allerlei redenen een eind aan. Een daarvan was dat we seksueel niet... op dezelfde lijn zaten.'

'Waarom vertel je me dit?' Hij wilde het niet horen, wilde niet het risico lopen om de zaken later voor hen te bederven.

'Omdat een van de dingen die hij deed waar ik in mee wilde gaan was dat hij me wilde vastbinden.'

Mo kon haar alleen maar aanstaren.

'Ik ben ook ruimdenkend. Ik heb het één keer geprobeerd. Hij gebruikte sjaaltjes. Het beviel me niet; het was gewoon niet mijn persoonlijke... smaak. Dat zei ik tegen hem. Hij was helemaal niet gewelddadig, alleen elementaire bondage, geen pijn of beledigingen of zo, alleen mácht. En hij heeft het nooit meer voorgesteld. Maar, weet je, ik dacht achteraf, ik kon er niets aan doen... dat gezien de zaak waar wij aan werkten, het nogal... ongepast was. Door de associaties had het je weerzin moeten opwekken. Voor mij deed het dat in elk geval wel.'

'Jullie werkten aan Howdy Doody.'

Ze wierp haar hoofd in haar nek, het gebaar van: *ja, ik lijk wel gek*. 'Ja. Een vent die mensen vastbond.'

Rebecca liep een paar passen bij hem vandaan. Toen ze zich omdraaide, maakte ze in het gedempte zonlicht een misselijke indruk. Ze bolde haar wangen en zuchtte. 'Ik voel me alsof ik moet overgeven. Wilde je dit niet vertellen. Ik bedoel, het is zo'n rotmanier om... Maar ik vond dat ik het je moest vertellen. Niet dan? Onder de gegeven omstandigheden?'

Hij wist niet wat hij daarop moest zeggen. Dus hij nam haar slechts bij de arm en leidde haar terug in de richting van zijn auto. Deed de deur voor haar open, liet haar als verdoofd plaatsnemen, deed de deur weer dicht. Wat hij voelde was een explosieve mengeling van emoties: hij wilde haar beschermen, hij haatte Biedermann en was bang waar dit allemaal op uit zou kunnen draaien. Een hevige hunkering die amper in toom werd gehouden door behoedzaamheid en betamelijkheid en dubieuze omstandigheden.

Toen hij was ingestapt, wendde hij zich tot haar. 'En wat nu?' vroeg hij. Zijn stem was schor.

'Goeie vraag,' zei ze grimmig.

24

Ze reden terug naar het Dale Schietcentrum, haalden haar auto op, reden achter elkaar aan naar de stad, lieten haar auto achter in de garage van het gebouw en gingen uit eten. Ze waren niet gekleed voor iets deftigs, dus liepen ze Broadway af om een Indiaas hapje te eten bij een restaurant in caféstijl in het midden van de stad, dat ze allebei kenden.

Ze maakten een afspraak om tijdens het eten niet over Biedermann of over de moorden te praten. En dat deden ze ook niet. Ze was goed in het houden van afspraken, besloot Mo; nog iets om aan haar te bewonderen. Eerst zeiden ze dus niet veel en keken ze alleen hoe de andere klanten aten, de gemelijk ogende hulpkelner die de tafels afruimde. Mo dacht aan wat hij op de brug tegen haar had gezegd, dat hij niet wist hoe hij in zijn eigen woorden over gevoelens moest praten en niet in clichés die aan een film of een roman waren ontleend. *Aangetrokken* leek oppervlakkig, goedkoop. Misschien had hij moeite met proberen om zich duidelijk uit te drukken tegenover iemand met een titel. Misschien, en dat was waarschijnlijker, was hij er gewoon niet aan gewend om te proberen hiervoor de juiste woorden te vinden, en misschien was het tijd voor wat oefening. Je kon dit soort dingen verleren. Achteraf bezien kon hij niet uitmaken waar het begin van zijn relatie met Carla was overgegaan in het eind van zijn relatie met Carla; de twee gingen naadloos in elkaar over of ze waren een en hetzelfde. Het was lang geleden sinds hij het vocabulaire van de liefde had bestudeerd.

Maar de storm in de auto was gaan liggen doordat ze zich allebei inhielden. Het was alsof er een dijk was doorgebroken. Even hadden ze allebei hun ziel behoorlijk blootgelegd, maar wat Mo van haar had gezien beviel hem. En het beviel hem dat hij zichzelf kon zijn tegenover haar en ze desondanks nog steeds nader tot hem leek te komen.

'Toen we elkaar voor het eerst ontmoetten, stelde je me een vraag,' onderbrak ze zijn gedachten, 'en ik heb je niet een volledig antwoord gegeven. Dat zou ik nu graag willen doen.'

'Ik kan het me niet meer herinneren.'

Ze prikte in haar eten. 'Waarom ik destijds naar New York kwam en daarmee in feite een eind maakte aan mijn relatie in Chicago. Ik was onder de indruk dat je dat direct doorhad.'

'Je hoeft niet...'

'Nee, ik zit er niet mee.' Ze schudde haar hoofd, glimlachte weer, waarbij iets van de zonnige warmte terugkwam. 'Dit is iets waarvan ik wil dat je het weet, iets dat heel belangrijk voor me is. In Decatur was ik eigenlijk een wilde boerendochter van de oude stempel. Trouwde toen ik amper negentien was, kreeg zes maanden later een dochter. Het huwelijk duurde tot ongeveer even lang daarna, geen van ons was er ook maar in de verste verte aan toe. Alleen vanwege de fase waarin ik me toen bevond ging Rachel met haar vader mee. Later hertrouwde hij en kreeg hij nog een paar kinderen, wat betekende dat Rachel bij hem broertjes en zusjes had en een betere gezinssituatie dan ik kon bieden. Dus handhaafden we die regeling waarbij zij bij hem woonde. Maar al die jaren is ze elk weekend bij mij. En toen, vorig jaar, verhuisden mijn ex en zijn gezin en Rachel naar New York – hij had een belangrijke baan bij NBC gekregen. Daar zat ik dan, met mijn praktijk en mijn vriendje in Chicago en mijn mooie dochter in New York. Ik moest dus kiezen. Makkelijkste keuze van mijn leven – ik kon niet zonder haar. En dat is het antwoord op jouw vraag.'

Hij glimlachte met haar mee. 'Grappig hoe dat ene dat we op het moment zelf als een vergissing beschouwen later het enige kan blijken waarvan we weten dat het geen vergissing ís.' Waarmee hij bedoelde: *op je achttiende met kind geschopt worden.*

'Leuk dat je dat zegt. Een heel sympathiek inzicht, Mo.'

'Dus zij wonen in Manhattan?'

'New Jersey – net over de brug. De enige reden dat ik vandaag in Dale ging schieten was dat Steve, dat is mijn ex, en zijn gezin naar zijn familiereünie in Illinois zijn, en dat ik daarom Rachel dit weekend niet heb. En ik mis haar ontzettend!'

Mo kauwde en dacht daarover na. 'Krijg ik haar te zien?'

'Misschien.'

Dat was best, besloot Mo, het was vroeg en ze wilde geen vergissingen maken als het om haar dochter ging. Daar had hij begrip voor.

Ze praatten over families en jeugdjaren, en om de een of andere reden vertelde Mo haar over de cursussen die hij in de loop der jaren aan de hogeschool had gevolgd. Avondschool, een vreemde mengeling van onderwerpen, niet echt met de bedoeling om een graad te halen. Wat Engelse literatuur; zijn grootste genoegen was geweest om *The Canterbury Tales* in het Middel-Engels te lezen: rechttoe rechtaan, een van 's werelds grootste verhalen. Toen had hij een tijdlang overwogen om de opsporingskant van zijn werk eraan te geven, om zich misschien bezig te gaan houden met meer technisch forensisch werk, en daarom had hij een jaar organische chemie gedaan. Dat was heel zwaar en hij besloot dat hij te weinig geduld zou hebben voor labprocedures. Op straat kon je tenminste af en toe nog improviseren. Toen wat colleges islamologie, voornamelijk omdat hij diep getroffen was door een boek met gedichten van Roemi dat hij had gekregen van de eerste vrouw met wie hij had samengewoond. Toen weer iets in het kader van zijn carrière, een leuke cursus applicatiesoftware.

Na een tijdje besefte Mo dat ze al een hele tijd in het restaurant zaten. Hun gesprek was volstrekt oprecht, maar ten dele zag hij het voor wat het was – dralen. Ze wisten allebei dat als ze het restaurant uit liepen, het in Manhattan nacht zou zijn en dat ze zouden moeten besluiten wat ze vervolgens zouden gaan doen. En er was maar één ding dat hij wilde doen: dichter bij haar zijn, zich tegen haar aan drukken, doorgaan naar een nieuw niveau waarvan hij voelde dat het eraan zat te komen, onontkoombaar, opwindend en eng, zij het op een aangename manier. Hij voelde zich weer beneveld door haar uitstraling, maar ditmaal kon hij zich er niet tegen verzetten, en wilde hij dat ook niet.

Over chemíé gesproken, dacht hij als verdoofd.

Zoals gewoonlijk wond Rebecca er geen doekjes om. 'Het wordt laat,' zei ze met tegenzin. 'Het is dat punt op de avond waarop mensen die elkaar leuk vinden moeten besluiten wat hun volgende stap zal zijn, niet dan?'

'Ja,' zei Mo. Hij voelde zich een beetje gespannen.

'En ook het punt waarop vaak grote vergissingen worden gemaakt,' vervolgde ze, heel weloverwogen. 'Mo, dit was heerlijk, maar ik heb in mijn eerste twintig jaar genoeg onbezonnen dingen gedaan voor mijn hele leven. Jij en ik hebben veel meer te bepraten, en ik zou je graag meenemen naar mijn appartement waar we dat onder vier ogen kunnen doen. Maar ik moet eerst een aantal zaken helder hebben. Hoe zou je dat noemen? Timing. Tempo.'

'Je bedoelt seks.'

Ze vond het prettig dat hij zei waar het op stond, dat het niet steeds haar taak was. 'Ik heb een dochter met wie ik rekening moet houden; ik moet het verantwoordelijk aanpakken. De indruk wekken dat ik althans een beetje stabiliteit kan bieden.'

'Tuurlijk. Ja, nee, dat begrijp ik helemaal.'

'Voorlopig even...'

'Juist. Natuurlijk.'

'Waarmee ik niet wil zeggen...'

'Nee, dat is prima. Eerlijk.'

Dat was zo'n regelrechte leugen dat ze allebei hard moesten lachen. Jezus, wat een goed gevoel, echt lachen vanuit hun buik. Mensen draaiden hun hoofd om. Toen ze klaar waren en ze de tranen uit haar ogen had geveegd, begaven ze zich in het lawaai en het licht van het nachtelijke Broadway.

De scherp naar uitlaatgassen riekende meinachtlucht bracht haar tot zichzelf. Ze bleef staan en draaide Mo naar haar toe. 'Mo, ik meen het dat ik mezelf in de hand moet houden. Ik heb Rachel al aan genoeg emotionele woelingen van mammie onderworpen. We kunnen naar mijn huis gaan als jij denkt dat we ons allebei in acht kunnen nemen.' Ze keek hem onderzoekend aan, en ja, hij zag dat ze het meende.

'Afgesproken,' zei hij.

Even wankelden alle goede voornemens toen de deur van haar appartement dichtging en ze uit het licht van de entree in de donkere woonkamer kwamen. Het donker was zwanger van een magnetische aantrekkingskracht en Mo deed onwillekeurig een stap in haar richting. Maar toen deed Rebecca het licht aan, gooide ze haar tasje weg en liep ze naar de keuken om de plafondverlichting aan te doen.

'Wil je iets drinken?' riep ze.

'Iets alcoholisch?'

Ze hing uit de deuropening en grijnsde naar hem. 'Zoiets, ja.'

Dus maakte ze een fles wijn open, die ze met een paar glazen meenam naar de woonkamer. Haar appartement was fraai en gerieflijk, smaakvol maar niet opzichtig. Eclectisch meubilair en bonte schilderijen; duidelijk het huis van iemand die dingen kocht omdat ze haar werkelijk aanstonden en niet omdat ze bij elkaar pasten of iets aantoonden. Het grote kleed op de lichte eikenvloer was een antiek, blauw-grijs, met tressen versierd ovaal, midwesterse chic die het om de een of andere reden goed deed in dit New Yorkse appartement. Op de boekenplank stonden foto's van Rebecca met een blond kind op verschillende leeftijden. Een daarvan was een studiofoto van een bleek meisje van vijftien waarvan de lippen net zover van elkaar waren dat je een beugel kon zien glinsteren.

Rebecca ging aan de andere kant van de bank zitten, schonk voor hen allebei een glas wijn in en volgde toen zijn blik. 'Dat is Rachel. Ik moet je zeggen, ze was mooier voordat ze haar neus liet piercen. Eerlijk, misschien ben ik ouderwets, maar ik begrijp het niet, die rituele zelfverminking...'

'Ze lijkt een leuk meisje. Heel mooi, net als jij,' zei Mo tegen haar. Toen loog hij: 'Dat ding in haar neus valt eigenlijk nauwelijks op.'

Maar de woorden *ritueel* en *verminking* bleven onaangenaam in het vertrek doorklinken. Rebecca fronste haar wenkbrauwen omdat dat haar niet ontging. 'Dan is het nu misschien tijd om over het... het probleem te praten. Als er enige waarheid ligt in wat jij over Erik zegt...'

Ze ging niet verder. Maar hij wist wat ze bedoelde: *dan moeten we iets doen.* Of misschien was ze al een heel stuk verder en bedoelde ze: *dan verkeren we allebei in gevaar als hij gelooft dat wij hem verdenken.*

Mo proefde van de wijn, een frisse witte waarvan zijn hoofd helder leek te worden. Ondanks het feit dat zijn lichaam naar haar verlangde, waren er serieuze zaken aan de orde, doodenge dingen die niet konden wachten.

'Er is nog iets dat op hem wijst,' zei hij. 'Ik weet niet precies hoe. Maar na alles wat ik heb gehoord over de avond dat Ronald Parker hierheen is gekomen, klinkt het als een enorme blunder, zelfs voor de FBI.'

'Dat kun je wel zeggen, ja.'

'Ik bedoel, hoe is Parker bij dit gebouw gekomen zonder dat iemand het zag? Hoe is hij door de beveiliging van de FBI gekomen?'

Ze knikte, nipte van haar wijn, staarde zonder iets te zien naar de krullen van het kleed. 'Je bedoelt dat iemand hem heeft geholpen. Hem heeft verteld waar hij op moest letten, hoe hij naar binnen en naar buiten kon komen. Of misschien de surveillance en de bewaking rond mijn huis net genoeg verknalde zodat hij erdoor kon.'

'Waar was Biedermann die avond?'

Ze keek doodongelukkig. Ze slikte, maar gaf geen antwoord.

'Dus hij was ter plekke. Onze special agent die de teugels strak houdt en graag zelf de handen uit de mouwen steekt.'

Ze knikte.

Mo stond op en maakte een rondje door de kamer. Het was al erg genoeg om te bedenken dat een hoge federale agent een moordenaar zou kunnen zijn. Maar nog veel erger om te bedenken dat hij een vrouw met wie hij een relatie had gehad zou vermoorden zonder er een traan om te laten.

Rebecca zei: 'Mo, ik weet niets over deze kant van het onderzoek naar een misdaad. Ik ben een psycholóóg! Ik zou geen idee hebben hoe ik zoiets moest bewijzen of weerleggen, of...'

Ze maakte zo'n verloren indruk dat hij voor haar knielde en haar bij haar schouders hield, terwijl hij iets probeerde te bedenken dat geruststellend was om te zeggen. 'Hoor eens. Ik kan niet zeggen hoe Biedermann erbij betrokken is, ik bedoel, of hij de moordenaar is, of dat hij een van de verschillende moordenaars is, of wat ook, ik weet het niet. Maar ik geloof niet dat deze zaak hopeloos is. We hebben een stel zeer goede aanwijzingen in de moord bij de krachtcentrale. Zo te zien had Irene Bushnell een verhouding en wij denken dat het misschien iemand was voor wie ze werkte. Deze nieuwe vent, Biedermann of wie het ook is, wordt slordig, hij maakt vergissingen. We kunnen hem inhalen met een traditionele forensische benadering. St. Pierre en ik hebben een hoop aanwijzingen gevonden en ik ben ervan overtuigd dat de moord op Laurel Rappaport ons DNA-bewijsmateriaal zal opleveren. We lopen op die hufter in, oké?' Hij sprak met meer zelfvertrouwen dan hij voelde.

Ze zag er alleen maar beroerder uit, terneergeslagen, wanhopig. 'Heette ze zo? Laurel Rappaport?'

'En ik heb een paar ideeën hoe we erachter kunnen komen wat Biedermanns rol is. Op zijn allerminst zou het simpel moeten zijn om vast te stellen of hij al dan niet direct betrokken is bij de moorden.'

Ze richtte haar hoofd op. 'Hoe?'

Mo aarzelde. Hij voelde dat dit niet helemaal juist was, maar ging toch door. 'Nou. Daar kom jíj aan te pas. Er is iets dat jij beter kan dan ik.'

Nu ging ze rechtop zitten. Ze sloeg haar armen om zich heen en haar ogen fonkelden, met een mengeling van verwarring en verontwaardiging. 'Jeetje, waar heb ik dit eerder gehoord? Over hoe ík me in de perfecte positie bevind om de moordenaar te pakken te krijgen – als ik bereid ben om bepaalde kleine risico's te lopen?'

Mo besefte wat hij had gedaan, dat hij haar op zijn eigen manier net zo had willen gebruiken als Biedermann had gedaan. Hij werd misselijk bij de gedachte. 'Je hebt gelijk,' zei hij meteen. 'Zo had ik er niet over gedacht. Jezus. Nee, je hebt gelijk, vergeet het, absoluut...'

'Voor de dag ermee, Mo.' Ze keken elkaar strak aan. 'Ga verder en vertel me wat je plan is. Ik zal ernaar luisteren. Dat kan ik in elk geval wel beloven.' Ze was echt woedend en zei dat laatste alsof alle andere onuitgesproken beloftes nu werden herzien, in de ijskast werden gezet.

25

Maar eigenlijk was het vrij eenvoudig. Mo had besloten dat donderdag de beste tijd zou zijn, als ze een afspraak hadden staan voor een nieuwe bespreking van de speciale eenheid voor de 'Pinocchiomoordenaar' op het FBI-kantoor – informatie uitwisselen over de moord op Laurel Rappaport. Er zouden heel wat mensen zijn en het enige wat Rebecca hoefde te doen was zich voor vijf minuten verontschuldigen om de vergaderzaal te verlaten en een blik in Biedermanns persoonlijke agenda te werpen. Ze hoefde alleen maar vast te stellen waar hij was geweest op de datums waarop Daniel O'Connor en Laurel Rappaport vermoord waren. Eenvoudig.

Niettemin ging hij bij haar weg met het gevoel dat hij het had verknald. Ze was koel geworden, stijf en vormelijk. Hield afstand tot mannen die haar vroegen om gevaarlijke dingen te doen. Dat kon hij haar niet kwalijk nemen. Hij was een idioot geweest dat hij het had voorgesteld. Aan de andere kant kon hij, toen hij dat eenmaal had gedaan, haar er niet meer van afbrengen om ermee door te gaan. Ze had veel, hoe zouden ze dat in het Midwesten noemen? Durf.

Hoe het ook zij, het plan liet de ruimte om de eerste helft van de week te besteden aan buiten de deur informatie inwinnen. Maandag begon met een bespreking met Mike St. Pierre, voornamelijk om het over Irene Bushnell te hebben, het slachtoffer in de krachtcentrale. Ongeacht de andere complicaties rond de poppenmoorden vond Mo dat ze de zaak moesten bouwen op de betrouwbare ondergrond van de traditionele criminologie, de forensische wetenschap en logisch redeneren. Omdat of Pinocchio nu al dan niet een menselijke kruisraket was, hij een man van vlees en bloed was die op de een of andere manier fysiek in Irenes nabijheid was gekomen en haar in zijn macht had gekregen. En gezien het feit dat ze was gestorven in de krachtcentrale, een plek waarvan het onwaarschijnlijk was dat ze er spontaan naar toe zou gaan, en op een tijdstip dat haar man met zijn vrachtwagen door Nebraska reed, durfde Mo te wedden dat ze meerdere malen contact had gehad met de moordenaar – genoeg om iets van haar af te weten. Uiteindelijk, als je goed genoeg keek, als je de film van haar laatste dagen afdraaide, zou je Pinocchio in beeld zien komen, contact zien leggen.

En St. Pierre deed geweldig goed werk met het verbinden van de verschillende punten. Tegen elven had hij alle mensen gebeld voor wie Irene Bushnell had gewerkt, en had hij de leden van elk huishouden in kaart gebracht, evenals haar werkrooster en haar andere contacten binnen de gemeenschap. Hij begon met het regelen van de interviews en het andere werk aan de achtergronden, dat misschien zou helpen om degene te identificeren die Irenes vermoedelijke minnaar of moordenaar of allebei was geweest. Mo was dankbaar dat hij een methodische, gedreven jonge rechercheur had die dit soort huiswerk deed en dat zei hij ook tegen St. Pierre. Mike probeerde niet te laten merken hoeveel deze lof voor hem betekende.

St. Pierre was afgetakeld sinds de komst van de baby. Toen Mo daar wat van zei, verklaarde hij: 'Slaapgebrek. Annie en ik moeten er vijf keer per nacht uit.' Zijn ogen waren moe, maar ze hadden ook een gloed die volgens Mo te maken had met zijn nieuwe vaderschap. Mo had begrepen dat je werd bevangen door een nestdrang als je een kind kreeg, dat je band met je vrouw heel innig werd, dat je andere prioriteiten ging stellen, enzovoort. De vermoeide maar gelukkige zoogdieren. Toen Mike vanmorgen op zijn werk was aangekomen, had Padrewski een opmerking gemaakt over de braakvlekken op zijn overhemd, en St. Pierre had eerder trots dan gegeneerd geleken. En toch verrichtte hij nog steeds geweldig werk.

Ze gingen uiteen en brachten de middag door met praten met de klanten voor wie Irene had gewerkt. Tegen het eind van de dag had Mo drie moeizame, ongemakkelijke vraaggesprekken achter de rug die niets hadden opgeleverd. De mensen werden bang, werden zwijgzaam als er zo dicht bij hen in de buurt iemand werd vermoord. De eerste klant was een gekwelde, roodharige moeder van drie roodharige kinderen in een ontzettend protserig huis in Briarcliff Manor, voor wie Irene op dinsdag- en vrijdagochtend had gewerkt. Een van de bijzonderheden die zij verschafte was dat ze Mo vertelde dat zij en de kinderen er altijd waren als Irene er was en dat haar man dan altijd in de stad op zijn werk was. De mogelijkheid dat manlief Irenes geheime vlam was kon hij dus wel doorstrepen.

De tweede klant was een stel van middelbare leeftijd, de Tomlinsons, dat in een ouder huis in het centrum van Ossining woonde. Ze werkten allebei voor een bank, de man gewoonlijk als telewerker omdat hij slecht ter been was, een lid van de poliogeneratie uit de jaren vijftig. Hij zat meestal in een rolstoel. Omdat ze geen kinderen of huisdieren hadden, hoefde daar niet zo vaak schoongemaakt te worden. Vandaar dat Irene daar elke maandag slechts vier uur werkte, waarna ze rond één uur vertrok naar een van haar andere klanten. Ze wisten niets over het leven van Irene. Mo vond hen zuur en achterdochtig en hun huis maakte op hem een benauwende, al te propere indruk – ze waren sinds Irene was verdwenen met een nieuw schoonmaakbedrijf in zee gegaan.

De laatste klant was een ongetrouwde vrouw van voor in de veertig met een leidinggevende functie bij een leverancier van hardware, en haar bejaarde moeder. Geen van beiden wist iets over Irenes persoonlijke leven, en ze leken beledigd door Mo's veronderstelling dat dat mogelijk was.

Een doodlopende dag. Mo overwoog om naar de stad te rijden om bij Rebecca langs te gaan, maar aan de andere kant betwijfelde hij of hij een welkome gast zou zijn. Terug naar het huis van Carla's moeder. Hij besloot om Rebecca later te bellen, om te kijken hoe het er voorstond met het onderzoek dat ze wilde doen naar psychologische experimenten van het Amerikaanse leger.

De gedachte kwam in hem op dat het aardig zou zijn om, op een dag, een vrolijker onderwerp te hebben om met haar te bespreken, een beter excuus om haar te bellen. Maar hier hadden ze nu eenmaal mee te maken. Wat betekende dat die klootzak van een poppenspeler nu ook macht uitoefende over Mo's leven.

Dinsdagochtend werd hij gebeld door de secretaresse van Flannery: de officier van justitie verwachtte hem om één uur voor het laatste nieuws omtrent de Pinocchiomoordenaar. Nog een keer komen op bevel; men vraagt, wij draaien. Mo zei bijna tegen de secretaresse dat Flannery kon doodvallen, Grote Willie of geen Grote Willie, maar toen herinnerde hij zich dat hij Flannery te vriend moest houden als een tegenwicht voor Biedermann. Hij bracht de ochtend achter zijn bureau door, terwijl hij wat papierwerk afhandelde en St. Pierre met de telefoon aan zijn oor zat. De saaie kant van het werk.

Toen Mo bij het kantoor van de officier van justitie arriveerde, zat Flannery aan zijn bureau, gekleed in een flitsende krijtstreep die zijn brede schouders accentueerde. De teddyberencharme was vandaag wat aan de magere kant, besloot Mo. Flannery leek in gedachten terwijl hij gebaarde dat Mo moest gaan zitten en met zijn pen op zijn bureau tikte.

'Hoe gaat het, rechercheur?'

'Min of meer zijn gangetje. En met u?'

'Overmorgen bespreking van de speciale eenheid. Ik zal er zelf ook bij zijn. Ik wil zorgen dat ik volledig van de zaak op de hoogte ben. Vond dat jij en ik even de koppen bij elkaar moesten steken.'

Dat was voorspelbaar, bedacht Mo. De officier zou voor het eerst aanwezig zijn bij de nieuwe speciale eenheid, met een publiek van andere dikdoeners om indruk op te maken. Hij zou wat fijne puntjes willen aanstippen om te laten zien hoezeer hij er bovenop zat, om het juiste gezaghebbende air uit te stralen. Mo gaf hem een overzicht van de gebeurtenissen sinds hij hem voor het laatst had gezien: het totale gebrek aan vorderingen met betrekking tot de moord op Daniel O'Connor, de bijzonder schaarse aanwijzingen omtrent de moord op Irene Bushnell, niets steekhoudends wat betreft de Laurel Rappaport-zaak, afgezien van de aanwijzingen voor de toenemende psychologische labiliteit van de moordenaar.

Flannery kreeg geleidelijk een steeds diepere frons en ten slotte stak hij zijn hand op. 'Jij denkt dat ik een volslagen nitwit ben, hè? De zoveelste klootzak van een politicus zonder hersens en integriteit, met als enige ambitie zorgen dat hij zelf een goeie indruk maakt. Iemand wiens beste talent het is hoofden te vinden waarover hij zich omhoog kan werken. Klopt dat zo'n beetje?'

Mo reageerde niet meteen, waarop Flannery zuur naar hem grijnsde.

'Tja, ik ben een telepaat!' zei Flannery bijtend. Hij stond op, liep naar zijn raam, keek uit over het woud van bouwkranen aan de andere kant van het plein, waarbij het daglicht weerspiegelde in zijn kale schedel. 'Hoor eens, Mo – ik kan je toch Mo noemen, hè? – je kunt van mij persoonlijk vinden wat je wil, dat ik een klootzak ben, wat dan ook. Best. Maar ik wil je iets vertellen. Gezag is niet iets dat iemand zomaar cadeau krijgt. Om de grote man te zijn, de grote klussen te kunnen klaren, moeten de mensen in je omgeving gelóven dat je de grote man bent. Ja, mijn baan is ten dele theater. Dus, ja, om wat invloed te krijgen mag ik graag een goede indruk maken. Mag ik graag wat extra kruiwagens hebben om dingen voor elkaar te krijgen. En ja, opdat het publiek zich veilig en op zijn gemak voelt, mag ik graag de índruk wekken dat ik weet wat ik doe, dat ik vertrouwen heb in positieve resultaten. Dat lijdt geen twijfel.' Flannery wendde zich van het raam af en kwam voor zijn bureau staan. Zijn blauwe ogen boorden zich in die van Mo en hij hijgde zowaar doordat hij zo geëmotioneerd was. 'Als je één ding maar niet vergeet, wat je er ook van vindt, het gaat níét om míj. *Het gaat erom dat de klus geklaard wordt*!'

Flannery beet Mo die laatste woorden toe en sloeg toen, báf!, met een vlezige vuist op zijn bureau. Het bureaublad was een massieve plaat mahoniehout, maar de pennenset en de telefoon sprongen de lucht in. Mo schrok van de klap, maar het lukte hem om niet te bewegen en zelfs niet met zijn ogen te knipperen. 'Dus het is eenzaam aan de top?'

Flannery staarde slechts naar hem, terwijl hij droef zijn hoofd schudde. 'Koele kikker, hè. Nou, dat is goed, omdat dit een schijtzooi is, niet dan? En de druk zal straks nog toenemen. Laurel Rappaport was de dochter van het schoolhoofd. Ik ken de Rappaports persoonlijk; ze hebben direct contact met mij opgenomen over de moord op hun dochter. Mensen voelen zich heel erg bedréígd als de dochters van vooraanstaande burgers zoiets overkomt, Mo.'

'We doen alles...'

'Alles? Ik begrijp dat Laurel Rappaport vrijdagavond is vermoord. Je bent er zaterdag heen gegaan. Wanneer hoorde ik ervan? Maandag. Wanneer dacht je eraan toe te komen om het mij te vertellen? Hoe vóórbereid dacht je dat ik klonk toen Bill Rappaport mij gisteren opbelde? Hoe gezaghébbend klonk ik?' Flannery begon zich weer op te winden, maar merkte het toen zelf en beheerste zich. Hij leunde weer tegen zijn bureau en sloeg zijn armen over elkaar. 'Zijn er nog andere kleinigheidjes die je me nog niet hebt verteld?'

Er was veel dat hij iemand kon vertellen, een oceaan van complicaties, maar Mo had tijd nodig om te bedenken hoe hij het moest aanpakken. Of het aan Flannery vertellen het juiste beginpunt was. 'Ik geloof het niet,' zei hij.

Flannery's gezicht klaarde op. 'O. Juist ja. Alsof je niks hebt opgestoken dat de moeite waard was tijdens je overleg met die psychologe, hoe heet ze ook alweer, over het profiel van deze gluiperd. Geen miézerig stukje inzicht dat je met de officier van justitie zou kunnen delen? En je bent van Erik Biedermann ook niets te weten gekomen over welke kant de FBI met deze zaak op wil? Na dat enorme circus van hem, afgelopen vrijdag bij de krachtcentrale?'

Flannery liet hem merken dat hij het onderzoek, en Mo persoonlijk, op de voet volgde, en Mo vroeg bijna wie hem op de hoogte hield. Maar hij was het spelletje zat. Hij stond op en leunde zelf ook tegen het bureau. Hij was nog steeds een beetje kleiner, maar in elk geval stonden ze nu naast elkaar en was het niet zo ongelijk. Er verschenen plooien in Flannery's leerachtige nek toen hij zijn hoofd omdraaide. Van zo dichtbij zag Mo nog iets anders in zijn gezicht dan de beerachtige charme. De rimpels op zijn voorhoofd en rond zijn ogen verrieden dat hij sluw en ambitieus was, maar daaronder lag bezorgdheid, zelfs somberheid. Misschien had de officier een agenda die verder ging dan zelfverheerlijking; misschien zelfs iets als de persoonlijke kruistocht om het kwaad te bestrijden die velen bij de politie motiveerde. Onder wie ook Mo Ford. In dat geval werd hij, net als Mo, dagelijks geconfronteerd met een eindeloze, verloren strijd.

Tegen beter weten in had Mo met de man te doen en besloot hij om hem niet pedanterig van repliek te dienen. In plaats daarvan zei hij: 'Hoor eens, ik zal u kopieën van mijn aantekeningen sturen. Maar ik heb geen tijd voor dit gezeik. Er zijn een hoop mogelijke aanwijzingen, waarvan de meeste nergens toe zullen leiden. Ik kan u niets belangrijks vertellen wat ik u niet al verteld heb. Biedermann vertelt mij niets. U zult het hem op de man af moeten vragen als u meer wilt. Als er nuances zijn die u mist, daar zijn die besprekingen van de speciale eenheid voor. Donderdag zullen we allemaal meer weten.'

Flannery knikte. 'Oké.' Hij keek met een vermoeid gebaar op zijn horloge, ging toen van het bureau af en liep om, om weer in zijn stoel te gaan zitten. Hij krabbelde een nummer op een stukje papier en schoof dat naar Mo. 'Oké, rechercheur. Dit is het nummer van mijn mobieltje, dat heb ik altijd bij me. Wat jij gaat doen, en wel hier terwijl ik kijk, is je mobiel pakken en dat stomme nummer in het geheugen invoeren. Zodat je maar op *één knop* hoeft te drukken *om me goddomme te bellen* als er ontwikkelingen zijn! Zodat je godverdomme geen smoesjes hebt.'

Flannery keek afwachtend naar hem, met een harde blik in zijn ogen. Speelde de grote baas. Mo keek even naar hem en besloot toen: wat kan het mij verdommen? Hij pakte zijn Nokia en programmeerde Flannery's mobiele nummer in.

Een zweem van tevredenheid gleed over Flannery's gezicht; de man vond het leuk om Mo te koeioneren. 'Heel goed. Dan zie ik je donderdag. En bedankt voor je tijd.'

Mo stond bij de deur toen de officier hem nog een keer riep. 'O. Het is maar dat je het weet. Een nieuwe ontwikkeling omtrent, hoe noemen jullie hem, Grote Willie.'

Mo draaide zich om en zag tot zijn schrik dat Flannery een brede grijns op zijn gezicht had.

'Ik kreeg vanmorgen een telefoontje van de advocaat van Willards familie. Blijkt dat hij een rijke oom in Philadelphia heeft. Ze overwegen om een civiele procedure wegens dood door schuld tegen jou persoonlijk aan te spannen. En ze dringen er bij mij op aan om ook een aanklacht tegen je in te dienen.'

Fantástisch, dacht Mo. Boven op al het andere nog allerlei juridische beslommeringen en kosten. Voor de rechter komen, de berekening waarmee de tegenpartij hem als de boosdoener zou proberen af te schilderen. Ongeacht of hij het won of verloor, hij zou niet ontkomen aan de kwelling van maanden of jaren procederen. Alsof zijn leven niet al genoeg een zootje was. Alsof Rebecca niet genoeg twijfels had om iets te beginnen met iemand als hij.

'En wat heeft u tegen hen gezegd?' vroeg hij schor.

Flannery genoot hier echt van. 'Ik zei tegen hen dat ik het incident bestudeerde en de mogelijkheid van een aanklacht overwoog. Maar onder ons gezegd en gezwegen, staat mijn hoofd daar niet naar. Althans, niet op dit moment.'

Flannery grijnsde. Mo knikte om te laten zien dat Flannery's bedoeling was overgekomen – nog een herinnering aan Mo's verplichting om te doen wat hem gezegd werd, aan wie hier de baas was.

Al met al een rotdag die eindigde met een benauwde, vochtige avond. Weer die zuidelijke horrorsfeer. Mo kwam na donker thuis en maakte meteen een ronde door het huis; gewoon iets dat goed aanvoelde. Onderweg deed hij overal het licht aan, dat lege kamers onthulde, glimmende eikenhouten vloeren en donkere kale ramen. Toen hij alle drie de verdiepingen had gehad, deed hij de niet noodzakelijke lichten uit en ging hij een sandwich maken van wat pastrami en roggebrood dat hij had meegenomen. Het eten hielp, gaf zijn maag iets te doen behalve wringen. Hij had zin in een biertje maar wilde alcohol zijn reflexen niet nadelig laten beïnvloeden. En hij had veel te overpeinzen, moest een helder hoofd hebben.

De telefoon ging naast zijn elleboog en deed hem opschrikken. Hij greep de hoorn.

'Morgan, hoi – je spreekt met Detta. Hoe gaat het, schatje?'

Detta was Carla's moeder. Ze was een kleine, donkerharige, energieke vrouw die veel op haar dochter leek. Met het verhuren van al haar onroerende goederen had ze aardig wat geld verdiend en ze had een flink deel daarvan gebruikt voor facelifts, fitnesstrainingen, cosmetica en een jeugdige garderobe. De meeste mensen die haar en Carla samen zagen, dachten dat ze een oudere zuster was.

'Niet zo goed. Heb je Carla gesproken? Je weet dat we, eh, dat we wat problemen hebben...'

'Ze heeft me verteld dat ze bij je weg is, schatje. Het spijt me ontzettend. Je weet hoezeer ik je altijd heb gemogen. Dat heb ik Carla vaak gezegd.'

'Dank je.' Mo dacht koortsachtig na. Detta was oké, maar als mensen een gesprek begonnen met zeggen hoezeer ze je altijd hadden gemogen, zat je meestal in de problemen. 'Detta, ik weet dat ik moet verhuizen. Ik ben al bij een paar woningen wezen kijken, en...'

'Morgan. Denk je dat ik dáárom belde? Om je te vertellen dat je eruit moet? Schatje, je weet toch dat ik jou als *familie* beschouw.'

'Nou, dank je...'

'Eigenlijk belde ik over Carla.' Detta's kwieke, beschaafde makelaarsstem kreeg een bezorgde klank. 'Ik... maak me zorgen over haar, Morgan. Ze ziet er niet goed uit. Ik maak me zorgen over dat boek dat ze aan het schrijven is, die *mensen* die ze ziet. Wat voor indruk maakte ze op jou toen je haar zag?'

Mo ontweek de vraag. 'Heb haar een paar dagen niet gezien. Was er iets in het bijzonder?'

'Ze was hier gisteren, en, eerlijk, ik geloof niet dat ik haar ooit zo... afwezig, eh, afstandelijk heb gezien. Eerst dacht ik dat het door jullie tweeën kwam. Ik weet hoe moeilijk dat kan zijn. Maar ze hing van die gríézelige praatjes op. Ze ziet vóódoomensen, ziet allerlei gestoorde paranormalen; ik ben niet van alle bijzonderheden op de hoogte. Het engste is dat ze klinkt alsof ze gelóóft in al dat bovennatuurlijke gedoe! Ze vertelde me dat ze een oude vrouw in Brooklyn raadpleegde, hoe noemde ze haar – een *mudda woman*. Dat is een soort Jamaicaanse heks, geloof ik. Ik heb haar gebeld bij Stephanie, laat op de avond, en Stephie doet het gewoon af als: 'O, die is in Brooklyn', alsof ze een avondopleiding voor secretaresse doet en niet... geiten slacht en bloed drinkt, of wat ze ook mogen doen.'

Detta's stem was luider geworden en klonk nu bijna hysterisch. Nu verviel ze in stilzwijgen en Mo hoorde haar vertwijfeld aan haar sigaret zuigen.

'En telkens als ik met haar praat,' vervolgde Detta, 'maakt ze van die geheimzinnige opmerkingen, dat ze van die akelige, wat zijn het, visióénen of profetieën heeft gehad. Ik weet niet hoe je dat noemt. Morgan, is dat niet een van de symptomen van schizofrenie? Daar ben ik als de dood voor! Het zit bij ons in de familie. Ik heb je dit nooit verteld, maar mijn zuster...'

'Wat wil je dat ik doe?'

'De laatste keer dat ik haar zag dronken we cranberrysap bij mij aan de keukentafel, en vertelde Carla me over al deze hocus-pocus. En ze kneep zo hard in haar glas dat het *brak* in haar hand! Péng, zomaar! En overal lag rood sap en ze had zich in haar vingers gesneden. En ik dacht, o mijn god...'

'Detta, ik ben overtuigd. Maar wat wil je dat ik dóé?'

'Morgan, schatje, ik weet dat jij niet meer, zeg maar, verantwóórdelijk voor haar bent. Maar ik weet niet aan wie ik het anders moet vragen. Ik dacht alleen, ik weet dat je nog steeds om haar geeft, misschien dat jij met haar zou kunnen praten. Jij zit bij de polítie. Misschien dat jij naar Brooklyn zou kunnen gaan? Maar op zo'n manier dat, hoe Carla er ook bij betrokken is, ze niet... je weet wel, in de problemen komt. Met de wet.' Ze rookte nog even en besloot toen geraffineerd: 'Het is alleen dat ik zo'n hoge dunk van je heb, schatje, en ik ben er van overtuigd dat we er met het huis wel uitkomen.'

Dus ze kocht hem om: Zorg dat het goed gaat met Carla en dan kan je blijven. Mo had zin om haar te vertellen hoe blij hij was met dat klotehuis. En toch, de gedachte dat Carla het moeilijk had... dat was pijnlijk. Hij had nog steeds veel tederheid in zich, een bron in zijn binnenste.

'Detta, ik zal morgen met Stephie praten. Ik zal proberen of ik Carla te spreken kan krijgen en doen wat ik kan aan dat gedoe in Brooklyn. Ik bel je gauw, oké?' *Dit kan ik nu net gebruiken*, dacht hij.

Ze was dankbaar. Ze had hem altijd als familie gezien. Ze was alleen een beetje wanhopig, dat was alles. Terwijl Mo ophing, was het laatste wat hij hoorde Detta die aan haar sigaret zoog.

26

Woensdagmiddag. Mo had Brooklyn altijd leuk gevonden, maar in dit deel van Bed-Stuy was hij misschien maar twee keer in zijn leven geweest. Doorgaans werd het gemeden als je niet in de buurt woonde, als je niet zwart was. Hij was blij dat Ty met hem mee had willen gaan, en hij vroeg zich even af hoe Carla erin was geslaagd om contact te leggen met de Jamaicaanse voodookringen hier. Hoe ze ooit hier naar toe en hier vandaan kwam: blank meisje in een schattige rode Honda Civic. Voor deze ene keer vond hij het bijna niet erg dat hij er als een smeris uitzag, het onuitwisbare stempel. Hij en Ty, een blanke en een zwarte die samen in een Crown Vic door de straten reden, waren op een kilometer afstand te herkennen als een soort agenten, en mensen bewaarden een respectvolle afstand.

Hij had Ty getroffen bij diens bureau in de Bronx en ze waren met Ty's auto over de Bruckner, door Hell's Gate en door Queens gereden. Brooklyn maakte op Mo altijd de indruk van een natie op zich, viermaal zo groot als Manhattan, met dure woonbuurten, winkelwijken als van kleine plaatsjes, verwoeste doolhoven van vervallen metselwerk, chique zakencentra als van grote steden, noem maar op, en elke huidskleur en nationaliteit en geloofsovertuiging die een mens maar kon hebben. Ty reed in een stug stilzwijgen. Hij zei meestal weinig, maar Mo had hem een keer zijn manschappen zien toespreken, een tirade die een uur duurde en waaruit Ty's verborgen redenaarstalent was gebleken. Doorgaans zou Mo hebben geprobeerd om hem aan de praat te krijgen, maar voor deze ene keer stoorde Mo zich niet aan zijn zwijgzaamheid: het gaf hem de gelegenheid om alleen maar te kijken naar de bezienswaardigheden van Brooklyn die ze passeerden. Brooklyn had een unieke energieke sfeer, die hem nooit verveelde.

Weer een dag die niets had opgeleverd. Het was een fase bij onderzoeken waar Mo erg tegenop zag – het gevoel dat er geen schot in zat, dat de tijd verstreek en het spoor afkoelde. Hij en St. Pierre hadden ervaringen uitgewisseld naar aanleiding van hun vraaggesprekken met klanten van Irene Bushnell en waren het erover eens dat er niets was dat er veelbelovend uitzag. Er moesten nog een paar vraaggesprekken gevoerd worden, maar ook daar verwachtte hij niet veel van.

Ty onderbrak hem in zijn gedachten: 'Volgens mij is dat het.' Hij wees met zijn kin naar een bakstenen gebouw van twee verdiepingen met een betonnen bordes dat bedekt was met graffiti. Het gebouw maakte deel uit van een rij soortgelijke gebouwen, niet al te vervallen, maar het viel op omdat de metalen voordeur geel en groen was geschilderd. Achter de tralies voor de ramen op de begane grond was multiplex gespijkerd. Een lange jonge man hing op het bordes rond, met een rastabaret en een T-shirt dat goed getrainde spieren onthulde. Met zijn zonnebril op leek hij op een bidsprinkhaan maar daarom niet minder waakzaam: een schildwacht. Mo zag Carla's rode Civic een eindje verderop langs het trottoir.

Het hoofd van de bewaker volgde hen terwijl ze parkeerden en naar het bordes toe liepen. Mo was zich bewust van de aandacht van de buurt, mensen die bleven staan om naar deze twee indringers te kijken.

'Mot je?' vroeg de bewaker. Hij stond nog steeds half tegen de deur geleund, met zijn armen over elkaar, terwijl de glazen van zijn zonnebril hen wezenloos aanstaarden.

'Wij zijn op zoek naar Carla Salerno,' zei Ty. 'Is die hier?'

'Verkeerde adres,' zei de bewaker. Hij vertrok geen spier. Een groepje tieners op het volgende bordes had zich omgedraaid en keek met veel belangstelling naar hen.

Mo voelde hoe Ty's lichaam verstijfde. Ty had weinig geduld met airtjes, voorals als hij last had van zijn tanden. Mo wist dat Ty, ook al was hij tien centimeter korter en dertig jaar ouder dan de bewaker, de man met zijn gezicht in de goot zou kunnen werken, en dat ook zou doen, als hij Ty met het volgende wat hij zei ook maar een beetje tegen de haren in zou strijken.

Mo ging voor Ty staan. 'Niet iets voor de politie,' zei hij. 'Ze is een vriendin van me. Doe me een lol, zeg haar even dat Mo er is.'

De zonnebril bleef even glimmend op hem rusten. Zonder zich af te wenden gaf de bewaker een korte roffel op de deur. Die ging een eindje open en de bewaker overlegde even met iemand door de kier. Toen ging de deur dicht, draaide hij zich om en leunde hij er weer tegenaan. 'Relax, we zullen wel zien,' zei hij.

Toen de deur eindelijk weer openging, wilde Ty buiten blijven. 'Ik hoef niet betrokken te raken bij relationele toestanden. Ik blijf wel hier buiten om een oogje op Junior te houden.' Hij ging op het hekje van het bordes zitten en gaf de bewaker het boze oog. 'Maar roep me als je me nodig hebt, hè?'

Mo werd binnengelaten door een slanke zwarte vrouw die de zware deur achter hem op slot deed. Het gebouw was duidelijk gebouwd als een zeskamerwoning, maar de binnenmuren van de entree waren weggehaald zodat ze in een veel grotere ruimte stonden, die alleen door elektrisch licht werd verlicht. Hij was leeg afgezien van een tiental klapstoelen die her en der langs twee muren stonden en waarop drie dames van middelbare leeftijd en een grijsharige oude man zaten. Uit hun geduldig wachtende uitdrukking maakte Mo op dat dit een wachtkamer was, zoiets als een treinstation op het platteland of de wachtkamer van een dokter.

De jonge vrouw leidde Mo de trap op, in de richting van het weergalmende geluid van de titelmuziek van een tv-programma. 'Mudda Raymon, zij heel oud,' legde ze uit. 'Wij zorgen voor haar. Maar ik vertel haar wat jij wil, zij zegt dat zij op jou wacht. Zij zegt zij blij jou te zien.' Een muzikaal Caribisch accent.

'Ik hoef haar tijd niet in beslag te nemen,' zei Mo. 'Ik ben hier alleen om Carla te zien.'

Ze leidde hem in een andere ruimte die groter was gemaakt door muren weg te breken. Deze was een combinatie van een zit- en een slaapkamer. De lucht was warm, vergeven van kookgeuren en lichaamslucht, en het enige licht kwam van een grootbeeldtelevisie aan een kant van de kamer en een aantal kandelaars rond een altaarachtige verzameling portretten en curiositeiten. Ja, de kamer van een bejaarde, besloot Mo: een aluminium looprek stond bij het bed, en op een tafel lagen een manchet van een bloeddrukmeter, een stel medicijnflesjes en een haarborstel vol witte strengen. Overal in de kamer stonden potten met bloemen, waarvan sommige vers waren, maar de meeste dood en aan droge stengels afhingen.

Mudda Raymon zat in een leunstoel voor de televisie. Ze was een piepklein oud dametje, graatmager, met een aureool van wit haar rond haar smalle, gevlekte schedel. Ze droeg een gewatteerde kamerjas met een bloemmotief, waar haar pezige nek en haar polsen uitstaken als dode takken. Ze keek niet op toen ze binnenkwamen, maar keek slechts hoe de aftiteling op het grote scherm voorbijtrok. Een groene zuurstoftank op een karretje stond naast haar stoel, en ook een ziekenhuistafeltje met daarop een glas water, de afstandsbediening van de televisie, een bril, een doos Kleenex, een asbak vol sigarettenpeukjes.

'Mudda, dit de politieman van Carla,' zei de jonge vrouw. Mudda Raymon verroerde zich niet en zei niets, keek slechts hoe de aftiteling over het scherm rolde, haar lippen opgetrokken tot een tandeloze glimlach.

Zo bleven ze een volle minuut wachten. Toen zijn ogen zich aan de schemering hadden aangepast, zag Mo dat er nog andere mensen in het vertrek waren: een oude heer in een driedelig pak, die kennelijk in een andere stoel zat te slapen, een lange tienerjongen en nog een oudere vrouw die aan een tafeltje zaadjes of kralen aan het sorteren waren. In een stoel bij de achterwand zag hij nog een bodyguard-type, groot en waakzaam. Een halfdichte zijdeur leidde naar een goed verlichte keuken, van waaruit Mo de geluiden van borden, mompelende stemmen en een huilende baby kon horen.

De film was afgelopen en het scherm werd een warreling van ruis en toen opeens een helder blauw vlak, het blanco scherm van de video. Maar de oude vrouw staarde er nog steeds naar.

'Oké,' zei Mo ten slotte. Zijn stem klonk luid in de warme lucht. 'Dit is geweldig. En waar is Carla Salerno nou?' Hij had de oude vrouw opgegeven en richtte zijn dreigende blik op de anderen.

Maar daar was Carla. Ze kwam uit de keuken met een dienblad in haar handen. Ze keek afkeurend naar Mo terwijl ze langs hem liep om het dienblad op het tafeltje naast Mudda Raymon te zetten. Een geur van Caribische kruiden dreef met haar mee naar binnen.

'Hoi, Carla,' zei Mo. Ze droeg een keukenschort over een spijkerbroek en een haltertopje, en opeens voelde hij zich stom met zijn missie om haar te redden van de voodooheidenen op basis van Detta's neurotische, racistische bezorgdheid. Het mocht hier dan wel donker en benauwd zijn, maar het was een vrij gewone kamer, geen spoor van dode geiten of schalen met bloed, veel schoner en netter dan zijn eigen kamers. Toen zag hij de manier waarop Carla's hand trilde toen ze een lepel in de kom zette. En hij dacht, ja, misschien was dit slecht voor haar, misschien was ze hier in iets verstrikt, misschien was ze niet helemaal in orde. Ze leek een rol op zich te hebben genomen als een soort verpleegster of bediende voor de oude vrouw.

'Mudda, wilt u nu eten?' vroeg Carla.

Voor het eerst bewoog Mudda Raymon. Ze schudde resoluut twee maal met haar hoofdje. 'Nee. Praat nu met politieman.' Haar stem was verbazingwekkend zwaar, bijna een mannenstem. Ze draaide zich om zodat ze Mo kon aankijken en wenkte hem met een kort gebaar van haar mummieachtige hand. 'Kom hier, jongen. Kom maar, wees niet bang voor ouwe mudda-woman.' Toen Mo niet meteen in beweging kwam, ging ze door. 'Ben jij bang voor mij? Hè?' Ze moest lachen om die gedachte. 'Shit,' zei ze. 'Grote man bang voor alles. Shit.' Ze snoof spottend en draaide zich weer om, om naar het blauwe scherm te staren. Haar ogen hadden een dun laagje blauw-witte staar, dat het licht van de beeldbuis reflecteerde.

Mo zag dat aan de andere kant van de kamer de deftig geklede oude man zijn ogen had opengedaan en hen aandachtig gadesloeg. Hij had zich niet verroerd, zijn kin lag nog steeds op zijn borst, maar zijn ogen lichtten op in de blauwe gloed. Sinds de oude vrouw was gaan spreken, maakte iedereen een heel alerte, heel geconcentreerde indruk.

'Mudda Raymon,' begon Mo, 'ik wil u niet storen. Ik wil alleen...'

'Dit een ander soort kerk, hè,' zei Mudda ongeïnteresseerd. 'Dit geen joodse synagoge, geen Moeder Mariakerk, jij half om half bastaard. Jij kent deze kerk niet. Grote man, bang voor alles, shit. O, jij bang in je hoofd, jij bang voor zwarte oude Mudda, jij bang voor jezelf. Jij bang om alleen te zijn, bang dat slechte man de wereld opeet, enzovoort.' Ze schudde haar hoofd en klakte verachtelijk met haar tong.

'Mo,' zei Carla zachtjes, 'ik heb Mudda Raymon over je verteld en ze zou graag een sessie met je willen doen. Je moet weten dat het een hele eer is, Mo, zij is een heel... bijzonder iemand. Ik denk dat je zou moeten luisteren.'

'Ik waardeer het aanbod,' zei Mo, 'maar daar ben ik niet voor gekomen. Je moeder heeft me gebeld. Ze maakte zich zorgen om je. Ik heb haar beloofd dat ik zou kijken hoe je het maakt. Zeg dat het goed met je gaat en dan ben ik weg.'

Zelfs in de schemering kon Mo Carla's woede zien oplaaien. 'Godverdomme, Detta! Dus jij komt hier als een braaf padvindertje, om mij in verlegenheid te brengen, deze mensen te beledigen, binnen te vallen... is dit iets wat je bedacht hebt om...'

Mo wist dat ze iets wilde zeggen als *te proberen mij terug te krijgen*. Maar ze werd onderbroken door een ruisuitbarsting van de televisie. Mudda Raymon had de afstandsbediening op het tafeltje gevonden, speelde met de toetsen en het blauwe scherm ging met een flits over op een veld van fijne, iriserend grijze ruis. Mudda Raymon regelde het geluidsniveau en keek naar de volumebalk op het scherm. Toen het stil was, legde ze de afstandsbediening weg en draaide ze zich half naar Mo.

'Ik hou van tv,' zei Mudda Raymon op een gesprekstoon. 'Hou jij van tv-kijken? Goeie programma's?'

Mo aarzelde en antwoordde toen: 'Zo nu en dan.'

'Kijk, dit programma.' Mudda Raymon boog zich voorover en reikte met een knokige vinger naar het scherm. Ze tekende het silhouet van een gedaante in de sneeuwstorm van de ruis. 'Over een man, met problemen. Zie jij hem daar?'

Ze was gek, dacht Mo. Op de een of andere manier hadden al deze onnozele, wanhopige, bijgelovige mensen haar een soort mystiek gezag verleend, en daar zat ze dan, gewoon een verschrompelde, seniele oude mummie. Maar ondanks zichzelf volgde hij haar vinger, en ja, er waren grotere bewegende gedaantes in de ruis, alsof de tv één kanaal naast een zender zat en slechts een echobeeld van een of ander programma oppikte. Misschien mensen die in een kamer rondliepen, of bomen die in een storm heen en weer gingen. Of nee, misschien boksen of professioneel worstelen.

'Kijk, hij heeft allerlei problemen.' Mudda Raymon keek strak naar het scherm, met haar blauwwitte ogen wijd open. 'Kijk, hij vecht; nu vecht hij met zichzelf, nu vecht hij met een andere man. Nu vecht hij met grote reus van een man. Hij vermoordt grote reus. Nu vecht hij weer met zichzelf, altijd aan het vechten. Zie jij hem nu? Ken jij hem?'

O, besefte Mo, *dus we krijgen een sessie of we het willen of niet*. Hij vroeg zich af waarom Carla de oude vrouw zoveel over hem had verteld, zelfs over dat gedoe met Grote Wilie. Op het scherm dreven fantomen in de ruis, hectische geestverschijningen, wervelingen in een zandstorm.

'Alle doden,' vervolgde ze monotoon. 'Hij heeft zoveel doden. Zie jij hen daar? En de doden doen pijn aan zijn hart, maken zijn hart ziek. Maken hem altijd bang, maken hem droef alsof hij doodgaat. Arme man. Eerst denkt hij dat hij wat aan de slechte mannen kan doen. Maar slechte mannen als een rivier, eindeloos, slechte mannen als de oceaan. Dus denkt hij: íédereen slecht, níémand goed, hij gebroken hart. O! En nu heeft hij nieuwe problemen.'

Mudda Raymon schudde haar hoofd en lachte, waarbij haar wenkbrauwen omhooggingen in een uitdrukking van verrukking en verbazing, alsof ze echt naar een komische serie of een huiskamerdrama op de tv keek. Mo wilde iets zeggen om hier een eind aan te maken, maar hield zich toen in. Ze was een showfiguur, dat leed geen twijfel; hij kon haar net zo goed laten uitpraten. Net als je dacht dat je alles had gezien...

De wenkbrauwen van Mudda Raymon gingen weer naar beneden en ze boog zich naar het scherm, nu iets gespannener. Ze wendde haar melkachtige ogen geen moment af van de sneeuwstorm van ruis, maar ze keek nu somber en haar hoofd schudde op de stengel van haar nek, een lichte huivering. 'Dit een slecht stuk. O, ja, de poppen! De dansende poppen. Verdomme, iedereen een pop. Arme stakker.'

Mo voelde hoe de haren in zijn nek overeind gingen staan. Carla had ook een soort poppen in haar visioen gezien en hij durfde te zweren dat hij haar met geen woord over die zaken had verteld. De warmte in de kamer was ondraaglijk. Hoe konden die mensen het uithouden?

De zware stem vervolgde monotoon krassend: 'En daar de ouwe belt, dat slecht. De ouwe belt. O, en dit – dit zo slecht. Kijk! De póppen-pop! Zie je de póppen-pop, de póppen-pop met botten.' Ze leunde nu achterover, nam afstand van wat het ook was dat ze in de ruis zag. 'Jij moet hem in de gaten houden. Hij houdt jou in de gaten. Hij komt achter jou aan! De poppen-pop komt achter jou aan! Dit zo slecht! Oké, dit genoeg, genoeg.' Opeens zocht Mudda Raymon op de tast op het tafeltje naar de afstandsbediening. Ze stootte het glas water om zodat het op de grond viel. Het geluid van brekend glas deed iedereen in het vertrek opschrikken. Zelfs de oude man richtte met een ruk zijn hoofd op van zijn borst. Toen vond Mudda Raymon het apparaatje en werd het scherm zwart.

De oude vrouw trilde over haar hele lichaam en hijgde van de emotie of de inspanning. Ze leek zelf net zo teer en gewichtloos als een oude pop. Mo was bang dat ze een hartaanval zou krijgen. Hij keek bezorgd naar Carla, maar nog steeds verroerde niemand zich.

'Arme stakker,' zei Mudda Raymon hijgend tegen Mo. 'Geef mij nu wat van die lucht.' Ze maakte een kort handgebaar naar de zuurstoftank.

Mo gehoorzaamde, draaide het ventiel open en liet de zuurstof sissen in de slang. Mudda Raymon nam het masker van hem aan en drukte het met een geklauwde hand tegen haar gezicht, terwijl ze gulzig ademde en hem over de doorzichtige plastic rand aankeek. Nu hij zo dicht over haar heen stond, kon hij haar ogen goed zien, het vage blauwe laagje staar over de gele oogbollen. Toen hij haar uitdrukking zag, trok hij zich bijna schielijk terug. Geen angst of sluwheid of verwarring. Ze keek hem aan met een innig medeleven. Medelijden.

Hij richtte zich op. Hij wilde weg uit deze donkere, verstikkende ruimte. Een deel van hem wilde tegen haar zeggen: *laat maar zitten, dame.* Maar een ander deel wilde smeken: *wat zag u?* Of misschien was het meer iets als: *help me, Mudda, ik ben helemaal hoteldebotel.*

Hij deed een stap bij haar vandaan. 'Oké,' zei hij. Mudda Raymon keek weer de andere kant op en dus wendde hij zich tot de andere vrouw, die met haar werk was opgehouden en hem gadesloeg. 'Bedankt. Dat was goed, ja. Ik stel het op prijs.' Hij pakte zijn portefeuille, had het gevoel alsof hij op het toneel stond maar geen idee had wat zijn tekst was. 'Willen jullie dat ik iets betaal of hoe zit dat? Ik bedoel, ik weet niet hoe dit werkt.' De vrouw keek hem slechts verwonderd aan.

Mudda Raymon maakte een geluid als van een oud piepend scharnier en schudde haar hoofd. 'Deze van het huis. Arme stakker.'

Mo bedankte haar nogmaals en draaide zich om om te vertrekken. Carla liep met hem de trap af naar beneden. Ze zeiden niets tot ze beneden waren en voor de deur met de drie sloten stonden.

'Weet je zeker dat alles goed is?' vroeg hij haar.

'Dat wilde ik juist aan jóú vragen,' zei ze, deels om de vraag naar hem terug te spelen, *betuttel me niet*, deels omdat ze het meende.

Buiten op het bordes zat Ty tegenover Junior, die hij ijskoud aankeek. De bewaker beantwoordde zijn blik met zijn uitdrukkingsloze insectachtige zonnebril, maar hij leek zijn overtuiging te hebben verloren. *Je hebt alleen een zonnebril nodig als je het oog niet hebt, Junior*, dacht Mo. Hij was blij dat hij weer in de buitenlucht was.

'Kunnen jullie het met elkaar vinden?' vroeg Mo.

Ty stond op en veegde het zitvlak van zijn broek af. 'Best,' zei hij. Toen voegde hij daaraan toe: 'Wat is er verdomme met jou? Je ziet er belazerd uit.'

27

Er waren geen belangrijke nieuwe aanwijzingen maar wel veel nieuwe mensen bijgekomen en de bespreking van de speciale eenheid leverde dan ook niet veel op, behalve dat er een fundamentele gezagsstructuur werd vastgesteld. Het kostte Mo veel moeite om zijn aandacht erbij te houden. In plaats daarvan betrapte hij zichzelf erop dat hij naar Biedermann staarde, alsof hij door de huid van zijn voorhoofd in de windingen van zijn hersenen kon kijken. Een 'artificiële persoonlijkheid'? Een menselijke kruisraket? Onmogelijk om dat met zekerheid te zeggen. De persoonlijkheid van de special agent had zo zijn duistere kanten, ja, maar dat gold voor iedereen.

Het andere aspect van de bespreking dat hem interesseerde was de interactie tussen Flannery en Biedermann: hoe zouden deze twee dominante types in dezelfde kamer met elkaar overweg kunnen? Maar Flannery koos voor de houding van sterke, stille man, en zei niet veel. Hij vroeg alleen zo nu en dan om opheldering, maakte aantekeningen, maakte een zelfverzekerde en competente indruk.

Het buitenaardse wezen, Anson Zelek, was er niet bij, maar het was toch een grote groep; genoeg mensen en gedoe om het plan te verhullen om in Biedermanns agenda te kijken: Mo en Marsden van Ernstige Delicten bij de staatspolitie, iemand van het kantoor van de officier van justitie in Manhattan, wat agenten uit New York en White Plains, een stel mensen van Flannery, Biedermann en twee mensen van diens team.

En Rebecca, uiteraard. Rebecca die zich verontschuldigde en vijf minuten de vergaderzaal verliet en met een andere uitdrukking terugkwam. Ze probeerde het te verbergen, maar kon het niet laten om Mo een blik toe te werpen: *narigheid*.

Ze vertrokken opzettelijk niet samen, maar troffen elkaar een uur later bij haar appartement. Hoewel de portier beneden in de hal hem had doorgelaten, hoorde hij nadat hij bij haar op de deur had geklopt haar voetstappen naderen en wist hij door de pauze voordat de deur openging dat ze door het spionnetje keek om zich ervan te vergewissen dat hij het was. Een vrouw die geen risico's nam.

Ze gingen weer in de woonkamer zitten, die vanwege de bewolkte lucht in een duister daglicht was gehuld. Mo ging aan de ene kant van de lange bank zitten en Rebecca aan de andere.

'Oké,' begon ze. 'Dit is niet best, Mo.'

'Kom eerst hier zitten,' zei hij, terwijl hij een besluit nam.

'We hebben veel te bespreken.'

'Kom hier.' Hij klopte op het kussen naast hem. Het contact tussen hen had geforceerd aangevoeld sinds het moment dat hij had voorgesteld dat zij zou kijken waar Biedermann zoal had uitgehangen. Hij was niet echt een expert, maar wat ze zo zouden bespreken zou waarschijnlijk vanavond niet voor een wat je noemt romantische sfeer zorgen – het was beter om het contact te herstellen, opnieuw te bevestigen dat er iets bijzonders tussen hen was, voordat ze daar aan toe kwamen. Toen ze zich nog steeds niet verroerde, voegde hij daar in alle eerlijkheid aan toe: 'Als ik niet snel naast je zit, word ik gek.'

Dat had effect, een beetje althans. Ze ging binnen armbereik zitten, maar hij stak nog niet zijn arm naar haar uit. 'Oké...' begon ze.

'Dichterbij,' drong hij aan. 'Alsjeblieft.' Ze keek hem weifelend aan, maar kwam schuchter dichterbij. 'Hoe het ook zij,' zei hij zachtjes tegen haar, 'wij moeten een team zijn. We kunnen niemand vertrouwen; we weten niet zeker tegen wie we wat kunnen zeggen. Maar we moeten ergens beginnen. Dus laten we een team vormen, jij en ik.'

Ze lachte een beetje en schudde haar hoofd. 'De manier waarop jij prioriteiten stelt bevalt me wel. Je hebt helemaal gelijk. Ik geloof dat ik niet zo gewend ben aan gevaarlijke situaties als jij. Ik pak dit niet goed aan. Maar je hebt gelijk wat dat team betreft. Dat idee bevalt me.'

Ze zat zo dichtbij en sprak zo zachtjes dat hij haar hartslag in haar stem kon horen. En toen klom ze bij hem op schoot, sloeg haar armen om zijn schouders, legde haar hoofd naast het zijne zodat haar haar een geheime gouden tent rond zijn gezicht vormde. Het was de eerste keer dat hij zo dicht bij haar was en het bedwelmde hem. Haar warme geur, het gewicht van haar lichaam op zijn dijen, haar soepele taille onder zijn handpalmen terwijl hij haar losjes vasthield. Toen hij zijn ogen dichtdeed, had hij het gevoel dat hij viel. Hij wilde haar alleen nog maar strelen en haar verkennen en hun kleren uitdoen. Maar ze had hem gevraagd om geduld te hebben. Het was beter om haar het initiatief te laten nemen. En, ja, ze hadden veel te bepraten.

Ze besteedden nog een paar minuten aan het consolideren van hun teamverband en toen ging ze van zijn schoot af en vertelde ze hem hoe het was gegaan. Het plan was simpel geweest, niet meer dan een uitgangspunt. Biedermanns dagelijkse activiteiten zouden zijn vastgelegd in een agenda op het bureau van de secretaresse van de eenheid. En Mo had gelijk gehad. Rebecca was een bekende op de kantoren op de vierentwintigste verdieping; zo bekend dat de secretaresse haar zou vertrouwen, haar zou kennen, en niets achter haar verzoek zou zoeken. Als een betaalde adviseur op het gebied van profielschetsen, zelf bijna iemand van de FBI, had Rebecca een eenvoudige tekst: Henrietta, ik moet mijn rekeningen bijwerken, maar ik besefte net dat ik mijn administratie niet heb bijgehouden sinds de komst van deze nieuwe poppenspeler. Ik wist eerst niet zeker of ik nodig zou zijn bij de nieuwe speciale eenheid. Kan ik even in Eriks agenda kijken zodat ik mijn eigen datums en tijden op een rijtje kan zetten? Alleen voor de laatste paar weken.

Henrietta zei: '*Tuurlijk*', schoof het boek naar Rebecca zodat die erin kon kijken en ging weer verder met wat papierwerk. En inderdaad, daar stond alles per dag genoteerd: Eriks afspraken en besprekingen, zijn bezoek aan plaatsen waar misdaden waren gepleegd en andere activiteiten buiten het kantoor. Deze agenda was alleen voor mei, ging niet terug tot de dag waarop Irene Bushnell verdwenen was. Maar hij ging ver genoeg terug om te zien waar Biedermann was geweest op de dag dat Daniel O'Connor was doodgemarteld en de dag waarop Laurel Rappaport was gestorven, nog maar zes dagen geleden.

'Mo – op dertien mei heeft hij een dag persoonlijk verlof genomen. In het boek staat niet waar hij was. Hij had de hele dag bezig kunnen zijn met de moord op O'Connor.' Ze zaten nu naast elkaar, zo dicht naast elkaar dat hij haar kon voelen huiveren.

'En hoe zit het met vrijdag? We weten dat hij toen dienst had. We hebben hem bij de krachtcentrale gezien.'

'Ja. Maar weet je nog dat hij wegging niet lang nadat jij was gekomen? Dat hij telefoneerde met zijn mobieltje, zei dat hij terug moest naar Manhattan?'

Mo wist het nog goed, de grote beweeglijke man die vol verachting langs hen de trap van de krachtcentrale op snelde. 'En wat was die belangrijke afspraak van hem in de stad?'

'Dat is het nou net. Die had hij niet. Er staat niets in het boek. Geen andere afspraken die dag. Op grond van de agenda zou je denken dat hij de hele dag bij de krachtcentrale heeft doorgebracht.'

Shit, dacht Mo. *Wat een shitzooi.*

Een fractie van een seconde werd hij overweldigd door het verlangen om er de brui aan te geven. De boel de boel te laten, het gewoon voor gezien te houden, niet meer te denken aan Biedermann en al die droeve, dode marionetten. Geld lenen en weer naar school gaan of zo. Biedermanns dagindeling was bij lange na geen bewijsmateriaal, maar pleitte hem zeker niet vrij zoals Mo had gehoopt. Het betekende dat de FBI-agent de gelegenheid had gehad om de moorden te plegen.

Maar een vraag bleef aan hem knagen: als Biedermann de moordenaar was, wie was Ronald Parker dan in godsnaam?

Het was alsof Rebecca zijn gedachten had gelezen: 'Ik denk nog steeds dat ik Ronald Parker nog eens onder de loep moet nemen. Omdat ongeacht wat we verder níét weten, we wél weten dat hij erbij betrokken was. Maar we dachten dat we niet zo heel veel aandacht aan hem hoefden te besteden, psychologisch gezien – we hádden de moordenaar, we zagen alle klassieke indicaties van de psychopathologie van een seriemoordenaar, zaak gesloten. Het enige dat men wilde was bewijsmateriaal om hem, en hem alleen, te veroordelen. Niet uitzoeken wie hij was, hoe hij zo was geworden, of wat zijn connectie met iets... groters... geweest had kunnen zijn. En toen bracht hij zichzelf meteen al hersenletsel toe en had het geen zin om...'

'Oké. Dus moeten we bij Ronald Parker langs. Is hij... kan hij praten?'

'Een beperkt verbaal vermogen, maar heel onsamenhangend. Misschien dat we iets te horen krijgen als we de juiste vragen stellen. Maar we kunnen ook zijn medische gegevens nog wat beter bekijken. Ze hebben zijn hersenen gescand na zijn zelfmoordpoging, om de omvang van de schade vast te stellen. Maar niemand heeft op de scans... naar andere dingen gekeken.'

Mo vroeg niet waar ze verder naar hadden kunnen kijken; dat zou haar werk moeten zijn. Hij dacht vooruit aan de zaken waar hij verstand van had, de forensische kant. Ergens was er een relatie tussen Ronald Parker en de Pinocchiomoordenaar en Biedermann, een patroon dat hen verbond. Ze hadden alleen het grotere geheel nog niet gezien.

Rebecca zette wat koffie en ze praatten nog een uur. Mo vertelde haar van de vorderingen met betrekking tot Irene Bushnell, dat haar minnaar misschien een van de klanten was geweest voor wie ze had schoongemaakt. Het idee dat de moordenaar zijn slachtoffer persoonlijk kende betekende een afwijking van de oorspronkelijke werkwijze, maar als psychologe vond Rebecca het aannemelijk, vooral gezien de verkrachting en andere aspecten van de moord op Laurel Rappaport: de man had zichzelf niet meer in de hand.

Rebecca leek gesterkt door hun teambuilding, maar terwijl ze praatten, ontstond er een diepe groef tussen haar wenkbrauwen. Toen Mo klaar was met de bijzonderheden omtrent Irene Bushnell, had zij nog het een en ander te melden. 'Ik heb zelf ook wat research gedaan,' zei ze. 'Ik heb wat op het web rondgeneusd en wat gebeld met een paar van mijn collega's. Het is een beetje lastig om sensatiebelust, paranoïde materiaal te scheiden van de feiten, of van redelijke gevolgtrekkingen. Maar ik weet iets meer over de... die regeringsprogramma's waarover ik je verteld heb.'

Mo had zich liever weer aan politiewerk gewijd, de vaste grond van forensische procedures. Telkens als ze op die militaire psychologie en zo ingingen, merkte hij dat hij gespannen raakte. 'Oké...'

'Iedereen weet van MKULTRA, de experimenten met LSD waaraan het leger in de jaren zestig militairen onderwierp. Maar er zijn niet veel mensen die de doelstellingen van die experimenten kennen, of dat er ook andere exotische psychologische programma's waren. In LEXUS vond ik een aantal artikelen uit het begin van de jaren tachtig, over enkele processen tegen de regering door voormalige proefkonijnen van MKULTRA, die beweerden dat ze door die experimenten blijvend hersenletsel hadden opgelopen. Ze waren onderworpen aan chemische en conditioneringsexperimenten waardoor hun gedrag werd veranderd, in de hoop dat ze woestere soldaten, betere vechters zouden worden. Ze liepen allemaal iets op wat we nu post-traumatisch stresssyndroom noemen. Het voornaamste neurologische symptoom is de overprikkeling van de hippocampus, de angstreflex, waar iemand zijn hele leven niet meer vanaf kan komen.'

'En hoe is het met die processen afgelopen?'

'Die hielden gewoon op. Ik denk dat er een of andere schikking is getroffen. Om je te laten zien wat een schijnvertoning die processen waren: de regering ontkende dat zoiets ooit had plaatsgevonden – én beriep zich op de staatsveiligheid toen zij de eisers de toegang tot bepaalde informatie onthield. Een perfect dilemma.'

Mo knikte. Daar zat hij, negenendertig jaar, en nu pas kreeg hij enig idee hoe diep alles ging, hoeveel er zich achter de schermen, onder het oppervlak afspeelde. Zelfs op het niveau van de stadspolitiek gebeurde het voortdurend, zoals bleek uit Flannery en diens gekonkel. Stel je voor hoe dat moest zijn op nationaal en internationaal niveau. Hij twijfelde er niet aan dat Zelek, het buitenaardse wezen dat af en toe bij Biedermann was, deel uitmaakte van een of andere grootschalige intrige. Maar welk? De onderdelen pasten niet; er bleef gewoon te veel buiten beeld.

'En verder?' vroeg hij.

Rebecca rommelde in haar aktetas en haalde er een stel uitdraaien uit, keek ze even door. 'Er was nog een project en dat heette... o, ja, SCOPE. Het acroniem staat voor Sociaal Geconditioneerde Operationele Prestatieverbetering. Dat is het project waarover ik je laatst vertelde, waar ze programmeerbare moordenaars probeerden te maken. Een van mijn collega's aan de Westkust heeft een paar jaar geleden documenten opgevraagd die waren vrijgegeven op basis van de wet van vrijheid van informatie. Hij heeft mij gefaxt wat hij had – kijk zelf maar.'

Ze gaf Mo een stapel papieren. Twintig pagina's waren helemaal zwart gemaakt, zelfs het briefhoofd; een grote inktvlek boven aan elke pagina. Nog eens dertig pagina's, die zo te zien door iemand anders waren gecensureerd, bestonden uit met een dikke zwarte viltstift doorgestreepte regels die alleen af en toe werden onderbroken door een *maar* of *en* en *het*.

'Dat is informatief,' zei Mo, terwijl hij ze teruggaf. 'Je zou bijna denken dat die lui gevoel voor humor hebben.'

'Weer dat kastje-naar-de-muurgedoe.'

'Hoe komt iemand dan iets te weten over die programma's?'

'Door middel van redelijke gevolgtrekkingen. Elk informatiesysteem heeft lekken. Er moesten mensen zijn die van die programma's afwisten, maar die er op ethische gronden tegen waren. Of die dachten dat ze er profijt van konden hebben als ze uit de school klapten. Vervolgens worden die lekken afgedaan als "paranoïde extremisten" en in diskrediet gebracht. Hun informatie duikt op in kleine publicaties in obscure krantjes, zelfgemaakte nieuwsbrieven, low-budget webpagina's. Wat de uitgelekte SCOPE-informatie aannemelijk maakt is dat het allemaal is gebaseerd op echte wetenschap, echte mensen, echte historische gebeurtenissen.'

Húúh, dacht Mo. 'En wat was die wetenschap?'

'In essentie werden de proefpersonen onderworpen aan klassieke conditionering om bepaalde sociale reacties te bevorderen, versterkt door uitgebreid psychiatrisch onderzoek dat de straf of de beloning relateerde aan het individuele verleden van de proefpersoon – familieverhoudingen, trauma's, enzovoort. Vervolgens werden specifieke programma's, bijvoorbeeld met betrekking tot het doelwit, ingeprent door middel van hypnosetechnieken.' Rebecca zweeg even, huiverde en ging verder: 'Er zijn ook aannemelijke beweringen omtrent neurochirurgische ingrepen. Zoals wij hebben gezien bij dat geval in Oregon.'

'Hersenoperaties.'

'Ja.'

Mo dacht daarover na. 'Zou het resulterende... psychologische profiel... overeenkomen met waar we hier mee geconfronteerd worden?'

Ze keek bezorgd. 'In sommige opzichten. Het is moeilijk te zeggen. We moeten meer informatie hebben.'

Buiten werd het weer nog slechter, en de buik van de hemel leek op te zwellen en zich toen te openen. De regen kwam naar beneden, zilverig en dicht als een school vissen, en uit een lekkende afvoerpijp bij de ramen kwam een fontein die doordringend op de vensterbank plensde. De kamer werd donker. Rebecca's vrolijke interieur maakte een troosteloze indruk in zulk naargeestig licht. Mo wachtte een paar minuten en stond toen op, deed een paar lichten aan en begon door de kamer te ijsberen. Rebecca leek ook verdiept in haar eigen gedachten. Met de lichten aan werd het licht dat door de ramen viel veel flauwer en de regen op het glas veranderde de wereld in een schimmige abstractie, vol vage en donkere gedaantes.

Mo keek om naar Rebecca, die met haar ellebogen rond haar knieën zat, met haar kin op twee vuisten, terwijl ze in het niets staarde. Heel mooi, heel bezorgd.

Het was goed dat ze een team hadden, dacht hij, maar dan nog leek het een beetje eenzaam, alleen zij tweeën tegen wie wist wat.

28

Meneer Smith was bezig met de golden retriever. Hij had de hond Johnny genoemd, om een leuk stel te vormen met de Duitse herder Frankie. Hij had ontdekt dat dit stadium dikwijls therapeutisch was, een kans om buiten te komen, wat lichaamsbeweging te krijgen. Alleen een man en zijn hond in de vrije natuur. Ook al was wat ze deden niet echt materiaal voor *Dog World*.

De oude belt was een goede plaats om in deze fase met honden te werken. Het hele terrein bevond zich een eind uit het zicht van wegen of huizen, hoewel aan de zuidoostelijke kant, waar het land in de richting van een klein stroompje afliep, de afgelopen tien jaar een van de talloze nieuwbouwwijken voor mensen met een bovenmodaal inkomen in Westchester County uit de grond was gestampt. Het terrein was een breed, licht hellend bekken van een paar honderd hectare, bedekt met bos en bezaaid met resten uit de tijd dat hier gestort werd: hier een oeroude Studebaker, daar een zwaar verroest stuk van een landbouwwerktuig of een koelkast of een vat van tweehonderd liter voor god mocht weten wat, dat een bobbel vormde in de met bladeren bedekte bodem of omstrengeld was door klimplanten.

Het afval was in diverse opzichten een voordeel. Het hield de mensen op een afstand, vooral die welgestelde buren: ouders die zich niet zouden verlagen om op een stort rond te banjeren, verwende kinderen die na school niet rondzwalkten maar snel naar danslessen en voetballen werden afgevoerd. Bijna net zo belangrijk was dat de roestige resten hielpen bij het conditioneringsproces doordat ze allerlei hoeken en gaten vormden, goede legers voor konijnen, wasberen, muizen, korhoenders – iets om de moordneigingen van de honden op te wekken.

Je kon de honden hier al vrij vroeg mee naar toe nemen, omdat in het onwaarschijnlijke geval dat iemand je zag, jij en je trouwe viervoeter er van een afstand uitzagen als een Hallmarkkaart of iets uit *Field & Stream*.

De avond van een aangename zij het te warme donderdag aan het eind van mei. De poppenspeler hield Johnny's riem in zijn hand. Over een van zijn schouders droeg hij een kleine rugzak vol spullen: een opklapbaar schopje uit een dumpzaak, een kindertuinharkje met een afgezaagd handvat, brokjes vlees als beloningen, een zware tuier van staalkabel die bedoeld was voor groot vee. En de radiozender. Hij had de retriever voorzien van twee implantaten die een elektrische stroom doorgaven aan delen van het hondenbrein. Het ene implantaat veroorzaakte slechts pijn, het andere overstimuleerde de hippocampus – de ouwe hippo, de zetel van razernij en angstreflexen, reacties die essentieel waren voor de conditionering. Een van de dingen waarover meneer Smith zich zorgen had gemaakt was dat de draden en de ontvanger op Johnny's kale schedel erg in het oog liepen en dat ze aan takken konden blijven haken. Dus had hij een trui gekocht die paste bij de kleur van de vacht van de hond en had hij een van de mouwen afgeknipt en op maat gemaakt. Uiteindelijk was het een kap die hij over Johnny's nek en kop kon trekken – met gaten voor de ogen en de oren – en die de kale schedel camoufleerde en de elektronische componenten dicht tegen de schedel drukte. In de schemering, van een afstand, zou iedereen slechts een man en zijn beste vriend zien, die in het bos aan het stoeien waren. Hij had de hond nu aan de riem, maar voor de training die hij in zijn hoofd had zou hij het dier onder controle houden door directe neurale stimuli. Als het naar verwachting werkte, zou de technologie een geweldige stap vooruit in het conditioneren van dieren betekenen. De controle-eenheid was een klein kastje dat hij had omgebouwd van een op afstand bestuurd speelgoedautootje. Met dank aan Radio Shack.

Op dit moment genoot hij slechts van de avond, stelde hij de oefeningen uit. Een moment van relatieve rust, tijd om te mijmeren. Later vanavond was hij van plan om, voor zijn menselijke proefpersoon, een lezing te houden over macht, over verzet, over protest, over de dringende noodzaak van wat zij samen deden. Het was belangrijk om de speech aan te passen aan elk individu, in overeenstemming te brengen met wat hij van het verleden, de geloofsovertuigingen, de waarden, gewoontes enzovoort van de proefpersoon afwist. Dat maakte het veel effectiever. Vandaar dat hij voor de variant van de lezing die hij nu uitdacht gebruik maakte van de liberale politieke overtuigingen van de huidige proefpersoon. De proefpersoon was een voorstander van vrijheid van meningsuiting, en was het met het Hooggerechtshof eens dat het verbranden van de Amerikaanse vlag een legitieme, beschermde uitdrukkingsvorm was – een vorm van protest. Meneer Smith was het daar niet mee eens, maar hij was best bereid om de analogie te gebruiken om de waarden van de proefpersoon te verbinden met het onderhavige project.

'Wat jij en ik doen, is een daad van protest,' repeteerde hij hardop. Johnny draaide zijn ogen en keek nerveus naar hem op. 'Wij protesteren tegen wat onze regering doet; de meest gruwelijke, tirannieke daden die ooit een regering of maatschappij heeft begaan. Ja, het lijkt ironisch – sommigen zouden zelfs hypocriet zeggen – dat om tegen moord en vernedering en onderdrukking te protesteren, ons protest de vorm aanneemt van het vermoorden, vernederen en onderwerpen van onschuldige mensen. Ja, dat zijn wandaden die men moet afkeuren. Maar je moet het net zo zien als het onteren van de Amerikaanse vlag. Het is een extreme vorm van protest, een aanslag op het gezond verstand, die *gerechtvaardigd wordt door de extreme aard van de misstanden waartegen hij gericht is.* Dát is wat wij doen. Dát is de missie die jij helpt volbrengen. Ja, er wordt van je gevraagd dat je een groot offer brengt – *maar dat geldt ook voor mij!* Maar het is een offer dat wij móéten brengen als we de loop der gebeurtenissen willen wijzigen – wat onze taak, onze plícht, ons lót is!'

Hij ging steeds harder praten, en Johnny keek naar hem op met heldere en toch op de een of andere manier wezenloze ogen, die iets doods hadden. De rechterachterpoot van de hond ging steeds erger trillen. Slimme hond, kende al de stemmingen van zijn baasje. Meneer Smith merkte dat hij hijgde, niet van de wandeling maar van de woede die in hem opkwam als hij over het onderwerp nadacht. De ader in zijn nek zwol tegen de kraag van zijn overhemd, de huid tussen zijn schouderbladen begon te transpireren. Er was zoveel te vertellen, zoveel om tegen te protesteren. Als hij zichzelf niet in acht nam, kon hij eindeloos doorgaan. Dat was niet de bedoeling. Je moest het condenseren tot iets kort en krachtigs dat de proefpersoon zich makkelijk kon herinneren. Een neurolinguïstisch programma dat met de juiste stimuli makkelijk geactiveerd kon worden.

Dus controleerde hij zijn ademhaling en probeerde hij het nog een keer: 'Wij móéten dit ultieme offer brengen omdat niets minder dan dat de aandacht zal trekken van onze van geweld verzadigde, apathische natie.'

Beter, maar het klonk nog steeds een beetje bombastisch, achttiende-eeuws. *Ach wat,* dacht hij. *Ik heb de tijd, concentreer je op waar je mee bezig bent,* herinnerde hij zichzelf. Maar alleen al erover nadenken had zijn stemming bedorven.

Ze bevonden zich nu diep in het midden van de oude belt, waar nog sommige van de oudere bomen stonden, omstrengeld door kudzu die tenten van bladeren rond de onderkant van hun stam vormde. Een rij verroeste tweehonderdlitervaten vormde een lage muur. De inhoud was lang geleden al in de bodem gesijpeld, maar gaf het terrein nog steeds een verschaalde stank, misschien bijtende soda. Johnny deinsde terug voor de donkere schaduwen van de bladeren of misschien voor de chemische lucht. Dat was goed: maak hem maar gespannen, zodat die goeie ouwe chemische vecht-of-vluchtreactie flink geprikkeld wordt.

Meneer Smith bleef even staan om het donkere bos af te speuren. Stop, kijk en luister. In Vietnam leerde je om het landschap te lezen, en als je dat niet goed deed, was je dood. Maar in de nabije omgeving bewoog niets, afgezien van de licht wuivende boomtoppen. Ergens in de nieuwbouwwijk onder aan de heuvel gonsden een paar grasmaaiers, en in de verte loeide een claxon in het algemene vage suizen en razen van de snelweg, maar dat was het.

Tijd om aan de slag te gaan.

'Oké, jochie,' zei hij tegen de hond. 'Oké, Johnny. Kom op.' Het was duidelijk dat de retriever deze nuance in zijn stem had leren herkennen, de valse vriendelijkheid die het begin van een sessie aankondigde, omdat zijn achterlijf begon te beven. Soms beten proefdieren in dit stadium, vooral bij de eerste buitensessie; je moest oppassen. Dus hield meneer Smith Johnny angstvallig in de gaten toen hij de rugzak neerzette en de kabeltuier eruithaalde. Hij haakte het ene uiteinde aan het tuigje van de hond en maakte het andere met een lus vast aan een ijzeren flens van een halfbegraven hooivork. Pas toen Johnny stevig vastzat, maakte hij de leren riem los.

Hij deed een stap terug, rommelde in de rugzak tot hij de plastic zak met vleesbrokken vond. Hij haalde er eentje uit en bood die aan. Geleid door zijn neus kwam Johnny naar voren, en meneer Smith deed nog een paar stappen terug tot de kabel strak gespannen stond. Johnny trok hard aan de lijn maar hij kon niet verder. Je wilde je niet verkijken op het bereik, nee meneertje, dat wilde je niet. Meneer Smith wierp Johnny het vlees toe en de hond hapte het uit de lucht.

Meneer Smith ging net buiten de cirkel van de kabel staan en pakte de radiozender en bediende de schakelaar met zijn duim. Een rood lampje ging aan. Meneer Smith liet Johnny het felle rode oogje zien en inderdaad begon de hond te grommen en over zijn hele lijf te trillen. Minder dan een week labwerk met de implantaten en deze jongen kon de routine al dromen! Het was duidelijk dat Johnny stond te trappelen van ongeduld.

'Brave hond,' zei meneer Smith zuur.

De knevelschakelaar die naar links en naar rechts ging was zo afgesteld dat hij het ene stel geïmplanteerde draden activeerde, dat de hond een regelbare dosis pijn zou toedienen. De knevelschakelaar die naar voren en naar achteren ging stuurde een variabele stroom naar de hippocampus, en activeerde zo direct de vechtvluchtreflex. Als ze onafhankelijk van elkaar werden gebruikt konden die twee fungeren als een soort experimentele controle, zodat je vergelijkenderwijs de conditioneringswaarde van elk van beide kon beproeven. Of je kon ze allebei tegelijk gebruiken en de arme stumper echt dol maken.

Meneer Smith had uitgekeken naar een iets rustiger avond, althans langer die act van een man en zijn hond opvoeren, maar door het werk aan zijn lezing, de herinnering aan alle wantoestanden en vernederingen en gruwelen, was hij uit zijn humeur geraakt. Tenslotte was Johnny een lastpak, onstuimig en ongehoorzaam, vooral vergeleken met de Duitse herder. Misschien dat hij met de pijn zou beginnen.

Met zijn duim duwde hij de links-rechts schakelaar net iets uit het lood en Johnny's ogen leken uit te puilen. De hond maakte een geluid als een scharnier dat gesmeerd moest worden en draaide als een robot met zijn kop, alsof hij een stijve nek los probeerde te krijgen.

'Je ziet er stom uit in die outfit, Johnny,' zei meneer Smith gemeen. 'Wat ga je daaraan doen, kleine etterbak?' En hij verschoof de schakelaar nog een paar graden.

Een halfuur later werd het te donker om goed te kunnen zien. Tijd om terug naar het huis te gaan. Het zand rond de roestige hooivork was in een halve cirkel omgewoeld, met diepe sporen van Johnny's sprongen, zijn geruk aan de tuier. Johnny had zichzelf een paar keer ondergescheten tijdens de perioden waarin hij dubbel geprikkeld werd, en zou schoongespoten moeten worden, maar verder was het geweldig gegaan. Tijdens de proeven op korte afstand had de hond wel tien keer zijn nek bijna gebroken bij zijn pogingen om meneer Smith te grazen te nemen toen de directe prikkel van de hippocampus geactiveerd werd en was hij al gauw weer bedaard wanneer de prikkel werd opgeheven. Hij had blijk gegeven van een verbijsterend vermogen om binnen bijzonder korte tijd commando's te leren als hij werd onderworpen aan een conditionering door middel van elektronisch versterkte straf en beloning. Vervolgens had het controlemechanisme ook op afstand prima gewerkt toen meneer Smith hem van de tuier had losgelaten zodat hij rond kon snuffelen. Hij kon Johnny op honderd meter afstand in het stof laten ploffen of hem in een menseneter veranderen. Meneer Smith zou verrukt zijn geweest als hij niet zo in beslag werd genomen door enkele complicaties.

Voordat hij de kring van de met klimplanten overwoekerde bomen verliet, pakte hij het schopje en de hark. Hij spitte de grond om en harkte de aarde en de bladeren zo aan dat er geen spoor meer te zien was van Johnny's inspanningen. Toen hij klaar was, speurde hij het landschap af. Nu nog slechts één grasmaaier in de verte. Een vage barbecuelucht; aan alle kanten ging het gezinsleven zijn gangetje, onwetend.

Die gedachte maakte meneer Smith weer kwaad. Al de dingen waarvan hij werd buitengesloten. Het ongedwongen gezelschap van dierbaren, de aangename sleur van een normaal leven. Avondeten op het terras, tv, dollen met de kinderen, verhaaltjes voor het slapen, vrijen, de zoete slaap van de onschuldigen. Verboden. Mocht niet. Niet meer aan denken.

'Laten we gaan, Johnny,' zei hij. Het wit van Johnny's ogen flitste even toen hij die toon, de aandrang hoorde. Meneer Smith gaf een ruk aan de riem en ze gingen op weg naar huis. Terug naar de realiteit.

Rustig, zei meneer Smith tegen zichzelf. *Het experiment met directe neurale stimuli gaat verdomd goed, kon niet beter.* Die gedachte deed hem even een genoegen, maar toen kwam het in hem op dat het, ja inderdaad, goed werk was. Als je niet in de schemerwereld hoefde te leven, als je een echt laboratorium had, als je het zou kunnen publiceren en er op congressen over zou kunnen spreken, zou je met zoiets in al die jaren enorme vorderingen hebben geboekt en zou je allerlei erkenning hebben gekregen, onderzoekscontracten, onderscheidingen, leerstoelen aan de universiteit, de Nobelprijs godverdomme.

Dat werd hem allemaal ontzegd. Allemaal onmogelijk.

En afgezien daarvan waren er die andere problemen. Nummer Drie bleek een enorm probleem te worden. Drie was net een sneeuwbal die een helling afrolde, steeds groter en steeds sneller, om het werk van meneer Smith te verpletteren. Hij had moeten wéten dat het fout zou gaan met Drie. Dat Drie in zoveel opzichten een vergissing was. Vanwege Drie zou hij serieus zijn best moeten doen om de schade te beperken, tegenmaatregelen nemen, en dat betekende altijd grotere risico's. Dr. Rebecca Ingalls was weer het middelpunt, en haar eigengereide nieuwe vriendje, die cowboysmeris, rechercheur Morgan Ford.

Hij leefde even op. Goddank had hij de voorzorg genomen om die afluisterapparaatjes in haar appartement te installeren en kon hij min of meer volgen welke kant ze op gingen, wat ze dachten. En wat een ongelooflijke mazzel dat ze het had aangedurfd om weer samen te werken met een van de belangrijkste onderzoekers in deze zaak, na het debacle van haar eerste relatie. Hoe groot was die kans? Het was een teken, een gebaar dat het Lot hem goed gezind was, dat zijn werk moest en zou doorgaan.

Maar ze waren allebei te intelligent. Ze ontdekten te veel, te vroeg. Elk was er op zijn of haar eigen onnavolgbare manier in geslaagd om een paar draden in handen te krijgen waarmee de hele onderneming ontrafeld kon worden. En er was nog steeds veel te doen, het protest had nog niet de benodigde omvang bereikt. Het was tijd om serieus te overwegen om iets aan Nummer Drie te doen, en om het stelletje wat flinke hindernissen in de weg te leggen. Een flinke domper te zetten op hun enthousiasme.

Het probleem met schadebeperking was dat het risico's met zich meebracht. Het betekende dat je missies moest uitvoeren op vreemd grondgebied. Het betekende dat je je te veel in de kaart moest laten kijken, dat je te veel onthulde over je kennis- of organisatieniveau. Het betekende dat je de zaken niet meer in de hand had, dat je de macht uit handen gaf, aan anderen of aan de grillen van het lot. Bij de eerste soortgelijke missie was alles bijna finaal de mist ingegaan. *God. Ver. Domme.*

Meneer Smith raakte weer opgewonden. Hij lette niet op, en toen Johnny er opeens vandoor ging, schoot de riem uit zijn hand. De hond schoot met een grauw tussen de bomen door, ging achter iets aan – een andere hond, zag meneer Smith, een klein zwart mormel. Een of ander kuthuisdier dat hier los rondliep. Johnny zou hem aan stukken scheuren, er zouden mensen naar op zoek gaan, en...

Het had geen zin om Johnny terug te roepen. De zwarte hond smeerde hem in een wijde cirkel om de bomen, terwijl Johnny snel op hem inliep. Meneer Smith maakte de rugzak open en zocht snel de radiozender. Hij zette hem aan, zag het lichtje aanfloepen, en draaide de pijnschakelaar helemaal open.

Johnny's lijf verstijfde midden in zijn sprong en hij knalde met zijn kop tegen een boomstam aan. Hij viel stijf op de grond en jankte, niet een honds gepiep maar een mechanisch geluid als van een auto die met piepende banden tot stilstand kwam. Het hondje verdween in de schemerende bossen terwijl Johnny spartelend over de grond rolde.

Meneer Smith liet de schakelaar los en het grote gele lijf hield op met stuiptrekken. Na een ogenblik krabbelde Johnny overeind en stond hij daar dronken, terwijl hij met zijn kop heen en weer ging als een hond op een hoedenplank. Toen hij weer wist waar hij was, rende hij onverwachts weg in de richting waarin het kleine hondje was verdwenen. Meneer Smith rende achter hem aan en bediende nogmaals de pijnschakelaar. Johnny kromde zijn rug en viel omver, kronkelde van pijn en maakte weer dat remgeluid.

Meneer Smith liet de schakelaar los toen hij zeven meter bij de hond vandaan was. De hond lag daar slechts even op de grond in het bos, terwijl zijn borst wild op en neer ging. Toen hij opstond, trilde elke spier. Hij strompelde wat en kromp ineen toen meneer Smith naar hem toe kwam. En toen sprong hij.

Meneer Smith kon nog net de rugzak in de grommende bek duwen. Terwijl Johnny die uit zijn greep wrong, lukte het hem om de schop te pakken te krijgen en die uit de rugzak te trekken. Hij gaf Johnny met het ingeklapte werktuig zo'n mep tegen zijn kop dat hij door de lucht vloog, klapte de schop toen uit en hakte vervolgens naar de nek. Het blad ketste zonder schade aan te richten van de ontvanger af. Meneer Smiths gezicht voelde aan alsof het zou ontploffen terwijl hij maaide en miste, maaide en miste, en Johnny eindelijk goed raakte toen die weer naar zijn keel sprong. De hond ging tegen de vlakte en hij hakte met de rand van de schop nog een keer boven op zijn ruggengraat, en nog een keer. Het hart van meneer Smith bonkte, zijn nek was een wirwar van kloppende aderen, een slangennest.

Toen hij heel zeker wist dat de hond dood was, kwam hij op adem en keek hij rond of iemand het gezien had. *Godnondeju*. Dat scheelde maar heel weinig. Maar niets roerde zich in het stille, schemerende bos, en ook de geluiden in de verte klonken nog hetzelfde.

De aarde was hier zacht en vochtig en liet zich makkelijk omspitten. Hij groef een ondiepe sleuf, sneed de elektronica van Johnny's kop en stopte de bloederige massa in de zak met de vleesbrokken. Hij rolde de hond in het graf, en toen hij het lijk had bedekt, sleepte hij er een oud autoportier naar toe en legde hij het met aarde bedolven metaal eroverheen. Vervolgens harkte hij de bladeren en het zand rondom, tot die plek niet meer te onderscheiden was van de rest van de bosgrond.

Toen hij klaar was, voelde hij zich beter. Op de een of andere manier had het egaliseren van de grond ook zijn stemming geëgaliseerd. De dood van de hond betekende het verlies van een flinke hoeveelheid onderzoek, maar het was niet de eerste keer, en hij had er veel van geleerd. De neurale implantaten waren bijzonder veelbelovend, hij had nog altijd de Duitse herder en er waren nog andere honden. Hoe dan ook, gezien de situatie met Nummer Drie en Rebecca Ingalls en Morgan Ford, had hij andere zorgen dan experimenteren met het conditioneren van honden. De zuivere wetenschap was een luxe die hij zich een tijdje niet kon veroorloven. Hij moest nu vechten voor zijn leven. En dat was iets waar hij mee vertrouwd was, zelfs naar uitzag. Het maakte je geest en je lichaam scherp en gaf je een oppepper, niet dan? om met je rug tegen de muur te staan.

Hij ging weer terug naar het huis, terwijl hij het al plande. Hij voelde zich verkwikt en helderder dan hij zich in weken had gevoeld. Een beetje adrenaline kon wonderen doen voor je gemoedstoestand. Tijd om zich eens even serieus aan schadebeperking te gaan wijden.

29

Het zat Mo dwars dat hij geen fatsoenlijk pak had. Hij was er nog niet aan toegekomen om het pak dat Grote Willie verpest had te vervangen, en hij overwoog half en half om onderweg naar het centrum een nieuw pak te kopen. Niet om te proberen om Rachel te imponeren – hij kon met geen mogelijkheid bedenken wat indruk zou maken op een kind van vijftien. Hij had sowieso een goed pak nodig, waarom zou hij wachten met de aanschaf van een nieuw pak? Vandaar dat hij even overwoog om bij Harry's langs te gaan, in 42nd Street, op weg naar het centrum, maar uiteindelijk besloot hij dat hij de tijd niet had; hij zou het maar moeten doen met wat hij had.

'We gaan rond halfzes een hapje eten,' had Rebecca gezegd toen ze gebeld had, 'en toen bedacht ik dat jullie elkaar misschien maar even moesten zien. Niets chics, gewoon een pizzatent in de binnenstad waar Rachel graag heen gaat. Voordat ik haar bij haar vader afzet, in Englewood.' Ze liet de uitnodiging terloops klinken, maar haar stem verraadde haar: ze deed te veel haar best om nonchalant te klinken.

'Weet je zeker dat Rachel een onverwachte bezoeker op prijs stelt?'

'Heel attent dat je dat vraagt. Maak je geen zorgen, ik heb met haar gesproken. Zij zei dat het best was.'

'Jij en ik hebben met nogal wat hachelijke zaken te maken. Weet je zeker dat dit een goed moment is?'

Ze antwoordde meteen, alsof ze daarover had nagedacht: 'We moeten onze prioriteiten op een rijtje houden. Ik heb lang geleden besloten dat ik me er niet door nare dingen uit mijn professionele leven van zou laten weerhouden om aandacht te besteden aan belangrijke dingen in mijn persoonlijke leven. Oké?'

Het was zondagmiddag en hij had het eerste deel van de dag doorgebracht met het bezichtigen van drie deprimerende appartementen en proberen om erachter te komen waarom hij zo onzeker was omtrent zoveel zaken. Zou hij een agent bij Moordzaken blijven? En zo niet, hoeveel zou hij verdienen in een nieuwe loopbaan waar hij aan begon, wat dat ook mocht zijn? Hoeveel huur zou hij zich kunnen veroorloven? Waar zou dat rothuis zich moeten bevinden, gezien het feit dat hij niet wist waar hij uiteindelijk zou gaan werken? Hij had er lang genoeg over lopen malen; het zou goed zijn om Rebecca te zien. Het was misschien wel leuk om in Manhattan te eten, al was het vooruitzicht van een kennismaking met Rachel een beetje eng.

Ricci's was niet zo gewoontjes als hij had gedacht. Het restaurant had een voordeur die werd geflankeerd door twee bomen in grote potten, met Italiaanse motieven die in de matglazen ruiten waren gezandstraald, echte tafellakens. Ongeveer de helft van de tafels was bezet. Mo keek de ruimte rond en zag Rebecca nergens, maar ongeveer in het midden van het restaurant zag hij een tiener die alleen zat. Haar gezicht ging schuil achter een bos blond haar met paarse hennastrepen. Hij wuifde de hostess weg en begaf zich naar achteren.

Ze was met gefronste wenkbrauwen bezig om een van haar vingernagels te molesteren. Ze knaagde erop en keek niet op toen hij naar de tafel kwam.

'Ben jij Rachel?' vroeg hij, hoewel hij op grond van de foto's wist dat zij het was.

Ze richtte haar hoofd op, haar ogen werden groot van verbazing om zich vervolgens achterdochtig te vernauwen. Rachel had de mooie neus en jukbeenderen van haar moeder, maar ze had haar wenkbrauwen geëpileerd tot dunne streepjes en had onflatteuze mascara op in dezelfde kleur als de strepen in haar haar. Het ringetje door haar neusvleugel zag er pijnlijk uit. 'Ben jij de rechercheur?'

'Ik ben Mo Ford.' Het *rechercheur* klonk denigrerend, maar hij glimlachte toch. 'Leuk je te leren kennen. Je moeder heeft me veel over je verteld.'

'Ze is naar het toilet.' Rachel gebaarde met haar kin naar ergens achter in het restaurant en keek weer naar hem alsof het haar verbaasde dat hij er nog steeds was. 'Je mag wel gaan zitten.'

'Dank je,' zei Mo. Hij pakte een stoel, hing zijn jasje over de leuning en ging zitten. Hij probeerde iets te bedenken dat hij kon zeggen, wat niet lukte, en besloot een slok water te nemen. 'Ben ik te laat? Zitten jullie hier al lang?'

Ze keek hem even aan, terwijl ze nog steeds aan haar nagel zat te punniken. 'Wij waren vroeg. Mijn moeder is een pietlut als het op stiptheid aankomt.'

'Nou, ik moet zeggen, dat siert haar.' Hij kon niet goed uitmaken of ze dat op een afkeurende toon had gezegd. Ze keek nog steeds naar hem, maar niet de hele tijd. In plaats daarvan keek ze af en toe intens zijn kant op, waarbij haar grijs-blauwe ogen de zijne even kruisten en dan weer de ruimte rondkeken en weer naar haar vingers en dan weer naar hem. Hij vroeg: 'Ik heb gehoord dat jijzelf ook nog maar pas in New York bent. Hoe bevalt het je tot nu toe?'

'Gaat wel. Ik ben er nu best aan gewend.'

'Dan gaat het je goed af. Ik heb mijn hele leven hier in de buurt gewoond en ik kan nog steeds niet zeggen dat ik eraan gewend ben. Soms vind ik deze stad net een groot gekkenhuis.'

Haar ogen schoten zijn kant op, om te peilen wat hij daarmee wilde zeggen, en flitsten weer door het restaurant, om te blijven rusten op het achterste gedeelte van de eetzaal. Op zoek naar haar moeder.

'Vind je het heel anders dan Chicago? Ik ben daar nooit geweest.'

'Nogal een verschil.' Ze keek weer in de richting van het achterste gedeelte van de zaal en onwillekeurig deed Mo dat ook. Hij wou dat Rebecca snel terugkwam. Hij maakte niet veel vorderingen. Hij had nog nooit van zo dichtbij met iemand van vijftien te maken gehad. Waarschijnlijk een vader en moeder met een topbaan, de levensstijl van de hogere inkomens, enzovoort, zodat ze niet erg onder de indruk was van wat ze zag in die snelle taxerende blikken. Opeens wou hij dat hij dat nieuwe pak toch had gekocht.

'Ik heb een vraag voor je,' zei hij in een opwelling. 'Je moeder zegt altijd wat ze denkt, ook als het bot is of soms een beetje choquerend. In elk geval wel tegenover mij. Is ze zo tegenover iedereen?'

'Praat me er niet van,' zei Rachel. Ze rolde met haar ogen.

Mo vervolgde: 'Omdat als ik zo eerlijk was, ik nu iets zou zeggen als, eh: "Kom op, Rachel, we kunnen hier allebei zitten en wachten tot je ma ons van elkaar komt redden. Of we kunnen wat babbelen zodat ze onder de indruk is, zodat ze zich prettig voelt."'

Ditmaal bleef haar blik wat langer op hem rusten, sceptisch.

Mo rolde ongemakkelijk met zijn schouders, maar besloot om door te drukken: 'Of misschien dat ik dan zou zeggen: "Doe me een lol, laat het lijken alsof we met elkaar kunnen opschieten. Zodat ík haar kan imponeren."'

Op een bepaald niveau leek ze dat wel te waarderen. Ze staarde naar hem, nu iets brutaler. 'Ik bedoel, wat voor iemand zou al zijn tijd willen doorbrengen met, weet ik veel, naar lijken kijken en knettergekke moordenaars achtervolgen?' vroeg ze. 'Vind je dat niet walgelijk?'

Toen Rebecca terugkwam, glimlachte ze ter begroeting naar Mo en kuste ze haar dochter boven op haar hoofd voordat ze ging zitten. Haar haar hing los over haar schouders en ze droeg een zwarte spijkerbroek met een strak, zwart mouwloos topje. Mo viel bijna van zijn stoel door hoe ze eruitzag.

'Het spijt me dat ik er zo lang over deed. Beide toiletten waren bezet – je zou kunnen zeggen dat het daarachter een staande receptie was. Ik hoop dat jullie het met elkaar kunnen vinden. Rachel was een beetje pissig op me omdat we vanavond zouden gaan bowlen...'

'Dat is iets voor Midwesterlingen,' zei Rachel. 'Dat kan hij niet begrijpen.'

Mo vroeg: '*Bowlen?* Is er een *bowlingbaan* in Manhattan?'

'We gaan naar een baan in Fort Lee, net aan de andere kant van de rivier. Ik weet dat het dom is, maar...'

Zonder erover na te denken stond Mo op en trok hij zijn jasje weer aan. 'Kom op,' zei hij. 'Laten we daarheen gaan.' Hij had nog nooit van zijn leven gebowld, maar alles zou beter zijn dan hier zitten met dit kind dat zich aan hem stoorde, proberen te bedenken wat hij moest zeggen terwijl hij zijn best deed om het er niet over te hebben hoe walgelijk het was wat hij voor de kost deed. 'We hebben toch de tijd voordat jij terug moet naar je vader? Hebben ze daar een grill? Kunnen we daar hamburgers of zo krijgen?'

Het was niet zijn bedoeling geweest om haar voor zich in te nemen, maar Rachel keek hem verbaasd en met een andere blik in haar ogen aan.

Het was eigenlijk best een leuke rit, waarbij Mo fungeerde als een reisleider voor de westkant en de George Washington Brug, terwijl Rebecca zachtjes om zijn grapjes lachte en Rachel op de achterbank hing en hem af en toe aankeek in het achteruitkijkspiegeltje. De Starbowl was een ouder gebouw in een ouder winkelcentrum, een gevel die grauw was van de vervuiling en met neonverlichting in de neo-decostijl die sindsdien allang weer uit was geraakt. Het winkelcentrum bevond zich in een uithoek van Fort Lee die twintig jaar geleden was afgesneden door de verschillende op- en afritten rond de nieuwe brug, waardoor het moeilijk was om er te komen en waardoor de hele buurt in een neergaande spiraal moest zijn geraakt.

Mo kon het niet nalaten om te vragen: 'Hoe hebben jullie deze tent gevonden?' Hij dacht: *Star Bowl? Eerder een Stofnest.*

'Kwam zo uit. Rachels vader woont maar zo'n tien minuten verderop, in Englewood. Doorgaans gaan we bowlen en zet ik haar daarna af.'

Binnen legden de dames hem de gang van zaken uit: hoe je de uitgedroogde leren schoenen huurde, met hun gladde zolen en de stank van voetpoeder, en een bal moest vinden met vingergaten in de juiste maat en met de juiste onderlinge afstand. Er waren twaalf banen, waarvan slechts ongeveer de helft werd gebruikt. De meeste andere bowlers waren forsgebouwde kerels van middelbare leeftijd en hun vrouwen met al even dikke konten. Eerst moest Mo bewust zijn schrikreflex onderdrukken vanwege de knallen van de kegels die als geweervuur door de ruimte galmden.

'Ik weet het niet,' zei hij tegen hen. 'Ik ga een behoorlijk domme indruk maken.'

Rachel keek met een begripvolle frons op haar voorhoofd om zich heen terwijl ze haar schoenveters strikte. 'Ja, maar we doen dit ironisch. De helft van de lol is dat het niets voor ons is. Het is sowieso hartstikke maf en het geeft niet als je een harkerige indruk maakt. Moet je die andere lui zien – zelfs als je er goed in bent, zie je er niet echt flitsend uit.'

Rebecca liet hem zien hoe hij zijn vingers in de bal moest steken, en vervolgens het voetenwerk, en de boog die de arm met de bal moest beschrijven. Hij vond het prettig dat ze naast hem stond, en hem voordeed hoe hij dit moest doen, om te kijken hoe haar lichaam bewoog. Eerst was hij wat gespannen omdat Rachel hem gadesloeg, maar na een tijdje besefte hij dat hij niets kon verbergen, dat de manier waarop hij op Rebecca reageerde hoe dan ook te zien zou zijn. Dus in plaats daarvan concentreerde hij zich erop om het naar zijn zin te hebben. En het bleek best leuk te zijn. Eigenlijk was het net zoiets als op de baan met een pistool schieten, op het doelwit mikken en dan een trage kogel afvuren. Bij zijn eerste worp stuiterde de bal hard en rolde hij in de goot. De tweede was niet veel beter, en even wou hij dat hij zijn pistool bij zich had, om het te voorschijn te halen en met tien snelle schoten alle koppen van de kegels af te knallen. Uitslover. Maar zijn derde bal bleef op de baan en stootte een paar kegels om. Misschien dat hij de slag toch nog te pakken kon krijgen.

Hij draaide zich om naar de bank en zag dat de dames grijnsden en zachtjes in hun handen klapten. Zoals ze daar naast elkaar zaten leken ze verontrustend veel op elkaar, ondanks het verschil in leeftijd, haar en kleren.

'Wat?' zei hij.

'We genieten gewoon van je vorm,' zei Rebecca.

'Mam!' zei Rachel kwaad, gechoqueerd. Tegen Mo zei ze: 'Je leek wel een clown. Je viel bijna om. Waarschijnlijk stond iedereen hier naar je te kijken.'

Mo liet zich op de bank neerploffen. Les één was ongetwijfeld dat je je niets van die kinderen moest aantrekken. 'Toe dan maar. Laat me maar zien hoe het moet. Laat me maar zien hoe de profs het doen.'

Rachel sprong op en nam haar bal uit het rek. 'Ik struikel tenminste niet over mijn eigen benen.' Ze glimlachte niet, maar Mo besefte dat dit niet serieus maar bijna hartelijk bedoeld was. Jezus, dit is leerzaam, dacht hij. En toen, *knal!*, kogelde de vent twee banen verderop al zijn kegels om met een kabaal waardoor Mo zich helemaal rot schrok.

'Rachel,' zei Rebecca mild, 'wees Mo een beetje genadig. Probeer aardig te zijn voor ons dertigplussers, hè?'

'We zijn *ironisch*, mam, weet je nog?' Rachel gaf haar bal een harde zwiep, waardoor de meeste kegels omgingen.

30

Toen hij weer in het huis van Carla's moeder was, deed Mo een paar vervelende karweitjes, veegde hij het stof weg en waste hij de borden. Het was moeilijk geweest om Rebecca af te zetten. Nu schoten zijn gedachten heen en weer tussen twee heel verschillende werelden. De duistere, gruwelijke ellende en dit stralende, jubelende gevoel. Hij had het gevoel alsof hij in twee afzonderlijke helften uiteenviel, licht en donker, hoopvol en hopeloos. Maar hoe het ook zij, hij voelde dat Rebecca gelijk had met het stellen van prioriteiten: Je kon niet de belangrijke dingen in je leven laten verpesten door de narigheid. Vooral in de huidige situatie, waarin hij zich steeds meer beheerst, gemanipuleerd, voelde door de omstandigheden: Flannery, dat gedoe met Grote Willie, de poppenspeler, Biedermann, zijn werk in het algemeen. Als je niet oplette, konden ze je gedachten, je leven, je toekomst overnemen. Dus moest je hun touwtjes doorknippen, je welbewust verzetten tegen hun invloed, door een mens te zijn, door vast te houden aan je menselijke prioriteiten. Door onafhankelijk te blijven.

Toen hij het vuilnis naar de bakken achter het huis bracht, bleef hij bij het hek van de achtertuin staan om de lucht op te snuiven en naar de donkere buurt te kijken. De tuinen hierachter waren breed en werden beschut door zware eiken, hadden een beetje een wilde sfeer – hij maakte een wasbeer aan het schrikken, die onder de poort door in het pikkedonker van de steeg wegvluchtte. Hij leunde op de palen van het hek en snoof de vochtige lucht diep op. Benauwd maar koeler dan in het huis. Het was overwegend stil in de buurt, maar Mo hoorde in de volgende straat de bonkende bas van een autoradio-installatie. Dat en een blaffende hond een paar straten verderop, stompzinnig en regelmatig als een machine. Het was nog maar dertig mei, en de weersvoorspellers hadden het al over een droge zomer, het broeikaseffect, El Niño die de klimaatpatronen verstoorde. Als Detta dit huis ging verkopen, of het zelfs voor lange tijd wilde verhuren, kon ze maar beter wat in een airconditioning investeren.

Bowling: moeilijk te zeggen hoe het was gegaan. Je kon zien dat het lastig zou worden om Rachel voor zich te winnen. Misschien dat hij een boek over puberpsychologie moest lezen, om een paar tips op te doen. Een slimme meid, leek in sommige opzichten op haar moeder, duidelijk vastbesloten om zelf ook de boel op stelten te zetten. Maar ze was tegen het eind wat milder geworden, had met hem gedold tewijl ze hamburgers aten in de grillbar van de Star Bowl. Hij kon zien dat het leuk zou kunnen zijn om een kind om je heen te hebben. En dan was er het moment dat Rachel naar het toilet was gegaan en hij en Rebecca even over de Pinocchiozaak, het Biedermannprobleem hadden gepraat.

Rachel was teruggekomen, had er waarschijnlijk iets van opgevangen en had gevraagd: 'Waar hebben jullie het over?'

'Eh, wij hadden het daarnet over Erik,' had Mo gezegd. 'Erik Biedermann.'

'Wie is "Erik"?' had Rachel gemelijk gevraagd.

En opeens zag Mo het belang van deze avond voor Rebecca: Wat ze ook voor Biedermann had gevoeld, ze had hem nooit aan haar dochter voorgesteld. O man. Dat voelde erg goed.

Ja, het was goed geweest om Rebecca met haar dochter te zien. Nu hij eraan terugdacht besefte hij dat het moeder zijn, de rol van de opvoedster, een groot deel was van wat haar zo aantrekkelijk maakte. Sexy, ja, grappig, intelligent, maar beslist iemand met beide voeten op de grond. Iemand die verbonden was met iets dat belangrijker was dan alleen zijzelf en haar carrière enzovoort. In tegenstelling tot al te veel mensen die Mo kende.

Hij wist niet wat voor indruk hij op Rachel had gemaakt, maar het uitstapje had hem bijna vier uur aangenaam afgeleid. Een kleine onderbreking. Maar nu, terwijl de nacht zich rondom hem verdiepte, begon het allemaal terug te komen. Geprogrammeerde moordenaars. Zieke martelrituelen. De schorre stem van Mudda Raymon: *Al de poppen*. Geheime wapenprojecten van de overheid. En het ergste van alles: niet weten wie hij kon vertrouwen, hoe het nu verder moest. In zekere zin was de inzet verhoogd doordat hij Rachel en Rebecca samen had gezien, omdat het duidelijk maakte wat er werkelijk op het spel stond. Zij had een gezin, het ging niet alleen om één iemand. Dus wat hij ook deed, hij kon Rebecca niet in gevaar brengen. Moest haar voor een deel hiervan afschermen. Maar hoe? Waarschijnlijk was het het beste als hij ontslag zou nemen bij de staatspolitie en haar zou laten ophouden met haar werk als adviseur voor de FBI. Natuurlijk zou iemand, Biedermann, hun ontslag terecht kunnen zien als een aanwijzing dat ze de grote lijnen door hadden, en zich gedwongen kunnen voelen om toch iets aan hen te doen.

Zijn gedachten gingen in kringetjes tot ze hem hadden uitgeput en het tijd was om het voor die dag voor gezien te houden. Hij ging weer naar binnen, hing de Glock in zijn holster over de stoel naast het bed en ging onder de douche. Hij begon warm en met veel zeep om het zweet van die dag weg te wassen en draaide toen geleidelijk de koude kraan open en bleef eronder staan tot zijn bloed was afgekoeld. Hij droogde zich af, voelde zich beter, niet meer zo benauwd.

Hij had de lichten uitgedaan en een T-shirt over de wekkerradio gehangen en lag in de pikdonkere slaapkamer toen hij zich vaag bewust werd van een zacht geluidje. Het grote huis tikte en kreunde altijd als het 's avonds afkoelde, en soms zaten er muizen achter de muren, getrippel dat kwam en ging. Maar dit was een krakend geluid, het gefluisterde klagen van hout dat doorboog onder een gewicht. Hij hield zijn hoofd schuin om het beter te horen, maar hoorde lange tijd niets. Hij had zich er net van overtuigd dat hij gewoon schrikachtig was toen hij het weer hoorde, het piepen van planken die tegen elkaar aan kwamen. Een vloerplank. Meteen leek de sfeer in het huis anders: alsof er iemand was, alsof er iemand keek.

Zijn ogen waren nog steeds niet gewend aan het donker. Het enige wat hij kon zien was de duisternis van de kamer, versluierd door de mist van de lichtringen in zijn oogbollen. Hij bewoog heel traag zodat hij geen luid maakte met het beddengoed en tastte naar de stoel. Naar de Glock die daar hing. Zijn vingers vonden de nylon band, volgden die naar de holster. Die leeg was.

'Wind je niet op,' zei een stem.

Het was Biedermann. In een flits voelde Mo een golf van warmte door zich heen gaan terwijl hij besefte hoe stom hij was geweest, hoe hij zijn waakzaamheid had laten verslappen. Hoezeer hij Biedermann had onderschat. Hoe stom hij was geweest om zo lang onder de douche te blijven, doof en blind. Iedereen had met een stormram door de voordeur binnen kunnen komen, zonder dat hij er ook maar iets van had gemerkt.

Biedermann knipte het licht aan het plafond aan. De grote man stond in de deuropening, met Mo's Glock in beide handen. Toen Mo's ogen aan het licht gewend waren, zag hij dat Biedermann een donkergrijze coltrui, een zwarte spijkerbroek en zwarte handschoenen droeg en een zeer alerte indruk maakte. De man had stalen zenuwen en wist hoe hij met vuurwapens om moest gaan: de stalen cirkel van de loop week nog geen millimeter van Mo's linkeroog waar hij op gericht was.

'Ga zitten,' beval Biedermann.

Mo hees zich overeind, probeerde niet al te duidelijk naar de linkerkant van het bed te schuiven, waar hij de kleine Ruger.22 onder de rand van de matras bewaarde. 'Hoe ga je het doen, Biedermann? Ga je proberen om het op zelfmoord te laten lijken? Of gaan we het poppenspel spelen?'

'We zullen wel zien. Op dit moment gaan we praten.' Biedermann kwam één stap dichterbij, ging in het midden van de kamer staan, op zijn hoede als een wilde kat.

'Waarom ben je hier?'

'Denk je echt dat ik mijn personeel niet beter in de gaten hou? Het was nogal duidelijk dat Rebecca donderdag mijn agenda had doorgenomen. Toen ze in de vergaderzaal terugkwam, zag ze eruit alsof ze een geest had gezien en ik weet dat we die niet hebben in de toiletten op de vierentwintigste verdieping. Ik ken haar ook goed genoeg om te weten dat ze dat niet zelf had bedacht. Sommige mensen zijn van nature slinks. Daar hoort Rebecca niet bij.'

Mo maakte een gebaar van: *wat moet je dan?* en liet zijn handen hulpeloos op het bed vallen, de linkerhand vlak bij de rand van de matras. Vijftien centimeter van het andere pistool. Hij zou van het bed af rollen, weg van Biedermann. In zijn val de Ruger pakken, boven komen en schieten.

Biedermann zei: 'Vertel me eens hoe ver jullie zijn. Wat jullie menen te weten.'

Dat was goed, dacht Mo, Biedermanns behoefte om te kletsen, om uitleg te geven. Hem maar een heel klein beetje afleiden, net genoeg tijd om te rollen, zich te laten vallen, een uitval te doen en te vuren.

'Dat je de leiding had over een geheim doodseskader in Vietnam. Dat je een getrainde, geconditioneerde moordenaar bent, dat je een proefkonijn was in een geheim medisch project. Dat je hier iets doet, dat je je invloed hebt aangewend om ermee door te gaan, dat je jezelf in een perfecte positie hebt gebracht om je sporen uit te wissen.'

Biedermanns blik was ondoorgrondelijk. 'Jeetje, heel goed. Ooit zou ik graag horen hoe jullie dit alles te weten zijn gekomen. Maar ga door.'

Nu hing Mo's hand iets over de rand van de matras, tien centimeter van het pistool. Moest rollen en het in één beweging pakken. 'Dat je goddomme een mutant bent. Een soort androïde, gebouwd om te moorden. Dat je het leuk vindt om mensen vast te binden.'

'Ik geloof zowaar dat je me probeert te provoceren!' zei Biedermann, verbluft en enigszins geamuseerd. 'Maar voordat we verder gaan, vergeet die kleine Ruger.22. Omdat ik die ook heb gepakt, terwijl jij onder de douche stond. Ik dacht dat jij het soort vent zou zijn dat er nog eentje bij de hand zou hebben.'

Mo's adem stokte. Opeens had hij geen plan meer. Biedermann stond drie meter bij hem vandaan, had de pistolen, was groter en waarschijnlijk veel beter getraind in een gevecht van man tegen man. *Het leven is rot en dan ga je dood*, dacht Mo, terwijl een deel van hem slechts het gevoel had van: *wat kan het verdommen?* De aandrang om op te stappen, te vertrekken, ging verder dan alleen zijn werk, besefte hij. Gewoon de pijp uitgaan, zich onttrekken aan alle verplichtingen, genoeg van al het gezeik.

'En verder, rechercheur?' drong Biedermann aan.

'Waarom doen we zo moeilijk? Toe dan, ga je gang. Of is het een deel van de kick van de macht dat je mij laat praten? Is dat het?'

'Waarom ga je niet verder, voor het geval het een deel van de kick is. Vertel me waaróm ik al die akelige dingen doe.'

'Omdat je hersenen veranderd zijn en je nu een machine bent die een beetje kapot is. Je bent een van de proefkonijnen die niet met succes in de normale maatschappij zijn "geherintegreerd".'

Biedermann schudde zijn hoofd, leek een beetje beledigd. 'Rebecca. Jeetje, Bec, bedankt dat je zo'n hoge dunk van me hebt. Dus jullie hebben iets met elkaar. Leuk voor jullie – dat was me even ontgaan. Jeetje, ik ben een beetje jaloers. Ze is een geweldige meid.'

'Laten we hier een eind aan maken. Ik ga nu opstaan en als je me niet neerschiet, zal je met me moeten vechten.' Mo bewoog zich naar de zijkant van het bed, zwaaide zijn voeten over de rand en wachtte op het schot van Biedermann.

Maar Biedermann verbaasde hem opnieuw. Hij liet de Glock in zijn hand ronddraaien en wierp hem op het bed. Mo keek ernaar, naar de kuil die het gewicht in het beddengoed veroorzaakte. Hij kon er makkelijk bij.

'Toe maar,' zei Biedermann. 'Pak hem maar. Maar we hebben nog steeds veel te bespreken.'

Mo greep het pistool. Te oordelen naar het gewicht was het helemaal geladen. Biedermann keek naar hem en keek toen achter zich. Hij trok Mo's bureaustoel naar zich toe en ging erop zitten, terwijl hij met zijn onderarmen op zijn knieën steunde.

'Doorgaans ga ik niet zo op een nachtelijk bezoek,' zei Biedermann. 'Beetje gevaarlijk bij iemand als jij. Maar jij hebt dingen ontdekt en het is tijd dat we met elkaar praten. Mijn kantoor is niet de juiste plaats om alles te vertellen, onder de gegeven omstandigheden. Wil je horen wat er aan de hand is? Je kan het pistool wel een tijdje op me gericht houden, zodat we weer quitte staan, als je je dan beter voelt.'

Mo overwoog het, besloot dat hij het niet nodig vond. Hij legde het op het nachtkastje, begon wat kleren aan te trekken. 'Oké. Vertel me dan maar wat er aan de hand is.'

'Wat ik je ga vertellen moet geheim blijven. Ik heb twee, nee, drie keuzes, en ik probeer te doen wat juist is. De ene keuze is om het jou te vertellen, je erbij te halen, gebruik te maken van jouw intelligentie. De andere is om je buiten spel te zetten, misschien zorgen dat er meer belangstelling voor die zaak met Grote Willie komt, zorgen dat je eruit gegooid wordt zodat je geloofwaardigheid naar de kloten is en je mij niet meer voor de voeten loopt.'

'Wat is de derde keuze?'

'Je elimineren,' zei Biedermann tegen hem. Hij zei het zonder woede of uiterlijk vertoon, en Mo moest wel geloven dat het werkelijk een optie was die hij had overwogen. 'Geheimhouding is bij deze zaak nogal belangrijk.'

Mo trok zijn broek en een T-shirt aan en ging op het bed zitten terwijl Biedermann het een en ander verklaarde. Het grote huis was donker rond die ene kamer, het licht aan het plafond deprimerend, de lucht benauwd en verstikkend.

'Je hebt gelijk. Ik heb een aantal teams in Vietnam en Cambodja gerund. Niet echt een geheim na al die pers afgelopen jaar, hè? Jij hebt gelijk – Rebecca heeft gelijk – het gaat om een experimenteel psychologisch programma van het leger. Het programma was bedoeld om gespecialiseerde soldaten te maken voor bijzondere missies door wijzigingen in hun neuropsychologische dispositie. Maar ik was niet een van hen.'

'Wie waren die kerels?'

'Sommigen waren gedetineerden die een deal maakten in ruil voor hun medewerking, de meesten waren gewoon dienstplichtigen. Maar je neemt niet zomaar gewone kerels om die in menselijke kruisraketten te veranderen. Dit waren kerels wier achtergrond suggereerde dat ze goed materiaal zouden zijn. De medische jongens letten erop of ze als kind misbruikt waren, gewelddadige neigingen hadden, in hun jeugd waren opgepakt voor misdrijven zoals brandstichting of dierenmishandeling. Soms kerels die reeds neurologische aandoeningen hadden waardoor ze, eh, bepaalde sociale remmingen misten.'

Mo voelde zijn woede oplaaien. Het was allemaal zo monsterlijk. 'En als ze toevallig niet de juiste neurologische aandoeningen hadden, dan zorgde jij ervoor dat ze die kregen, chirurgisch, dan...'

Biedermann stak zijn hand op. 'Dat heb ík helemaal niet gedaan, achterlijke idioot! Snap je het niet? Ik was godverdomme de schóónmaker!' Mo zag dat dit hem zelf ook best hoog zat. 'Achter wie denk je dat mijn eenheid in Cambodja aanging? Ja, wij hebben Amerikanen vermoord. Het was geen lolletje, geloof me. Maar het programma, het experiment, ging de mist in. De neuropsychologische wijzigingen veroorzaakten psychoses die niemand had voorzien. Dit waren kerels wier signáál gestoord raakte, snap je wat ik bedoel? Kerels die wisten hoe ze zo'n beetje iedereen overal moesten omleggen, die niet bang waren om zelf te sterven terwijl ze hun werk deden, maar die niet meer reageerden op de mensen die hen controleerden. Die vreselijk gevaarlijk waren en zich makkelijk tegen hun trainers konden keren, bij wie ook, óók, niet het risico kon worden genomen dat ze vrij rondliepen. En, ja, dat geef ik toe, kerels die een bijzonder onverkwikkelijk regeringsgeheim konden onthullen; iets wat de publieke opinie ten aanzien van de oorlog kon beïnvloeden. Ja, het was een zootje, *en ik had godverdomme de leiding over de schoonmaakploeg. Dat heb ik nog steeds.*'

Biedermanns ogen fonkelden; de meeste intense en oprechte emotie die Mo tot dusver in hem had gezien. Ongewild voelde Mo even iets van medeleven. Biedermann had een lange, eenzame, ondankbare carrière gehad met het opruimen van de smerigste zootjes van zijn land. Een man die leefde in het sociale equivalent van het niemandsland waar Laurel Rappaport was gestorven – een enge, vervuilde wereld waar de gruwelijke geheimen van een hele maatschappij zich afspeelden. Een wereld die zich overal om je heen bevond, altijd dichtbij was, maar waarvan niemand wilde toegeven dat hij bestond. De man was niet te benijden.

Als het waar was wat hij zei. Maar Mo kon niet ontkennen dat door het verhaal een hoop stukjes op hun plaats vielen: de plotselinge wijzigingen in zijn aanstellingen, de hoorzittingen van het Congres waarop hij sprak, dat geheim agent Zelek bij besprekingen aanwezig was.

'Zelek – hoort hij bij jouw... schoonmaakploeg?'

Biedermann knikte. 'Technisch gezien mijn baas. Hoewel dat soort verschillen vervagen. Nu ik eraan denk, zou ik graag willen dat wij eens met z'n drieën de koppen bij elkaar steken om dit uit te zoeken. Binnenkort.'

'En, hoe zit het dan: is deze man die moorden imiteert een, een proefkonijn, een kruisraket, die is teruggekomen, die nu wordt ingehaald door zijn training of conditionering of wat het ook is?'

'In wezen wel, ja. Meer dan de helft van de oorspronkelijke proefpersonen zijn terug naar huis gebracht. Zij werden door middel van intensieve, langdurige therapie opnieuw geconditioneerd. Zij hebben alle kans gekregen om een normaal leven te leiden...'

'Maar bij sommigen van hen "pakte" het niet. Hoeveel?'

'Dat is vertrouwelijke informatie.'

'Hoeveel heb je er moeten... "opruimen"?'

'Vertrouwelijk.'

'En je wist op de een of andere manier dat Howdy Doody in New York aan het moorden zou slaan. Daarom werd je hierheen overgeplaatst. Hoe wist je dat?'

'Je hebt gelijk, maar ook dat is vertrouwelijk. Ik haal je erbij, rechercheur, maar je hebt geen betrouwbaarheidsverklaring en ik haal je niet overal bij. Dat moet je niet persoonlijk opvatten – zelfs mijn mensen van de FBI krijgen niet alles te horen. Geloof me, dat wil je ook niet. Maar je kunt het wel vergeten dat je mij kan aanpakken.' Biedermann stond op, rekte zijn brede schouders. Een bijzonder fitte man voor iemand van halverwege of achter in de vijftig, besloot Mo. Een van die zeldzame exemplaren. Maar hij maakte een vermoeide indruk, de strakke huid rond zijn ogen, iemand die te veel aan zijn hoofd had. 'En nu moet ik gaan. Morgen is het een grote dag en ik ben bekaf. Ik had al in bed moeten liggen.'

Mo stond met hem op. Vlak onder het oppervlak van zijn bewustzijn knaagden er een paar gedachten en wederom was hij op zijn hoede. 'Wat moet ik nou doen? Nu je me dit verteld hebt?'

Biedermann trok een vermoeid gezicht. 'Je moet me helpen en niet beginnen om mijn operatie te verzieken. Je moet mij gebruik laten maken van jouw talenten maar niet om meer informatie of een grotere rol vragen dan ik je kan toestaan. Ik had vanavond maar drie keuzes, rechercheur. Ik kon je niet de boel in het honderd laten sturen en misschien wat dingen aan het licht laten brengen die niet, absoluut niet, aan het licht mogen komen. Dus ik kon je vermoorden, of je een hoop sores bezorgen zodat je het te druk hebt om me lastig te vallen – en geloof me, in beide gevallen zou ik het gevoel hebben dat ik volledig in mijn recht stond. Of ik zou je om je medewerking kunnen vragen. Ik heb voor dat laatste gekozen omdat ik mijn uiterste best doe om de vergissingen die in het verleden zijn gemaakt niet nog erger te maken. Dus werk een beetje mee, hè?'

Biedermann draaide zich om en Mo volgde hem naar de donkere keuken. Het schijnsel van de straatverlichting aan de voorkant drong daar door en gaf alles een metalige blauwe gloed.

'Hoe kan je in godsnaam zo wonen?' vroeg Biedermann over zijn schouder.

'Het is een tijdelijke situatie.'

'Dat mag ik goddomme hopen. Zeker iets met een relatie, hè?' Biedermann liep de lege woonkamer in en keek om zich heen. 'Kon wel een leuk huis zijn, als je wat meubels had.' In de hal zei hij: 'Wat vindt Rebecca ervan dat jij in dit mausoleum woont? Heb je haar hier al uitgenodigd? Verzorgde etentjes bij kaarslicht, van die romantische dingen?'

'Dat is vertrouwelijke informatie.'

'Grappenmaker.' Biedermann deed de voordeur open.

'Ga je me de Ruger nog teruggeven?'

Biedermann draaide zich in de schemerige hal naar hem om, een groot donker silhouet met een aureool van stekeltjes in de deuropening. 'Ah,' zei hij ongeïnteresseerd. 'Die ligt daar nog. Ik heb hem gewoon naar het midden van de matras geschoven zodat je er niet snel bij kon.'

Tegen de tijd dat Biedermann weg was, was het na enen. Mo ging kijken en vond de Ruger inderdaad. Zijn hoofd gonsde. Biedermanns verklaring klonk waarachtig, maar er was een groot probleem, en nu hij eraan terugdacht, kwam hij tot de slotsom dat de FBI-agent welbewust hun gesprek had beëindigd, had besloten dat het tijd was om te gaan, toen ze daar te dichtbij waren gekomen. Oké, misschien was Pinocchio inderdaad een voormalig proefkonijn van wie Biedermanns eenheid op de hoogte was en die zij moesten grijpen. Maar wie was Ronald Parker in godsnaam? Wat had hij ermee te maken? En waarom bediende de nieuwe moordenaar zich van een identieke werkwijze?

Wie was Ronald Parker? Rebecca had gelijk, het was tijd om hem onder de loep te nemen. Omdat één ding zeker was: Ronald Parker was geen Vietnamveteraan. Als Mo het zich goed herinnerde, was hij maar eenendertig. Hij was nog maar vijf toen er een eind kwam aan de oorlog in Vietnam.

31

Mo zat in Ty's kantoor in het bureau in de Bronx. Hij voelde zich gefrustreerd en zijn kleren raakten langzaam doorweekt van het zweet – het gebouw was te oud om een centrale airco te hebben, en die bij Ty's raam was kapot. Hij nam Ty's papieren over Ronald Parkers slachtoffer in de Bronx aandachtig door, op zoek naar ideeën. Het was allemaal routine, dossiers die relevant waren voor het naderende proces tegen Parker, maar waar Mo niets nieuws van opstak. In een opslagruimte in de kelder lagen nog meer pakken papier, zei Ty tegen hem, maar dat was slechts de gebruikelijke droesem van elk onderzoek. Het was nutteloos, maar het werd vastgehouden voor de duur van het proces op grond van de Rosario-richtlijnen.

Ty zat aan zijn bureau te werken, een donker, boos gezicht tussen bijna omvallende stapels papieren. Hij moest aan Mo's lichaamstaal diens frustratie hebben afgelezen. 'Ik wil niet neerbuigend klinken, maar misschien zou het helpen als je wist waar je in godsnaam naar op zoek was.' Het was de eerste keer dat een van hen in meer dan een uur iets had gezegd.

'Ach. Ik ben aan het vissen.' Mo schopte een dossierla dicht en bleef er wrokkig naar kijken terwijl hij de knopen uit zijn schouders probeerde te rollen. 'Kom op, Ty. Zeg dat je iets voor me hebt. Een smeuïg nieuwtje.'

Ty keek hem alleen maar aan: *waar heb je het in godsnaam over?*

Mo verduidelijkte: 'Iets dat je aan deze zaak dwarszit. Een onbeduidend detail dat de hele tijd in je oor blijft fluisteren. Iets dat niet klopt.'

'Daar heb ik je alles al over verteld,' zei Ty. Maar toen leek hij erover na te denken en tot Mo's verbazing knikte hij. 'Maar, oké, ja, 'k heb er nog eentje voor je. Misschien. Wat betreft de knopen.'

Mo spitste zijn oren.

'Toen deze zaak net in onze schoot viel heb ik de knopen heel aandachtig bestudeerd. Ik dacht dat ze me vertrouwd voorkwamen maar wel zo bijzonder waren dat ze ons misschien iets zouden kunnen vertellen. Een van mijn mensen is goed in dat soort dingen, dus liet ik het hem natrekken. Blijkt dat het militaire knopen zijn. Niet heel bijzonder, maar hij vond ze allebei in een oud technisch handboek van het leger – zou ergens in de dossiers moeten staan. De ene heet een kattenpoot, dat is de schuifknoop aan de ledematen van het slachtoffer. De andere is een oogsplits, waardoor je een lijn vanuit het midden strak kan trekken. Heeft misschien niets te betekenen, maar het zou ons misschien ook iets bruikbaars kunnen vertellen.'

'Juist,' zei Mo. Het was waar: knopen waren een hele forensische wetenschap op zich en konden veel onthullen over een moordenaar – zijn achtergrond, professionele training, gemoedstoestand, zelfs of hij rechts- of linkshandig was. Hij had een blik in het gehavende handboek in Ty's dossiers geworpen, *Legerpublicatie* TM5-725, gepubliceerd in 1968.

'Dus ik zeg het een keer tegen Biedermann, weet je wel, dat de militaire connectie misschien suggestief is. Hij zegt tegen me dat hij erop zit, dank je vriendelijk en donder op. Einde gesprek.'

'Wat is het probleem dan?'

'Alleen dat ik nooit enige gedetailleerde verwijzing naar de knopen heb gezien, met de namen of de oorsprong, in al het materiaal van de speciale eenheid. Weer iets dat Biedermann voor zich houdt. Je moet je toch afvragen waarom.'

Mo knikte. Ty had alweer gelijk, details omtrent de herkomst van de knopen zouden een belangrijkere plaats in het onderzoek moeten innemen. Mo had er geen enkele verwijzing naar gezien, zelfs niet in het dossier dat hij special agent Morris laatst uit haar handen had gerukt. Hij wou dat hij Ty kon vertellen wat hij wist: de militaire connectie was steekhoudend in het licht van de onthullingen van afgelopen nacht, over de legerprogramma's voor gedragsverandering, de menselijke kruisraketten. En het was ook logisch dat Biedermann in dit geval de feiten strikt voor zich zou houden en het bespreken van de knopen tot een minimum zou beperken.

Het beste wat hij kon was nog een keer knikken en zijn schouders ophalen: *wat doe je eraan?* Ty haalde ook zijn schouders op: *de wereld barst van de klootzakken*, en boog zich weer over zijn werk. Mo trok de volgende dossierlade open.

Maar na nog drie uur besloot hij dat hij het had gehad. Hij was nog niet aan het Rosario-materiaal in de kelder toegekomen, maar dat zou maar tot een volgende keer moeten wachten. Het was sowieso tijd om te nokken.

Hij nam afscheid van Ty en liep met knipperende ogen naar buiten in de namiddagzon en de drukte van de Bronx. Hij was overgestoken en liep naar zijn auto toen een glimmende zwarte Chrysler met een federaal nummerbord en donker getinte ramen voor zijn voeten stopte. In het zijraampje aan de achterkant verscheen vanuit het schemerige interieur als een duveltje uit een doosje een bleek, driehoekig, buitenaards gezicht.

Anson Zelek.

Het raampje zoefde naar beneden en het kleine mondje van het wezen glimlachte. 'Goedenavond, rechercheur Ford,' zei hij. 'Wat een gelukkig toeval dat ik u hier tref. Heeft u een paar minuten?'

Om de een of andere reden was Mo niet heel erg verbaasd. Hij nam niet de moeite om te vragen hoe ze hadden geweten waar hij was, pakte slechts de deur toen die openging en stapte in. Zelek gaf hem een hand die Mo met tegenzin schudde. Een smalle, zachte hand met een weke greep. De auto was maar iets langer uitgevoerd, lang genoeg voor een klein uitklapbaar bureautje en een scheidingswand van dik veiligheidsglas tussen het passagiersgedeelte en de zitplaats van de chauffeur. Mo wierp een blik op de chauffeur, een grote, uitdrukkingsloze vent die zijn hoofd niet omdraaide. Zelek zei niets tegen de chauffeur, die zijn instructies al moest hebben gekregen. De elektrische deursloten klikten dicht toen ze optrokken.

'Ik zal niet veel van uw tijd in beslag nemen,' zei Zelek. Zijn stem was zalvend, de stem van een dokter aan een ziekbed. 'Erik Biedermann heeft me verteld dat u en hij gisteravond een praatje hebben gemaakt. Ik dacht dat ik daar nog even op terug moest komen.'

'Ja – een "praatje".'

'Hij zegt dat u en dr. Ingalls veel nieuwsgierigheid en inzicht hebben getoond met betrekking tot de poppenmoorden. Dat hij u een overzicht heeft gegeven van de werkelijke omvang van het probleem en heeft uitgelegd waarom uw medewerking zo uitermate belangrijk is.'

'Dat is het wel zo'n beetje, ja.'

Zelek knikte en knipperde langzaam en instemmend met zijn grote, amandelvormige ogen. Van zo dichtbij leek hij iets menselijker, waren zijn ogen niet echt zwart maar donkerblauw, was zijn huid doorgroefd met dunne rimpeltjes, was zijn witte haar zo dun dat zijn grijze schedel erdoorheen te zien was. Voor in de zestig, schatte Mo. De handen die kalmpjes op zijn dij lagen waren ook gerimpeld, maar schoon en behendig en perfect gemanicuurd, de handen van een chirurg.

'Wat ik vanavond graag zou willen is u zelf een beetje leren kennen en ook om u wat meer inzicht in de achtergrond van de situatie te geven...'

'Weet u,' onderbrak Mo hem. 'Het is interessant om iemand te leren kennen die niet bestaat. Die geen verleden heeft. Dat is voor mij de eerste keer.'

De implicatie ontging Zelek niet, dat Mo zijn naam had opgezocht, en zijn ogen vernauwden zich enigszins. Hij deed de aktetas op de bank tussen hen in open en haalde er een stel mappen uit, waarna hij tegen de deur leunde en snel een aantal pagina's doorlas.

'Over verledens gesproken,' zei Zelek, 'dat van u is interessant. Opleiding in de letteren, belangstelling voor geschiedenis, filosofie, de humaniora. Een schijnbaar paradoxale beslissing om bij de staatspolitie te gaan. Maar aan de andere kant, moet je dit zien: eervolle vermeldingen tijdens dienst in uniform, prijzen voor scherpschieten – uitmuntende schutter, ik ben erg onder de indruk – en als rechercheur diverse lofprijzingen voor wat zo te zien geweldig werk is. Máár, maar: disciplinaire problemen, meningsverschillen met superieuren, hm, een aanklacht wegens misbruik van bevoegdheid, enkele verdachten gedood in de loop van een onderzoek wat leidde tot een onderzoek van Interne Zaken en de aanklachten die op dit moment tegen u lopen. Persoonlijke gegevens, eens kijken: ongetrouwd, een reeks relaties die...'

'Ik begrijp wat u bedoelt. U heeft uw huiswerk gedaan. Mijn leven is een open boek. En wat dan nog?'

Zelek borg de dossiers weg en zweeg even terwijl hij door het raampje naar het getinte landschap van de Bronx keek. De auto reed nu naar het noorden over Third Avenue, het verkeer reed aardig door voor een spits, en Mo vroeg zich even af waar ze heen gingen. Waar het ook mocht zijn, het was duidelijk van tevoren geregeld.

Zelek draaide zich weer om en hield zijn hand verzoenend op. 'Mijn bedoeling is niet om u te bekritiseren. Erik, tja, eerlijk gezegd, als Erik naar dit dossier kijkt, dan ziet hij een onvoorspelbare rechercheur, een lichtgeraakt iemand met een twijfelachtig respect voor autoriteiten. Misschien een risico voor de geheimhouding van onze missie. Maar ik zie iets anders – ik zie een intelligente, talentvolle man die te integer is om pietluttige bureaucratische obstakels te verdragen, of de... ethische compromissen... die het werk soms vereist. Een van die zeldzame individuen die zich waarachtig aan het recht en de rechtvaardigheid heeft gewijd. Met andere woorden, het soort iemand dat ons huidige probleem in het juiste licht kan bezien. Bij wie men ervan op aan kan dat hij het juiste zal doen.'

Mo moest glimlachten omdat het verkooppraatje er zo dik bovenop lag. Hij leunde achterover op de comfortabele leren bank, kruiste zijn armen achter zijn hoofd. 'U weet me verdomd subtiel te bespelen. Ik neem aan dat u me gaat vertellen wat het juiste is?'

De grote, kalm afstandelijke ogen bleven op Mo's gezicht rusten. 'Laat ik eens kijken of ik kan samenvatten wat u en dr. Ingalls voelen. Wat moeten jullie doen? Jullie zijn op iets gestuit dat groot en complex en onfris is. Jullie zijn eerlijke burgers, en al jullie instincten schreeuwen erom dat jullie actie ondernemen. Maar welke? Geen leek is ooit voorbereid op de verregaande intriges waarmee staatsveiligheidskwesties gepaard gaan. Jullie hebben het gevoel dat jullie zelf gevaar lopen, weten niet wie jullie moeten vertrouwen – zoals blijkt uit jullie meer dan terloopse belangstelling voor Erik – of aan wie jullie het moeten vertellen. Hoe jullie met jullie onderzoek verder moeten. Welke kanalen of mechanismen een burger kan benutten om iets aan een probleem als dit te doen. Naar de pers gaan? Mm, nee – althans, nog niet. Naar de autoriteiten gaan? Misschien, maar welke? Civiele, militaire? Trouwens, wie zal jullie geloven? En zouden jullie risico lopen als jullie erover zouden praten? En als dat zo is, wat voor risico – alleen maar spot en verspeelde geloofwaardigheid? Of regelrecht, hm, fysiek gevaar?'

'Het is duidelijk dat dat allemaal klopt. Daaruit maak ik op dat u, A, een achtergrond in de psychologie heeft. Of, B, dit gesprek al eens eerder heeft gevoerd. Of allebei, juist?'

Weer negeerde Zelek hem. 'En misschien, heel misschien, heeft u gedacht: Misschien is het echt beter om mijn mond hierover te houden. Misschien zou de deining die ik maak een belangrijke overheidsmissie in gevaar brengen, waarvan ik, uiteindelijk, ook vind dat hij doorgang moet vinden. Ik hoop werkelijk dat die gedachte althans in u is opgekomen.'

Mo knikte. Dat was zo. Nog een factor die bijdroeg aan zijn besluiteloosheid.

Third Avenue ging over in Boston Road en ze bleven noordwaarts rijden door een dicht bebouwde, bonte, stinkende winkelwijk. Mo had verwacht dat de auto zou omkeren, om een cirkel te beschrijven terwijl ze praatten.

'Mag ik vragen waar we heen gaan?' vroeg hij. 'Ik heb wat plannen voor later.'

Zeleks mond vormde een volmaakt cherubijnenglimlachje onder aan het driehoekige gezicht. 'Daar heb ik begrip voor. Ik zit zelf ook krap in mijn tijd en daarom dacht ik dat we wat konden babbelen terwijl ik een van mijn wekelijkse karweitjes doe. Rechercheur Ford, wat ik wil benadrukken is dat *dit de laatste is*. We hebben het nauwkeurig... bijgehouden... dat kan ik u verzekeren. Het is een lange, zeer lange ruk geweest. Maar nu is hij bijna ten einde – als en wanneer we die ene laatste, gestoorde moordenaar te pakken krijgen. Zou het niet aardig zijn om dit nogal duistere hoofdstuk van de Amerikaanse geschiedenis af te sluiten? Er zijn vergissingen gemaakt, maar er zijn ook lessen geleerd, en nu *is het eindelijk bijna afgelopen*. Wat voor zin zou het hebben om het aan de grote klok te hangen?'

'Dus u wilt dat ik mijn mond erover hou. En verder?'

De auto reed door, Southern Boulevard op, en Mo besefte dat ze langs de zuidelijke kant van de Bronx Zoo en de botanische tuin kwamen. Tot zijn verbazing reden ze een dienstinrit van het dierentuincomplex in. De chauffeur draaide zijn raampje naar beneden en zei iets tegen een bewaker, die een poort opendeed zodat ze erdoor konden. Toen waren ze binnen en volgden ze een bochtige laan tussen de grote bomen en de bakstenen gebouwen van de dierentuin door. Het was na sluitingstijd en het terrein was verlaten, afgezien van af en toe iemand van het personeel, te voet of in een groen, driewielig karretje. De auto reed ten slotte tussen twee gebouwen door en parkeerde daarachter tussen diverse andere auto's, enorme groene containers, metalen loodsen en waterbakken en andere rommel die je zou verwachten op plaatsen waar men grote dieren verzorgt.

De chauffeur stapte uit, zette een zonnebril op, liep om naar de kofferbak en deed die open. Toen hij hem nu zag, wist Mo dat hij niet slechts een chauffeur was. Zelek stapte aan zijn kant uit en boog zich voorover om zijn gezicht weer in de deuropening te steken. 'Dit is mijn maandagavondritueel. Ik heb heel weinig tijd, maar ik wilde u heel graag spreken en ik dacht dat we dat konden doen terwijl we dit deden. Zogezegd twee vliegen in één klap.'

Mo stapte uit. De dierentuin was een eiland van relatieve rust, aan alle kanten omgeven door het geraas van de metropool, een stilte die alleen af en toe werd doorbroken door een rauwe kreet van een of andere junglevogel. De chauffeur liep rond de auto met een grote kartonnen doos, en Zelek leidde hen tussen een stel loodsen door in de richting van de dienstingang van een van de hoofdgebouwen. Mo was een hele tijd niet naar de dierentuin geweest en hij was nog nooit via de achterkant gekomen, maar het muntje viel toen ze dichterbij kwamen en hij de geur opving: het Reptielenhuis. Nooit zijn favoriet. Hij hield meer van dingen met een vacht en enige lichaamswarmte.

Zelek drukte op een bel naast de deur en wachtte, met nog steeds een vage glimlach op zijn gezicht. De chauffeur stond met de grote doos tegen zijn borst. Iets ritselde binnenin, vacht tegen karton, toen het schrapen van nagels.

Toen de deur openging gaf Zelek iemand van het dierentuinpersoneel een hand, een knappe jonge vrouw die een besmeurd schort over een lichtblauw uniform droeg. Ze praatten even, knikten, glimlachten. De chauffeur staarde met zijn zonnebril naar Mo en gebaarde met zijn kin naar Zelek. 'Meneer Belmont is een enthousiast lid van de New York Lepidosauriërs Vereniging.'

'Meneer Belmont,' zei Mo.

'Dat zijn slangen en hagedissen,' legde de chauffeur uit. Een klein grijnsje.

Maar het personeelslid van de dierentuin was weer naar binnen gegaan en nu liepen ze allemaal op een rij het gebouw in. De geur was hier sterker, een mengeling van vochtig beton, snippers cederhout voor op de bodem van de terraria, fecaliën, en de scherpe muskusgeur van geschubde lijven. Toen de geur tot hen doordrong begon wat het ook was dat in de doos zat heftiger te krabbelen, een paniekgeluid.

'Zullen we Annette vandaag de honneurs laten waarnemen?' riep Zelek-Belmont naar de chauffeur achter zich. 'Rechercheur Ford en ik hebben nog meer te bespreken en ik wil dat hij het goed kan zien.'

Ze stonden in een flauw verlichte gang die door het hele gebouw liep, met vele deuren aan weerskanten. Mo besefte dat ze zich achter de schermen bevonden, in het dienstgedeelte achter de kooien van het Reptielenhuis. De zijdeuren aan de linkerkant moesten naar de kooien leiden. Aan de rechterkant waren andere ruimtes: opslaghokken, behandelkamers voor de dierenarts, extra hokken met kooien van metaaldraad. De reptielengeur was overweldigend en Mo wilde tegen Annette zeggen: *wat doet een leuk meisje als jij op zo'n plek?* Maar zij was vrolijk met Zelek aan het keuvelen, een medereptielenfan.

Aan het eind van de gang gingen ze door een andere deur naar het publieke gedeelte van het gebouw. Het was een hal met vloerbedekking en vertakkingen, flauw verlicht maar smaakvol aangekleed en goed geventileerd. In de enorme solariumkooi aan hun rechterhand lagen twee enorme, lethargische krokodillen als omgevallen boomstammen in een ondiepe poel. Toen gingen ze een nog smallere gang in en gaf de chauffeur de doos aan Annette, die door een andere dienstingang verdween. Zelek leidde hen langs een rij glazen hokken en bleef ten slotte voor een groot hok staan. De chauffeur ging tien meter verderop staan en maakte opeens een bijzonder waakzame indruk. In functie.

Het duurde even voordat Mo de slang zag. Het grote lijf was gevlekt met onregelmatige bruine en zwarte ruiten en goed gecamoufleerd tegen de kunstrotsen en de dode boomstronken. Toen zag hij een tweede slang, in de schaduw onder een overhangend gedeelte. Deze was nog groter en had een lijf dat dikker was dan Mo's dij.

Zelek wees ze aan. '*Python reticulatus.* De grootste van de *Ser-*

pentes. Die grote is Samantha, misschien wel de grootste slang in gevangenschap, acht meter tien en honderdachttien kilo. Ik heb een zwak voor de familie van de *Boidae*, de wurgslangen. Ze zijn duur om te houden en de dierentuin krijgt veel financiële steun van onze kleine vereniging. Bovendien is Annette, die lieverd, net zo gecharmeerd van de *Boidae* als ik. Daarom mag ik helpen om ze te voederen.'

De slangen verroerden zich niet. Ze hadden nep kunnen zijn, van hetzelfde gips als de rotsen. Een soort roerloosheid waartoe alleen een koudbloedig dier in staat was, dacht Mo.

'Maar ik heb uw vraag nog niet beantwoord,' vervolgde Zelek. Hij bleef in de kooi staren alsof hij zijn ogen niet van de slangen af kon houden. 'Wat wij willen dat u doet? Nou, precies wat Erik u al heeft gezegd. Ons helpen met de forensische kant van de zaak, in elk geval doorgaan met uw uitstekende werk, maar niet op groot wild gaan jagen. De bevoegde autoriteiten – dat wil zeggen ikzelf, Erik en ons team – zijn volledig op de hoogte. U en dr. Ingalls kunnen wat dat betreft gerust zijn.'

Van achter de kooi klonk een galmend metalig gerammel. De grote pythons verroerden zich niet, maar in de aangrenzende kooi aan de rechterkant kwam een kleinere slang plotseling in beweging, die traag over een dode boomstronk gleed.

Zelek zag het ook en zei: 'Dat is onze vriend *Python boeleni*. Ook een fraai exemplaar. Hij is slim – hij weet dat het ook zijn voedertijd is.'

Nog een reeks metalige geluiden van achter de schermen, en nu kwamen veel van de hokken tot leven, geluidloos kronkelend en schuifelend. Zelek gebaarde naar de enorme modderbruine slang aan hun linkerhand: 'Maar de anaconda is nog niet aan de beurt. Dat is volgende week.'

Mo vroeg: 'En wat als we dingen vinden die nergens op slaan? Of waarvan we niet weten of jullie er al dan niet van op de hoogte zijn?'

'Ze eten niet vaak,' legde Zelek uit. Hij hief zijn kin in de richting van het luik dat boven aan de kooi van de pythons open was gegaan. In de opening verscheen een metalen mand, met daarin een paar dikke witte konijnen die rusteloos rondbewogen. 'Gemiddeld slechts eens in de twee weken. *Reticulata* hebben een trage stofwisseling, en hoewel ze de skeletten vrij goed vermorzelen voordat ze ze doorslikken, eten ze hun prooi in zijn geheel op. Dus doen ze er lang over om hun eten te verteren.' Zelek had met een gespannen blik in zijn buitenaardse ogen gekeken hoe de konijnen naar beneden kwamen. 'Om uw vraag te beantwoorden, het enige dat jullie hoeven te doen is naar Erik gaan met eventuele vragen of problemen. Niet naar iemand anders, alstublieft, dan zullen jullie onze missie alleen maar in gevaar brengen. Maar, nogmaals, ik hoop dat u en dr. Ingalls de grote lijnen aan ons zullen overlaten. Wij zijn daar héél goed in thuis. Het zit er bijna op. *De laatste, rechercheur!* Laat het rusten.'

Mo dacht daarover na. 'En als we dat niet doen?'

'Ze worden altijd na sluitingstijd gevoederd,' vervolgde Zelek, 'omdat het grote publiek – tja, sommige mensen kunnen er niet tegen. Vooral kinderen zijn vaak geschokt. Niet goed voor de public relations van de dierentuin of het werven van fondsen voor de *Lepidosauriërs.*' Zelek lachte even om zijn eigen understatement, een zacht, warm gegniffel. 'Maar het is gewoon de natuur. Het is het hogere plan der dingen, oeroud, en prachtig in zijn symmetrie. Het is gewoon de voedselketen.'

De konijnen werden losgelaten toen de kooi vlak bij de neprotsen op de bodem van de kooi was. Ze stonden onzeker vlak bij elkaar, snuffelden en staarden met ronde, roze ogen. Gewoon konijntjes uit een dierenwinkel, waarschijnlijk een restantje van de paasuitverkoop. Het leek alsof ze zich niet durfden te verroeren. Mo dacht: *hun genen herkennen de geur van de oeroude vijand.*

En toen kwam eerst de ene en toen de andere python in beweging. Eerst alleen een zijdelingse beweging van de grote koppen, en vervolgens een uiterst trage verschuiving van de kop en het lijf, waarna de geruite lijven fascinerend traag over de contouren van de rotsen gleden. Toen de grootste haar kronkels uitrolde, bleek ze ongelooflijk lang. De konijnen begonnen tegen de zijkant van het hok te springen, tegen het glas, op de rotsen, in en uit het poeltje water, weer tegen het glas op. Krabbelend, vallend, opnieuw springend.

Zelek zei: 'Ik wil alleen maar zeggen dat jullie geweldig werk hebben verricht; de bevoegde autoriteiten hebben de leiding. Ik weet dat u en dr. Ingalls waarschijnlijk geschokt zijn door deze hele affaire. Maar ik hoop dat u na ons gesprek van vandaag gerustgesteld zult zijn.' Hij keek nog even met voldoening naar het hok en zei toen: 'Hun trage bewegingen zijn in feite heel bedrieglijk. Als het nodig is, zijn ze bliksemsnel. Als ze hun prooi eenmaal hebben geroken, is het allemaal heel gauw gebeurd.'

32

Op dinsdagochtend belde Rebecca om Mo te bedanken voor de bowlingavond en om te zeggen dat zij had geregeld dat ze Ronald Parker donderdag konden zien in de psychiatrische inrichting op Riker's Island. Dat was goed, omdat de rest van de zaak op sterven na dood leek. Hij en St. Pierre hadden geen bruikbare aanwijzingen gevonden omtrent de mogelijke minnaar van Irene Bushnell en waren begonnen om te kijken of ze met de andere moorden vorderingen konden boeken. Maar nee. Laurel Rappaport was vermoord door iemand die geen ander spoor van zichzelf had achtergelaten dan zijn DNA, bruikbaar om hem te veroordelen maar niet om hem op te sporen. Met de zaak O'Connor viel zelfs nog minder te beginnen.

Na zijn werk overwoog Mo om bij Rebecca langs te gaan, maar aan de andere kant had hij het gevoel dat hij zichzelf niet in de hand had, dat hij te veel met zichzelf overhoop lag. Hij was de gebeurtenissen van de laatste paar dagen nog steeds aan het verwerken. Biedermanns onthulling dat hij de schoonmaker was, en niet de moordenaar, had eerst zijn meest directe angsten tot rust gebracht. Maar toen was er die sessie met Zelek; dat was echt een leuk uitstapje geweest. Het wezen had hem met geen enkel woord bedreigd. Maar het beeld van de konijnen die werden vermorzeld in de meedogenloze windingen en toen de zich eindeloos opensperrende slangenbekken – dat zou hem nog wel een tijdje bijblijven. Mo wist niet waar hij meer de bibbers van kreeg, het idee dat Zelek de scène welbewust zo had geënsceneerd of dat de man werkelijk geen idee had hoe grotesk het was geweest. Bah.

Het bezoek aan Mudda Raymon was hem ook bijgebleven. Het knaagde aan hem en stoorde hem zo dat hij bijna terug wilde om Carla aan de tand te voelen over wat ze de oude vrouw had verteld. Misschien zelfs voor nog een sessie met de mudda. Maar dat begon bijgeloof te worden; hij verloor zijn objectiviteit, zijn greep op de zaak.

Het kwam erop neer dat hij niet wilde dat Rebecca hem zo zou zien, beverig en labiel. Niet tot ze elkaar beter kenden, niet tot wat het ook was waar ze mee bezig waren sterker was, meer onderbouwd.

Onderweg naar huis maakte hij een stop bij een Burger King in een winkelcentrum langs de weg en zat hij daarna in zijn hete auto een Whopper naar binnen te proppen terwijl hij keek hoe de zeemeeuwen over de parkeerterreinen cirkelden, hel roze-oranje opflitsend in het licht van de ondergaande zon. Hij staarde achterdochtig naar de chauffeur van elke auto die over het terrein reed. Elk van hen zou de moordenaar kunnen zijn. Mo had hem misschien al wel jarenlang elke dag gezien. Dat was het vervelende van seriemoordenaars: het feit dat ze zich voortdurend heimelijk onder gewone mensen bevonden, de maskerade. Als je daar te lang bij stilstond, kon je er gek van worden.

Zonder na te denken over wat hij ging doen, stapte hij uit en liep hij over het parkeerterrein door de stank van de containers van de drive-in. Bij een goedkope schoenenzaak kocht hij een paar kuithoge rubberlaarzen. Toen liep hij weer terug naar de auto en reed hij elf kilometer naar het moeras waar Laurel Rappaport was gestorven.

Tegen de tijd dat hij de auto geparkeerd had en de laarzen had aangetrokken, was het net na zonsondergang, maar hij wist dat de hemel nog een tijdje licht zou blijven. Genoeg licht om de weg te kunnen vinden. Hij begaf zich naar de drassige rivierbedding.

Alle kuilen in de modder onder water vertelden hem dat Biedermann hier sinds vorige week mensen had gehad. Hij vroeg zich af of de special agent iets met geavanceerde techniek had gedaan, zoals over de plaats delict vliegen met een helikopter en computergestuurde camera's en wie weet wat nog meer.

Hij wist dat hij hier nu niets tastbaars meer zou vinden. Het was hem eigenlijk meer begonnen om de sfeer, de treurige geest van het oord. De nagalm van de vreselijke dingen die hier gebeurd waren. Als er veel borrelde vlak onder je bewuste gedachten, kon de sfeer van de plaats delict de stroom van je intuïtie in banen leiden. Verborgen details en half uitgewerkte ideeën kwamen soms aan de oppervlakte. Hij sopte stroomopwaarts, in het dunne woud van miezerige sumakboompjes, en probeerde zich de plek voor te stellen zoals die slechts acht nachten geleden was geweest.

De duiker doemde op, een lichtere massa die een diepe schaduw over het stilstaande water wierp. In de tunnel was het zwart. Mo staarde ernaar, probeerde de echo's van het 'visioen' van Mudda Raymon van zich af te zetten en zich in plaats daarvan te concentreren op de harde feiten. Dat was niet makkelijk. Met zijn vader als afvallige katholiek en zijn moeder als even afvallige jodin was hij geboren in een gezinsomgeving die, metafysisch gesproken, vrij neutraal was. Maar zoals de meeste kinderen had hij een bijna religieuze fascinatie gehad voor het bovennatuurlijke en het paranormale. Als volwassene had hij hard gewerkt om zijn aangeboren bijgelovigheid van zich af te zetten, maar hij was daar niet helemaal in geslaagd. Ja, hij was gevoelig voor het gelul van Mudda Raymon. Ja, de oude vrouw had een paar existentiële boemannen benoemd: *nu vecht hij met zichzelf, altijd aan het vechten*. Misschien kwam het alleen doordat Carla over zijn innerlijke strijd had gesproken, zijn zelfontkenning en zijn zelfkritiek, zijn ambivalentie ten aanzien van zijn werk, ten aanzien van de twintigste- en de eenentwintigste eeuw, het leven zelf. Maar hoe zat het met dat póppengedoe? Hoe kon dat ouwe opoetje zo'n toepasselijk lijkend schrikbeeld oproepen? Misschien had Carla Mudda Raymon verteld over haar eigen visioen van de marionetachtige wezens met de energielijnen aan hun handen en voeten. Aan de andere kant moest je je dan toch afvragen hoe Cárla daaraan kwam. *De poppenpop houdt jou in de gaten. De poppenpop komt achter jou aan*. Hij kreeg er de bibbers van. Jezus, hij had er de pest aan om ergens bang voor te zijn. Elke cel in zijn lichaam kwam in opstand tegen het bang zijn. Angst beheerste je geest, je bloed, je hart; angst had je in zijn mácht. Hij had de pest aan het gevoel dat iets hem in zijn mácht had. Op dit moment had hij het gevoel dat Pinocchio hem in zijn macht had. Dat hij aan draden vastzat en gemanipuleerd werd. Er was nog een reden dat hij hier was: een soort rituele confrontatie met dat gevoel. Een symbolische bevrijding. Het was moeilijk om steeds te worstelen met een onzichtbare, onbekende vijand. Soms had je behoefte aan de catharsis van het fysieke terugvechten. Het kwam in hem op dat het doorsnijden van de draden niet alleen nodig was om een mens te blijven, maar ook om een effectieve speurder te zijn. Om in staat te zijn om aan de bureaucratie te ontkomen, verstikkende procedures te omzeilen, en je tegenstander vanuit een onwaarschijnlijke hoek te benaderen. Iets om niet te vergeten.

Mo controleerde zijn Glock, pakte zijn zaklantaarn en sopte dieper het moeras in. Vóór hem splitste de ondergaande zon de bomen in twee verschillende delen, fel oranje boven op de heuvel en groen-zwart in de schaduw daaronder. Zo'n achthonderd meter stroomopwaarts werd de stroom ingesloten door donker gebladerte, en onwillekeurig zocht hij de omhelzing van de schaduw op, om alle boemannen tot een gevecht uit te dagen.

Nog verder werd het water dieper toen het moeras tussen de beboste heuvels aan weerskanten versmalde. Het geraas van de snelweg klonk hier vager, werd gedempt door de bomen. *Dit is goed*, dacht Mo, *hier had ik behoefte aan*. Zijn hoofd werd leeggemaakt door louter nerveuze alertheid. Elke gedachte die in hem opkwam hing duidelijk voor hem zodat hij hem goed kon bestuderen.

De moordenaar van Laurel. Hij had zijn auto langs de weg moeten parkeren. Maar geen van de buurtbewoners had een auto bij de brug zien staan. Hoefde niets te betekenen. Misschien was het toevallig niemand opgevallen, misschien had hij de auto in het struikgewas gezet. Of misschien was hij komen lopen of was hij van ergens kilometers verderop met een motor gekomen. Of misschien was hij van vlakbij komen lopen, misschien had de politie zonder het te weten de moordenaar al gesproken – een van de buren.

De zon bescheen nu nog slechts de toppen van de hoogste bomen. Hier en daar, in de verte op de rechterheuvel, priemden lichten door het duister, ramen van huizen, maar het moeras was een duistere vlakte die zich vernauwde tussen diepe schaduwen. Toch verzette hij zich tegen de aandrang om de zaklantaarn aan te doen. Die kon hij beter bewaren voor het echte donker. Het was beter om in de duisternis op te gaan, om zich ervan te laten doordringen, zich de geheimen ervan te laten vertellen. Om de dierlijke, panische angst voor alleen-zijn en duisternis in zich te laten opkomen en zich daardoor te laten oppeppen.

Mo zwoegde voort, soms in het water en soms door het kreupelhout op de oevers van de beek. Geen van de teams van de staatspolitie was zo ver gekomen, hoewel de mensen van Biedermann dat misschien wel hadden gedaan. Het was nu bijna avond, maar hij merkte dat hij de contouren van het terrein nog kon onderscheiden. Op een gegeven moment leek een bleke gedaante uit het duister op te doemen die even zijn adrenaline prikkelde, maar toen hij dichterbij kwam zag hij dat het maar een wasmachine was, een oude tonvormige bovenlader, verroest en half begraven in het slijk van de stroombedding.

Te oordelen naar de lichten van de huizen naderde hij een woonwijk, en inderdaad bevond hij zich weldra op slechts honderd meter afstand van een groot, fel verlicht huis met vele ramen. Aan de andere kant was een buitenlamp, en hij hoorde het stuiteren van een basketbal. Verderop waren de lichten van een ander huis net zichtbaar door de bomen.

Opeens voelde hij zich een paria, een voyeur, zoals hij daar vanuit de wanorde van zijn eigen leven naar die goed onderhouden huizen en die ordelijke levens gluurde. Waarschijnlijk tijd om terug te gaan. Er waren geen monsters uit het moeras gekomen om de strijd met hem aan te binden, afgezien van de gebruikelijke boze geesten van eenzaamheid, zelfkritiek en moedeloosheid. Trouwens, iemand zou hem kunnen zien, bang worden en de politie bellen. Of hem neerschieten. Na de moord op Laurel Rappaport stonden de mensen hier waarschijnlijk stijf van de zenuwen.

Hij draaide zich om en begon terug te soppen. Toen zijn door angst gegenereerde energie wegebde, voelde hij de teleurstelling in zich opkomen. Afgezien van het aanvankelijke psychologische drama van de confrontatie met zijn spookbeelden, was dit nutteloos geweest. Hij had geen grootse ingevingen gehad, slechts twee zeurende, vertrouwde vragen. De ene was: *wie was Ronald Parker?* Dat was duidelijk een belangrijke en hij had nog net kunnen voorkomen dat hij het Zelek voor de voeten had geworpen tijdens diens peptalk. Maar misschien konden ze dat nader bepalen als ze hem donderdag zagen. De andere was: *wie zou in godsnaam op de gedachte komen om het gegil van konijnen die geslacht werden op te nemen en mensen daarmee te bestoken?* Ongetwijfeld had de sessie bij het Reptielenhuis hem daar weer aan doen denken. Die vragen leken verband met elkaar te houden.

Tien minuten later kwam hij uit de boomschaduwen in het meer open moeras, waar de duiker weer uit het duister opdoemde. Hij bleef staan om ernaar te kijken, herinnerde zich hoe het lijk van Laurel Rappaport aan die draden hing. Ze had haar laatste uren doorgebracht als de pop van een bijzonder ziek wezen. *De poppen-pop*, had Mudda Raymon gezegd. Waarom was ze het dubbelop gaan zeggen? Misschien was het iets typisch uit het Jamaicaanse patois. *De poppen-pop komt achter jou aan.*

En opeens besefte hij wat het betekende, een antwoord op de vragen. Godallemachtig. Daardoor zouden veel dingen perfect op hun plek vallen: Ronald Parker, schreeuwende konijnen, Zelek en Biedermann, menselijke kruisraketten. *Misschien heb je gelijk, Mudda*. Opeens werd hij overspoeld door een vurig optimisme, het gevoel dat hij iets belangrijks had bedacht. Já, dacht hij, terwijl hij het scenario vergeleek met de bijzonderheden van de diverse zaken. Já, já. Godverdomme, wat een nachtmerrie. Godallejezus. Hij had geen idee wat hij eraan moest doen, maar hij was bitter-blij dat hij het patroon zag. Met wie zou hij erover moeten praten? Niet met Biedermann, zeker nog niet, misschien wel nooit. Marsden? Misschien, daar moest hij nog even over nadenken. St. Pierre, nee, laat hem maar zijn geweldige werk doen zonder hem te bevooroordelen; die moest buiten schot blijven. Rebecca, nee – althans, niet tot ze een gelegenheid hadden gehad om Ronald Parker onder de loep te nemen.

Hij was net over de reling aan het eind van de brug gewipt toen hij door nog een inzicht werd getroffen: Irene Bushnell had op haar maandagochtend schoongemaakt bij het oudere bankiersstel, waarna ze – volgens hen – om één uur was vertrokken voor een andere klus. Maar volgens het schema van mevrouw Ferrara had Irene op maandagen slechts halve dagen gewerkt. Waar was ze de rest van de dag dan geweest? Hoe hadden hij en St. Pierre iets over het hoofd kunnen zien dat zo evident was? Zijn instinct vertelde hem dat het slechts het uiteinde van een losse draad was. Als je het pakte en er voorzichtig aan trok, zou je de hele zaak kunnen ontrafelen.

33

Het inzicht omtrent het werkrooster van Irene Bushnell was het meest concrete idee om na te trekken, vooral nadat Mo Byron Bushnell had gebeld en had gehoord dat Irene op maandag 's middags werkte, Byron wist niet waar, en rond halfzes thuiskwam. Dus stuurde Mo Mike St. Pierre op dinsdag weer naar Ossining, naar mevrouw Ferrara en de Tomlinsons, om te proberen om nader te bepalen waar Irene heen was gegaan nadat ze om maandag één uur bij de Tomlinsons was weggegaan.

Mo voelde zich iets beter. Als een onderzoek op dermate specifieke vragen uitdraaide, zelfs met een dermate klein detail, betekende dat doorgaans dat je vorderingen maakte. En woensdagavond, nadat hij had gehoord wat Mike had ontdekt en nadat hij nog een zwaar gesprek met Byron Bushnell had gehad, wist hij zeker dat ze iets op het spoor waren dat werkelijk bruikbaar was.

Hij had dat graag donderdag meteen verder uitgezocht, maar die dag zou besteed worden aan iets anders dat niet kon wachten: Ronald Parker en de grote lijnen waarvan hem was geadviseerd dat hij ze moest mijden, het verborgen patroon waarvan hij een glimp had opgevangen tijdens zijn pelgrimstocht naar het moeras bij zonsondergang.

De directeur van de psychiatrische inrichting van het gevangeniscomplex van de County New York op Riker's Island had ermee ingestemd dat ze Ronald Parker om één uur bezochten. Rebecca stelde voor dat ze er samen heen zouden rijden, maar Mo moest naar een bespreking van de staf van het recherchebureau om elf uur. Ze besloten om elkaar om halftwaalf bij de gevangenis te treffen.

Mo zag haar van een afstand toen hij in de hal van het administratieve hart van de gevangenis kwam: een lange vrouw met een Hollywoodfiguur die niet op haar plaats leek in dit inrichtingsdecor. Ze zette een paar stappen, bleef ongedurig staan, draaide zich om, zette nog een paar stappen, zag hem nog niet. Voor het vraaggesprek met Parker had ze een zakelijk krijtstreeppakje en schoenen met hoge hakken aangedaan en droeg ze haar haar in een wrong achter op haar hoofd. Maar haar strenge voorkomen leek haar vrouwelijkheid slechts te versterken, dacht Mo waarderend. Ware aard verloochent zich niet.

Ze glimlachte niet toen ze hem zag, keek hem slechts onderzoekend aan, en hij besefte hoe zenuwachtig hij was dat hij haar weer zag. Ze hadden elkaar sinds zondag twee keer over de telefoon gesproken en beide malen had het een beetje stijfjes of verlegen geklonken. Misschien was het een soort nevenresultaat van zijn kennismaking met Rachel, misschien was hij gezakt voor een of andere test. Misschien had het feit dat ze hem met haar dochter had gezien Rebecca getoond wat een belazerde stiefvader hij zou zijn. Gek, hoe alles kon veranderen als je elkaar drie dagen niet zag; de afstand die er dan ongemerkt ontstond.

'En, hoe is-ie?' vroeg hij. Ze gaven elkaar een hand. Collega's.

'Druk. Te druk. En jij?'

'Ook.'

'Hoe is het met Rachel?'

'O, best, best.'

Verlegen, ongemakkelijk, stijf, dacht Mo.

Ze wendden zich tot de balie, meldden zich, kregen bezoekerspasjes en werden door een metaaldetector naar een kleinere toegangsruimte geleid, waar ze door bewaarders gefouilleerd werden. Toen wachtten ze terwijl een van de bewaarders dr. Iberson oppiepte, het hoofd van de psychiatrische eenheid. De bewaarders stonden met gevouwen handen en niemand zei iets. Rebecca maakte haar aktetas open om een dossier door te nemen en haar memorecorder te controleren.

Mo zat ongemakkelijk. Hij voelde de verpletterende claustrofobie van het gevangeniscomplex rondom hem. Geen vrolijk oord, een berg van ellende. Mensen die in de County New York werden gearresteerd werden hier zogenaamd vastgehouden in afwachting van hun proces, maar iedereen die de wet handhaafde wist dat dit een plek was waar je iemand heen kon sturen voor een gevangenisstraf zonder dat hij ooit berecht werd. Aanklagers die van iemands schuld overtuigd waren maar niet genoeg bewijs hadden om iemand te laten veroordelen rekten tijd, stelden procesdatums uit en goochelden met papierwerk tot de verdachte in elk geval een paar jaar had gezeten. Dan lieten ze hem vrij op grond van gebrek aan bewijs. Dat was wat in het nieuwe millennium voor 'de rechtsgang' doorging.

Dr. Iberson bleek een heel lange, dunne man, het type dat op de universiteit had gebasketbald, met een roze schedel onder dunner wordend haar. Hij gaf Mo werktuiglijk een hand, maar deed een beetje overdreven tegen Rebecca en vertelde haar dat hij haar carrière met belangstelling had gevolgd. Toen ging hij hen voor naar een lift.

Ze stapten er met z'n drieën in, Rebecca tussen de twee mannen, en stonden met hun gezicht naar de deur terwijl de lift omhoogging. Terwijl dr. Iberson in psychologisch vakjargon babbelde, voelde Mo een toenemende frustratie. Als hij alleen met Rebecca in de lift had gestaan, had hij haar in zijn armen genomen en haar tegen zich aan gehouden en haar innig gekust, misschien had ze dat prettig gevonden en misschien ook niet, maar in elk geval hadden ze dan kunnen kijken hoe het verder moest. Hij wist waar zijn eigen verlegenheid vandaan kwam. Ten dele was zij te wijten aan de gruwelijke openbaringen die hij in het moeras had gehad, het gevaar dat ze inhielden. Maar het kwam nog meer doordat hij drie dagen aan haar had gedacht: ze was in hem doorgesijpeld, voor zijn gevoel was alles heel belángrijk, het was moeilijk uit te maken waar te beginnen. Hij had geen idee wat zij voelde, maar hij wist dat drie dagen ook genoeg waren om onzekerheden en twijfels in je te laten opkomen.

Hij schrok op toen hij iets tegen zijn rug voelde. Rebecca knikte geïnteresseerd bij alles wat Iberson zei, maar haar hand was onder Mo's jasje gekropen en trok schuchter aan zijn overhemd. Ze wurmde twee vingers onder zijn riem en tegen zijn onderrug en hield ze daar. *Hallo, ik ben het*. Een heimelijke bevestiging. Mo glimlachte toen hij voelde hoe de warmte van haar aanraking zich verspreidde.

'Ronald is in ons equivalent van de intensive care,' zei Iberson tegen hen terwijl hij hen door nog een stalen schuifdeur leidde. 'Jullie zullen het wel begrijpen als jullie hem zien. Zijn letsel is meer dan vier maanden oud, maar we hebben hem nog steeds onder observatie om zijn herstel te kunnen volgen. En ook om te evalueren in hoeverre hij een gevaar vormt voor zichzelf en anderen. De eenheid is zo ingericht dat hij vierentwintig uur per dag wordt geobserveerd door medisch personeel.'

'Ziet u enige adaptatie?' vroeg Rebecca. Omwille van Mo verklaarde ze: 'Het verlies van hersenfuncties ten gevolge van letsel is vaak omkeerbaar. Soms herstelt het beschadigde gebied ten dele, en soms lijken de hersenen te compenseren door beschadigde functies via andere neurale circuits te laten lopen.'

Iberson knikte. 'Zijn motorische vermogens zijn grotendeels terug. Wat betreft zijn verbale vermogens, hij voert de hele tijd een privémonoloog, maar zijn reacties op anderen zijn wisselend – mogelijk omdat hij attaques in de slaapkwab heeft. Het is moeilijk in te schatten, omdat áls hij praat hij doorgaans nogal onsamenhangend is. Een van de problemen is dat we niet weten in hoeverre dat het gevolg is van het hersenletsel dat hij zichzelf heeft toegebracht, en in hoeverre hij daar al last van had.' Voor Iberson was dit de hemel op aarde, dacht Mo: een gesprek over zijn werk met een adembenemende vrouw. Wat wilde je nog meer.

Ze kwamen weer bij een stalen deur, die werd bediend door een bewaarster in een glazen hokje. Ze fronste haar wenkbrauwen toen ze Mo's identiteitsbewijs dubbel controleerde. Toen gleed de deur open en werd er een grote, helder verlichte ruimte zichtbaar waar een verpleegster achter een centrale balie papierwerk zat te doen. Twee wanden van de ruimte bestonden uit helder veiligheidsglas en zwaar plaatgaas. Daarachter bevonden zich de individuele cellen, die zo te zien als een gewone ziekenkamer waren aangekleed.

'Nou!' zei Iberson opgewekt, terwijl hij zich in de handen wreef. 'Daar gaan we dan.'

Maar Rebecca legde haar hand op zijn arm. 'Dr. Iberson, misschien moeten we na ons vraaggesprek specifieke medische onderzoeken of tests laten uitvoeren. Zou dat mogelijk zijn?'

Iberson straalde. 'We hebben hem vrij grondig onder de loep genomen, en u mag met alle genoegen zijn dossiers inzien, maar zeker. Waar bent u naar op zoek?'

'We zouden hem ook graag interviewen in zijn eigen kamer. Wij geloven dat hij daar meer op zijn gemak, communicatiever zal zijn, en misschien dat we iets van zijn leefomgeving kunnen opsteken...'

'Zoals de arrangementen? Dat had ik al gedacht. Ronald is op dit moment de enige in deze eenheid, dus jullie zullen geen andere patiënten storen...'

'En we zouden hem graag alleen willen interviewen. Alleen rechercheur Ford en ikzelf, zonder dat er personeel bij is.'

Ibersons glimlach verdween.

Rebecca klopte op zijn arm. 'Dat is alleen om zo min mogelijk interviewers de persoon in kwestie te storen.' Ze dempte haar stem en zei op vertrouwelijke toon: 'En er zijn ook aspecten van vertrouwelijkheid met betrekking tot een lopend onderzoek dat heel gevoelig ligt. Ik ben ervan overtuigd dat u dat zult begrijpen.'

Op Ibersons voorhoofd verscheen een verwarde frons. Hij vond haar aanraking prettig, maar vond het vervelend dat hij werd buitengesloten. Hij knikte, leidde hen de ruimte binnen, wees de cel van Ronald Parker aan en liet hun zien hoe ze de intercom moesten gebruiken als ze hulp nodig hadden.

Toen hij en de verpleegster weg waren, zei Mo: 'Volgens mij ben je net een fan kwijtgeraakt.'

Rebecca rechtte slechts haar schouders en keek hem even aan. Toen sleepten ze een paar klapstoelen naar de deur van Parkers cel.

Mo's eerste indruk van een typische ziekenhuiskamer bleek onjuist. Ja, er was het standaard verstelbare bed, een batterij monitoren, zuurstofapparatuur en een televisie op een steun hoog aan de muur. Maar de apparatuur was ingebouwd en afgeschermd met veiligheidsglas en ook de tv zat in een kist van hetzelfde materiaal. Het beddengoed was van papier met een structuur als van gewatteerde papieren handdoeken, zelfmoordbestendig. Geen ramen. Onder het gemoffelde aanrecht bevonden zich geen laden voor persoonlijke bezittingen.

Ronald Parker zat op de rand van het bed, gekleed in een wijde papieren broek en dito overhemd, met papieren sloffen aan zijn voeten. Mo schatte dat hij iets langer dan één meter tachtig was, breedgeschouderd, zijn donkerblonde haar kort van opzij maar van voren lang genoeg om bijna voor zijn ogen te vallen. Hij bladerde door een tijdschrift, waarbij zijn lippen woorden prevelden, zijn hoofd op en neer ging en zijn lichaam zwaaide alsof hij zong en zich op muziek bewoog.

Toen ze dichter bij zijn kooi kwamen, keek hij op en hield hij op met bewegen. Verwonderde grijsachtige ogen. Hij had een prettig, bijna jongensachtig gezicht, volle lippen en wangen. Op het eerste gezicht kon Mo hem zich niet voorstellen als een vent die zeven mensen had gemarteld en vermoord. Maar als je beter keek, kon je zien dat er iets niet spoorde. Een verwarde, bange, vertwijfelde uitdrukking op zijn gerimpelde, gewelfde voorhoofd.

'Hallo, Ronald,' zei Rebecca. 'Ik ben Rebecca en dit is mijn vriend Morgan. Mogen wij even met je praten?'

Even keek Parker hen slechts aan. Toen zwaaide zijn hoofd naar links en naar rechts, op en neer, het kon alles betekenen, maar Rebecca interpreteerde het als instemming. Ze zette haar stoel dicht bij het plaatgaas en ging zitten. Mo ging terzijde zitten.

'Bedankt.' Rebecca keek goedkeurend rond. 'Dit is een mooie kamer, hè? Ze zijn hier heel aardig, niet dan?'

Parker knikte en schudde zijn hoofd, ja of nee of misschien.

'Weet je nog dat je mij eerder hebt gezien?' vroeg Rebecca vriendelijk. Voor de honderdste keer was Mo van haar onder de indruk: haar stem klonk warm en oprecht meelevend, maar haar hele aanpak was strategisch. Ze had haar recorder in een zijzak van haar jasje gestopt en hem aangezet voordat ze bij Parkers kooi kwamen. Hij kon zien hoe haar achtergrond als kinderpsycholoog haar bij een geval als dit goed van pas kwam.

Parker haalde zijn schouders op, maar toen gingen ze weer op en neer en rond, alsof hij op muziek bewoog of een verkrampte spier probeerde los te maken. Hij leek wel geïntrigeerd door Rebecca, kon zijn ogen niet van haar af houden.

'Morgan en ik zijn hierheen gereden om te kijken of je hier gelukkig bent. Dr. Iberson zegt dat je jezelf pijn hebt gedaan, en we wilden kijken of het goed met je gaat.'

'Alles doet pijn,' zei Parker. Mo was geschokt van zijn stem, de zachte gesprekstoon van een bankbediende die helemaal niet klopte met de gestoorde indruk die zijn gefronste voorhoofd maakte. 'Ja, dat heb je goed verstaan. Alles.'

'Ik weet heel goed wat je bedoelt,' zei Rebecca droogjes, *reken maar!* Mo wist dat ze blij was dat hij reageerde. Ze hadden mazzel dat ze hem op een ontvankelijk moment troffen. Of misschien kwam het alleen maar door Rebecca's uitstraling, haar vakkundigheid. Parkers weifelende voorhoofd rimpelde zich ten teken dat hij haar begrip waardeerde.

Zo ging dat nog een kwartier door: de vreemde, beladen grapjes, Rebecca's indirecte vragen, Parkers cryptische reacties. Soms klapte de moordenaar dicht, fronste hij zijn wenkbrauwen, kroop hij in zijn schulp. De hele tijd bleef Rebecca warm, geconcentreerd, ontspannen, begripvol. Ze oefende geen moment te veel druk uit, stuurde geen moment al te nadrukkelijk ergens op aan. Probeerde geen moment om Parker te manipuléren. Mo keek alleen en deed zijn best om te verdwijnen.

De enige verplaatsbare voorwerpen in Parkers kamer waren een verzameling tijdschriften, wat toiletartikelen en de afstandsbediening van de tv, die waren opgesteld langs de rand van het roestvrij stalen aanrechtblad: tijdschrift, haarborstel, tijdschrift, handlotion, tijdschrift, tandpasta, tijdschrift, doos tissues, tijdschrift, afstandsbediening. Op een gegeven moment wees Rebecca op het patroon en zei ze: 'Dat is mooi. Dat maakt het beter, hè?'

'Dan doet het geen pijn,' zei Parker. 'Je moet het goed doen. Dat is belangrijk.'

Rebecca knikte. 'Toen ik een kind was, liet mijn moeder me altijd het blad van mijn dressoir opruimen. Ik had veel van die plastic paarden, die ik daar neergooide als ik er niet meer mee wilde spelen, een grote, rommelige hoop. Ik moest ze allemaal op een rij zetten. Dan werd ze zo kwaad op me! Als ik het niet deed, kreeg ik geen toetje, en op een keer riep ze mijn vader die me billenkoek moest geven!' Ze grinnikte quasi-zielig toen ze daaraan terugdacht. 'Wat deden ze met jou als je het niet deed?'

Parker had met een steeds grotere gespannenheid geluisterd; nu danste zijn hele lichaam weer op die virtuele muziek. Hij fronste zijn voorhoofd en wendde zijn blik af, en na een ogenblik stond hij op en begon hij aan het aanrecht te werken, om de dingen opnieuw te schikken.

'Ik wed dat je de draden aan je polsen moest doen,' zei Rebecca zachtjes.

Parker bewoog zijn handen haastig tussen de voorwerpen. Sterke handen zag Mo. Hij kon de vage verkleuring van littekenweefsel op de polsen zien, vlak onder de randen van zijn mouwen.

'Daar zou ik ontzettend de pest aan hebben,' drong Rebecca aan. 'Dat zou me heel kwaad maken.'

Parker wiegde met zijn hele lichaam terwijl hij de voorwerpen telkens weer schikte en herschikte. 'Woede is een juiste en noodzakelijke reactie,' zei hij onverwachts. 'Mits je die goed richt. Je woede is een geweldige energiebron. Het is een bron van macht.'

Rebecca schonk geen aandacht aan zijn heel andere toon. 'Werd je kwaad toen ze dat met je deden?'

'Je kunt op hun beheersing reageren, ten eerste door je zelf te beheersen en ten tweede door hen op jouw beurt te beheersen. Je toont je verzet op zo'n manier dat niemand de boodschap verkeerd zal begrijpen.'

Mo besefte dat Parkers taalgebruik veranderd was. Zijn toon was streng, zijn grammatica precies. Het leek niet zozeer een spontane reactie alswel een lesje dat hij uit zijn hoofd had geleerd.

Rebecca had het ook gehoord, uiteraard. Ze legde een hand tegen het gaas dat hen scheidde, een geruststellend gebaar. 'Ik wed dat je vader dat tegen je heeft gezegd! Weet je hoe ik dat weet? Omdat mijn pa net zo praatte.'

Je hoefde geen graad in de psychologie te hebben om te zien dat haar pijl niet ver naast de roos zat. Parker keek haar anders aan, gevaarlijk. Ja, dacht Mo, in hem school beslist een moordenaar. Even gonsden de tl-buizen in de stilte van de ruimte terwijl Parker met zijn hoofd zwaaide en schuifelde en haar dreigend maar onzeker aankeek.

Ten slotte sprak hij haar streng toe: 'En je praat nooit, nooit over je pappie.'

Rebecca reageerde meteen: 'Je pappie heette toch Albert Parker?'

Plotseling stond Parker bij de deur van zijn cel. Zijn grote vingers klauwden door het gaas en grepen Rebecca's hand. Mo wilde erop af gaan om haar te bevrijden, maar Rebecca schudde krachtig van nee.

Parker duwde zijn voorhoofd tegen het gaas. Hij hield Rebecca's vingers vast, haar huid werd wit in zijn greep, en bleef haar priemend aanstaren. 'Precies. Heel goed. Mijn pappie heette Albert Parker,' echode Parker op zijn belerende toon. Zijn kaakspieren stonden gespannen.

De druk op haar hand moest zeer doen, maar Rebecca liet niets merken. 'Hield je van hem?'

'Hij deed gemene dingen met me toen ik een kind was en hij stierf in 1988 aan kanker, toen ik twintig was.'

'Gemene dingen zoals de draden aan je polsen?'

Parker rukte zo hard aan het gaas dat de hele deur doorboog en rammelde in zijn kozijn, en zijn vingers trokken rode strepen over de rug van Rebecca's hand. 'Ik zéí dat je nooit, nóóit over je páppie praat!' Zijn ogen puilden uit, zowel van woede als van angst.

Rebecca trok haar zere hand terug en zei sussend: 'Oké...'

Maar Parker schreeuwde tegen haar. Hij schudde heftig en krampachtig aan het gaas, terwijl hij haar met rood omrande ogen aanstaarde. 'Je begrijpt het niet, hè?! Je weet godverdomme niet waar je mee te maken hebt, hè? Je weet niet hoe erg dit is! Ik bedoel, we hebben het over heel erg enge shít en jij zit daar alsof het allemaal normáál is, als je ook maar énig idéé hebt waar je het godverdomme over hebt...!'

Mo stond op en bewoog zich beschermend in Rebecca's richting, maar zonder naar hem te kijken gebaarde ze heel licht met haar hand naar hem, wácht.

Maar Parker schudde slechts aan de deur, met ontblote tanden en uitpuilende ogen terwijl hij zijn gezicht tegen het gaas drukte, nu helemaal door het dolle heen. Zijn vingers zagen eruit alsof ze eraf zouden vallen. Het gaas rond de gebogen knokkels raakte bebloed. Zelfs Rebecca stond op en deed een stapje terug.

En toen, met een laatste titanische stuiptrekking, was het voorbij. Parker liep terug naar het bed en ging zitten, half afgewend, met zijn armen over zijn hijgende borst gekruist. De tranen liepen over zijn wangen terwijl hij heen en weer bewoog en woorden prevelde en zijn voeten in de ziekenhuissloffen papierachtige geluiden maakten. Rebecca deed nog een paar minuten dappere pogingen om hem te sussen en hun vriendschappelijke babbeltje te hervatten. Maar ze was net een visser bij wie een grote vis van de haak was geglipt, die steeds opnieuw de lijn uitwierp zonder iets op te halen. Ze was hem kwijt.

Toen dr. Iberson binnenkwam, stonden ze een ogenblik voor de deur van de uitgang van de eenheid, terwijl ze door de ruimte naar Parker keken, die in zijn cel zat te zwaaien en te schommelen.

'Dat doet Ronald,' zei Iberson, 'gaat gewoon op tilt als hij ons te opdringerig vindt.' Hij was gekwetst doordat hij bij het vraaggesprek was buitengesloten, en nu keek hij met iets van voldoening naar de schrammen op Rebecca's hand. 'Hij verzet zich ertegen als het gesprek een kant opgaat die hem manipulatief of sturend voorkomt.'

'Begrijpelijk,' zei Rebecca. Ze kromp ineen toen ze met een tissue wat bloed van de schrammen op haar hand opdepte.

De bewaarder deed de deur open. In de gang vroeg Iberson: 'Wilt u hem nog steeds opnieuw laten nakijken? Wij hebben alles gedaan. Je bent waarschijnlijk geïnteresseerd in zijn CT-scans, en die mag u met alle genoegen bestuderen. Maar daar zult u niet veel van opsteken, behalve dat hij op een tiental plaatsen in elk van beide hersenhelften enig letsel heeft. Hij heeft geluk dat hij nog zoveel kan.'

'Bedankt – het zou geweldig zijn om kopieën te hebben.' Rebecca glimlachte vermoeid naar Iberson, legde haar hand op zijn arm en hij fleurde op. Maar toen ze zich omdraaiden om de gang uit te lopen, werd haar mond een dunne streep. *Ze nam het zichzelf kwalijk,* besefte Mo. Nog een opzicht waarin ze op hem leek: iemand die zichzelf wel voor haar kop kon slaan vanwege haar fouten.

Iberson voelde zich beter, wilde haar weer dolgraag helpen. 'En ik neem aan dat u de banden ook wilt hebben?'

'De banden?'

'Observatiebanden. Hij wordt voortdurend gevolgd, zowel op audio als op video. Om zelfdoding te voorkomen. Het is net als bij de beveiliging van een bank, de banden lopen achtenveertig uur, en nemen dan over zichzelf op. Soms kan je een hoop leren van dat associatieve gebazel. Ik moet zeggen dat het tot nu toe niets informatiefs heeft opgeleverd; het is voornamelijk onsamenhangend gebrabbel. Maar u mag wel kopieën van de huidige banden hebben. Of u kunt van de FBI kopieën van eerdere bandcycli krijgen. Special agent Biedermann vraagt heel vaak om kopieën.'

Rebecca leek wat energie te vinden. 'Ja,' zei ze, 'dank u. Kopieën van de huidige banden zouden goed van pas komen.' En ze wierp Mo een blik toe die zei dat dit misschien toch niet helemaal verloren moeite was geweest.

34

Mo was om acht uur bij het appartement van Rebecca. Hij was nogal gespannen. Hij moest haar vertellen wat hij had uitgedacht en dat zou voor geen van hen beiden een lolletje zijn.

Ze hadden in de bedwelmende hitte van het parkeerterrein van de Riker's gevangenis afgesproken om elkaar te zien, voordat ze elk in hun eigen auto stapten. Mo was teruggegaan naar de kazerne van White Plains voor een snelle bijeenkomst met St. Pierre, en was toen doorgegaan voor een tweede bezoek aan Byron Bushnell. Toen hij daar klaar was, ging hij weer terug naar Manhattan. Veel rijden.

Rebecca liet hem binnen en deed de deur op het dubbele slot. Ze had zich omgekleed en een geelbruine sportpantalon, een overhemd en witte sokken aangetrokken, en had haar haar los. Ze ging hem voor naar de woonkamer en ging op de bank zitten. Ze bood hem geen borrel aan, en die wilde hij ook niet. Er was werk te doen.

'Mo, dit wordt eng voor mij. Ik geloof dat ik weet wie Ronald Parker is.'

'Heb je de banden afgespeeld die Iberson je heeft gegeven?'

'Een stel. Het kost veel tijd; je moet vaak doorspoelen bij periodes dat er niets gebeurt. Ik geloof dat jij er ook naar moet luisteren. Misschien dat jou bijzonderheden opvallen die mij niet zijn opgevallen, iets dat van belang is voor de forensische kant. Maar ik... het doet er eigenlijk ook niet toe. Ik geloof dat ik weet wat er aan de hand is.'

Ze zaten een eindje bij elkaar vandaan op de bank. Hij had Rebecca nog nooit zo bezorgd gezien, en hij moest zijn hand wel uitsteken en over de knoop tussen haar wenkbrauwen wrijven, in een poging om de zorgen daar glad te strijken.

'Ik dacht hetzelfde,' zei hij tegen haar. 'Het zal interessant zijn om te zien of we op hetzelfde antwoord zijn uitgekomen.'

Ze gaf zich met gesloten ogen over aan zijn knedende vingers. 'Jij eerst.'

Hij moest bedenken hoe hij het moest zeggen. De plek waar Ronald Parker, de schreeuwende konijnen en de *poppen-pop* samenkwamen.

'We hebben hier niet met Pinocchio te maken,' zei hij ten slotte. 'We hebben met Geppetto te maken.'

Ze deed haar ogen open, blies haar wangen bol en liet de lucht ontsnappen. 'Iemand die marionetten máákt.'

'Ja. Dit is geen overgebleven proefkonijn van die experimenten in Vietnam. Dit is een van de, wat zouden het zijn, de doktoren of psychologen. De poppenmakers, de poppenspelers – de lui die de moordenaars hebben *gecreëerd*. Hij heeft er diversen gemaakt. Ronald Parker is er slechts eentje. Er was er nog een, vóór hem, de moorden in San Diego. Onze imitator is een derde. Er zouden er nog vijf kunnen zijn, die op het punt staan om er tegenaan te gaan.'

Ze nam wat afstand om hem aan te kijken. 'Jij bent best slim. Ik zou graag willen weten hoe je tot die conclusie bent gekomen – zonder psychologische achtergrond.'

'Iets instinctiefs. Ik zat te broeden over hoe de ATF de Branch Davidians bestookte met het geschreeuw van konijnen die geslacht werden, en ik dacht: *je moet wel een zieke stakker zijn om zoiets zelfs maar te bedenken*. En ik besefte dat de kerels die destijds die menselijke kruisraketten maakten ook wel zieke stakkers moesten zijn. Ik weet niet welke termen je daarvoor gebruikt, maar ze moesten wel gek zijn om überhaupt zulk werk te willen doen. En ze moesten nog gekker zijn om twintig jaar te besteden aan het verwringen van mensen hun geest. Het snijdt hout dat sommigen van hén ook bij hun thuiskomst moeite zouden hebben met hun 'reïntegratie'. Dus dat is wat we hier hebbben – een poppenmaker. Iemand die moordenaars creëert.'

Eindelijk was het uitgesproken. Het idee deed de kamer verkillen en ze trokken zich allebei op een andere plaats terug om erover na te denken. Je moest wat ervaring met moordzaken hebben om werkelijk te vóélen wat het betekende. Eén enkele, geïsoleerde seriemoordenaar liet een vreselijk spoor van lijden en verdriet na, niet alleen doordat hij zijn slachtoffers vermoordde, maar ook doordat hij in de levens van tientallen of honderden mensen ingreep, de familieleden en de beminden die met het verlies en de vreselijke wetenschap van het gebeurde moesten leven. Maar iemand die moordenaars *creëerde*, iemand die in staat was om naar willekeur die verwrongen psychopathologie, dat bloedbad, te bewerkstelligen, telkens weer – het was bijna ondenkbaar, zo afschuwelijk.

Rebecca huiverde alsof zij hetzelfde had gedacht. Haar gezicht was uitdrukkingsloos, haar ogen afwezig. De radertjes draaiden. Ze had de lichten niet aangedaan en het werd met de minuut donkerder in het appartement. Na een lange tijd vroeg ze: 'Wanneer ben je daarachter gekomen?'

'Gisteren. Maar toen ik Parker vandaag zag, wist ik het zeker. Toen hij ons over woede vertelde – hij citeerde het meer dan dat hij het zei, als een lesje dat hij had geleerd.'

Rebecca knikte. 'Daar staat meer van op de banden. Je ziet zoiets vaak bij schizofrenie, als de persoonlijkheid zo is afgetakeld dat de patiënt zijn eigen gedachten ervaart als boodschappen of instructies van een andere bron. Maar Parker is anders. Die frasen klinken als iets dat echt in een sociale transactie, een relatie, is ontstaan. En dan zijn er nog zijn scans. Er is veel schade, het is moeilijk te isoleren. Maar hij heeft verdacht symmetrische, minuscule laesies in zijn temporaalkwabben, die veel lijken op die van die moordenaar in Oregon. Ronald Parker is... neurochirurgisch veranderd en ingrijpend geconditioneerd. Geprogrammeerd.'

Mo werd er ziek van om in het donker te zitten en stak zijn hand uit om een lamp aan te doen. *De schaduwen verdrijven*, dacht hij.

'Jij wist het al voordat we Parker zagen, niet dan? De manier waarop je inhaakte op dat "pappiegedoe".'

Ze gaf niet direct antwoord. 'Mo, heb jij ooit een hond gehad?'

'Nee. Als kind woonde ik in een appartement. Waarom?'

'Omdat als je ooit met een hond naar een gehoorzaamheidstraining gaat, het eerste wat je leert is dat het niet zozeer de hond is die leert alswel de mens die hem traint. Door gehoorzaamheidstraining wordt het gedrag van het baasje evenzeer geconditioneerd als dat van de hond. Hetzelfde geldt voor de psychologie van het ouderschap – om het gedrag van een kind te vormen is een enorme aanpassing van de ouder vereist, die effectief sturend gedrag moet aanleren, zijn of haar eigen reacties moet cultiveren tot die een permanent programma worden. De moordenaars in die experimenten moesten uitgebreid en gedurende lange tijd geconditioneerd zijn – en je hebt helemaal gelijk, degenen die hen programmeerden konden dat niet doen zonder daar zelf ook door beïnvloed te worden.'

'Klinkt aannemelijk.'

'En dan had ik nog een ander probleem, afgezien van het feit dat

Ronald Parker te jong was om in Vietnam te zijn geweest. Het profiel van de moordenaar heeft mij steeds paradoxaal toegeschenen. Een obsessief, heel star moordritueel, naar het scheen verankerd in een trauma uit het verleden en gedreven door diepe emoties. Niet dan? Maar ik heb steeds gedacht dat het ons te makkelijk afging om Ronald Parker te strikken – om te zorgen dat hij zich op míj zou richten. Ik zou nooit hebben gedacht dat de Howdy Doody-moordenaar zo gevoelig voor een proactieve valstrik zou zijn, maar Erik hield vol dat hij dat wel zou zijn. En hij had gelijk! Omdat achter hem een welbewuste geest stond, een heel intentionele persoonlijkheid met een beredeneerd motief. Met een agénda die hij moest beschermen. Dát was degene voor wie ik een bedreiging vormde. Ronald Parker en deze nieuwe, zij zijn net zo zeer marionetten als hun slachtoffers!'

'Wat dus betekent dat die Geppetto, deze meester-poppenmaker, Parker heeft geprogrammeerd om achter jou aan te gaan. Hem een nieuw doelwit heeft gegeven.' Plotseling moest Mo weer denken aan Carla's 'visioen': de donkere plek met de poppen achter de poppen achter de poppen. Laurel Rappaport, Daniel O'Connor, Irene Bushnell: in poppen veranderd door geconditioneerde moordenaars die zelf poppen waren van een meester-poppenspeler.

'Maar Erik Biedermann is het niet,' zei hij.

Haar wenkbrauwen gingen omhoog en hij besefte dat hij haar nog veel meer te vertellen had. Dus beschreef hij Biedermanns bezoekje 's avonds laat en zijn gesprek met Zelek in de dierentuin.

'En jij gelooft hen?' Haar ogen waren rood geworden en er stonden tranen in, maar nu veegde ze die weg en leek ze wat sterker.

'Ja. Biedermann had me kunnen doden, maar hij heeft verkozen om dat niet te doen. Ik denk dat ze me de waarheid hebben verteld – alleen niet de hele waarheid.'

'Dat hij en Zelek – dat zij een... Geppetto proberen "op te ruimen".'

Toen hij zag hoe ze zich vermande, hunkerde Mo ernaar om haar in zijn armen te nemen. Maar hij had besloten om haar het initiatief te laten nemen. En, gut, omhelzingen en smakzoenen waren niet echt gepast onder de gegeven omstandigheden. In plaats daarvan stond hij op en liep hij naar de ramen. Hij staarde naar de straat terwijl hij met zijn vingers op het kozijn trommelde. De zon was onder, de gloeiende hemel wierp schaduwen over de straat en verduisterde de voetgangers en het autoverkeer beneden. Iedereen maakte vanuit dit perspectief een heimelijke, steelse indruk. Voor zover hij wist kon een van hen de poppenspeler zijn die op ditzelfde moment het gebouw in de gaten hield.

'Jij zei dat de poppenmaker een agenda heeft,' vroeg Mo aan haar weerspiegeling in het glas. 'Wat is die agenda?'

'Weet ik niet. Nog niet. Ben ermee bezig.'

Mo bleef bij het raam staan. Hij telde de manieren waarop ze in gevaar verkeerden. Eens kijken. Geppetto wist al dat Rebecca bij de zaak betrokken was, wist waar ze woonde. Hij had ten minste één programmeerbare moordenaar, Pinocchio, die daar ergens rondliep. Waarschijnlijk had hij er meer dan een.

Zijn eerste gedachte was dat ze Biedermann moesten vertellen dat ze het wisten. Maar dan kreeg je het andere probleem. Zelek had gelijk gehad: hij had nooit eerder iets bij de hand gehad dat zo ernstig, zo groot was. Niet in de verste verte. En hij had geen idee wat hij eraan moest doen, waar hij moest beginnen, wie hij het al dan niet moest vertellen, hoe hij het gevaar uit de weg moest gaan dat hen van alle kanten leek te belagen.

Mo deed nog wat lichten aan. Rebecca maakte wat koffie en ze dronken allebei een kopje terwijl ze zich nog een uur over het probleem bogen.

Ja, de littekens op de polsen en de enkels van Ronald Parker waren het gevolg van een trauma in het verleden, en ja, hij bezorgde zijn slachtoffers datzelfde trauma. Maar het was geen jeugdtrauma. Het stamde uit zijn conditioneringsperiode, de tweeëntwintig maanden tussen zijn verdwijning van zijn baan bij de bank en het moment dat hij weer opdook als de Howdy Doody-moordenaar.

'Het is goed om dat op te merken,' zei Rebecca. 'Omdat het ons een idee geeft hoe lang het conditioneringsproces duurt. Dat betekent dat we terug kunnen rekenen vanaf de datum van de eerste moord van deze nieuweling, laten we voorlopig aannemen dat dat die moord bij de krachtcentrale is, zodat we een globaal idee krijgen wanneer hij door Geppetto werd geronseld. Dat we op zoek gaan naar iemand die ongeveer twee jaar voor de dood van Irene Bushnell als vermist werd opgegeven.' Ze pakte haar jaaragenda en zocht toen in haar aktetas naar een kladblok.

Mo keek slechts naar haar. Ze had zich snel hersteld van de ontstelde, bange fase. Een beetje geschokt herkende hij haar gemoedstoestand: ze had de instincten van een bloedhond. Een deel van haar reageerde snel op de uitdaging van de jacht, het spoor.

'Jezus,' zei hij. 'Je bent net een... een smeris.'

'Hoezo?' Ze keek op van het blok waarin ze was begonnen aan een kalender van de activiteiten van de poppenmaker.

Hij gebaarde naar het papier. 'Wat je nu doet. Je raakt opgewonden van de kick van de jacht. Dit is wat... wat ík doe.'

'Moet ik dat als een compliment opvatten?' Ze wierp hem een sardonische grijns toe. Het commentaar van een psychiater op zijn gemengde gevoelens ten aanzien van zichzelf en zijn werk.

Ze werkten stug door, bekeken het van alle kanten, probeerden verschillende scenario's uit. Een aantal punten kwam steeds weer terug.

'Oké,' zei Mo. 'Hoe zit het met die identieke werkwijze? Waarom doen die lui, de moordenaars, het steeds op dezelfde manier?'

Rebecca beet op haar bovenlip, dacht er even over na. 'Een reden zou kunnen zijn dat ze het trauma van het conditioneringsproces herhalen – dat ze hun slachtoffers aandoen wat de poppenmaker hen heeft aangedaan. Maar volgens mij is dat niet voldoende om het te verklaren. Ik kan alleen maar veronderstellen dat de werkwijze een onderdeel is van hun programmering. Ze hebben datzelfde trauma niet alleen ondergáán – ze werden geïnstrueerd, geprogramméérd om het exact te herhalen.'

'Waarom?'

Ze fronste weer haar wenkbrauwen. 'Dat brengt ons terug op de agenda van de poppenmaker.'

Waar ze alleen maar naar konden raden.

Tegen tienen hadden ze vier uur gepraat en begonnen ze in kringetjes rond te draaien. Ze zouden er gauw mee moeten ophouden, dacht Mo, het bewaren voor als ze fris waren. Maar er waren nog een paar dingen waar ze het over moesten hebben.

Het eerste was makkelijk. 'Ik wilde je vertellen over onze vorderingen op het forensische vlak,' zei hij tegen haar.

'Het zou leuk zijn als er ergens vorderingen werden gemaakt,' erkende ze somber.

Hij vatte de gesprekken samen die die dag waren gevoerd. Terwijl zij in Riker's waren, was St. Pierre teruggegaan naar Ossining voor een vraaggesprek met de werkgeefster van Irene Bushnell en de Tomlinsons. De Tomlinsons hadden geen idee waar ze heen ging nadat ze op de maandagochtenden bij hen had schoongemaakt. En mevrouw Ferrara ook niet. Maar toen Mike vertrok bij het huis van mevrouw Ferrara, waren er een paar vrouwen de oprit opgereden, andere werkneemsters van The Gleam Team. Hij had een paar minuten met hen gesproken en ze waren begonnen om elkaar ongemakkelijke blikken toe te werpen. Ten slotte confronteerde hij hen daarmee en vertelden ze hem met tegenzin dat sommigen onder hen er klanten bij namen voor de bijverdiensten. Als een klant van

The Gleam Team tevreden was over je werk, zei die soms: *weet je, mijn zus heeft ook hulp in de huishouding nodig, misschien moet je haar eens bellen.* Dat was niet de bedoeling; alle verwijzingen moesten via mevrouw Ferrara lopen. Maar het was een manier om meer te verdienen, en niet een deel aan mevrouw Ferrara of aan Uncle Sam af te hoeven staan. Geen van hen had het ooit gedaan, god nee, maar ze hadden andere meisjes erover horen praten. Ja, Irene had het wel eens over een klant gehad die ze op maandagmiddag had. Nee, ze hadden geen idee wie of waar.

St. Pierre zei dat hij hen geloofde. Ze waren tegen die tijd zo bang dat ze niets achter zouden houden: bang om gearresteerd te worden, bang dat ze problemen met mevrouw Ferrara zouden krijgen. Bang dat een van de mensen in de buurt voor wie ze schoonmaakten een moordenaar was. Mike had de namen van de dames om hen nog verder te verhoren, maar hij wist vrij zeker dat er bij hen niets meer te halen viel.

Dus was Mo zelf naar Ossining gereden en had hij de nieuwe informatie gebruikt toen hij met Byron Bushnell had gesproken. Zoals tevoren was Byron halfdronken, verdrietig, vijandig, en gaf hij de wereld overal de schuld van. Hij hield vol dat hij niets wist over wat Irene op maandagmiddag deed. Hij wist niets van eventuele extra klanten af. Het was moeilijk om iets uit zijn rode ogen op te maken, maar Mo meende op dat moment vaag iets leugenachtigs te bespeuren. Dus ging hij over op grof geschut: *meneer Bushnell – had uw vrouw, voor zover u weet, een buitenechtelijke relatie? Een verhouding?* Bushnell was door het lint gegaan, had tegen hem gezegd dat hij godverdomme moest oprotten met zijn gore insinuaties. Het draaide bijna op handtastelijkheden uit. Maar Mo wist zeker dat hij vóór de uitbarsting ergens een muntje had zien vallen, dat er voor het eerst een verband werd gelegd.

Mo besloot: 'Ik weet zeker dat Bushnell iets van een verhouding afweet, dat het net op dat moment tot hem doordrong wie de minnaar van zijn dode vrouw was. Ik geloof dat hij besefte dat het de mysterieuze klant op maandagmiddag was. Ik probeerde hem onder druk te zetten maar hij wilde me niet meer vertellen. Ik weet niet zeker wat ik ermee moet, maar het is beslist iets waar we wat mee gaan doen.'

Rebecca floot goedkeurend. 'Ik geloof dat de meeste mensen niet beseffen hoeveel praktische psychologie er aan politiewerk te pas komt.'

Mo haalde zijn schouders op. 'Er is nog iets waarover we het moeten hebben.'

'En dat is...?'

'Dat de poppenmaker en zijn poppen slechts één van de gevaren zijn die ons bedreigen. Misschien zijn die nog niet eens het ergste.'

'Wat bedoel je?'

'Biedermann. Zelek. Nee, luister naar me, Rebecca. Ja, zij willen het publiek beschermen, maar het is even belangrijk, misschien wel belángrijker, dat ze de hele zaak geheim willen houden. Wij hebben het per ongeluk ontdekt, en ik geloof dat Biedermann het meende toen hij zei dat hij me zou vermoorden als dat nodig zou zijn om te zorgen dat ik mijn mond zou houden. Waarschijnlijk heeft hij daar ook een volmacht voor, een of andere, weet ik veel, machtiging in het kader van de staatsveiligheid. Normaliter zou ik zeggen, ja, hij is degene die we hiermee benaderen. Maar, denk ik, wat gebeurt er als Biedermann of Zelek te veel over ons in gaat zitten, het gevoel krijgt dat hij te veel in de kijker komt...'

'Ach, kom op! Je bent paranoïde. Dat zouden ze nooit... doen!' Maar zo te zien geloofde ze zichzelf niet. Hij keek slechts naar haar en liet haar erover nadenken. Hij zag dat ze opeens weer bang was.

Ze zweeg nog even, keek naar haar handen, legde haar kin in haar handpalm, liep vermoeid rusteloos rond. De stad aan de andere kant van de ramen was donker, en het contrast met het licht hierbinnen gaf Mo het gevoel dat hij zich op een eiland bevond. Nee, meer het gevoel dat ze van alle kanten werden ingesloten, dat ze in een staat van beleg verkeerden.

Rebecca scharrelde nog wat rond en keek hem toen ernstig aan. 'Gek hoe de opwinding van de jacht je vergaat als jij degene bent die wordt opgejaagd, hè?'

35

Een uur later stond Mo met tegenzin op om weg te gaan. Ze kusten elkaar ten afscheid. Hun eerste kus, een echte. Rebecca had de juiste lengte om perfect in zijn armen te passen, haar mond was zoet, haar lichaam een elektrisch contact dat hij helemaal tot aan zijn hielen voelde. Als verdoofd struikelde hij dom de steriele gang in. De deur van de lift in de hal was net opengeschoven toen hij besefte: *met geen mogelijkheid. Vergeet het maar*. Dit werkte niet; hij kon vannacht niet ergens anders zijn. Hij kon haar vannacht niet alleen laten.

Toen hij zachtjes op haar deur klopte, ging die meteen open alsof ze daar sinds zijn vertrek tegenaan had geleund. Ze trok hem naar binnen en zodra de deur dichtging, kwam ze tegen hem aan staan. Geen van beiden zei iets tot ze zich van hem losmaakte en hem weer voorging naar de woonkamer.

'Weet je zeker dat je van politiemannen houdt?' vroeg hij zachtjes.

'Ben je gek?' fluisterde ze. 'Ik ben dól op politiemannen.' Toen fronste ze haar wenkbrauwen even. 'Nu ja, op sommigen althans.' Waarna ze glimlachte. 'Nu ja. In elk geval op deze.'

Toen ze in de woonkamer kwamen, draaide ze zich weer naar hem om, nu heel serieus. Intimiteit was een serieuze aangelegenheid en hij vond het prettig dat zij dat zo opvatte. Hij stond op een armlengte afstand van haar en raakte met zijn vingers haar gezicht aan. Hij had steeds haar gezicht aan willen raken, dat eerlijke gezicht met die sterke botten, de goede, karaktervolle neus, de rode lippen die gewend waren aan een glimlach, het kleine leed in de wenkbrauwen boven de oplettende, nu zo serieuze ogen. En ze stond daar slechts in de geladen schemering van haar huis, terwijl ze hem dat liet doen en dat het vertrekpunt liet zijn.

Na een tijdje volgde zijn hand een streng goudblond haar naar beneden, waarbij hij per ongeluk langs haar borst streek. De zachte druk waarmee ze reageerde gaf hem een schok. Ze zag dat zijn ademhaling veranderde, haar nuchtere ogen zagen hem zo helder, en zonder iets te zeggen sloeg ze een arm om zijn middel en stuurde ze hem haar donkere slaapkamer in. Ze stak een kaars aan. Ze huiverde terwijl ze zich uitkleedde, niet van de kou. Ze draaide zich om en glimlachte verlegen, terwijl ze hem haar hele lichaam toonde: *dit ben ik. Dit is wie ik ben.* Alles aan haar was zoet, stevig: het bevallige ritme van haar ledematen, de welving van haar sterke dijen en de rondingen van haar borsten, en toen hij haar naar zich toetrok, rook ze als een zomers veld.

Het duurde lang, eerst verlegen en later volledig ongegeneerd. Uiteindelijk kwam ze net iets eerder klaar dan hij, met een brede glimlach en een golf die door haar lichaam ging tot ze zich in een eindeloze boog achterover kromde. De enige woorden die ze sprak waren even later, toen ze hem over de rand voelde gaan. Ze fluisterde: 'Kom maar,' waarmee ze zijn genot goedkeurde en het aanmoedigde, 'kom maar. Alsjeblieft, ja,' waarmee ze hem verwelkomde. En na een tijdje half dromerig in elkaar gestrengeld te hebben gelegen was het enige waar Mo bewust aan kon denken het verhaal van Mark Twain over Adam en Eva, hoe Adam toen

Eva doodging op haar grafsteen schreef: *Overal waar zij was, daar was Eden.* Omdat dit het meest hemelse was wat je op aarde kon bereiken.

Nog later lag hij op haar bed. Hij doezelde half en keek naar haar. Ze had een T-shirt en een pyjamabroek aangetrokken en was haar slaapkamer aan het opruimen. Ze legde alles gewoon waar het moest liggen, legde kleren klaar voor morgen. Hij vond het prettig om naar haar te kijken. Toen ze eindelijk klaar was, liet ze haar broek weer zakken, en toen die rond één enkel hing, schopte ze hem met haar voet omhoog en ving ze hem op zonder zich te bukken. Grappig. Een leuke manier van bewegen, elegant en nonchalant.

Dit was niet hoe hij met haar had willen beginnen. De druk, de angst, het onheilspellende voorgevoel. Hij had haar liever leren kennen op, bijvoorbeeld, de avondschool, om in het café met haar te praten en haar dan met bloemen te verrassen. Hij zou de tijd hebben gehad om de galante dingen te zeggen die telkens in hem opkwamen als hij naar haar keek – je liep rond met al die hoofse gevoelens in je, de grote verlangens die naar de juiste uitlaatklep zochten, die eruit moesten. Ze zouden gaan dansen in die Puertoricaanse tent in de Village. Hoe heette die ook alweer? Ze zou er geweldig uitzien als ze de salsa zou dansen en ze had er beslist de pit voor. Ze zouden in SoHo rondwandelen en hij zou haar imponeren door met verstand van zaken over architectuur te praten. Ze zouden samen naar films kijken, hand in hand in het donker. Ze zouden met elkaar vrijen zonder dat er enge toestanden in hun hoofd rondspeelden. Ze zouden praten over serieuze zaken die ze wilden, zaken als: *mijn hele leven. Dit gevoel. Ik had altijd gehoopt. Wat ik echt belangrijk vind.*

Nu was Rebecca in de badkamer, terwijl ze een melancholiek deuntje neuriede. Ze had een mooie slaapkamer. Ze had hier meer foto's van Rachel, en wat kinder- en tienerspullen die waarschijnlijk voor Rachel waren als ze bij haar logeerde. Op het bureau had Rebecca een stel cd's opzijgelegd die Rachel zondag was vergeten. Die had ze morgen ergens voor nodig; *help me herinneren dat ik ze morgenochtend meeneem, Mo.* Hij vond het fijn dat ze hem daarbij betrok. Alsof ze al langer samen waren. Ze had iets dáppers, besloot hij, deze vrouw die haar eerste twintig jaar of zo alles fout had gedaan, en die zich zo sterk had betoond toen ze besloot om haar zaken op orde te krijgen. Alleenstaand, professioneel, maar geen carrièremaakster. Goudeerlijk over zichzelf. Volledig toegewijd aan haar dochter. Ondanks al haar zelfvertrouwen en deskundigheid was ze beslist een moeder, zoals ze met Rachel omging. Haar appartement had beslist iets huiselijks. Dat gold ook voor haar. Dat was prettig, dat huiselijke.

Jezus, dacht Mo, *wat is er met mij aan de hand?*

Hij liet zijn hoofd op het kussen zakken, keek nog steeds onderzoekend de kamer rond. Haar kussens roken lekker. Een gezin – ja, daar had het iets mee te maken. Rachels ogen staarden hem aan; hier was ze zeven jaar, daar tien of twaalf. Kinderen van vijftien waren onuitstaanbaar. Ze was zondag behoorlijk moeilijk geweest. Maar hij zou het graag nog een keer willen proberen; het zou leuk zijn als ze het met elkaar konden vinden. Misschien zou ze het leuk vinden om haar moeder met een man als hij te zien.

Wat voor man was dat? Zoals ze al zei, een man die achter moordenaars aanzat, die naar enge, akelige dingen moest kijken? Een man die de helft van de tijd pissig rondliep, die een rottige vijfenveertigduizend per jaar verdiende, de pest had aan zijn werk en in de drie achterkamers van andermans huis woonde?

Nee, niet die man. Maar welke man dan wel?

De man die echt van je moeder houdt, zei hij geluidloos tegen Rachels foto. *Dat is toch wel iets waard?*

Die gedachte bezorgde hem een soort schok. Lange tijd liet hij zich erdoor meevoeren en bleef hij ermee spelen.

Hij werd wakker toen het bed doorboog. Ze knielde en trok aan het beddengoed.

'Kom op, slaapkop,' zei ze. 'Je moet onder de dekens. Ik kan er niet in als jij erop ligt. Kom op, Mo.'

Hij gromde en ging doodmoe zitten. De lamp naast het bed was gedimd. Rebecca had haar gezicht gescrubd en haar huid glom. Ze had alleen het T-shirt aan, en haar blote benen waren prachtig terwijl ze tegenover hem knielde. Ze duwde tegen hem tot hij van het bed af ging. Toen ze de sprei had teruggetrokken, liet hij zich weer tussen de lakens vallen en zich door de zwaartekracht in de matras trekken.

Ze deed het licht uit en daar lagen ze in het donker.

'Dit is lekker,' zei ze na een tijdje.

Mo draaide zijn gezicht naar haar toe en legde zijn arm langs haar zij, de warme ademende welving van haar ribben. Hij kon in het donker haar gezicht niet zien, maar hij wist dat ze er was, vlak bij, omdat hij het zachte puffen van haar uitademingen op zijn wangen voelde. Haar adem rook naar tandpasta.

Ja, dit was heel lekker. Om iemand te hebben die je vast kon houden, wat dierlijk gezelschap in het donker. Om alleen maar je partner in je armen te houden; zeker te weten dat ze oké was, dat alles oké was. Hij hoopte dat ze het niet voor later bedierven door op zo'n rare manier te beginnen, door de tijd die ze samen met zulke vreselijke dingen bezig waren. Dat ze niet op problemen afstevenden. Dat zou tragisch zijn.

'We komen er wel uit,' zei ze zachtjes. 'Maak je geen zorgen.' Soms was het alsof ze zijn gedachten las.

36

Meneer Smith was aan het trainen op de roeimachine in een sportschool waar hij graag kwam, een slonzige tent op de tweede verdieping van een vervallen gebouw. Het was handig om een plek in de stad te hebben waar je flink uit kon zweten, vooral eentje waar waarschijnlijk niemand van het kantoor zou komen. Vandaag beulde hij zichzelf af en trok hij zo hard aan de kabel dat het wiel gierde. Zijn sportshirt was al doorweekt en een stel kerels op fietsmachines keken nieuwsgierig, of misschien afgunstig, naar hem. Het was altijd goed om in topvorm te blijven, maar belangrijker was dat hij altijd het best kon denken als zijn hartslag rond een maximum van de honderdtachtig lag, zijn hele lichaam verzadigd van de zuurstof.

Een van de meest gerespecteerde strategieën in de oorlogsvoering was om je tegenstanders tegen elkaar uit te spelen. De vergelijking had een ordelijke elegantie, vond meneer Smith, maar in dit geval was het waarschijnlijk gewoon noodzakelijk. Nummer Vier maakte geweldige vorderingen, maar was nog lang niet klaar. Daardoor bleef alleen Nummer Drie over als agent op afstand om Mo Ford en Rebecca Ingalls te neutraliseren. En als het misging, als ze erin slaagden om Drie zelf te doden, dan was dat ook oké. Voor Drie waren er maar twee mogelijkheden: aanzienlijke versterking van zijn conditionering of hem domweg elimineren. Of allebei: het allerergste zou zijn als Drie zijn missie zou verprutsen en levend opgepakt zou worden, zodat slimme psychologen of rechercheurs aanwijzingen omtrent zijn recente verleden konden vinden. Dus als hij Drie een nieuwe opdracht gaf, moest hij ervoor zorgen dat niemand dat treffen overleefde.

Niet dat het altijd raadzaam was om je tegenstanders te doden.

Integendeel, het was altijd beter om hen te gebruiken als dat kon. In de contraspionage was het soms nuttig om een mol van de vijand in je gelederen te dulden, hem foute informatie door te spelen en hem te observeren om achter de plannen van je vijand te komen. Ook in deze situatie kon je veel van vijanden leren, hen op creatieve manieren manipuleren. Dat was oorspronkelijk de bedoeling geweest met Rebecca Ingalls, toen ze voor het eerst begon te beseffen wat Ronald Parker werkelijk was: naar haar luisteren, haar als een oor gebruiken om op de ontwikkelingen vooruit te lopen.

Toen hij Ronald Parker, Nummer Twee, een nieuwe opdracht had gegeven, om naar haar appartement te gaan, was dat niet met de bedoeling om haar te vermoorden. Nee, het doel was domweg geweest om de afluisterapparatuur te installeren. En dat had hij gelukkig ook gedaan voordat die stomme zakkenwasser doordraaide en met zijn gastvrouw aan het ritueel begon en werd opgepakt.

Geen kwaad woord over die arme Ronald. Hij had het goed gedaan – veel beter dan Nummer Drie, die een echte ramp was, zowel wetenschappelijk als in logistiek opzicht. Meneer Smith had daar veel over nagedacht: de vergissingen die hij met Nummer Drie had gemaakt. Het was belangrijk om van je vergissingen te leren. De bonus was dat dankzij de fouten die hij met Drie had gemaakt, Nummer Vier de beste van allemaal zou zijn. Als hij klaar was.

Bam, zwiep, toingggg. De roeimachine werd bijna van de vloer losgeschud.

Meneer Smith dankte de lieve heer dat hij zichzelf een breed scala aan technologieën eigen had gemaakt – iets waarvan de overgespecialiseerde lemmingen van de jongere generatie het belang waren vergeten. Hij had de afluisterapparaatjes zelf gebouwd. De microfoontjes waren niets bijzonders, maar de zender was heel vernuftig ondergebracht in een doosje met oplaadbare zonnecellen, dat ongeveer zo groot was als een pakje sigaretten. Ronald had de zender buiten bij haar ramen aan de muur van het gebouw bevestigd en had drie microfoontjes geplaatst voor hij het specifieke ingeprogrammeerde doel van zijn missie uit het oog verloor. De microfoontjes in haar stopcontacten zonden een zwak signaal naar de zender, die het versterkte en het doorstuurde naar de ontvanger in het appartement van meneer Smith in Manhattan, slechts een paar straten ten zuiden van het hare. De taperecorder daar werd door een signaal geactiveerd en schakelde zichzelf alleen in wanneer de zender geluid uit het appartement oppikte. Hij had haar gesprekken opgenomen, zodat hij er na zijn werk of als hij terugkwam uit Westchester naar kon luisteren.

Nadat Ronald Parker was aangehouden, was er vier maanden lang niet veel te beluisteren geweest. De moordenaar was gepakt, het onderzoek werd afgesloten en haar persoonlijke relatie met iemand van het onderzoeksteam was stukgelopen. Ze had zich van de zaak gedistantieerd, praatte er thuis niet veel over. Als hij de tapes afluisterde hoorde hij voornamelijk haar gesprekken over de telefoon en die met haar dochter in het weekend, waar hij alleen maar kwaad en gedeprimeerd van werd, omdat het hem herinnerde aan alles dat hem werd onthouden. Maar gezien het feit dat Drie in actie zou komen en de waarschijnlijkheid dat Rebecca deel zou nemen aan een nieuwe speciale eenheid, had hij geweten dat de afluisterapparatuur weer goed van pas zou komen.

En dat was ook zo. Dat ze nu naaide met de belangrijkste speurder van de staatspolitie was een zegen. Het afluisteren van hun gesprekken was van onschatbare waarde. Onbetaalbaar. Vooral gezien de vorderingen die ze hadden gemaakt.

Geppetto, dat was schattig. *Hé, jongens, geloof me, dit is geen tekenfilm. Dit is geen sprookje.*

Samen vormden ze best een geducht team: de manier waarop ze heel verschillende talenten en ervaring combineerden, hoe hun gedachten gelijk op leken te gaan. Maar het ergste van hun samenwerking was dat ze allebei onafhankelijke denkers waren, onafhankelijke doeners. Ze werden allebei gedreven door hun waarden en overtuigingen; niet makkelijk om hen daarvan af te brengen. In zekere zin zou het bijna zonde zijn om hen te vermoorden.

Meneer Smith besefte dat hij zijn roeitempo had opgevoerd en nam nu welbewust gas terug. Zijn shirt was doorweekt, de greep werd glibberig. De belangstelling van de andere mensen was nu opvallender, terwijl ze toekeken hoe deze rijpe heer de ergometer werkelijk sloopte. Beter om op te gaan in de omgeving. Hij ging terug naar een warm-downtempo en keek hoe hun ogen zich geleidelijk weer op de tv's boven hun hoofd richtten. Na nog drie minuten hield hij het voor gezien. Hij kon sowieso maar beter wat energie voor de operatie van vanavond bewaren.

Het was halftien en buiten was het helemaal donker, maar Nummer Drie was niet thuis. Net iets voor hem. Drie had het huis geërfd, samen met genoeg geld om geen dag in zijn leven te hoeven werken, dus had hij geen werkschema waardoor meneer Smith hem met zekerheid kon onderscheppen. Positief was echter dat de buurt rond de Sleepy Hollow Country Club dicht bebost was en dat het huis door hoge heggen werd omgeven. Geen pottenkijkers. Meneer Smith reed langs het huis om zich ervan te vergewissen dat alle lichten uit waren, draaide toen om en reed de oprit op. Hij deed de koplampen uit en reed in het donker over het gazon naar de achterkant van de dubbele garage. Buren konden de auto daar niet zien, en Drie zou hem ook niet zien als hij thuiskwam. Je zou hem wel kunnen zien vanuit de ramen aan de achterkant van het huis, maar Drie zou daartoe helemaal niet de kans krijgen.

De volgende stap was inbreken in de garage. Gelukkig waren de huizen hier gebouwd vóór de tijd dat er standaard hightech beveiligingssystemen werden ingebouwd. En Nummer Drie, die werkschuwe snelle playboy, deed zich graag voor als te stoer en te nonchalant om zich om zijn veiligheid te bekommeren. De achterdeur van de garage ging makkelijk open met een loper en meneer Smith glipte de pikdonkere garage binnen. Hij gebruikte een klein zaklantaarntje om de ruimte rond te kijken, die hij net zo aantrof als de laatste keer: de stoffige Bentley in het vak aan de andere kant, het lege vak dat Drie voor zijn Porsche Boxster gebruikte. De lange werktafel. De trap naar de eerste verdieping die ooit een tuinmanswoning was. Hij ging onder aan de trap zitten en deed zijn zaklantaarn uit. Nu was het slechts een kwestie van wachten. Nog een vaardigheid die maar al te weinig mensen tegenwoordig wilden beheersen. Tot hun ongeluk. Een hele natie van slappelingen, lijntrekkers. Mensen die zich zo lieten kennen verdienden bijna wat hen overkwam.

Dit was goed, de oude reflexen weer activeren. Het donker van de garage was geladen met de spanning van het afwachten. Het zou aanvankelijk misschien moeilijk zijn om Drie te overweldigen – hij was een grote jongen – maar meneer Smith twijfelde er niet aan dat de conditionering zich zou doen gelden zodra hij de overhand had. Het probleem waren de eerste twintig seconden. Als het allemaal helemaal de mist in ging, zou hij die kleine etterbak gewoon omleggen.

Destijds in de beginperiode van de veldproeven in Vietnam had meneer Smith er een punt van gemaakt om de reële omstandigheden te begrijpen waaronder sommigen van zijn proefpersonen zouden moeten werken. Weinigen van de andere gedragspsychologen hadden zo'n praktische benadering. Ze hadden te veel tijd doorgebracht in de beschutting van universiteiten, ziekenhuizen en labs; ze brachten zichzelf niet graag in gevaar. Maar meneer Smith had besloten dat het welslagen van de conditionering stond of viel met hoe specifiék zij was – en daarvoor moest de psychologische staf op de hoogte zijn van de omgeving, het landschap, de spanningen, de fysieke uitdagingen. Dus had hij zich als vrijwilliger aangeboden voor missies in de jungle.

Op vijandelijk grondgebied leerde je grondig en snel, want anders overleefde je het niet. Hij was van plan om het te overleven. Dus deed hij zijn best om zijn lichaam en zijn angst te beheersen, de kunst van het geduld hebben, het handwerk van het doden, de wetenschap van de stilte. Op zijn tweede missie had hij voor het eerst een mens gedood, een Viet Cong-bewaker aan de rand van een dorp. Het was nacht en hij moest hem stilletjes doden, dus had hij een mes gebruikt en het bloed heet over zijn onderarm voelen gutsen terwijl hij de bewaker van achteren vasthield. De Vietnamezen waren klein, maar heel sterk, en deze had geworsteld tot hij geen bloed meer in zijn lijf had. Later doodde hij anderen die makkelijker stierven, maar die eerste was een les die hij nooit zou vergeten: onderschat nooit de kracht van iemand die voor zijn leven vecht. Het was bijna bovennatuurlijk.

Meneer Smith had geen moeite met doden. Hij had gezien wat de Viet Cong regelmatig met Amerikaanse soldaten deed en hij haatte ze vanuit de grond van zijn hart. Zijn meerderen wisten dit van hem en het had hem geloofwaardiger moeten maken toen hij vragen ging stellen bij de kant die het programma op begon te gaan, bij sommige van de opdrachten. Ze konden zijn toewijding of zijn patriottisme niet in twijfel trekken. Maar de hoge omes negeerden hem niettemin en zagen zijn twijfels als een teken dat hij verslapte. Bovendien zat het allemaal zo ingewikkeld in elkaar: de Militaire Inlichtingendienst die samenwerkte met de DIA en de CIA en een aantal particuliere wetenschappelijke contractanten, de noodzakelijke rookgordijnen om alles te kunnen ontkennen voor het geval er iets van het project aan het licht zou komen. Je wist nooit wie je echte baas was, waar het hart van de operatie zich bevond, wie je moest overreden of bedreigen. Iedereen was de marionet van een andere marionet. Op een gegeven moment besefte hij dat eigenlijk niemand de zaak in de hand had.

Meneer Smith voelde het zweet op zijn slapen en zijn onderrug parelen. Dit was niet productief. Je moest je niet door herinneringen aan het verleden uit je evenwicht laten brengen. Je moest gewoon wachten, je hoofd leegmaken, klaar om te handelen en te reageren. Drie kon elk moment terugkomen. Tenzij hij natuurlijk ergens bezig was met iets wat in een hoog tempo ontaardde in een doodordinaire psychoseksuele afwijking. Hij vermoordde nu alleen nog maar vrouwen, die hij ook verkrachtte. Voor Drie was het godverdomme net zoiets geworden als een avondje uitgaan. Zieke kleine smeerlap.

De witte lichtbundel van koplampen gleed over het voorraam van de garage en deed met een schok een tintelende stroom adrenaline door het lichaam van meneer Smith stromen. Hij luisterde naar het geluid van een auto die de oprit opkwam, maar hoorde niets. De lichten gingen voorbij. Even later hoorde hij in de verte een portier dichtslaan. Gewoon een van de buren. Hij maande zich tot kalmte en bracht met een bewuste inspanning zijn stofwisseling tot bedaren.

Het klotige was dat Drie aanvankelijk een volmaakte aanwinst had geleken. Lichamelijk precies het juiste type: groot, atletisch, goed met zijn handen. Geestelijk iemand die de verwachtingen niet waarmaakte maar heel intelligent was. Het enige kind van een ouder stel, en dus weinig familiebanden die problemen konden opleveren. In Massachusetts naar een voorbereidingsschool, dus plaatselijk geen hechte vriendschappen. Maar het mooiste was dat hij zijn hele jeugd blijk had gegeven van sadistisch gedrag en moeite had om zijn impulsen te beheersen, met als hoogtepunt zijn arrestatie wegens verkrachting met geweldpleging tijdens zijn laatste jaar aan de universiteit, waarvoor hij zes jaar de gevangenis in moest.

Meneer Smith kwam aan zijn proefpersonen door in tien tot twaalf jaar oude edities van plaatselijke kranten de arrestantenregisters van de politie door te nemen en de namen van jonge arrestanten te noteren. Vervolgens trok hij kandidaten na via de instellingen voor de psychiatrische behandeling of de berechting van jeugdige delinquenten, waarbij hij dossiers achteroverdrukte of computers in particuliere en openbare faciliteiten kraakte, op zoek naar psychiatrische evaluaties die individuen met de juiste instelling aanwezen. Nadat hij hen als volwassenen had opgespoord en geobserveerd, koos hij de beste uit. Het hielp dat hij de beschikking had over een bekwame staf van onderzoekers, die hij op basis van valse informatie een deel van het achtergrondwerk kon laten doen zonder dat ze het werkelijke doel kenden.

De ouders van Nummer Drie waren gestorven toen hij in de gevangenis zat en hadden hem het huis nagelaten en genoeg geld om zijn hele leven niet meer te hoeven werken. Perféct, had meneer Smith gedacht toen hij Drie had uitgekozen. Door alle tijd die hij op de voorbereidingsschool, aan de universiteit en in de gevangenis had doorgebracht waren de buren eraan gewend dat hij lange tijd niet thuis was, zodat het niemand zou opvallen dat hij maanden weg was voor zijn conditionering in het lab van meneer Smith. Geen werk betekende dat er geen collega's nieuwsgierig zouden zijn naar de reden van zijn afwezigheid op dagen dat hij mensen vermoordde, en dat er geen spoor van papieren was waarmee bewezen kon worden waar hij op een bepaalde dag was geweest.

Ja, Drie had perfect moeten zijn. Maar meneer Smith verweet het zichzelf dat hij het meest evidente over het hoofd had gezien: problemen met het beheersen van impulsen werkten twee kanten op. Je kreeg er een proefpersoon door die in staat was tot geweldpleging, maar ook een die in staat was om tegen zijn programmering in te gaan. De seksuele aard van zijn eigen sociopathologie, de hardnekkigheid van zijn narcisme. De arrogante en ongehoorzame hóúding van het rijke snotjoch dat meende dat de wereld hem iets verschuldigd was.

Meneer Smith kon het alleen zichzelf kwalijk nemen. Hij had de allerstomste vergissing gemaakt. Je wilde sociopathische neigingen die je kon versterken en in banen leiden, maar je wilde geen aangeboren dwangneigingen die zo sterk waren dat ze je programmering konden opheffen – dat was een van de grote vergissingen die bij het programma in Vietnam waren gemaakt. En ja hoor, Nummer Drie was bij de allereerste moord al de fout in gegaan, door die schoonmaakster mee te nemen naar de oude krachtcentrale, en allerlei sporen achter te laten. Die kleine klootzak had om te beginnen nooit een schoonmaakster in moeten huren, zodat er een buitenstaander bij hem over de vloer zou komen.

Meneer Smith had hem weer opgehaald om hem een maand intensief te conditioneren, in de hoop dat hij daarmee weer op de rails zou komen, en na de moord op O'Connor dacht hij dat het was gelukt. Maar toen, pal daarop, die blunder in het moeras. Weer een verkrachting, waarbij hij biologisch bewijsmateriaal en andere afwijkende sporen had achtergelaten, die een scherpe speurder als Morgan Ford ten volle kon benutten.

Maar echt onaanvaardbaar, onvergeeflijk, was dat dat Rappaport-gedoe zo dicht bij het lab was. Dat leverde een paar knagende vragen op. Ten eerste: hóé – hoe had Drie de weg terug kunnen vinden, gezien het feit dat hij op de heen- en terugweg vastgebonden en geblinddoekt was geweest? Waarschijnlijk, giste meneer Smith, slechts een kwestie van deductie: tijdens hun werk op de oude belt, moest Drie het lawaai van de snelweg hebben gehoord, de rivier en de nabijgelegen heuvels hebben gezien, had hij door de zon de richting kunnen afleiden. Misschien had hij berekend hoe lang ze hadden gereden toen hij werd losgelaten. Door even wat topografische kaarten te bekijken zou hij vermoedelijke lokaties hebben kunnen vaststellen.

Maar vervolgens moest je je afvragen waaróm – waarom was die kleine gluiperd in gódsnaam daarheen teruggekomen? Dat suggereerde dat Drie zelf iets van plan was. Misschien was hij op zoek naar pappie, om het hem betaald te zetten? Of misschien wilde hij pappie alleen nog meer naar de kroon steken, op de oude vuilnisbelt zijn eigen 'conditioneringsoefeningen' doen?

Hoe meer meneer Smith erover nadacht, hoe kwader hij werd. De ader in zijn hals zwol op tegen zijn kraag. Zijn hart bonkte als een pneumatische hamer, zijn handen hunkerden naar hardhandigheid. Maar toen gleden er weer koplampen langs de voorkant van de garage, die ditmaal niet voorbijgingen. Net toen hij de schorre uitlaat van de Porsche herkende, klonk er een klik en ging de elektrische garagedeur omhoog. Een steeds bredere lichtstreep van de felle koplampen scheen in de garage. Meneer Smith deed een stapje terug in de schaduw van de trap.

Het duurde lang voordat Drie uitstapte. De garagedeur rolde achter hem dicht, maar hij bleef daar maar zitten, verlicht door het binnenlampje, terwijl hij rommelde met iets dat op de stoel lag. Toen deed hij het portier op een kier, maar nog steeds stapte hij niet uit, zodat het sleutelalarm begon te snerpen. Dronken, dacht meneer Smith ongeduldig.

Eindelijk zwaaide Drie het portier van de Boxster open en richtte hij zich uit de lage auto op. Maar het alarm snerpte nog steeds. Hij was de sleutel vergeten en moest zich weer naar binnen buigen om hem te pakken. Meneer Smith maakte van de gelegenheid gebruik. Hij stapte snel uit het trapgat, greep hem van achteren bij zijn riem en trok hem naar zich toe, zodat hij met zijn hoofd tegen het dak van de wagen knalde. Maar Drie was een grote gozer, zo sterk als een os, en zelfs dronken herstelde hij zich van de klap en wist hij zich half om te draaien om met zijn elleboog de slaap van meneer Smith te raken. Vonken en flitsen, een harde klap.

De pijn bracht meneer Smith tot razernij en hij schopte met een maaiende zijdelingse voetbeweging de benen van Drie onder hem vandaan. Drie ging neer terwijl hij zich vastklampte aan de deurlijst van de Boxster, en in een oogwenk trok meneer Smith zijn ASP uit de klikholster waar hij in zat. Het was een speciaal politiewapen, een telescopische stalen stok die met een snelle zwiep van zijn pols van vijftien tot veertig centimeter uitschoof. Voor deze klus hield hij hem kort. Met een knie in de gebogen rug haakte hij zijn rechterduim in het oor van Drie en duwde hij de stalen punt van de ASP in het scharnier van de kaak, in het gevoelige gebied rond het rotsbeen. Een kleine ruk naar beneden en dan had hij een geweldige hefboom. Drie krijste als een varken en gleed nog verder langs de lijst van het portier omlaag.

Hij lag nu grotendeels op de grond. Meneer Smith hield de druk op de ASP terwijl hij het hoofd in de onderste hoek van de deurlijst manoeuvreerde en vervolgens de deur dichtgooide. Drie lag op zijn buik op het beton, zijn hoofd vastgeklemd tussen het portier en de deurlijst en zijn gezicht op de drempel van het portier gedrukt. Toen hij het hoofd eenmaal goed onder controle had, haalde meneer Smith de ASP weg, ging hij op de romp van Drie zitten en leunde hij tegen het portier terwijl hij de armen van Drie op zijn rug trok en hem de nylon handboeien omdeed. Hij voelde enige voldoening, maar een deel van hem was kwaad dat het zo makkelijk was geweest – hij had liever een excuus gehad om die kleine etter echt af te straffen.

Hij drukte nog wat harder tegen het portier. Drie krijste opnieuw, maar het grote lichaam verroerde zich niet. De kleinste beweging zou ondraaglijk pijn doen.

Meneer Smith bleef twee hele minuten zo zitten. Toen bracht hij zijn hoofd naar de hoek van het portier. 'Wat zeggen we dan?' fluisterde hij.

De stem van Nummer Drie klonk verstikt; hij kon zijn kaak in de stalen bankschroef amper bewegen. Maar het kwam er geweldig uit, onder de gegeven omstandigheden: 'Dank je, pappie. Dank je, pappie. Dank je, pappie.'

37

Mo zat in een opslagruimte in de kelder van Ty's bureau in de Bronx en keek naar de muur van kartonnen dossierdozen. Meer papierwerk met betrekking tot de Howdy Doody-zaak – Ty had hem hierheen gebracht zodat hij het minder belangrijke Rosario-materiaal kon doornemen, dat na het proces opgeslagen of verbrand zou worden. De muren waren glimmend beige, net als de rest van het bureau, maar de verf bladderde hier af, en door het ontbreken van ramen en de stoffige pijpen langs het plafond was het een deprimerende plek. Het was doodstil, afgezien van zo nu en dan het geluid van een toilet dat boven werd doorgetrokken, het ruisen van water door de pijpen.

Terwijl hij naar de doorzakkende stapels dozen keek, kwam hij in de verleiding om deze onderzoeksmogelijkheid op te geven. Hij voelde een zeurende pijn; zijn hersenen of zijn geest werden hierdoor uit hun verband gewrongen. Om zo hard, zo snel van de zaligheid naar het werk te gaan. Hij vroeg zich af hoe zij zich vandaag voelde. Miste ze hem? Had ze morning-afterspijt? Hoe dan ook, alles wat deze dossiers eventueel te bieden zouden hebben was door de ontwikkelingen achterhaald. Er was geen insider om naar op zoek te gaan, omdat de consistente werkwijze niet kwam doordat de moordenaar iemand was die als gezagshandhaver bij de zaak betrokken was, maar doordat Geppetto zijn moordmarionetten op een consistente manier had geprogrammeerd. Een programmering die door zijn verborgen agenda werd bepaald, wat die ook mocht zijn.

Niettemin dacht hij dat hij de klus net zo goed kon afmaken. Uitvoerige achtergrondinformatie, je wist maar nooit wat dat zou opleveren. Hij zette de eerste van acht dozen op de tafel en begon er dossiermappen uit te trekken. O ja, de glamour van een moordonderzoek. Moorden brachten een hoop papierwerk met zich mee, genoeg om in te verzuipen. Deze dozen zaten vol onbeduidende memo's, de boeken waarin de speurneuzen van Ty elke dag alle interviews die niets opleverden en aanwijzingen die nergens toe leidden hadden opgetekend, kopieën van de correspondentie met andere jurisdicties die bij de eerste speciale eenheid betrokken waren. Notulen van besprekingen, die voornamelijk bestonden uit het noteren van de aanwezigen en procedurele besluiten en waarin opvallend weinig over belangrijk bewijsmateriaal werd gesproken, ongetwijfeld als een gevolg van Biedermanns muilkorfregels. Kopieën van brieven van en naar het kantoor van de officier van justitie van Manhattan, pressiebrieven van het kantoor van de burgemeester, smekende of boze brieven van familieleden van het slachtoffer.

De tweede doos bevatte stapels uitdraaien van nationale criminele databanken waarin werkwijzen, victimologie, autopsierapporten enzovoort werden vergeleken met andere moorden in het hele land. Vervolgens een verzameling van de gebruikelijke knettergekke bekentenissen en paranormale aanwijzingen die waren doorgebeld door burgers die over de zaak in de kranten hadden gelezen en naar aandacht hunkerden. Enzovoort, enzovoort. Te oordelen naar dit materiaal hadden de speurders van Ty verdomd goed werk verricht met het natrekken van honderden aanwijzingen die niets hadden opgeleverd.

Tot zover de tweede doos. Hij propte de papieren er rommelig in en was gefrustreerd. Hij moest de werkelijke reden dat hij hier was onder ogen zien: hij zat tijd te rekken. Hij verdreef de tijd met gefröbel terwijl hij probeerde te bedenken wat hij moest doen.

Flannery's secretaresse had gebeld en hem opgedragen om vanmiddag weer bij de officier van justitie op het matje te verschijnen, maar Mo had geen idee wat hij tegen hem moest zeggen. Op het gewone forensische front was er geen nieuws. Aan de andere kant viel er veel te vertellen: menselijke kruisraketten, psychologische experimenten van het leger, clandestiene doodseskaders van de overheid, Geppetto. Zolang hij daar niet uit was, had Mo geen flauw idee wat hij al dan niet moest zeggen.

Daar kwam nog bij dat hij had gehoord dat de officier van justitie van plan was om de jury in de zaak Grote Willie te vragen om hem aan te klagen wegens moord met verzwarende omstandigheden, wat onder de gegeven omstandigheden de zwaarst mogelijke aanklacht was. Marsden had hem vanmorgen op de hoogte gebracht en Mo was zo realistisch geweest om zijn vertegenwoordiger van de Beroepsvereniging van Rechercheurs van de staatspolitie te bellen, die een bespreking had geregeld met een advocaat van de vakbond aan het begin van de volgende week.

Hij had de inhoud van de derde doos op de tafel gestort en gedacht: *die hufter van een Flannery.*

Die gedachte deed hem even ophouden. Misschien zat er toch iets interessants in die eerste doos. Hij borg de papieren weg die hij net op de tafel had gegooid en zette de eerste doos weer op de tafel.

Het had te maken met de gewone correspondentie. Hier waren gefotokopieerde aantekeningen van de politiebureaus uit New Jersey die aan de eerste Howdy Doody-moorden hadden gewerkt, voordat Parker in Manhattan was begonnen. Te oordelen naar de datums had Ty naar het zich liet aanzien het materiaal uit New Jersey opgevraagd na de moord in zijn district, die zes maanden na de eerste moord in New Jersey werd gepleegd. Memo's, distributielijsten, samenvattingen van vroege onderzoeksresultaten. Wat Mo's aandacht trok waren de lijsten met cc-tjes, waarop de naam van de officier van justitie van Westchester, Flannery, een bijzonder prominente plaats innam.

Mo sloeg zijn notitieblok op om naar de kalender van de moorden van de poppenspeler te kijken. Waarom werden er meteen na de tweede moord in New Jersey in april '98 al cc-tjes naar Flannery gestuurd? Waarom zo snel? Hoe zou Flannery zelfs maar gehoord hebben over een paar bepaalde moorden die buiten zijn jurisdictie waren gepleegd, aan de andere kant van de rivier in New Jersey?

Mo voelde zijn hartslag versnellen terwijl er andere details in hem opkwamen. Flannery: Nu kaal maar met blauwe ogen, wat suggereerde dat hij ooit blond was geweest. Groot, bijzonder goed in vorm – Geppetto zou fit moeten zijn om zijn, hoe zou je hen noemen, zijn experimententele proefpersonen te manipuleren. Flannery, achter in de vijftig, de juiste generatie om een rol te hebben gespeeld bij de psychologische projecten in de Vietnamperiode. Flannery die, als hij het zich goed herinnerde, een medische achtergrond had voordat hij rechten ging doen – wat hem de vereiste vaardigheden verschafte voor de rol van de poppenmaker. En, juíst, Flannery die de familie van Laurel Rappaport persoonlijk kende, het meisje dat in het moeras was vermoord. Niemand had eraan gedacht om dat verband nader uit te zoeken. Flannery die er meteen voor had gezorgd dat Mo bij hem onder de plak zat, zodat hij kon beschikken over een insider bij de speciale eenheid, bij het onderzoek voor zover het de staatspolitie betrof. Wie wist hoeveel anderen op soortgelijke wijzen door hem gemanipuleerd werden?

Mo waarschuwde zichzelf om niet opgewonden te raken, maar zijn handen beefden terwijl hij de rest van de papieren doornam. Je kon niet ontkennen dat hier een patroon was. Flannery had kopietjes gekregen van alle communicatie omtrent de Howdy Doodyzaak, en dat was direct na de tweede moord in New Jersey begonnen. Het was waar dat de tweede moord gesuggereerd zou hebben dat die het begin was van een serie, en daardoor mogelijk de belangstelling van een naburige officier van justitie kon hebben gewekt. Maar waarom – en hoe – zo snel? En toen Mo de lijsten met aanwezigen bij besprekingen doornam, bleek Flannery persoonlijk daar verbazend vaak op voor te komen. Waarom had een bijzonder druk bezette officier van justitie zoveel tijd vrijgemaakt voor één enkele zaak die nog niet eens onder zijn jurisdictie viel?

Tegen de tijd dat hij opkeek, was het halftwaalf. Hij zou Flannery om drie uur treffen. Hij werd zenuwachtig bij de gedachte dat hij hem onder ogen moest komen.

Hij probeerde zichzelf te kalmeren: *denk aan de vergissing die je met Biedermann hebt gemaakt, klootzak*. Maar toen berekende hij dat hij, met de tijd die hij nodig had om terug naar White Plains te rijden, ongeveer twee uur vrij had. Net genoeg tijd voor een bezoek aan de openbare bibliotheek in New York, om wat achtergrondinformatie op te zoeken.

De secretaresse in Flannery's kantoor zei tegen hem dat de officier van justitie beneden was, in het fitnesscentrum dat de county er voor zijn personeel op nahield. Hij verwachtte Mo, zei ze, op een van de squashbanen. Mo ging met de lift naar de kelder, volgde de borden door de raamloze gangen naar het sportgedeelte. Het was drie uur en een mooie dag in begin juni, zodat vrijwel niemand anders gebruikmaakte van de faciliteit. Mo ging een hoek om, hoorde het galmende *wap-POK!* van een bal en volgde het geluid tot hij bij Flannery uitkwam.

Hij keek even vanuit de gang. De banen waren nieuw, met glazen achterwanden van de vloer tot aan het plafond zodat mensen naar wedstrijden konden kijken. Flannery was alleen in de fel verlichte, witte ruimte, met zijn rug naar Mo. Hij droeg een korte broek en een grijs T-shirt dat donker was van het zweet. Hij sloeg een bal tegen de andere muur met felle meppen van een met een handschoen bedekte handpalm, terwijl hij met snelle, grote stappen heen en weer bewoog. *Ka-pok! Pa-wok!*

Het bezoek aan de bibliotheek was productief geweest, zij het op een weinig doorslaggevende manier. Mo had de vervuilde leeuwen begroet, jeugdvrienden, en was naar binnen gegaan naar de tijdschriftenafdeling. Hij had besloten om te beginnen met het doornemen van de kranten van vijf jaar geleden, het jaar voordat Flannery de officier van justitie van Westchester werd. Ze hadden de *Journal News* op microfiche, wat vervelend was, omdat hij dan mechanisch alle krantenpagina's beeldje voor beeldje moest doornemen. Maar dan nog duurde het niet lang voor hij Flannery's naam hier en daar had gevonden. Het meeste was niets bijzonders, maar toch vond hij wel een paar interessante feiten. Flannery was geboren en getogen in Westchester. Hij had aan Johns Hopkins medicijnen gestudeerd, maar in plaats van na zijn eindexamen een eigen praktijk te beginnen, was hij het leger in gegaan. Als medisch officier had hij diverse jaren gediend in het Legerhospitaal van Wainwright in Georgia en een aantal kortere perioden in ziekenhuizen in Vietnam. Na de oorlog had hij de medicijnen eraan gegeven, was hij rechten gaan studeren en was bij de staf van de openbare aanklager gaan werken. Vanwaar die overstap? 'Voor mij is er niet echt veel verschil tussen medicijnen en rechten,' luidde een nobel citaat van de nieuwe officier van justitie. 'Ze komen allebei voort uit een oprecht verlangen om mijn medemens te dienen.'

Mo schreef in zijn notitieblok: *huis van familie in Westchester – waar?* En: *Wainwright legerhospitaal – welke taken?* Was dat toevallig waar het leger zijn monsterfabriek had?

Nog een profielschets uit de *Daily News: Meest begerenswaardige vrijgezel van Westchester houdt van aandacht maar schermt privéleven af*. Flannery die in zijn werk graag voor het voetlicht trad hield zijn persoonlijke zaken angstvallig buiten beeld. Had een appartement in White Plains en nog eentje in Manhattan waar hij zich beter aan de ogen van het grote publiek kon onttrekken. Kreeg niet veel gasten, hield zijn liefdesleven strikt privé. De extraverte officier van justitie die bekendstond om zijn charme gaf met een hem typerende oprechtheid toe dat hij een gevoelige, introverte kant had die in zijn ambtelijke carrière nauwelijks tot zijn recht kwam. Roerend.

Na de onthullingen van de vorige avond was Rebecca begonnen met het uitwerken van een psychologisch profiel van Geppetto. Mo wist niet zeker waar ze op uit zou komen, maar dit moest er toch dichtbij komen – de dubbele persoonlijkheid, het dubbelleven, het gebrek aan intieme huiselijke relaties.

De zoekacties in de *New York Times* leverden een aantal verwijzingen op naar Richard K. Flannery. Wederom waren de meeste daarvan routineus en hadden betrekking op de politiek in de staat New York. Het meest interessante artikel was een redactioneel commentaar na de verkiezingen waarin werd gesuggereerd dat Flannery's pijlsnelle opkomst niet zozeer te danken was aan zijn bekwaamheden als wel aan machtige politieke invloeden van buitenaf, de gouverneur of misschien zelfs Washington. *Connecties in de inlichtingengemeenschap?* vroeg Mo zich af. Een ouwe-jongens-krentenbrood-netwerk van voormalige monstermakers die een van de hunnen een handje hielpen?

Mo keek hoe de grote man de bal rondmepte, de krachtige kromming van zijn bovenlijf en de snoeiharde zwaai van zijn rechterarm, terwijl hij zich hem als de poppenmeester probeerde voor te stellen. Ja, besloot hij, hij zag het voor zich. Absoluut.

Maar dat idee bracht ook diverse problemen met zich mee. Met name dat als Mo Ford in twee uur zoveel suggestief materiaal kon vinden, special agent Biedermann dat zeker lang geleden al had gedaan. En dat kennelijk niet de moeite waard had gevonden.

Aan de andere kant waren ze Flannery misschien wél aan het natrekken. Misschien wisten ze dat ze een heel sterke zaak tegen een machtige officier van justitie moesten hebben, en kostte het gewoon veel tijd. Misschien was dit een van de 'grote lijnen' waar Mo een oogje voor moest dichtknijpen.

Flannery zag Mo en hield op, ving de terugkaatsende bal en wenkte hem om op de baan te komen. Mo deed gehoorzaam de deur open en ging naar binnen. Een tochtvlaag van de airco blies uit de ventilatieroosters aan het plafond, maar de ruimte rook nog steeds sterk naar de muskusachtige geur van mannelijk zweet.

Flannery's borst ging op en neer terwijl hij naar Mo toe kwam en hem een klap op de schouder gaf. 'Bedankt voor je komst. Heb jij dit ooit gedaan?'

'Een beetje, destijds op de middelbare school...'

'Nou, daar gaan we dan!' grijnsde Flannery. 'Laten we een balletje slaan. Ik heb nog wel een handschoen.'

'Nee, bedankt.'

Flannery's glimlach verflauwde. 'Weet je, je ziet er nogal gespannen uit, Ford. Misschien zou je het moeten proberen – wat van die spanning afreageren. Een knal tegen die bal geven, dat is heel heilzaam. Dat helpt je van de ergste stress af.' Hij draaide zich om, rommelde in een sporttas die in een hoek van de ruimte stond en kwam terug met een handschoen. Hij sloeg hem in Mo's hand, terwijl hij hem dreigend aankeek. 'Ik sta erop. We zullen de bal wat rondmeppen terwijl jij me vertelt wat je dwarszit.'

Mo pakte de handschoen maar maakte geen aanstalten om hem aan te trekken. 'Ik hoor dat de jury een verzoek zal krijgen om me aan te klagen wegens moord met verzwarende omstandigheden.'

Flannery's gezicht betrok toen Mo weigerde om met hem te spelen. Hij wendde zich af en serveerde de bal zo hard tegen de muur dat hij terugkaatste naar Mo. Een provocatie, een uitdaging. In een reflex wendde Mo zich af zodat de bal hem tegen zijn schouder raakte en wegketste.

Flannery dook er achteraan. 'Daarmee bewijs ik je een dienst. Doodslag zou ik misschien voor elkaar kunnen krijgen, maar de jury zal nooit instemmen met moord met verzwarende omstandigheden; dan moeten ze je laten gaan. Het mes snijdt aan twee kanten: ik doe de familieleden een lol, en zorg dat jij de dans ontspringt. Ik dacht dat je dánkbaar zou zijn dat ik het zo had geregeld. Maar nee, dat is te veel gevraagd, geloof ik.' Weer gaf Flannery de bal een mep zodat hij weer op Mo afkwam. Mo, die er ditmaal op was voorbereid, deed een stap opzij.

Flannery ving de bal toen hij van de achterwand terugstuiterde. 'Wat heb je nog meer op je lever?' Hij keek nog steeds niet naar

Mo, gaf de bal slechts een mep zodat hij op Mo's hoofd afkwam. Ditmaal plukte Mo hem uit de lucht.

'Niets,' loog Mo. 'Maar we hebben geen enkele vordering gemaakt waarover ik u iets kan vertellen. Er zit op dit moment geen schot in de zaak.'

'Hoe zit het met je bezoek aan Ronald Parker in Riker's? Heeft dat helemaal niets opgeleverd?' Flannery's rode gezicht verried dat hij er enig genoegen in schiep om Mo te vertellen dat hij daarvan afwist. 'Doet je mobiel het nog? Omdat ik zeker weet dat jij mijn nummer hebt en je hebt me onlangs niet gebeld, toch?'

Mo besloot om zich niet te laten opjutten en niet te vragen hoe hij dat wist. 'Parker is onsamenhangend. Daar komt geen zinnig woord uit. Als we iets belangrijks te weten waren gekomen, dan zou ik het u wel vertellen.'

Flannery beet op zijn onderlip en dacht daarover na. Hij haalde nog een bal uit zijn zak, serveerde die tegen de muur, sloeg hem een paar keer heen en weer. Het grote bovenlijf domineerde de kleine ruimte, door zo snel zijwaarts te bewegen, alsof Mo er niet was. Flannery deed een uitval zo dicht bij Mo dat die de hitte kon voelen die van hem afstraalde. En toen gaf Flannery, zonder zijn hoofd om te draaien, zo'n mep dat hij weer op Mo's gezicht afkwam. Mo greep hem met zijn linkerhand uit de lucht en knalde bijna tegelijkertijd de andere bal tegen de muur. Die zet overviel Flannery. De bal kwam terug en trof hem midden op zijn borst.

Even werd Flannery's gezicht knalrood en zwollen de aderen in zijn nek op. Maar toen verscheen die brede grijns weer op zijn gezicht en grinnikte hij terwijl hij zich afwendde, naar zijn tas liep en er een handdoek uithaalde. Hij wreef over zijn kale hoofd, zijn gezicht en zijn nek terwijl hij grijnzend naar Mo keek.

'Jij bent me er eentje, weet je dat?' zei de officier van justitie ten slotte. Hij schudde waarderend zijn hoofd. 'Serieus. Ik begrijp niet waarom je zo weinig zin hebt om mij het balletje toe te spelen – dat wil zeggen, metaforisch gesproken. Aan de andere kant bevalt je stijl me wel. Die act van "de laatste eerlijke man", dat gaat je goed af. Dus zal ik je in vertrouwen nemen. Kan ik je vertrouwen, rechercheur?'

'Dat hangt ervan af.'

'Dat is góéd geantwoord! De prijs gaat naar Meneer Integriteit!' Flannery wierp zijn handdoek weg en toen werd zijn gezicht weer serieus. Hij dempte zijn stem. 'Oké. Het is een ingewikkeld raderwerk, ja toch? We hebben een hardnekkige toestand met die moorden, niet dan? Ergens klopt er hier iets niet. Juist?'

'Juist.'

'Laat ik je dus een verhaal vertellen. Onder ons.' De frons op Flannery's voorhoofd verdiepte zich toen hij tegen de muur ging zitten en zijn benen begon te masseren. 'Ik zat tijdens de oorlog in Vietnam een paar maanden bij de medische afdeling van het leger daar, maar het grootste deel van de tijd in Georgia. Weet je wat mijn werk was? Ik had de opdracht om voormalige krijgsgevangenen te behandelen, of kerels die we terugvonden nadat ze een tijd in de jungle zoek waren geweest. Ze hadden heel specifieke medische problemen, die een hechte combinatie van lichamelijke en psychologische behandelingsmethoden vereisten. Mijn specialisme. Sommigen van de krijgsgevangen die wij behandelden hadden, zoals we dat vroeger noemden, een "hersenspoeling" ondergaan, maar de meesten waren gewoon gek geworden van een jaar of twee, drie in bijzonder strenge gevangenschap. Tegenwoordig gebruikt men de term "post-traumatisch stresssyndroom", maar de waarheid is dat er veel verschillende reacties op stress en trauma's zijn. Gevangenschap en langdurige, vernederende onderwerping aan de wil van anderen, brengt een uniek complex van problemen met zich mee. Je ziet claustrofobie, depressiviteit, razernij, wat wij "aangeleerde machteloosheid" noemen en obsessief gedrag waarin mácht centraal staat. Machtskwesties, waarbij het zowel gaat om beheerst worden door als om het zelf beheersen van anderen – meestal allebei. Zie je waar ik heen wil?'

'Bij de poppenmoorden gaat het om macht.'

'Ja.' Flannery trok een grimas terwijl hij een verkramping in een kuitspier wegmasseerde, en toen hij verder ging sprak hij zachtjes: 'Oké. Er is dus een gek toeval waar je van moet weten. Toen ik in Vietnam zat, was onze eenheid vooral betrokken bij deze problemen, en wij waren min of meer geheim omdat niemand thuis mocht weten hoe erg de oorlog in werkelijkheid was, hoe zwaar hij voor onze jongens was. Maar we leerden veel; we maakten vorderingen. Andere eenheden, zowel van de inlichtingendienst als gevechtseenheden, kwamen naar ons voor advies. Een individu uit een elite-eenheid voor clandestiene operaties kwam diverse malen terug en stelde veel inzichtelijke vragen. Toevallig speelt datzelfde individu nu een belangrijke rol in het onderzoek naar de poppenmoorden.'

Godallejezus, dacht Mo.

Zijn gezichtsuitdrukking ontging Flannery niet. 'Ja. Biedermann. Ik ben heel geïnteresseerd in Erik Biedermann.' Hij staarde Mo strak aan.

Voordat Mo iets kon zeggen, verscheen er een stel squashers bij de glazen achterwand. Ze glimlachten, keken veelbetekenend op hun horloges en wierpen weer een blik op Flannery. Toen Flannery twee vingers naar hen ophield, *twee minuten*, gingen ze op de bank aan de andere kant van de gang zitten om te babbelen terwijl ze hun materiaal controleerden.

Mo vroeg zachtjes: 'En waarom denkt u dat hij er bij betrokken zou kunnen zijn?'

Flannery sprak heel zachtjes en hield zijn rug naar de doorkijkwand gericht terwijl hij opstond en zijn spullen in zijn tas begon te proppen. 'Ik weet het nog niet zeker. Maar ik geloof niet zo in toeval. Volgens mij zijn er dan twee mogelijkheden. De eerste is dat Biedermann een heel belangrijke missie heeft die met zijn vroegere werk te maken heeft – die verder gaat dan een imitator van een moordenaar. In dat geval biedt het hele scenario veel mogelijkheden die ik, eerlijk gezegd, heel aanlokkelijk vind.'

Mo wachtte, en bedacht toen: 'Wat is de andere mogelijkheid?'

Flannery grijnsde. 'Zullen we het daar voorlopig even bij laten?'

'En u vertelt me dit alles omdat...?'

'Ik zou graag willen dat je me helpt om meer over hem te weten te komen. Dat zal heel subtiel moeten gebeuren. En, je begrijpt, dat ik hier niet graag iemand uit mijn eigen toko voor gebruik.'

'Waarom ik? Je zou beter kunnen praten met een aantal anderen, mensen van de politie in New York of New Jersey. Die hebben meer ervaring met hem.'

Flannery grinnikte daar slechts om. 'Omdat de oude moorden niet binnen mijn jurisdictie vielen, heb ik op die mensen niet zoveel invloed. Terwijl dat voor die nieuwe wel geldt, en jij – jou heb ik min of meer onder de duim, nietwaar?'

Mo dacht aan alle bedoelingen die Flannery had, of zou kunnen hebben. Misschien meende hij wat hij zei, dat hij Mo wilde gebruiken als een mol om hem informatie te verschaffen waarmee hij zichzelf uiteindelijk verder zou kunnen helpen. Of het was een valstrik, een manier om Mo op een of andere misstap te betrappen, waarvoor Flannery hem dan aan het kruis kon nagelen. Nog beter, Biedermann in dit stadium als een vals spoor opvoeren was een volmaakte manier om de aandacht van een achterdochtige speurder van Flannery zelf af te leiden. Opeens had hij het helemaal gehad met Flannery, zijn brede glimlach, zijn zelfvertrouwen en zijn intriges.

'Wat gebeurt er als ik het spelletje niet meespeel?'

'Het gebruikelijke.' Flannery ritste zijn sporttas dicht, keek snel de baan rond en toen dreigend naar Mo. 'Grote Willie kan makkelijk verdwijnen, of hij kan helemaal niet verdwijnen. Misschien dat ik je niets kan aanwrijven, maar zelfs de aanklacht op je cv zou al je kansen op promoties in de toekomst verknallen. Ach, laat maar zitten – iemand als jij zou daar niet mee zitten. Maar met een proces kan ik in elk geval je leven zes maanden, een jaar, tot een hel maken. En ik geloof niet dat dat iets is wat jij op dit moment wil. Het zou je waarschijnlijk slecht uitkomen, toch? – gezien het gerucht dat je iets bent begonnen met die knappe psychologe. Die, laten we onszelf niet voor de gek houden, toch al ietwat te hoog gegrepen is. Voor iemand in jouw positie.' Flannery trok zijn wenkbrauwen op terwijl hij zijn ogen in die van Mo boorde: *we weten allebei wat ik bedoel.*

Mo was doodop tegen de tijd dat hij terug was in het huis van Carla's moeder. *Mausoleum.* Hij liep op alle verdiepingen de lege vertrekken na, sloeg een glas zurig smakend sinaasappelsap achterover en trok zijn jasje uit. De plaats op zijn schouder waar de bal hem had geraakt brandde nog steeds. Het was niet echt een blauwe plek, maar het psychische brandmerk van het machismo, de geldingsdrang van een andere man. *Die hufter van een Flannery.* Hij wilde Rebecca bellen, maar hij had opeens last van allerlei onzekerheden en trouwens, eerst moest hij een ander telefoontje plegen. Hij draaide het nummer uit zijn hoofd en kreeg het stugge antwoordapparaat.

'Gus, dit is Mo Ford. Ik zou je hulp kunnen gebruiken. Zelfde probleem, andere vent. Bel me even.'

38

Mo had zichzelf nooit beschouwd als een zware drinker, maar de vrijdagavonden waren zwaar als je alleen woonde in een verlaten huis en de enige bij wie je zou willen zijn vijftig kilometer verderop met haar dochter de avond doorbracht. En de luidruchtige, drankzuchtige ambiance van een kroeg klonk als het juiste tegengif voor een toenemende angst voor de eenzaamheid. Daarom stapte hij nadat hij de boodschap voor Gus had ingesproken in zijn auto, die hij zichzelf liet sturen, en reed door de vochtige zomerstraten in de richting van, wat anders, The Edge. Een bar die agenten kenden. Gedeelde smart is halve smart.

The Edge besloeg de begane grond van een vrij oud bakstenen gebouw van twee verdiepingen. Voorheen was hij aangekleed in de stijl van een Ierse pub, en hoewel de nieuwe eigenaar de naam had veranderd zodat die de post-moderne angst voor de tijd weerspiegelde en er een dun sausje van sportfanatisme overheen had gegoten, had de kroeg nog steeds veel donker hout, Guinnessborden, Ierse vlaggen en dartborden uit zijn vorige periode. Een deel van de muur hing vol met foto's van beroemdheden en plaatselijke politiehelden. Acht uur, misschien een man of twintig, de helft in de achterkamer rond een paar pooltafels. Bij de bar kon je door een waas van sigarettenrook op een paar tv-schermen naar sportprogramma's kijken en zat een tiental drinkers te debatteren over de kansen van de Knicks in de finale.

Mo knikte naar een paar bekende gezichten, ging in een van de smalle hokjes zitten en bestelde een pint Bass bij de graatmagere serveerster. Na de warme dag was het heerlijk om iets kouds te drinken. Hij had de helft op en voelde de eerste alcohol in zijn bloed toen een grote gedaante in het licht van de tv's ging staan. Toen hij opkeek, zag hij Erik Biedermann.

'Hé, maatje,' zei de FBI-agent. Hij liet zich zwaar tegenover Mo neerploffen, legde zijn armen op de tafel en wreef zich verwachtingsvol in zijn vlezige handen. 'Wat een verrassing om jou hier te zien.'

'Hoe wist je waar ik was?'

'Wij hebben zo onze methoden,' zei Biedermann met een grappig Duits accent. Hij pakte een bierkaart, keek er snel even naar en gooide hem terug op de tafel. 'Nee, serieus, dit is toeval. Ik had een bespreking hier in de buurt en had na afloop trek in een borrel. Volgens iedereen is dit een drenkplaats van het politievolkje, dus ik dacht dat ik maar eens een kijkje moest nemen.'

'In dat geval, ga zitten,' zei Mo.

Biedermann lachte. 'Altijd dat recalcitrante! Geweldig. Kom op, Ford, geef me een kans. Ja, jij vindt het dubieus wat ik voor de kost doe. Maar ik durf te wedden dat jij van burgers hetzelfde gezeik te horen krijgt: hoe kan je zulk klotewerk dóén. Je zou het niet erg vinden om zelf ook af en toe een beetje begrip te krijgen. Niet dan?'

Mo dacht aan Rachels opmerking: *ik bedoel, wie zou dat willen doen? Vind je dat niet walgelijk?* Het antwoord was: ja, dikwijls. Biedermanns grijns was wrang en een beetje scheef geworden. Mo zag dat hij het meende, dat hij dat soort eenzaamheid kende. Oké, Biedermann kon een kans krijgen, besloot hij. Wat kon het hem ook verdommen.

De serveerster kwam, Biedermann bestelde een pint Sam Adams, Mo nog een Bass.

Biedermann keek keurend de ruimte rond. Hij droeg een spijkerbroek en een blauw werkoverhemd, waarvan de mouwen waren opgerold tot halverwege zijn stevige onderarmen, de stof strak over zijn borstspieren en zijn biceps, en leek meer een potige burgerlijke echtgenoot na een dag in de tuin dan iemand van een geheim doodseskader op zijn vrije avond. 'Leuke tent,' zei hij. 'Ben jij je zorgen aan het verdrinken, of zit je hier meestal op vrijdagavond?'

Mo dacht erover na. 'Je hebt gezien waar ik woon,' zei hij ten slotte.

Het sierde Biedermann dat hij alleen maar begripvol knikte en niets zei.

De serveerster bracht hun biertjes en ze sloegen er wat van achterover. Mo merkte dat hij zich enigszins ontspande. Ergens wilde hij het over Flannery hebben, het uitspreken, misschien dat Biedermann wat vragen zou willen beantwoorden. Maar eigenlijk had hij niets steekhoudends tegen de officier van de justitie, nog niet. In elk geval niets waarover hij kon praten zonder te onthullen dat ze het Geppettoscenario hadden ontdekt. Dat was van vitaal belang: zorgen dat Biedermann niet wist wat zij wisten.

'Ik blijf het gevoel houden dat jij en ik op de verkeerde voet zijn begonnen,' zei Biedermann. 'Machogedoe, van dat gezeik over wie er de baas is. Maar dat zou ik graag achter ons laten. We hebben ook veel met elkaar gemeen. Ik bedoel, meer dan alleen het werk.' Hij keek Mo veelbetekenend aan.

'Je bedoelt Rebecca.'

Een weemoedige blik gleed over Biedermanns gezicht. 'Nou. Ja. Wat een, eh, wat een meid is dat. Ach, barst, dat klinkt seksistisch. Ze is een zeldzaam iemand. Ze is mooi, ze is intelligent, ze is...' – Biedermann zocht naar het juiste woord – 'ze is, zeg maar, écht. Weet je wel? Jij bent een mazzelaar.' Opeens leek hij opgelaten, keek hij in zijn bier, dat hij in één lange slok opdronk waarna hij zijn hoofd omdraaide om de aandacht van de serveerster te trekken.

'Ik wilde je woning niet afzeiken toen ik daar was,' vervolgde Biedermann. 'Ik weet hoe het is, ergens echt wonen doe ik ook nauwelijks, geen tijd. Maar over Rebecca gesproken, als je mijn raad wil...'

'Dat wil ik niet,' onderbrak Mo hem.

'Oké, geen raad, alleen een waarneming. Ze is kieskéúrig. Weet je wel? Stelt hoge eisen. En waarom ook niet? Het enige wat ik wil zeggen is – iemand in jouw situatie, nou, dit moet je niet verkeerd opvatten – ik zou er niet te veel van verwachten. Dat is alles. Je zou kunnen zeggen dat ik, eh, spreek op grond van persoonlijke ervaring.' Biedermann keek droef naar zijn lege glas.

Geweldig, dacht Mo. Jezus, het was voor iedereen overduidelijk dat ze niet bij elkaar pasten, zelfs voor macho eikels als Flannery en Biedermann. Hoe lang zou het duren voordat Rebecca dat ook besefte?

Biedermanns biertje kwam en hij dronk er in hoog tempo een derde van op voordat hij zijn glas naar Mo ophief. 'Op het zwakkere geslacht,' zei hij ernstig. Ze klonken en dronken.

Van achter in de biljartkamer klonk een uitbarsting van gelach en applaus, een keu die op de grond knalde, en ze draaiden hun hoofd om. Een jonge vrouw in een korte rok zat op een van de tafels, terwijl ze met haar lange benen pronkte en zich in een kronkel draaide om een moeilijke stoot te nemen. Ze wipte de bal zo van de tafel, klapte dubbel van het lachen over het vilt en gleed toen in de armen van haar vriend.

Ze zaten nog even met hun biertje in hun hand en toen zei Biedermann: 'Hoor eens, ik moet weg. Maar ik moet je iets vertellen. Ik loog dat het toeval was dat ik je hier aantrof. Ik was naar je op zoek. Ik, eh, ik wilde je spreken. Officieus.'

Mo voelde een waarschuwende tinteling en wilde opeens dat hij niet zoveel had gedronken. 'Over?'

Biedermann boog zich voorover en dempte zijn stem. 'Slecht nieuws, Mo. We hebben ons met die handboeien beziggehouden. Die nylon wegwerpboeien die sommigen van de slachtoffers om hadden. Blijkt dat ze wél na te trekken zijn, door de partij te traceren, met subtiele verschillen in de samenstelling van de kunststof. We hebben de partij geïdentificeerd en de verkopen van de firma Flex-Cuf nagetrokken. De betreffende partij is naar elf politiebureaus gegaan. Een daarvan is toevallig – nu ja, naar mijn smaak is het een beetje te toevallig...'

Op de een of andere manier wist Mo meteen waar hij op aan stuurde. Op slag werd het een heel ander plaatje, veel verstrekkender, ingewikkelder. Nieuwe lagen van complexiteit en verwarring.

'Ja, je vriend Ty Boggs. Hij heeft voor zijn bureau een paar gros besteld. Ik weet dat jullie samen naar school zijn gegaan, wat met elkaar zijn opgetrokken. Jullie zijn waarschijnlijk nogal dik met elkaar. Dus vond ik dat ik je even op de hoogte moest brengen. We hebben hem onder de loep genomen.'

'Hij is het niet,' zei Mo.

'Dat zou ik ook niet denken. Maar hoe goed ken je hem nou echt? We weten dat onze dader een acteur is, die weet hoe hij de indruk moet wekken dat hij het vrijwel niet kan zijn. Ty zat in Vietnam, deed een aantal bijzondere operaties. Heeft een politieachtergrond en forensische kennis. Intelligent, erg georganiseerd. Kijk maar naar wat je... wat Bec over het profiel van de moordenaar heeft gezegd. Vervreemd, waarschijnlijk geen huiselijk leven. Je maatje Ty is acht jaar geleden gescheiden, toch? Nooit hertrouwd, woont naar het schijnt samen met zijn zus. Lijkt me een kwaaie peer, en je zou kunnen betogen dat het feit dat de slachtoffers blond zijn en blauwe ogen hebben voortkomt uit racisme. Fysiek zo sterk als een tank, bedreven in oosterse vechtkunst, nauw betrokken bij het onderzoek...'

'Jij moet weten wie je ex-proefkonijnen zijn,' was Mo's reactie. 'Zelek zei dat je er een nauwkeurige boekhouding op nahield.' Het duizelde hem, terwijl hij probeerde om erachter te komen of dit echt was of een of andere list van Biedermann, weer een afleidingsmanoeuvre, om wat voor reden dan ook. Ty?

'Er zijn honderden manieren om het contact met hen te verliezen in vijfentwintig jaar. Honderden manieren om een nieuwe identiteit te verzinnen. Bovendien, Zelek kan doodvallen. Het is een feit dat de dossiers van het programma zo gedecentraliseerd waren, zo strikt van elkaar gescheiden, zo geheim werden gehouden, dat we het nooit helemaal zeker kunnen weten. Laat ik je dit vragen: Wat voor relatie heb je met hem? Heel intiem, of gewoon, meer beroepsmatig? Zie je hem vaak in de weekends, 's avonds? Maak je ooit kennis met zijn vriendinnetjes?'

'Vrij intiem. Nu ja, dat waren we tot...'

'Tot ongeveer drie jaar geleden, durf ik te wedden. Toevallig, net zo'n beetje de tijd dat de Howdy Doody-moorden begonnen.' Biedermann boorde zijn ogen in die van Mo en zag kennelijk dat hij zijn zelfvertrouwen verloor.

Húúh, dacht Mo. Dat was in elk geval waar. Precies rond die tijd had het geleken alsof Ty afstand van hem nam. Het enige wat hij kon zeggen was: 'Waarom vertel je me dit? Ik dacht dat je niet wilde dat ik me met de grote lijnen bezighield.'

Biedermann bewoog zijn hoofd op en neer. 'Verschillende redenen. Ten eerste, hij is je maatje. Als blijkt dat we hem heel serieus moeten aanpakken, kunnen we het niet hebben dat jij hem in bescherming neemt en hem kleine diensten bewijst, een oogje dichtknijpt. Ons opzettelijk of per ongeluk voor de voeten loopt. Ten tweede, vond ik dat je het moest weten. Wat mij betreft een kwestie van professionele beleefdheid. Een blijk van respect. We hebben besloten om het met de speciale eenheid niet te hebben over de vorderingen met de handboeien, nog niet; hij zou het via-via kunnen horen. Dus doe me een lol en hou dit onder ons. Ja?'

Biedermann liet lucht tussen zijn lippen ontsnappen. Hij maakte een gelaten en ongelukkige indruk. Toen liet hij zich opzij glijden en stond hij op uit het zitje. 'Ik moet opschieten. Sorry dat ik de brenger van slecht nieuws moest zijn. Geen prettige gedachte dat een oude vriend een moordenaar zou kunnen zijn. Nu ja, misschien vergissen we ons; misschien waait het allemaal over, hè?' Zijn poging om Mo gerust te stellen klonk volkomen vals. Hij gaf Mo een klap op zijn schouder en verliet de bar.

39

Mo lag op zijn rug in bed, met de Glock in zijn holster op zijn borst, toen de telefoon ging. Hij graaide ernaar in het donker, stootte hem van het nachtkastje, vond hem terug. Volgens de wekkerradio was het 1:02 's nachts. Hij had nog maar zes minuten geslapen.

'Gus?' zei hij bars.

'Rechercheur Morgan Ford?' Een vrouwenstem.

'Ja.'

'Dit is brigadier Renee Williams, van het hoofdkwartier van Eenheid K. Er is iets gaande in Briarcliff Manor. Het betreft een patstelling bij een gijzeling in een woonbuurt, waarbij schoten zijn afgevuurd. De verdachte heeft om u persoonlijk gevraagd. Kunt u daar snel zijn?'

'Wie in godsnaam? Ik bedoel, waarom ík?' Mo kon zich niet voorstellen wie Morgan Ford, persoonlijk, in zo'n situatie zou willen zien.

'De agenten ter plekke zeggen dat het om een huwelijksprobleem lijkt te gaan, een driehoeksverhouding? Het is bij ene Dennis Radcliff thuis.' Ze zweeg even en toen Mo's zwijgen suggereerde dat hem geen licht opging bij het horen van die naam, vervolgde ze: 'De verdachte is nog niet met zekerheid geïdentificeerd, maar wij vermoeden dat hij de eigenaar van een Toyota pick-up is die op het gazon van de villa geparkeerd staat. Ene Byron Bushnell?'

En Mo dacht: Bíngo.

Als je om één uur 's nachts rond de Sleepy Hollow Country Club rijdt, zie je grote huizen en zorgvuldig aangelegde tuinen in de schaduw van zwaar zomers gebladerte. Mo reed snel maar zonder zwaailicht door de stille straten. Hij was klaarwakker zodra brigadier Williams de naam Byron Bushnell had genoemd. Dat betekende dat hij gelijk had gehad toen hij tijdens hun laatste vraaggesprek die flits van begrip op Bushnells gezicht had zien verschijnen. De rouwende man die besefte dat, ja, zijn dode vrouw een verhouding had gehad. Ja, het was met een van de klanten bij wie ze schoonmaakte. Ja, het was die rijke vent waar ze op maandagmiddag heen ging, de bijverdienste waarvan Irene mevrouw Ferrara niets verteld had. En misschien was die rijke vent de klootzak die Irene had vermoord.

Mo had zich sinds het vraaggesprek al die tijd afgevraagd wat hij met dat vermoeden aan moest, maar nu had Byron Bushnell dat probleem voor hem opgelost. Byron had kennelijk besloten dat hij dit niet aan de politie wilde overlaten. Hij zou het zelf wel regelen.

Deaver Street was bezaaid met de zwaailichten van een tiental politiewagens. De straat was afgezet met dranghekken, en Mo moest zijn penning aan een agent in uniform van de staatspolitie laten zien om erlangs te kunnen. Toen hij dichterbij was, zag hij dat de auto's hun spots op de voorkant van een groot bakstenen huis hadden gericht, dat achteraf lag tussen keurig gemaaide gazons, en het huis deden oplichten als een filmset. In twee ramen aan de voorkant van het huis gaapten scherp gerande gaten. Diverse sluipschutters van de politie zaten ineengedoken achter auto's. Hun geweren waren voorzien van grote nachtvizieren en gericht op een openstaande deur van de aangrenzende garage, waar de achterkant van een sportauto te zien was. Een drietal ambulancebusjes wachtte verderop in de straat en er waren waarschijnlijk twintig andere agenten te zien. Onder hen bevonden zich veel zware jongens van het arrestatieteam. De nachtlucht leefde van de zwaailichten, koplampen en het elektrische gekraak van radio's.

Even voorbij het eind van de oprit overlegde een groepje hoge pieten van de plaatselijke en de staatspolitie, onder wie hoofdinspecteur van de staatspolitie Max Dresden, die Mo oppervlakkig kende. Ze gebaarden dat hij erbij moest komen en Mo knikte ter begroeting.

'Naar het schijnt is deze vent een of andere goeie vriend van je,' zei Dresden.

'Waar is hij nu?'

'Misschien in de garage, misschien in het huis.'

'Is de eigenaar van het huis binnen?'

'Weten we niet zeker. Op dit moment gaan wij ervan uit dat hij gegijzeld wordt.'

Mo rekte zijn nek uit om in ogenschouw te nemen wat hij vanuit deze hoek van de plaats delict kon zien. Door de heg kon hij de gehavende witte Toyota van Byron Bushnell zien, die pardoes op het gazon was geparkeerd.

Dresden vertelde hem hoe het was gegaan. Buren hadden aangifte gedaan dat ze schoten hadden gehoord. De politie van Briarcliff was gekomen, had de verdachte op het gazon aan de voorkant aangetroffen, waar hij met een pistool zwaaide en op de ramen van het huis schoot, terwijl hij iets over zijn vrouw en over moord riep. Toen hij de politiewagen zag, schoot hij erop en raakte hij een zijraampje. De plaatselijke politie had versterking opgeroepen. Tegen de tijd dat de staatspolitie was gearriveerd, was de verdachte de garage en waarschijnlijk het huis binnengegaan. Hij had vanuit de deur van de garage nogmaals op hen geschoten.

Ze hadden mannen ter plekke in de aangrenzende tuinen en op de golfbaan aan de achterkant, zodat hij niet kon ontkomen, en iemand uit Poughkeepsie, die gespecialiseerd was in gijzelingen en mensen die zichzelf hebben ingesloten, had met een megafoon geprobeerd hem te overreden om zich over te geven. De verdachte was duidelijk dronken en overstuur en had gereageerd door te zeggen dat hij alle juten haatte en dat hij Dennis Radcliff en zichzelf en iedereen die verder nog in de buurt was om zeep zou helpen. Hij had nog een keer geschoten, ditmaal op de gijzelingsspecialist. De schutters van het arrestatieteam durfden niet terug te schieten, gezien de mogelijkheid dat hij een gijzelaar had. Na een tijdje leek het erop dat Bushnell bang begon te worden en dat het hem te veel werd. Hij had geschreeuwd en geraasd en had uiteindelijk om rechercheur Morgan Ford gevraagd.

Toen hij klaar was, wachtte Dresden op een verklaring van Mo. Zijn blik suggereerde dat hij geen fan van Mo was.

'Ik heb hem een paar keer gesproken naar aanleiding van een moordzaak,' zei Mo. 'Ik besefte niet dat we, eh, zo goed met elkaar konden opschieten.'

'Hoe denk je dat we het moeten aanpakken?'

'Je moet je mannen terugtrekken. Het is cruciaal dat we Byron en die andere vent, die Dennis Radcliff, levend in handen krijgen.' Mo proefde de naam op zijn tong: *Dennis Radcliff*. Dat zou best eens Pinocchio's echte naam kunnen zijn. Eindelijk. Als ze hem levend in handen konden krijgen, zou hij de eerste directe schakel met Geppetto zijn. En dat was níét Ty, absoluut niet, onmogelijk.

Maar de kring van hoge pieten keek hem nog steeds afwachtend aan en dus vervolgde hij: 'Bushnell is de echtgenoot van Irene Bushnell, een vrouw die vermoord is. Hij is in de rouw en gelooft waarschijnlijk dat deze Radcliff degene is die zijn vrouw heeft vermoord. Misschien heeft hij gelijk. In zijn huidige toestand is hij inderdaad tot alles in staat. Ik zal proberen om met hem te praten. Maar wat hij ook doet, dood hem niet. Daar moeten we het over eens zijn, anders kan ik niets doen.'

Mo zette zijn woorden kracht bij met zijn blik. Je geeft hoofdinspecteurs doorgaans geen orders, maar Dresden aarzelde amper voordat hij de boodschap doorgaf aan zijn mensen.

Mo wilde in de richting van het huis lopen, maar draaide zich om. 'Nog twee dingen. Als we daar naar binnen gaan, moeten we het hele huis afgrendelen, niets aanraken, alles als bewijsmateriaal beschouwen. De garage, de kelder, de zolder, wat dan ook. Je mensen moeten dit weten, geen spektakel. En kijk ook of je Bushnells schoonmoeder telefonisch kan bereiken en haar hierheen kan krijgen – ene mevrouw Drysdale, nummer in Tarrytown. Als ik het niet voor elkaar krijg, dan kan zij misschien iets doen.'

Mo liep naar het eind van de oprit en ging zo staan dat hij overal vanuit het huis goed te zien was. Hij voelde de spanning stijgen onder de agenten rondom hem, de zichtbare en degenen die zich in de tuin verscholen hadden. De spots verlengden zijn schaduw over de oprit, naakt en eenzaam.

'Hé, Byron!' riep hij. 'Ik ben het, Morgan Ford.'

Vanuit het huis klonk geen geluid.

'Byron, kijk eens. Ik leg mijn pistool hier op de oprit. Zie je het? Ik ben niet gewapend.'

Geen antwoord.

'Hé, Byron, kom op. Dit is verschrikkelijk, man! We moeten je daar weg krijgen.'

Na een ogenblik hoorde hij van binnen een gedempte stem: 'Hij heeft haar vermoord! Hij is degene die haar heeft vermoord!' Het was niet duidelijk of de stem door de open garagedeur kwam of door het kapotgeschoten raam dat zich het dichtst bij de garage bevond.

'Als hij dat heeft gedaan, wil ik hem net zo graag als jij. Wij staan aan dezelfde kant. Kan ik binnenkomen om met je te praten?'

Een lange weifeling. Onzekerheid.

Mo zette een paar stappen. 'Is hij daar nu bij jou?'

Een bons van iets dat omviel. Gevloek. Toen de stem van Bushnell, verstikt van verdriet en frustratie: 'Nee! Hij is er niet! Die lamstraal is er niet!'

Een tastbaar gevoel van opluchting trok door het politieleger op straat, maar het enige dat Mo voelde was teleurstelling: *geen Pinocchio*. 'Oké. Laat mij dan binnenkomen en dan kan jij me vertellen wat...'

'Ze gaan me gewoon omleggen, niet dan? Denk je dat ik niet weet hoe dat gaat? Klotesmerissen, man, mijn hele leven...'

'Niemand gaat je omleggen. We hebben je nodig om ons te helpen hem te vinden. Ja? Het komt wel goed met je.'

Mo zette voorzichtig nog enkele stappen. Hij was tien passen bij de garagedeur vandaan. Hij was er vrij zeker van dat de stem daarvandaan kwam. Met iemand die zo door het dolle heen was als Bushnell wist hij dat er nog van alles kon gebeuren.

Bushnell gaf geen antwoord, bleef alleen maar verstikt vloeken. En dus liep Mo door.

Toen hij bij de open garagedeur kwam, kon hij door de felle spots moeilijk zien wat zich in de schaduwen bevond. Er stond een sportauto, een Porsche, en aan zijn linkerhand leidde een trappetje van twee treden naar een deur die toegang gaf tot het huis. Een donkere gedaante zat ineengedoken achter de open deur, met een pistool in zijn hand. Van zo dichtbij kon Mo de ellende van die arme stakker voelen, een aura van lijden.

Even stonden ze daar allebei, zonder zich te verroeren, in de door lichtbundels doorboorde duisternis. Ten slotte vroeg Mo zachtjes: 'Weet je zeker dat hij er niet is?'

'Ja.'

'Laten we hier dan weggaan. Eerst zullen we jou in veiligheid brengen en dan gaan we wel uitzoeken waar hij is.'

'Hoe gaan we naar buiten?'

'Leg je pistool neer. Dan gaan we samen naar buiten.'

'Ze zullen me néérschieten. Misschien dat ik mezelf godverdomme gewoon voor mijn kop knal. Ik heb het gehad met deze klotezooi! Ik heb het helemaal gehad, man.' Hij huilde.

'Niemand gaat je neerschieten. Kom hier, dan zullen we elkaar vasthouden. Maar eerst moet dat pistool van je weg. Laat het gewoon op het afstapje liggen. Als die gozers daarbuiten het pistool zien, worden ze zenuwachtig. Dan schieten ze ons allebei neer.'

Weer onzekerheid. Mo hoorde hem ademen en slikken, het geluid van iemand die huilt en doodsbang is.

Zo ging het nog een paar minuten. Ten slotte stapte Bushnell vanachter de deur de schemering in. 'Oké,' zei Mo bemoedigend. 'Het gaat prima.' Hij keek om zich ervan te vergewissen dat het pistool op het afstapje lag en draaide Bushnell toen zijn rug toe. 'Kom hier en sla je armen van achteren om me heen, van weerskanten. Maar hou je handen vóór me zodat die jongens daar zich geen zorgen gaan maken.' Dit was niet de meest geijkte werkwijze, maar hij was ervan overtuigd dat Bushnell zonder beschutting niet mee zou komen. 'Oké? Byron, hoor je me?'

Bushnell gaf geen antwoord, maar Mo voelde hoe bevende armen schuchter om zijn heupen gleden. Zo strompelden ze onbeholpen door de deuropening, stonden ze in de schijnwerpers.

'We komen naar buiten!' riep Mo. Hij werd volledig verblind door de lichten. 'De verdachte is ongewapend! Bevestig dat jullie me horen.'

Een versterkte stem: 'Oké. We hebben het gehoord. De sluipschutters trekken zich terug.'

Verblind schuifelden ze in de richting van de straat. Mo voelde Bushnells huiverende ademhaling tegen zijn rug. Hij was iets korter dan Mo, zodat zijn hoofd als dat van een vrouw tegen Mo's rug aan kwam. De man klampte zich aan hem vast alsof zijn leven ervan afhing.

Mo Ford, menselijk reddingsvest, dacht hij. En toen stonden ze op straat en dromden agenten rond hen samen en werd Byron Bushnell van zijn lichaam losgewurmd. Er renden al mannen in de richting van het huis.

'Raak niets aan!' riep hij hen na. 'Raak helemaal niets aan! Er is meer aan de hand dan het lijkt.' Hij bedoelde het hele scenario. Opeens besefte hij dat hij van de spanning goddomme naar de maan stond te schreeuwen, en dat voor hen alles wat hij zei volslagen onzin was.

40

Het was zaterdag vlak na het middaguur dat Mo bij Rebecca's appartement aankwam. Zijn zenuwgestel zwalkte in een wankel evenwicht tussen de kick van koffie en adrenaline en de uitputting van dertig bijzonder angstige uren zonder slaap. Hij was de hele nacht in het huis van Dennis Radcliff gebleven, had het hele pand doorzocht, samen met andere rechercheurs en mensen van de technische recherche, en hij had een halfuur in een auto met Byron Bushnell zitten praten, waarbij hij niets nieuws te weten kwam. Gelukkig was noch Biedermann noch Flannery komen opdagen om de zaken nog ingewikkelder te maken.

Om acht uur 's morgens had Mo, nadat hij er goed over had nagedacht, Flannery op zijn mobiel gebeld. Theoretisch was het om eindelijk de rol van plichtsgetrouwe slaaf te spelen en de officier van justitie op de hoogte te houden van de ontwikkelingen. Maar het was ook een manier om alle schijn te vermijden dat hij hem verdacht. Bovendien had hij Flannery terloops gevraagd waar hij was, of hij naar de plaats delict wilde komen en hoe snel hij er kon zijn. Had niets te betekenen, maar Flannery beweerde zonder enige aarzeling of verlegenheid dat hij in zijn appartement in Manhattan zat. Ja, hij zou ter plekke wel een kijkje komen nemen maar dat zou nog wel een paar uur duren.

Ten slotte had hij daarna nog met tegenzin en niet zonder schuldgevoel een smoesje verzonnen en Ty opgebeld in het appartement in de Bronx dat hij deelde met zijn zuster. De zuster was er wel, maar Ty niet. Ze wist niet waar hij was, maar ze zou de boodschap doorgeven.

Húúh.

Wie Geppetto ook mocht zijn, het leed geen twijfel dat Radcliff Pinocchio was. In de garage hadden ze een zwarte plunjezak gevonden met daarin een rol lijn van een onkruidwieder, nylon handboeien, extra oogjes. Ze hadden ook haren uit haarborstels gehaald, waarvan hij zeker wist dat die uiteindelijk overeen zouden komen met de DNA-sporen van de plaats waar Laurel Rappaport aan haar einde was gekomen.

Maar Radcliff zelf was verdwenen. Dat betekende geen makkelijke connectie met Geppetto. Voorlopig was het beste wat Mo had een plukje kort blond haar, kleverig van het bloed, dat hij had gevonden in de onderste hoek van het portier aan de chauffeurskant van een Porsche. Mo's instinct vertelde hem dat Dennis Radcliff door Geppetto was meegenomen. Het had waarschijnlijk slechts een paar uur gescheeld dat ze hem waren misgelopen.

Hij belde Rebecca met tegenzin, omdat dit haar dag met Rachel was, maar het bleek dat ze elkaar wel zouden kunnen zien. Rachel en een stel vriendinnen zouden naar een matinee gaan. Rebecca legde quasi-zielig uit dat hoewel moeders hun tienerdochters zoveel mogelijk wilden zien, tienerdochters niet zo gemotiveerd waren om iets bijzonders met hun moeders te doen, vooral omdat ze in de weekends ook iets met hun vriendinnen konden doen. De lokroep van de wildernis, zei Mo, soms moest je hen gewoon loslaten. Rebecca vond het niet zo'n leuk grapje.

Rachel en haar vriendinnen kwamen net het gebouw uit toen Mo aankwam. Het drietal beende door de hal toen hij door de deur kwam, Rachel en een meisje in gothic kleding en een latino meisje, alle drie met hun gezicht opgemaakt en een samenzweerderige twinkeling in hun ogen. De glans van de gespannen verwachting. De deur uitgaan, op je vijftiende, wat geld op zak, Manhattan dat lag te wachten – Mo herinnerde zich het gevoel. Rachel zag hem en haar gezicht veranderde. Waakzaamheid gleed voor de twinkeling als een rolgordijn voor een raam.

'Hoi,' zei Mo.

'Hoi,' mompelde Rachel. Ze leek geen zin te hebben in een uitgebreid gesprek, dus Mo hield haar niet op met andere vriendelijkheden. In een ogenblik waren ze elkaar voorbij. Terwijl de meisjes naar buiten liepen, hoorde Mo haar tegen haar vriendinnen zeggen: 'Hij is mijn ma d'r vríéndje.' Een geïrriteerde toon.

Dat was oké, besloot Mo. 'Vriendje' was een simplificatie, maar het was oké.

Haar weer zien, de eerste keer nadat je met elkaar naar bed bent geweest, een dag later. Je hebt het in je hoofd verder uitgewerkt, je hoop en verwachtingen, maar je weet niet zeker of zij er net zo over denkt. Toen hij vrijdagochtend na de koffie en de kussen haar woning verliet, was er veel geglimlacht. Maar dat was de ochtend erna min of meer een verplicht nummer; het betekende niet noodzakelijkerwijs dat de gevoelens wederzijds waren.

Dus nu zeg je hallo, je gaat naar binnen en je hart bonkt omdat het spannend is om dicht bij haar te zijn, omdat je doodsbang bent dat zij niet hetzelfde voelt. En ja, er is een zekere ongemakkelijkheid; ze is vormelijk of voorzichtig of zoiets. En dat wil je respecteren, dus jij bent ook voorzichtig, terughoudend. Je probeert haar behoeften en wensen te respecteren en niet te veel te veronderstellen of iets als vanzelfsprekend te beschouwen.

Even weet je zeker dat het allemaal naar de verdommenis is gegaan. Je kijkt allebei naar elkaar met die intense waakzaamheid en terughoudendheid, en dan stoot je per ongeluk met je schouders tegen elkaar aan en breekt er iets, komt de muur naar beneden. Opeens lig je in elkaars armen, dicht tegen elkaar aan. Het is het beste gevoel dat je kan hebben, het doorbreken van de muur, beter dan de eerste keer omdat je nu weet dat het iets betekent. En het is voor jullie allebei zo'n opluchting dat je niet kan stoppen. Je geeft er gewoon aan toe en de kleren moeten uit en jullie liggen in bed en jullie *verifiëren* alles alsof jullie allebei bang waren dat het slechts een droom was geweest, dit is écht, en er is geen enkele terughoudendheid meer.

Wat later hing ze over hem heen, haar haar als een tent rond zijn gezicht en zei ze: 'Hoi.'

'Hoi.' Ze grinnikten zonder dat het echt een reden had. Na nog een ogenblik zei hij: 'Hoor eens, je moet me helpen om op te staan. Ik meen het. Als ik hier nog één minuut lig, raak ik buiten westen.'

Ze hoorde aan zijn stem dat hij serieus was, *tijd om ter zake te komen*, en duwde hem met tegenzin uit bed. Toen hij eenmaal overeind was, duwde ze hem de badkamer in en deed ze de douche voor hem aan. Toen hij eronder uit kwam, zat ze te wachten met een mok vers gezette koffie, die hij gloeiend heet opdronk; een hitte die hem hielp om wakker te worden.

Ze kleedden zich aan en gingen in de woonkamer zitten waar hij haar op de hoogte bracht van de laatste ontwikkelingen: Byron Bushnell en de situatie bij het huis van Dennis Radcliff afgelopen nacht, zijn mening dat Geppetto Radcliff weer had meegenomen.

'Dat was onvermijdelijk,' zei ze. 'Als proefpersoon liet Pinocchio het steeds meer afweten. Geppetto is erg georganiseerd. Hij heeft een agenda die evenzeer bepaalt wat hij doet als zijn obsessies. Radcliff maakte te veel fouten, verried Geppetto op te veel manieren.'

'De vraag is: wat doet hij nu met Radcliff?'

'Naar alle waarschijnlijkheid probeert hij zijn conditionering weer op te frissen – hem te herprogrammeren. Geppetto zal niet geneigd zijn om de tijd en de energie te verspillen die hij in hem heeft geïnvesteerd.'

'Dat dacht ik ook. En wat is het nieuwe programma? Nog meer in het wilde weg moorden?'

Ze gaf geen antwoord, maar haar gezicht sprak boekdelen: Nee, niet meer in het wilde weg moorden. Dat werkte niet bij Radcliff. Geppetto zou Radcliff strategisch gebruiken, hem zo inzetten dat hij zijn agenda zou beschermen. Zoals hij Parker op Rebecca had afgestuurd.

'De vraag is dus: wie zal het doelwit zijn?' zei hij.

'Kan Geppetto op wat voor manier dan ook weten... dat jij en ik hem op het spoor zijn?' Ze keek bang bij die gedachte: ze wist maar al te goed hoe het voelde om een doelwit te zijn.

Mo had zich dat ook afgevraagd, in een poging om de rede te laten zegevieren en de stem van Mudda Raymon uit zijn hoofd te krijgen: *De poppen-pop komt achter jou aan*. 'Ik geloof het niet. Niet meer dan alle andere hoofdrolspelers in deze zaak – Biedermann, of sommigen van zijn mensen, of zelfs Mike St. Pierre, of...' Hij verstomde toen hij zich de andere ontwikkeling in zijn denken van de afgelopen vierentwintig uur herinnerde.

'Wat is er net gebeurd? Vertel op, Mo.' Ze zag het aan zijn gezicht.

En dus vertelde hij haar over zijn ontmoeting met Biedermann in de bar, de handboeien die erop wezen dat Ty erbij betrokken was. En toen over Flannery, diens suggestieve achtergrond, de manier waarop hij Mo manipuleerde, de manier waarop hij alles leek te weten wat Mo wist, hem zorgvuldig in de gaten hield. Het juiste fysieke type, een aantal overeenkomsten met het opdoemende psychologische profiel van Geppetto. De manier waarop hij Mo's verdenkingen de kant van Biedermann op stuurde. Rebecca luisterde aandachtig. Ze stond niet meer sceptisch tegenover Mo's intuïtie.

'Maar jij wilt niet aan Biedermanns verdenkingen ten aanzien van Ty.'

'Ik kan het niet geloven. Ik kan het gewoon... niet geloven.' Hij vroeg zich af of hij het niet kón of dat hij het niet wílde. Hij wou dat hij zich zo zeker voelde als zijn woorden suggereerden. 'Vooral niet als Flannery zo aannemelijk begint te lijken. Ik weet dat ik niets hards tegen hem heb. Maar ik heb nog een paar dingen lopen. Over een paar dagen zou ik meer moeten weten.'

'Ik denk dat je het Erik moet vertellen. Hem in elk geval vragen of hij Flannery ooit heeft verdacht.'

Mo hield zijn hoofd schuin: *misschien wel, misschien niet.*

'We vertrouwen hem of we vertrouwen hem niet, Mo! Wat zal het worden?'

'Zo simpel ligt het niet. Hoe meer wij hierover weten, hoe meer Biedermann en zijn "schoonmaakploeg" over ons in moeten zitten. Ik vertrouw erop dat Biedermann zijn instructies uit zal voeren. Ik weet alleen niet hoe ver die instructies gaan.'

Ze was het niet met hem eens. Nadat ze er een tijdje over gekibbeld hadden, besloten ze nog even te wachten om het Biedermann te vertellen van Flannery.

Toen was het haar beurt. 'Ik zal je even vertellen wat ik in de tussentijd gedaan heb. Ten eerste heb ik gewerkt aan het profiel van Geppetto – en daarbij heb ik veel gehad aan de banden van Ronald Parker die in zijn cel tegen zichzelf praatte. Zoals je hebt gehoord, heeft hij in grote lijnen twee verschillende gemoedstoestanden, twee verschillende "stemmen" in zijn taalgebruik. De ene raaskalt en is chaotisch, onsamenhangend. De andere is de belerende stem, de uit het hoofd geleerde uitspraken en slogans, die volgens mij een resultaat van het conditioneringsproces zijn. Uit die inhoud kan ik een beeld krijgen van Geppetto's agenda.'

'En dat is...?'

Rebecca liep naar haar bureau, vond een bundel aantekeningen, bladerde door de pagina's. 'Volgens mij ziet Geppetto zichzelf als een strijder, een guerrilla. Het maken van marionetten is voor hem een onderdeel van een missie die voor zijn gevoel moreel te verdedigen is. Zijn acties zijn statements, bijna *protestacties*. Hij plaatst zichzelf en zijn poppen en hun slachtoffers in de rol van martelaren voor een hogere zaak, omdat de maatschappij hem niet erkent. Hij voelt zich vervolgd, ondergewaardeerd. Een verworpene, een outcast.'

'Dat gedeelte is vrij klassiek, voor seriemoordenaars.'

'Dat is waar. Maar in zijn geval lijkt de waan een uitzonderlijk sterke interne consequentie te hebben.'

'Wat is zijn statement dan? Waartegen protesteert hij?'

Ze haalde haar schouders op en haar wenkbrauwen vormden elegante vraagtekens. 'Weet ik niet. Misschien zoiets eenvoudigs als een jeugdtrauma? Iets complex zoals een of ander sociaal of politiek onrecht, dat al dan niet reëel is. Wat het ook is, we weten dat het om macht draait.' Even leek het alsof het mysterie haar boven de pet ging, toen vermande ze zich. 'Ik moet de banden nog een keer doornemen en er nog wat meer medische literatuur op naslaan. Máár,' vervolgde ze, 'ik heb ook veel opgestoken van Parkers andere stem – zijn geraaskal. Ik heb een kwantitatieve analyse gemaakt.'

'Wat is dat?'

'In zekere zin is het een grof instrument, maar je kan er vaak erg veel aan hebben. In wezen maak je een inventaris van wat de patiënt zegt in zijn vrije associaties, als hij in zichzelf praat, raaskalt. Het basisidee is domweg dat regelmatig terugkerende thema's waarschijnlijk iets te betekenen hebben.'

'En welke thema's kwamen ter sprake?'

'"Pappie" is belangrijk; dat zagen we meteen al. In feite blijkt uit de dossiers dat Parker door zijn vader lichamelijk is misbruikt – gewelddadig, niet seksueel – maar in dit geval betwijfel ik of het "pappie"-thema een direct relict is van een jeugdtrauma dat door zijn vader is veroorzaakt. Ik geloof dat Geppetto opzettelijk de rol van "pappie" speelde, die uitbuitte om Parkers programmering in diens verleden te verankeren. Om ze aan te laten sluiten op archetypes van angst en gezag die nog uit zijn kindertijd stammen. Een slimme vorm van conditionering.'

'Wil dat zeggen dat Geppetto iets wist van Parkers verleden – wist dat hij misbruikt was?'

'Als dat zo was, dan zou dat suggereren dat hij Parker persoonlijk kende of achtergrondonderzoek heeft gedaan als een onderdeel van zijn verwervingsproces. Parker heeft dossiers bij sociale instanties, tuchtscholen en welzijnszorg – Geppetto had daarachter kunnen komen, hem hebben gekozen op basis van zijn verleden. Maar dat is niet noodzakelijk. Helaas zijn pappies maar al te vaak... enge, autoritaire machtsfiguren. Het kan ook dat Geppetto gewoon op die algemeenheid heeft ingespeeld.'

Mo dacht daarover na, pakte zijn notitieblok en schreef het op. Dat was goed: de verwervingstechnieken van Geppetto zouden een spoor naar hem kunnen achterlaten. 'En verder?'

'Eens kijken. Tja, er waren een paar rare. "Honden" kwamen vaak ter sprake. "Net als de honden." "Waar de honden heen gaan als ze stout zijn." Ik weet niet zeker wat ik daarvan moet maken... En dan is er de "stortplaats" of "de belt". Die is gerelateerd aan zowel straf als beloning. Komt telkens terug.'

Mo voelde een huivering over zijn rug lopen. Mudday Raymon had iets gezegd over een 'belt'. 'Is die stortplaats een... een echte plaats? Of een symbolische plaats?'

Ze keek hem vol bewondering aan. 'God, ik vind het zo goed hoe jij die dingen oppikt! Ik weet het niet zeker. Symbolisch bezien klinkt het dreigend – een belt is lelijk, een plek waar kapotte of nutteloze dingen worden weggegooid. Als Parker een "ding" was, heeft "pappie" misschien gedreigd om hem weg te gooien als hij zich niet goed gedroeg? Maar ik heb zo het gevoel dat het een bestaande plek zou kunnen zijn. "Laat me niet naar de belt gaan." "Pappie houdt van me. Ik heb het goed gedaan op de belt."'

'Dus het zou een bestaande plaats kunnen zijn.'

'Zeker. Maar niet noodzakelijkerwijs een echte vuilnisbelt. Het zou een bestaande plaats kunnen zijn waaraan Geppetto een symbolisch veelbetekenende naam heeft gegeven. Maar ik heb een theorie.' Dit was allemaal erg duister, maar Rebecca leek met zichzelf ingenomen, opgewonden. De blik van een bloedhond. Mo schudde zijn hoofd. Hij stond versteld van haar.

Ze kwam nu goed op dreef, liep heen en weer en gebaarde terwijl ze verklaarde: 'Ik dacht eraan hoe je mensen zou conditioneren. Geppetto had voor elke proefpersoon zo'n twintig maanden nodig, toch? Dat hebben we afgeleid uit de tijd die verstreek tussen het moment waarop Ronald Parker vermist werd en zijn eerste moord, en het lijkt me wel zo'n beetje te kloppen voor de minimale tijd die nodig is om een duurzame conditionering tot stand te brengen. Oké. Om dat te doen zou je een afgezonderde, veilige plek nodig hebben. Het zou ergens moeten zijn waar je kon komen en gaan zonder iemands aandacht te trekken – misschien ergens op het platteland. Het zou een plek moeten zijn waar de mensen niets zouden kunnen zien of horen, dus het zou binnen moeten zijn, misschien een kelder of een zolder. Maar als je moordenaars wilde maken die in de echte wereld stabiel zouden blijven, die een schijn van normaliteit bewaarden als ze aan het moorden sloegen, dan kon je hen daarna niet zomaar vrijlaten. Niet na twintig maanden in een of ander donker hol, waarschijnlijk voor een groot deel van de tijd vastgebonden als een marionet. Ze zouden ernstige agorafobie hebben als ze voor het eerst weer buiten zouden komen – verlammend bang voor open ruimtes. Het belangrijkste is dat je de programmering zou willen aanwenden in situaties waarbij de proefpersoon niet direct fysiek onder controle stond. Geppetto zou er zeker van moeten zijn dat zijn proefpersonen fysieke vrijheid zouden ervaren en toch nog steeds zouden gehoorzamen aan commando's en geïmplanteerde obsessies. Parkers opmerkingen zijn heel fragmentarisch, maar ik geloof dat de belt is waar Geppetto hem mee naar toe nam toen hij bijna klaar was om vrijgelaten te worden. De laatste fase in het conditioneringsproces. Heel zwaar, heel eng, maar ook bevrijdend. De plaats van de meest extreme straffen en de meest extreme beloningen.'

Jezus, dacht Mo, als Rebecca op dreef was, bruiste ze echt. Ze was nu ontzettend mooi, bezield, haar ogen straalden, en hij vroeg zich af hoe hij ooit had kunnen denken dat ze ook maar iets onknaps had.

Het was bijna drie uur. Buiten was het een mooie dag, de zon was niet ver voorbij zijn hoogste punt en begon net een randje van schaduw over de gebouwen aan de andere kant van de straat te werpen. Dat de belt of de stortplaats was teruggekomen, weer een onderdeel van het visioen van Mudda Raymon, had hem behoorlijk van zijn stuk gebracht.

En er was nog een knagende ongerustheid. Hij had altijd goed aangevoeld hoe ernstig de stront kon worden en zijn alarmbellen rinkelden aan alle kanten. Hij werd gek van de gedachte dat Rebecca gevaar liep. En hij was ten dele verantwoordelijk – hij had haar hier steeds meer bij betrokken, door haar naar de plaats delict in de Rappaport-zaak te brengen, haar te vragen om Biedermann te bespioneren, het bezoek aan Ronald Parker aan te moedigen. Als Geppetto Flannery was, had hij reeds getoond dat hij de middelen had om bijna alles te weten. Hij zou Rebecca even goed in de gaten houden als Mo.

Wat betekende dat Mo haar, en Rachel, op de een of andere manier moest beschermen. Maar, zoals met al het andere in deze zaak, hij had geen idee hoe. Haar op de een of andere manier van de zaak af halen. Maar daar was het waarschijnlijk te laat voor. Bovendien was haar ervaring, haar inzicht, van cruciaal belang in dit stadium.

Plotseling had hij weer het gevoel alsof het hem allemaal te veel werd; zijn gedachten werden vaag en chaotisch. Rebecca zag het en keek bezorgd naar hem. 'Je zakt weg, Morgan,' zei ze. Haar ogen vernauwden zich achterdochtig. 'Heb je vandaag iets gegeten?'

Mo dacht daarover na. Hij had nadat hij Flannery gisteren had gezien 's avonds geen zin gehad om iets te eten en had vandaag geen tijd gehad om te ontbijten of te lunchen. Hij had dat holle, geblakerde gevoel in zijn buik dat je kreeg als je op een lege maag koffie dronk. Een hapje eten zou zo gek niet zijn. Aan de andere kant was hij bang dat hij van eten slaperig zou worden. Maar als hij zou instorten, kon hij dat beter doen in het mausoleum van Carla's ma; anders zou hij er niet zijn als Gus hem terug zou bellen. Wat op dit moment heel belangrijk was.

'Moet terug naar White Plains,' mompelde hij. Hij hees zich overeind. 'Heb een paar ijzers in het vuur die niet kunnen wachten.'

Ze fronste haar wenkbrauwen maar drong niet op bijzonderheden aan. 'Ik zal een sandwich voor onderweg voor je maken,' zei ze. Ze liep naar de keuken en hij hoorde het rammelen van borden, de plof van de deur van de koelkast. Mo vond zijn jasje, trok het aan, zocht in de slaapkamer zijn spullen bij elkaar. In de keuken kwam hij achter haar staan en omhelsde haar, begroef zijn gezicht in haar haar. Ze rook als de zon op zomers gras. Hij deed zijn ogen dicht en voelde slechts hoe ze bewoog terwijl ze mayonaise op brood smeerde en er sla en plakjes kip op legde.

'Ik zag Rachel en haar vriendinnen toen ik binnenkwam,' zei hij in haar haar.

'De lokroep van de wildernis,' zei ze beschuldigend.

'Ze zei tegen haar vriendinnen dat ik je vriendje was.'

Haar schouders zakten geërgerd. 'Dat woord heb ik helemaal niet gebruikt!'

'Welk woord gebruikte je dan?'

'Rachel en ik zijn heel intiem. Maar er zijn... onderwerpen waarbij ik vind dat ik recht heb op mijn privacy. Ik zei tegen haar dat je een collega was.' Ze deed iets met zijn sandwich en vervolgde preuts: 'Een collega tot wie ik me erg aangetrokken voelde.'

'Hmm. Wat vond ze daarvan? Wat is haar oordeel over de smeris als vriendje?'

Rebecca draaide zich om en presenteerde hem een in folie verpakte sandwich op haar vlakke hand. 'Ze vroeg of je morgen weer met ons ging bowlen. Ons zondagse ritueel. Ik zei dat ik dat heel leuk zou vinden als zij het goed vond en jij tijd had. Ze gaf haar toestemming.'

'Ze wil alleen maar onze afspraakjes chaperonneren.'

'Jij weet niet veel van puberpsychologie, hè? Mo, in haar taal is dat een dikke plus! Ik was er erg blij mee.' Hij had de sandwich niet aangepakt en dus stopte ze die in de zak van zijn jasje, waarna ze weer tegen hem aan kwam staan. 'Kunnen we binnenkort eens naar jouw huis gaan?' zei ze tegen zijn schouder. 'Ik wil zien waar je woont. Ik wil dat je iets voor me kookt. Ik durf te wedden dat je geweldig goed kan koken.'

Zijn maag kromp ineen bij de gedachte alleen al dat ze naar het mausoleum van Carla's ma zou komen. Maar hij mompelde: 'Ja, best. Ja, binnenkort, dat zou best leuk zijn.'

Ze bracht hem naar de deur en wuifde hem uit. Hij liep naar de lift, drukte op de knop en wachtte in een soort ondraaglijke verscheurdheid. Het was zo fijn om bij haar te zijn. De gedachte aan waar ze het tegen moesten opnemen, wat er kon gebeuren, zo afschuwelijk. Hij kon zich niet herinneren dat hij ooit van zijn leven tegelijkertijd twee zulke strijdige en intense gevoelens had gehad.

41

Meneer Smith zat in een aluminium tuinstoel op adem te komen. Hij was kwaad en had medelijden met zichzelf. Nummer Vier hing in het aangrenzende vertrek aan de muur. Misschien sliep hij, maar waarschijnlijk luisterde hij, ongetwijfeld heel blij dat hij vanavond genegeerd werd. Nummer Drie hijgde, zweette over zijn hele lichaam, en het leek een goed moment om even te pauzeren.

Dankzij de blunders van Drie kregen Morgan Ford en Rebecca Ingalls het zowaar voor elkaar, begon alles uit elkaar te vallen waar hij jaren over had gedaan om het op te bouwen. Vanmiddag had hij, toen hij weer in zijn appartement in Manhattan was, geluisterd naar de meest recente bewakingstape. Hij wist niet zeker wat hem meer aangreep: het luisteren naar hun geslachtsgemeenschap met al zijn tederheid en sensualiteit – normale, gewone menselijke intimiteiten die hem voorgoed waren ontzegd! – of hun gesprekken, waaruit bleek dat ze verbluffend nauwkeurige gevolgtrekkingen en deductieve sprongen maakten.

De vraag was hoe hij het plan moest aanpassen. Hij had liever meer tijd gehad, althans genoeg om Nummer Vier paraat te krijgen. Maar aan de andere kant had hij altijd al een grote theatrale presentatie aan het eind in zijn hoofd gehad. Misschien was het dynamische duo van Ford en Ingalls precies de kans die hij nodig had, en moest hij gewoon de laatste fase ingaan.

Hij werd ziedend van zijn eigen besluiteloosheid. Nu voor de finale gaan of nogmaals proberen om het eind af te wenden? Hij had de pest aan besluiteloosheid. Door besluiteloosheid ging je aarzelen, werd je kwetsbaar. Besluiteloosheid beroofde je van de macht over jezelf, maakte je vatbaar voor de macht van anderen. In dat parket had hij zich al eerder bevonden. Nooit meer. Hij had tot nu toe succes gehad met het doorknippen van de touwtjes. Verder succes hing ervan af of hij zijn vrijheid blijvend en resoluut kon doen gelden.

Ze bevonden zich in wat ooit de woonkamer van het oude huis was geweest, een grote ruimte die nu was ingericht als conditioneringskamer. Ze hadden bewegingsruimte nodig en daarom stond er vrijwel geen meubilair in. De ramen waren afgedekt met stevige triplex kisten, die bekleed waren met huiselijke gordijnen zodat ze er van buiten, zelfs van vrij dichtbij, als normale ramen uitzagen. Een projector op een tafel wierp foto's van rechercheur Morgan Ford op een muur, een identiteitsfoto die hij uit zijn personeelsdossier had achterovergedrukt en nog eentje uit een krantenartikel. Ze hadden eerder aan Rebecca Ingalls gewerkt, waarbij ze dia's hadden gebruikt van foto's op de omslagen van haar boeken en foto's die meneer Smith stiekem had genomen.

Nummer Drie zat in elkaar gedoken op de grond aan de andere kant van de kamer, naakt maar niet geboeid. Hij was ver voorbij het stadium waarbij je iets had aan de draden en de andere parafernalia. Bij zijn volgende taken zou het ritueel geen rol spelen, en trouwens, het was nodig dat hij commando's opvolgde ook als hij zich vrij kon bewegen: hij zou zich spontaan moeten kunnen aanpassen, terwijl hij nog steeds het programma uitvoerde.

En het ging geweldig. Drie was altijd een fantastische proefpersoon. En dat was het probleem. Bij de conditionering was het zo gewonnen, zo geronnen. Drie was makkelijk te programmeren, maar raakte het programma even makkelijk kwijt. Hij was van binnen te grillig, te wisselvallig. Niets bleef bij deze gozer lang hangen. Misschien dat hij daarom vanavond zo verdrietig was, dacht meneer Smith: mensen waren zulke onvolmaakte wezens. Zo wispelturig. Zozeer gevangenen van hun eigen zwakheden.

Meneer Smith had een tijdje overwogen om de geïmplanteerde zender bij Drie te gebruiken, als een manier om zijn neiging om zich aan zijn programmering te onttrekken te compenseren. Bovendien moest hij, onder de gegeven omstandigheden, zoveel mogelijk van deze weekendsessies profiteren, voordat de werkweek begon en hij alleen nog de avonden had. Uit het experiment met de golden retriever bleek dat hij het kon doen.

Het idee van controle door middel van een zendontvanger was helemaal niet nieuw. Destijds hadden ze al geëxperimenteerd met directe neurale stimuli via implantaten bij menselijke proefpersonen. In de paranoïde marge had het sinds die tijd gegonsd van de geruchten over moordenaars met implantaten, bij wie alles wat ze deden werd gestuurd door iemand die ergens achter een bedieningspaneel zat. Maar de realiteit was veel grover. In die tijd hadden ze noch de technologie om de hersenen te scannen noch de kennis van de menselijke neurologie om iets te doen dat zo subtiel was als het dicteren van specifieke complexe handelingen. Tegenwoordig was het, met alle technologische vooruitgang, waarschijnlijk een ander verhaal, maar destijds was het enige dat een implantaat kon doen het sturen van een schok naar de hersenen van de proefpersoon, met als gevolg desoriëntatie, angst en pijn.

Maar het waren extréme angst en pijn, en als aanvulling op de conditionering en de hypnotherapie had een op afstand bedienbare trigger voor het activeren van eerder ingeprente post-hypnotische commando's een aantal bruikbare toepassingen.

Maar aan de andere kant was hij bang geweest dat hij, met de minimale uitrusting die hij hier had, de operatie zou verknallen – een honderdste centimeter naar links of rechts of te diep, en hij kon Drie doden of verlammen. Het zou zijn eerste menselijke implantatie zijn in dertig jaar, hij zou het niet meer in zijn vingers kunnen hebben. Of de apparatuur zou op het beslissende moment afbreuk doen aan de vechtvermogens en de besluitvaardigheid van Drie. Honden waren tot daar aan toe, maar bij mensen lagen de zaken heel anders. Hun hersenen en gedragsrepertoires waren veel en veel complexer.

Dus: terug naar de traditionele methodes. En dan met een schep erbovenop. Buitengewone maatregelen waren gerechtvaardigd. Er was niet veel tijd; deze sessies moesten echt iets uithalen. En trouwens, Drie verdiende het.

Meneer Smith gooide een fles water naar Drie, die verrast werd maar hem niettemin met gemak opving. Reflexen intact, dat was goed. Fysiek ook uitstekend, goede spiermassa en weinig lichaamsvet.

'Het is belangrijk dat je niet uitgedroogd raakt,' herinnerde meneer Smith hem, een beetje bemoederend. 'Je moet minstens een halve liter drinken voor elk kwartier dat je traint.'

Drie trok de dop van de fles en zoog aan het tuitje.

'Jij en ik, wij hebben het niet makkelijk, hè?' vroeg meneer Smith medelevend. Weer kreeg hij die droefheid, die gelatenheid over zich. Al die herinneringen aan de menselijke onvolkomenheid. Misschien waren alle inspanningen in het leven wel tevergeefs. Hij nam een slok van zijn eigen waterfles en vervolgde. 'Nee, het is niet makkelijk om de strijd aan te gaan met de euvelen van een hele samenleving. Wij zijn helden, maar niemand weet het. Daarom moeten wij elkaar steunen. Daarom moeten wij ons helemaal geven.'

Drie had dit alles al eerder gehoord, slechts één aspect van het conditioneringsproces, het 'wij zijn een team'-praatje. Je wilde elke zenuw, elke vezel, van de ziel van de proefpersoon aan het programma verbinden. Soms betekende het dat je hem volledig moest domineren. Soms betekende het dat je hem in vertrouwen moest nemen, dat je medelijden met hem moest hebben en er zelfs voor moest zorgen dat hij op zijn beurt medelijden met jou kreeg. Ze hadden net twee uur overheersingsroutine achter de rug, dus nu was het tijd voor de vaderlijke intimiteit.

Maar het was meer dan dat. Meneer Smith was er zich erg van bewust dat de nacht het huis omsloot, tegen de muren drukte, hen isoleerde en de hermetisch afgesloten ruimte een geheime, dringende, eenzame sfeer verleende. Hij had behoefte aan een schijn van normale menselijke intimiteit. Dus, ja, deze bekentenissen hadden een tweeledig doel. Dat was wel het minste wat de wereld hem verschuldigd was.

'Ik bedoel,' vervolgde meneer Smith, 'probeer je eens in mij te verplaatsen. Je bent jong, heel idealistisch, patriottisch. Je studeert medicijnen en psychologie met het doel om de mensheid te dienen, je gaat in het leger om je land te helpen wanneer het je nodig heeft. En je land zegt *ja, welkom aan boord, jou kunnen we net gebruiken!*'

Hij zweeg even en keek Nummer Drie aan.

Drie kende die blik, kende de procedure. 'Dat moet heel bevredigend zijn geweest,' zei Drie. Zijn ademhaling was nu rustiger, maar zijn stem was schor. Hij schraapte zijn keel.

'O, praat me er niet van! Het stijgt je naar je hoofd! Je krijgt geheimen toevertrouwd, je krijgt uitdagende opdrachten – bijzonder bedwelmend voor een jonge man. Toen ik begon was ik jong genoeg om te geloven dat ze wisten wat ze deden, dat het noodzakelijk was, dat het júíst was. Jong genoeg om gevléíd te zijn dat ik er deel van mocht uitmaken.'

Stilte. Weer die blik. Drie schraapte snel weer zijn keel en zei: 'Eerst in elk geval wel. Die klootzakken.'

Meneer Smith knikte. 'Precies! Ik kon accepteren dat in tijd van oorlog de normale gedragsregels, ideeën over "goed" en "fout", vrij werden geïnterpreteerd. Dus deed ik mijn werk. Ons team schiep moordenaars en daar kon ik in geloven. Het ging slecht met de oorlog, de vijand opereerde dikwijls vanuit buurlanden die we niet openlijk konden aanvallen. En de Russen en Chinezen hielpen de Noord-Vietnamezen, die genóten werkelijk van de patstelling waarin wij ons bevonden, maar we konden niet direct actie tegen hen ondernemen. Maar misschien is dat iets dat jouw generatie niet kan begrijpen – de frustrátie.'

'Het moet vreselijk zijn geweest,' zei Nummer Drie. 'Je kunt het het leger niet echt kwalijk nemen dat ze een oplossing wilden.'

Meneer Smith vond dat een beetje glad, een beetje te gretig. Zonder zijn stem of houding te veranderen ging hij over op een staat van verhoogde paraatheid. Drie was een sluwe gluiperd. Misschien hoopte hij pappie te sussen, zodat hij hem kon overrompelen, in de wetenschap dat hij zich op dit punt vaak liet meeslepen. Meneer Smith zette zich schrap terwijl hij verder ging.

'Dus deed ik wat ze wilden,' vervolgde hij. 'Pas later besefte ik hoe slecht het was. Hoe ik bedrogen was. Om te beginnen deden onze proefpersonen het niet goed. De helft ging weg, waarna we nooit meer iets van hen hoorden, of ze doodden een paar keer hun doelwit en raakten dan het spoor bijster. Of ze vermoordden burgers, massa's. Mai Lai was slechts een van de tíentallen rampen. Daar had ik het moeilijk mee. Ja, ik had morele bezwaren. En laten we elkaar geen mietje noemen, alleen al vanuit een praktisch oogpunt maakten dat soort dingen het moeilijk om het project geheim te houden. En toen, tóén, begonnen we rapporten te ontvangen dat sommigen van hen *onze eigen jongens* vermoordden. Ik stelde mijn superieuren daar vragen over en zij zeiden tegen me dat ik het moest vergeten. Ik betoogde dat we onze wetenschappelijke objectiviteit waren kwijtgeraakt, dat het misschien tijd was om de zaak stil te leggen en de werkelijke resultaten te evalueren. Maar zoals al het andere in die oorlog was slecht nieuws niet toegestaan. "Doe je werk," kreeg ik te horen. "Je kent het hele verhaal niet. Vertrouw ons." En dus ging ik door. Ik was patriόttisch. Ik was loyáál. Ik deed mijn plícht.'

Meneer Smith voelde dat hij zijn zelfbeheersing begon te verliezen ook al was hij nog zo op zijn hoede voor Drie. Hij kreeg een brok in zijn keel omdat het zo oneerlijk was. De manier waarop hij was behandeld! Kwaad keek hij naar het gezicht van Morgan Ford, die wijsneus met zijn knappe uiterlijk, zijn pedante uitgestreken kop. Het geprojecteerde beeld reageerde niet, dus richtte hij zijn kwaaie blik op Nummer Drie. Het was trouwens toch tijd voor wat normatieve gespreksinput van de proefpersoon.

Drie voelde de hint. 'Die gore klootzakken.' Hij leek bijna oprecht. 'Wat gebeurde er toen? Wanneer besefte u dat er iets gedaan moest worden?'

'Ik zal die dag nooit vergeten. Je moet begrijpen dat ik de Vietnamezen haatte, dat ik de anti-oorlogsbeweging in de VS haatte. Maar niettemin vond ik dat er grénzen moesten zijn. Ik was nog steeds idealistisch genoeg om te geloven dat ons thuisfront erbuiten moest blijven, niet dan? Dat onze burgerregering vrij moest zijn van militaire invloed, toch? Dus op een dag zit ik in mijn lab en krijg ik een proefpersoon toegewezen, een grote gezonde gedetineerde die net uit een of andere gevangenis kwam. Topgeheim. Het programma kreeg nieuwe prioriteiten. Toen ik mijn orders kreeg hoe ik de conditionering moest structureren, besefte ik dat deze jongen niet werd geprogrammeerd om in Vietnam te werken. Of waar dan ook in Zuidoost-Azië.'

Meneer Smith herinnerde het zich maar al te goed. Terwijl hij zijn uitvoerige opdracht doorlas, besefte hij hoe stom hij was geweest, hoe makkelijk hij bij de neus was genomen. Op dat moment, terwijl hij daar als verdoofd op een van de stalen labkrukken zat, voelde hij hoe het weefsel van zijn leven in losse draden uit elkaar viel. Al zijn verbintenissen en overtuigingen en loyaliteiten. Een lange reeks compromissen, allemaal in goed vertrouwen gesloten, allemaal net genoeg gerationaliseerd en gerechtvaardigd om door te gaan. Maar allemaal tezamen ondraaglijk, onvergeeflijk.

Daar kwam nog bij dat het hele programma een wetenschappelijke en medische ramp was! De moordenaars die ze hadden gemaakt draaiden door. Eigenlijk wist niemand hoe je dit moest doen! Maar niemand wilde het horen! En nu moest hij een moordmachine bouwen die in de Verenigde Staten werd losgelaten?

'Maar ik had niet veel speelruimte, weet je,' verklaarde meneer Smith. Hij was het zat om erover in te zitten of Drie iets zou gaan proberen. Het kon hem niet schelen. Hij stond op, haalde zijn ASP te voorschijn, zwiepte hem helemaal uit. Hij liep heen en weer terwijl hij de roestvrij stalen wapenstok in zijn linkerhand sloeg. Het volgende gedeelte mocht hij graag zonder al te veel emotie vertellen, zakelijk, stoïcijns, om te laten zien hoeveel hij zonder te klagen had verdragen: 'Ik wist dat ik niets kon zeggen. Omdat het te groot, te geheim was. Toevallig kwam op datzelfde moment mijn vriendin om bij een zéér dubieus auto-ongeluk thuis in de States. Lynn, Lynnie – zo'n lief meisje. Haar vermoorden had een tweeledig doel, voor hén. Ten eerste was mijn hart gebroken, was mijn laatste band met de normale realiteit afgekapt, kon ik nergens anders heen, was het programma nu mijn enige thuis. En het maakte heel duidelijk wat er met míj zou gebeuren als ik mijn bek opentrok. Dus wat deed ik?'

Nummer Drie was ineengekrompen toen hij opstond. Dat was aangenaam. Nu keek hij kruiperig naar meneer Smith op. 'Eh, u, u had geen keus. U ging ermee door. U moest u met veel pijn en moeite over uw geweten heen zetten. U moest uw wetenschappelijke scepsis negeren. Zij hadden u in hun macht. Zij manipuleerden u.'

Meneer Smith knikte. Drie was goed, een intelligente jonge man. Jammer dat hij niet ook rúggengraat, *Ausdauer* had. Maar dat deed er nu niet zoveel toe. Zijn programmering zou lang genoeg blijven hangen voor een laatste missie.

'Zeker weten!' vervolgde meneer Smith. Hij proefde de gal achter in zijn keel, dertig jaar bitterheid, waar hij bijna in stikte. 'Ik deed wat me bevólen was! *Ja, meneer! Meteen, meneer!* Ik ging naar mijn lab en besteedde acht maanden aan de basisprogrammering. Toen gaven ze me, eindelijk, de gegevens met betrekking tot het doelwit. Dat was altijd de laatste fase – de foto's, de tapes, de biografische gegevens. Het was 1970, Amerika verkeerde in een chaos door de vredesbeweging, een nationale identiteitscrisis, en dan was er nog die pacifist die ambities had om president te worden. George McGovern. Hij zou het doelwit zijn. *Ik was een moordenaar aan het maken om een Amerikaanse senator en waarschijnlijke kandidaat voor het presidentschap te elimineren!* Eindelijk behoorde ik tot de ingewijdenen, tot de kerels die het allersmerigste werk deden. Vijf jaar een insider en het offer van het meisje van wie ik hield waren mijn toegangsprijs.' Hij stampte langs Nummer Drie, en draaide zich toen met een ruk naar hem om. 'Je moet begrijpen dat ik de vredesbeweging háátte! Maar tegen die tijd haatte ik mijn meerderen ook. Omdat ze Lynnie hadden vermoord. Om wat ze met mijn leven deden, met de wetenschap, met de Amerikaanse principes waar we zogenaamd voor vochten. Omdat ze me godverdomme *in een hoek dreven*, me manipuléérden. En toen ik het McGovern-materiaal kreeg, begon ik na te denken over de voorgaande acht jaar. We kregen altijd geheime richtlijnen, niemand van ons wist ooit welke doelwitten de labs van de anderen kregen toegewezen. Niettemin wist ik dat het programma al minstens tien jaar liep voordat ik erbij kwam. Dus moest ik me afvragen hoe het zat met de moorden op JFK, die andere Kennedy, King. Ik bedoel, plotseling een golf van politieke aanslagen aan het thuisfront, in dezelfde paar jaar. Lijkt dat niet verdacht? Lijkt dat niet gecoördineerd? Laat me niet lachen! Ik dacht: "Mijn god, we hebben ons aangematigd om de toekomst van de Verenigde Staten te bepalen!" Althans, iemand had dat gedaan. Een of ander klein geheim kliekje, niet-gekozen, onbekend. Die arrogántie – dat was voor mij de druppel.'

Meneer Smith hield op en keek kwaad naar Drie. Aan de andere kant van de muur hoorde hij een zacht gejammer. Dat moest Nummer Vier zijn, die zijn stem hoorde verschrillen en die, zelfs in het aangrenzende vertrek, zijn geconditioneerde angst voelde toenemen. Dat was mooi. Maar Drie was te lang stil geweest.

'Tijd voor een normatieve verbale reactie,' zei meneer Smith zachtjes.

Zijn toon bezorgde Drie de bibbers. Haastig brulde hij: 'Dus besloot u dat er iets gedaan moest worden! Een vorm van protest die niemand kon negeren!' Een stem die schor was van angst.

Het juiste antwoord. Meneer Smith begon weer te ijsberen, waarbij zijn schaduw even het enorme gezicht van Morgan Ford verduisterde dat op de muur was geprojecteerd.

'Correct. Heel goed,' zei hij. 'Dus verknalde ik opzettelijk de programmering van mijn nieuwe proefpersoon. Hij werd op zijn doelwit afgestuurd, verpestte het en moest later uit de weg geruimd worden. En toen was er al die heisa om de "Pentagonpapieren", kwam al het geheime slechte nieuws van de oorlog in de openbaarheid, werden er vragen gesteld in het Congres, werden de strijdkrachten onder de loep genomen en barstte het overal van de journalisten. Het werd allemaal te riskant; onze labs en het programma gingen in rook op. We kregen allemaal andere taken of werden naar huis gestuurd. En een jaar later was de oorlog afgelopen.'

Veelbetekenende stilte.

Nummer Drie voelde de hint en zei: 'Maar dat was niet het eind van het verhaal. Daarmee was het niet afgelopen dat ze u manipuleerden.'

Weer het juiste antwoord. Maar het was te makkelijk. Drie was weer te meegaand en dat maakte meneer Smith razend. 'Nee, dat was het niet,' zei hij terwijl hij deed alsof hij nu milder gestemd was. 'Nee, dat was het niet. Dit verhaal heeft geen happy end.' Hij gaf zijn gezicht een minzame, vaderlijke uitdrukking en viel toen zonder waarschuwing uit naar Drie en mepte met de ASP naar zijn gezicht.

Drie ontweek de slag verrassend snel en krabbelde achteruit over de vloer. Meneer Smith liet de ASP nogmaals zwiepen, zo snel dat hij door de lucht floot. Hij raakte de tuinstoel, die wegvloog met een diepe deuk in het aluminium waar hij hem had geraakt. Het volgende moment stond Drie overeind, met zijn benen uit elkaar, in staat van paraatheid, terwijl zijn borst op en neer ging.

De volgende fluitende slag met de ASP was raak, maar slechts op de onderarm. Drie had zich goed verdedigd. Een schijnbeweging, weer een treffer, die gedeeltelijk werd afgeweerd. Drie kromp ineen van de pijn, maar maakte zelf een schijnbeweging en viel aan. Dat had meneer Smith al voorzien. Hij deed een stap opzij en gaf hem met de ASP een tik tegen zijn achterhoofd, waardoor Drie tegen de vlakte sloeg. Dat moest ook pijn hebben gedaan, maar Drie stond in een mum van tijd weer op zijn benen, zijn gezicht rood van woede.

Dit was mooi. Drie was goed in vorm. Je moest hun reflexen altijd scherp houden.

'Uitstekend! Heel goed,' zei meneer Smith. Hij keek met een frons naar het onbewogen gezicht van Morgan Ford op de muur en wendde zich weer tot Drie. 'Dus laten we nu weer wat serieus werk gaan doen.'

42

Mo haalde de dames af en terwijl de zon onderging reden ze naar Fort Lee. Rebecca had het zo geregeld dat Rachel voorin naast Mo zat, waarschijnlijk om een band tussen hen te scheppen of om het hen te laten uitvechten of wat dan ook. Het was vrij geforceerd.

'En – waar zijn jullie gisteren heen geweest?' vroeg hij nonchalant.

'Film.'

Alleen uit beleefdheid zou je iets uitvoeriger kunnen antwoorden, dacht Mo. Al was het maar de titel van de film, zodat je iets had waarop je kon doorgaan. Hij probeerde het nog een keer: 'Die ene vriendin van je, heeft die wat met gothic?'

'Zie je wel, ma? Ik zei het je toch? Iedereen heeft dat vooroordeel!' Rachel draaide zich helemaal om, om Rebecca beschuldigend aan te kijken, alsof dit een onderdeel was van een telkens terugkerende discussie. 'Cindy gaat in het zwart en het leer en we weten allemaal wat dat betekent, niet dan? Columbine High School. Perverse seks en moord...!'

'Wacht even,' zei Mo. 'Nu heb jij een vooroordeel over mij – je weet al wat ik ga zeggen. Hoe? Omdat ik bij de politie zit?'

Rachel keek hem confronterend aan. 'Nou, wat wílde je dan zeggen?'

Eigenlijk was hij niet van plan om überhaupt iets te zeggen, had hij in het wilde weg wat aanknopingspunten voor een gesprek rondgestrooid. maar hij improviseerde. 'Dat ze knap is. Dat een van mijn nichtjes, in Pittsburgh, ook bezeten is van gothic. Die is net cum laude van de middelbare school af en heeft een volledige beurs voor Smith gekregen. Met ecologie als hoofdvak.'

In feite kende Mo de kinderen van de zus van zijn moeder amper en was het meisje niet zo vol van gothic als Cindy leek te zijn. Hij wist hier alleen het een en ander van door de jaarlijkse nieuwsbrief van zijn tante aan de familie.

Maar Rachel slikte het. Ze draaide zich achterstevoren in haar stoel om tegen Rebecca te zeggen: 'Zie je wel? Dat zei ik je toch? Ik bedoel, de gothics zijn absoluut zo'n beetje de intelligentste, en minst gewelddadige types die ik ken!'

Nu stond Mo dus aan haar kant. In het spiegeltje zag Mo dat Rebecca haar schouders ophaalde, verbijsterd door deze wending. Ze hield zich op een afstand.

Toen gebeurde er iets dat hij nooit had verwacht. Rachel keek hem even aan en keek toen met een kritische frons naar haar eigen handen. 'Je hebt gelijk. Ik was bevooroordeeld. Het spijt me. Het is heel moeilijk om dat bij jezelf te zien.'

Dus daarin leek ze inderdaad op haar moeder. De openhartigheid, de eerlijke zelfkritiek. Misschien was er toch nog hoop voor haar.

Om zes uur kwamen ze bij de bowlingbaan. Mo zette de auto op de grotendeels verlaten parkeerplaats van het winkelcentrum. De vervallen voorgevel van de Star Bowl werd verlicht door meloenkleurig licht van de ondergaande zon en stak helder af tegen de vuile hemel boven Manhattan. Mo ging naar het herentoilet terwijl de dames zich inschreven. Toen hij eruit kwam en naar de balie liep om zijn schoenen te halen, wierp hij een zoekende blik op de banen. Hij zag hen meteen: twee blonde hoofden boven het vinyl van de rugleuning van hun zitje bij de baan. Rebecca had haar haar nonchalant bijeengebonden, zodat er lokken in haar gezicht vielen. Rachel kwebbelde erop los en leek meer een kind dan de andere keren dat Mo haar had gezien. Dus waarschijnlijk had ze kanten die ze in zijn gezelschap niet liet zien. Dat was leerzaam.

De oude man bij de balie spoot wat Desenex in een paar schoenen die leken op doodgereden dieren en gaf ze aan Mo.

Rachel was oké, het was best leuk. Mo had het gevoel alsof hij de slag te pakken kreeg, dat zijn balbehandeling beter was. Het was een rustige avond; er waren slechts twee andere banen in gebruik. Het was een haveloze tent, de vinyl banken hadden schroeiplekken van sigaretten, het behang aan de muur aan de andere kant liet los, bovenaan was het vastgeniet maar er begonnen grote blazen in te komen. Maar hij kon zien wat er leuk was aan de ouderwetse sfeer: de langwerpige, lage ruimte, de wasachtige geur van de glimmende banen, de achterhaalde hightech van het verlichte scorebord boven hun hoofd en het mechanisme dat de bal terugbracht, dit alles in zo'n futuristische stijl van ronde vormen, die helemaal uit de tijd was.

Ze speelden een potje en namen toen een pauze, waarin ze teruggingen naar de schemerige bar annex grill. Een oudere vrouw, misschien de echtgenote van de man bij de balie, gaf hun flesjes cola en zakken chips, en ze gingen in een vinyl hokje zitten, dat rook naar verschaalde sigarettenrook. Rachel probeerde hem te leren om met een Midwesters accent te praten. Ze vond zijn pogingen heel vermakelijk. Hij herinnerde haar eraan dat het allemaal ironisch bedoeld was.

Rebecca zei niet veel, maar zelfs in een tent als deze, alleen verlicht door bierreclames, zag ze er goed uit. Toen Rachel naar het toilet ging, nam hij over de tafel haar handen in de zijne en vroeg hij hoe ze zich voelde.

'Best. Ik vind het leuk om je te zien, Mo. Zelfs als we op onze afspraakjes een chaperonne hebben. God, je hebt Rachel wel voor je ingenomen! Ik kan moeilijk uitleggen hoe blij ik daarmee ben.'

Bij 'ingenomen' was de wens misschien de vader van de gedachte. Het kind was misschien iets spraakzamer, maar deed nog steeds behoorlijk moeilijk.

'Maar je hebt iets op je lever,' zei hij.

'Ik wil het vanavond eigenlijk niet over het werk hebben. Maar ja, er zit me iets dwars aan onze basisveronderstelling. Vanuit een psychologisch perspectief.'

'Oké...'

Rebecca wierp een blik over haar schouder in de richting van de toiletten om zich ervan te vergewissen dat Rachel er niet aankwam. 'Geppetto. Of het nou Flannery is of wie dan ook, wij geloven dat de poppenmaker zijn opleiding heeft gehad tijdens een of ander geheim hersenspoelingsproject in de Vietnamtijd. Toch? En hij heeft een of andere agenda, een of ander statement dat hij wil maken, dat ongetwijfeld naadloos is verbonden met een trauma dat hij in zijn verleden heeft opgedaan. Maar, Mo – de Vietnamoorlog is, wanneer, achtentwintig jaar geleden afgelopen!'

'Wat is dan het probleem?'

'Als Ronald Parker de eerste proefpersoon van Geppetto was, of zelfs die in San Diego waaraan Erik werkte voordat hij hierheen werd overgeplaatst, in 1995 – waarom heeft het dan zo lang geduurd? Wat heeft Geppetto drieëntwintig jaar lang met zijn agenda en zijn opgekropte trauma gedaan? Of, andersom, wat is er in 1995 gebeurd waardoor Geppetto ermee is begonnen?'

Goeie vraag. En goeie vragen waren altijd het begin van oplossingen. Mo hield haar beide handen in de zijne terwijl hij erover nadacht. En toen was Rachel er, die naast haar moeder in het zitje schoof. 'Stoor ik?' zei ze scherp. 'Ik bedoel, sórry hoor.'

Toch was het nog best leuk. Ze bowlden nog een paar potjes en liepen om negen uur naar de uitgang, de laatste bezoekers die weggingen. De oude man deed de deur achter hen op slot.

Ze bevonden zich nog niet in het stadium dat iedereen zo aan elkaar gewend was dat Mo Rachel bij het huis van haar vader kon afzetten. Dus reed hij over de brug terug naar Manhattan, zonder iets te zeggen. Hij voelde de druk weer toenemen. Door de vraag van Rebecca was het allemaal teruggekomen. *De belt*, dacht hij.

Morgen was het maandag. Hij en St. Pierre zouden een begin maken met het aflopen van de vuilnisbelten en het natrekken van het verleden van Dennis Radcliff om te kijken hoe Geppetto aan hem was gekomen. Misschien dat ze iets zouden vinden dat hen naar Geppetto zou leiden. Maar het voelde twijfelachtig, ontoereikend aan. Hij wilde meteen weer aan het werk, nu, vanavond nog.

Toen ze bij het pand kwamen waar Rebecca woonde, zei hij: 'Rachel, ik ga je moeder zoenen, en het kan me niet schelen of dat je aanstaat of niet. Als je je dan beter voelt, wil ik jou ook wel een zoen geven.' Rachel keek slechts een moment beledigd en zei toen: 'Misschien een andere keer, grote jongen.' Een zwoele stem die droop van de walging, maar ze deed het zo goed dat ze er alle drie om moesten lachen. Toen ze uitstapten, wachtte hij met wegrijden tot ze in de hal waren.

Hij ging naar Brooklyn. De duizend kabels van de oude brug, de flonkerende lichten in de opdoemende duisternis van de steden aan weerskanten van de rivier, toen bij Flushing Avenue eraf, de donkere doolhof in. De straten van Brooklyn in het donker. Het was 9:48 op zondagavond, niet de beste tijd om binnen te komen vallen, maar hij had dit al bijna twee weken lang willen doen. Niet dat hij nou echt geloofde in de helderziende vermogens van Mudda Raymon en al dat gelul. Maar hij kon niet ontkennen dat ze het in verschillende opzichten bij het rechte eind had gehad: de poppen-pop, de belt. Zou niets of iets te betekenen gehad kunnen hebben – maar allebei waren ze uiteindelijk heel belangrijk gebleken. Misschien was hij bijgelovig, maar hij vond het makkelijker om te geloven in intuïtie, zelfs magie, dan in zoveel toeval. Net zoals Flannery had gezegd.

En er was nog iets waarvan hij had beseft dat hij het moest doen en voor zijn gevoel moest dat snel gebeuren.

Zonder Ty om hem de weg te wijzen, duurde het een tijdje voordat hij het huis weer had teruggevonden. De straatlantaarn voor de deur deed het niet, zodat de groen-gele deur en de dode ogen van de met triplex betimmerde ramen in schaduwen gehuld waren. Ditmaal stond er geen bodyguard bij de deur, maar hij zag Carla's rode Honda even verderop in de straat. Een paar kinderen op de stoep verderop, maar voor dit gedeelte van Brooklyn was het een rustige avond.

Hij parkeerde de auto, liep naar het bordes, klopte op de deur en wachtte. Lange tijd hoorde hij niets, alleen de enorme, complexe witte ruis van de nacht in de stad. Toen een bons en gerammel. De deur ging op een kier open. Hij herkende de jonge vrouw die hem de eerste keer naar boven had gebracht.

'Ik zou Carla Salerno graag willen spreken. En Mudda Raymon, als ze me wil zien. Zeg maar tegen haar dat het Morgan Ford is – zij weet wel wie ik ben.'

De deur ging dicht en hij hoorde dat hij weer op slot werd gedaan. Maar na nog een minuut klonk er weer gerammel, waarna hij wijd openging. Carla kwam naar buiten, het bordes op.

'Wat doe jij hier, Mo?' vroeg ze achterdochtig. Ze was op blote voeten en droeg een groot, wit overhemd over een grijs mouwloos T-shirt en een rok. Hij vond dat ze magerder, ouder leek, maar dat kon ook aan het slechte licht liggen.

'Ik wilde Mudda Raymon nog een keer zien. En jou.'

'Hoezo? Ben je nu opeens een overtuigde gelovige?' Ze schudde haar hoofd. 'Kom op, Mo. Wat wil je? Denk je dat je me zo op de een of andere manier terug zal krijgen?'

Ze zat er zo ver naast dat hij het roerend vond. 'Gaat het nog steeds goed met je? Heb je het gevoel dat je leven lekker loopt?' Opeens vond hij dat heel belangrijk.

Ze snoof verachtelijk. 'Dit is behoorlijk puberaal, Mo. Ik bedoel, ik had gedacht dat je hier beter mee om zou gaan. Werkelijk.'

'Nee, Carla, luister. Ik wil Mudda Raymon echt zien. Ze is... vorige keer zei ze een aantal interessante dingen, die best belangrijk zijn gebleken. Ik heb een zaak en ik weet niet wat ik ermee aan moet, en...'

'En een Jamaicaans opoetje van negentig zal je daarbij helpen.'

'Alle hulp is welkom.'

Een straalvliegtuig daalde traag boven hun hoofd, onttrok de vage sterren aan het zicht en overstemde hen met lawaai terwijl het in de richting van La Guardia gleed. Carla wendde zich af, trok haar overhemd strakker om zich heen, hoewel het op het bordes warm en drukkend was. Ze keek de straat in naar de kinderen. 'Nou, zij kan je niet helpen, Mo,' zei ze bitter. 'Ze is donderdag gestorven. Het was al jaren een aflopende zaak. Dus je plotselinge bekering komt een beetje te laat. Ik ben hier alleen om de familie een paar dagen te helpen.' Voordat hij kon zeggen dat het hem speet, draaide ze zich om en keek ze hem weer aan. 'Dus kun je nu dan eerlijk zeggen waarom je hier wel bent? Want ik zou echt graag willen dat je eerlijk over ons bent, en niet meer probeert om je vast te klampen aan iets dat niet werkte!'

Mo stond daar terwijl hij aan de ene kant pissig op haar was vanwege haar houding, en aan de andere kant haar nog één keer in zijn armen wilde nemen terwijl ze dit uitpraatten. Ja, dit ging ten dele over haar en hem. Maar niet zoals zij dacht.

'Je hebt het mis, Carla. Ik heb iemand anders, het is heel snel gegaan en het is heel goed. Het is... serieus. Het is heel veel dat ik heel lang heb gewild.'

'En? Vond je dat je het mij maar moest laten weten?' vroeg ze sceptisch.

Hij dacht daarover na. 'Ja, eigenlijk wel. Ik... ja, ik vond gewoon dat je het moest weten.' Hij haalde zijn schouders op. Het klonk slap, houterig.

'Wat wil je – mijn tóéstemming?'

'Nee. Hoor eens, ik weet het niet. Misschien iets van een afsluiting.' Of iets ouderwets, dat hij wilde dat het zuiver en openlijk en eerzaam was. Alsof liefde iets was waar je als je het eenmaal had gegeven, bereidwillig afstand van moest doen als je het niet meer wilde. Alsof het belangrijk was om iemand los te laten, ook al ging je allebei je eigen weg, ook als er iemand anders was. Alsof het een of andere minimale ceremonie verdiende.

Nu zag ze dat hij het meende. 'Mo, afsluiting hoort bij dit soort dingen.'

Hij knikte met tegenzin. 'Ja. Waarschijnlijk heb je gelijk.'

Ze hield haar overhemd strak om zich heen getrokken, met haar armen over elkaar. Dat fantastische figuur. Na nog een ogenblik zuchtte ze. 'Wat je wilt. Oké. Je hebt mijn toestemming. Je hebt een afsluiting. Oké? En nu ga ik weer naar boven.' Ze draaide zich om, ging naar binnen en deed de deur dicht.

Mo reed Brooklyn uit en vond het jammer van Mudda Raymon. Hij had er wel wat van verwacht. Hij had het gemeend toen hij had gezegd dat alle hulp welkom was. Hij dacht ook aan hoe het met Carla was gegaan en vroeg zich af of hij iets anders had verwacht, en waarom hij zich niet gelukkiger voelde nu het erop zat.

Pas om elf uur was hij terug bij het mausoleum. Het grote donkere huis van Carla's moeder, de gazons in de schaduw van de eiken, de galmende kamers aan de voorkant, zijn semi-erbarmelijke vrijgezellenverblijf aan de achterkant. Hij controleerde het antwoordapparaat. Geen berichten. Hij had ergens gehoopt dat Rebecca gebeld zou hebben. Hij ging op het bed zitten, voelde zich emotioneel uitgewrongen, binnenstebuiten gekeerd. Toen schrok hij op doordat de telefoon ging.

'Wie is die nieuwe vent van je?' De monotone stem van Gus Grisbach.

'Gus – bedankt voor het bellen! Flannery, Richard K. Flannery.'

'Net als de officier van justitie voor Westchester, die Flannery?'

'Ja, die.' Even overwoog Mo om Tyndale Boggs aan de lijst toe te voegen, maar daartegen kwam zijn instinct in opstand. Hij berispte zichzelf omdat hij zijn objectiviteit verloor, maar gaf zichzelf toen het excuus dat Gus het niet op prijs zou stellen om rond te snuffelen in het leven van een collega bij de politie. Louche juridische bobo's en arrogante FBI-agenten waren meer iets voor hem.

Gus zweeg enkele ogenblikken. Maar ten slotte zei hij: 'Ja, oké. Ik bel je wel.' Weer was het stil. Mo dacht dat hij had opgehangen. Maar toen sprak Gus nogmaals: 'Vertel eens, Ford – ben jij een masochist of zo? Omdat je naar mijn mening met deze en die vorige gewoon vraagt om ellende.'

43

Maandagochtend. Het eerste agendapunt was een bespreking in het kantoor van Marsden, om Mike St. Pierre en de hoofdrechercheur het laatste nieuws te vertellen over wat ze nog steeds de Pinocchio-moorden noemden. Het moeilijkste was voor Mo om de anderen enthousiast te krijgen voor het vuilnisbeltplan zonder hun te vertellen waarom hij daar zo op gebrand was: Ja, kijk, een toeval, die Jamaicaanse heks van negentig, die nu dood is, dacht dat het ermee te maken had, en toen hoorden we Ronald Parker, alias Howdy Doody, er later over brabbelen. Ook kon hij hun niets over de grote lijnen vertellen: geprogrammeerde menselijke moordmachines, het Geppetto-scenario. Voor het eerst drong het tot hem door waar Biedermann het tegen moest opnemen. Bij deze zaak ging het echt om het beheersen van de informatiestroom – wie wist wat en wanneer. Hoe je je moest zien te handhaven en tot een oplossing moest komen terwijl je zo weinig of zoveel wist.

Zijn argumentatie was dat het gezien de soortgelijke werkwijzen hun beste kans was om een verband te leggen tussen Parker en Radcliff. De psychologe dacht dat de vuilnisbelt van belang was in het gebrabbel van Ronald Parker, en derhalve ook iets met Radcliff te maken zou kunnen hebben. St. Pierre slikte het, maar tijdens het hele verhaal nam Marsden Mo onderzoekend op, met de sceptische zwarte spleten van zijn ogen met de wallen eronder. Ten slotte zei Marsden: 'Ja. Ja, maak maar een opzet van hoe jullie dat plan met die vuilnisbelten willen aanpakken. Ja. En kom dan even bij me langs, Mo. Wij hebben het een en ander te bepraten.'

Toen ze weer in de hoofdruimte waren, namen ze de aanwijzingen door, keken naar kaarten, maakten aantekeningen. Het plan was dat St. Pierre de belangrijkste achtergrondinformatie over Radcliff zou verzamelen, en dan in de omgeving wat rond zou vragen om zich een beeld te vormen van zijn gewoontes, de plaatsen waar hij vaak kwam, de mensen met wie hij omging. Van daaruit kon Mo ongemerkt zoeken naar iets dat naar Geppetto leidde. Dat was het belangrijkste van de hele onderneming en niemand anders wist ervan.

Wat dat betrof had Rebecca de taak op zich genomen om het psychologische verleden van Radcliff na te trekken. Misschien had ze gelijk en maakte Geppetto inderdaad gebruik van sociale instanties en tuchtscholen om aan proefpersonen te komen wier psychologische profiel zich leende voor zijn doeleinden. Als dat zo was, konden ze misschien het spoor van Parker en Radcliff terug volgen en naar dezelfde ingang zoeken waarvan Geppetto ooit gebruik had gemaakt.

Maar St. Pierres eerste taak was om aan kaarten te komen van stortplaatsen voor vast afval. Theoretisch kon de hypothetische vuilnisbelt wel overal zijn, maar Mo was ervan overtuigd dat hij vlakbij was. Alle misdaden waren gepleegd binnen tachtig kilometer, en als Geppetto Flannery was, zou het 'lab' waar hij zijn proefpersonen conditioneerde zich vlak bij zijn kantoor moeten bevinden omdat het voor hem anders praktisch onmogelijk was om een dubbel leven te leiden. St. Pierre zou derhalve een inventarisatie maken van de stortplaatsen in het zuiden van de staat New York en de aangrenzende delen van New Jersey en Connecticut. Als ze eenmaal een algemene lijst hadden, zouden Mo en St. Pierre vragen om een aantal agenten in uniform om hen te helpen met hun ronde langs belten in de staat New York terwijl andere leden van de speciale eenheid stortplaatsen in New Jersey en Connecticut natrokken. Een totaal van misschien tien mannen die veel terrein, veel kaarten en veel afval moesten onderzoeken. Maar je moest toch ergens beginnen.

Toen St. Pierre weg was, nam Mo de minimale informatie door die ze tot dusver hadden verzameld: Radcliffs rijbewijs en een foto van hem. Dertig jaar, vrij lang blond haar, tamelijk knap gezicht dat werd ontsierd door een vage, zelfingenomen grijns en een arrogante blik in zijn ogen. Een meter achtentachtig, vijfennegentig kilo – een behoorlijk forse kerel. Ze hadden nog wat navraag gedaan, om vast te stellen of hij een strafblad had, en Mo verwachtte spoedig meer te horen.

Maar daar stond Marsden in de deuropening van zijn kantoor. Hij leunde tegen de deurlijst en staarde hem priemend aan. De geïrriteerde huid naast zijn neus leek wel een rode waarschuwingsvlag. Mo trok een verontschuldigend gezicht en ging naar binnen.

Marsden deed de deur dicht, liep terug naar zijn bureau en liet zich in zijn stoel ploffen. 'Oké. Vertel eens wat er goddomme aan de hand is.' Mo veinsde een verbaasde blik, maar Marsden trapte er niet in. 'O, kom op. Hoe dom denk je dat ik ben? Ik ben te moe om spelletjes te spelen. Voor de dag ermee.'

Mo had de helft van de nacht rusteloos gedacht: *waarom zou ik het Marsden niet allemaal vertellen?* Misschien dat de sluwe hoofdrechercheur een uitweg uit de doolhof kon helpen vinden.

Maar het zou eng zijn om hierover te beginnen. Wat Flannery betrof, je suggereéérde niet eens dat je een machtige officier van justitie verdacht tenzij je heel wat meer had om op af te gaan dan Mo op dit moment had. Afgezien daarvan, hoe geloofwaardig zou Mo zijn, gezien het feit dat de man die hij beschuldigde toevallig dezelfde officier van justitie was die met een aanklacht tegen hem bezig was?

En dan, als je Flannery buiten beschouwing liet, speelden hier werkelijk kwesties van wat je 'staatsveiligheid' zou kunnen noemen – dit was iets groots geworden, waarmee Mo geen enkele ervaring had. Misschien was het inderdaad het beste om de oude, nachtmerrieachtige blunders van de overheid geheim te houden, ze te laten rusten. En, zoals Zelek terecht had opgemerkt, hij wilde werkelijk Biedermanns missie niet in het honderd schoppen: Als hij het Geppetto-scenario nu zou onthullen, zou dat makkelijk alle kansen kunnen verpesten die de special agent had om de poppenmeester te pakken te krijgen.

De belangrijkste overweging was dat als hij bij Marsden zijn hart zou luchten, hij iets op gang zou kunnen brengen waardoor het nog waarschijnlijker werd dat hij en Rebecca voor Geppetto een doelwit zouden worden. Of voor Biedermann.

Marsden wachtte.

Mo waagde het erop: 'Wat zou jij doen als je aan een onderzoek begon en het naar, eh, zeg maar, een overheidstoestand zou lijken te leiden?'

'Een overheidstoestand.' Marsdens hoofd ging op en neer op zijn dikke nek en hij had zijn ogen dicht, alsof hij wilde zeggen: *geweldig, Mo Ford weer in de bocht.*

'Bijvoorbeeld een... misschien een probleem binnen de inlichtingendiensten. Of dat te maken had met staatsveiligheid.'

Marsden had het gehad. Hij schudde zijn hoofd en wuifde met zijn handen: *genoeg*. 'Weet je, Mo, ik zag er vanmorgen naar uit om je op je lazer te geven. Maar weet je wat? Ik ben te moe. Ik kan het niet aan. Aan het eind van de week krijg ik een bypass. Ik moet mijn krachten sparen, moet voorkomen dat ik voor zaterdag uit mijn vel spring. Maar ik zal je twee dingen zeggen.'

Marsden maakte inderdaad een vermoeide indruk, eerder verdrietig dan boos, alsof Mo een grote teleurstelling voor hem was. Mo had liever op zijn lazer gekregen; dit was tragisch. Marsden was echt iemand die de energie niet meer kon opbrengen. Nu zuchtte hij diep terwijl hij weer naar Mo keek. 'Even officieus, als iemand die een misplaatst respect voor jouw werk heeft wilde ik je iets vertellen waarvan ik vond dat je het zou moeten weten. En dat is dat Flannery erg in jou geïnteresseerd is. Al te geïnteresseerd, meer dan nodig. Hij heeft met mij gesproken, met iedereen bij Ernstige Delicten, om naar stront over jou te vissen. En ook met Dodgson en Paley in Albany, waarbij hij elke kleine op- of aanmerking in jouw dossier heeft doorgenomen, en hun herinneringen aan jou misschien op een weinig vleiende wijze heeft opgefrist.' Hij keek Mo door de spleetjes van zijn ogen veelbetekenend aan.

Mo voelde een rilling over zijn rug lopen. Dodgson en Paley van Interne Zaken waren Kenneth Starrs in de dop, die eerder de leiding hadden gehad over interne onderzoeken naar hem. Nee, méér dan Kenneth Starrs, goddomme, eerder Terminatorrobots, regelrecht uit de film, onvermoeibaar en onstuitbaar.

Marsden vervolgde: 'Wat ik wil zeggen, is dat Flannery zich gedraagt alsof hij je serieus flink te grazen wil nemen. Als het niet met Grote Willie is, dan wel met iets anders. Ik wilde je vragen: A, wat heb je gedaan dat Flannery je zo op je huid zit? Het lijkt bijna iets persoonlijks. Heb je hem beledigd, hem een zak genoemd, of zo? Ga je met zijn vriendin naar bed? Of B, heeft Flannery misschien een goede reden om je zo op je huid te zitten en weet ik niet welke? Wil je me een of andere misser bekennen waarover je me niets hebt verteld?'

Mo bedacht dat er maar één reden kon zijn waarom Flannery zo ontzettend op hem gebeten was. Hij voelde dat Mo hem op de hielen zat en zocht naar manieren om zijn onderzoek in de wielen te rijden. Maar het enige wat hij tegen Marsden zei was: 'Nee. Niets van dat alles. Ik zweer het je.'

Marsden keek hem argwanend aan, een lange blik die duidelijk was bedoeld om Mo de gelegenheid te geven op zijn woorden terug te komen. Toen hij dat niet deed, ging Marsdens hoofd weer op en neer. 'Oké. Wat betreft dat andere gedoe waar je het vanmorgen over had, zal ik je nog één ding vertellen. Jij hebt godverdomme zo'n... *impressionistische* manier van onderzoeken. Je intuïtie zegt je iets, je vermoedt weer iets anders, híér wordt iets gesuggereerd, dáár wordt iets geïmpliceerd. En al gauw sta je volledig op je kop.' Marsden was rustig begonnen, maar raakte steeds opgewondener naarmate hij verder ging: 'Jij maakt op mij de indruk van iemand die tot aan zijn nek in de stront zit. Heb ik gelijk? Wat ik wil zeggen is dat als je mijn hulp wilt, je mij iets moet voorleggen, *hier, op dit bureau!* Een of ander papier, een naam, een stuk bewijsmateriaal, een foto. Iets! Als je dat niet kan, kan je beter ophouden met dat artistiekerige gedoe en dat gezeik over "staatsveiligheid". Ik kan niets doen om je te beschermen tenzij jij me iets laat zien dat de moeite waard is om mijn nek uit te steken.'

Toen Marsden *hier, op dit bureau* had gezegd, had hij met al zijn vingertoppen hard op zijn bureau getimmerd, en was zijn gezicht rood gezwollen voordat hij zichzelf weer in bedwang kreeg. Nu hij weer kalmeerde, zag hij er echt ziek uit.

Mo keek bezorgd naar hem. 'Hoe laat word je zaterdag geopereerd, Frank?' vroeg hij. 'Ik zou Dorothea graag gezelschap komen houden. Ze moet doodongerust zijn.'

Mo had nog een uur voordat hij naar de bespreking van de speciale eenheid moest en nam de telefoonboeken door om lijstjes te maken. Hij keek onder *afvalverwerking, belten, dumphandels, puin, recycling, stortplaatsen, vuilnis, vuilophaaldiensten, vuilscheidingsinstallaties*. Hij keek ook bij *amusement, antiek, cafés, kunst, restaurants*. In Brooklyn was een dansclub die De Belt heette, in de Village een galerie die Trash Art heette en in Yonkers een bar die De Stort heette. In Greenwich vond hij een antiekzaak die Jane's Dump heette, en in Danbury een zaak voor gerecyclede goederen die Good Junk, Inc. heette. Toen herinnerde hij zich *auto's* en maakte hij een lijst van autosloperijen en zaken voor tweedehands onderdelen, waarna hem *restanten* en *schroot* te binnen schoten, en hij een lijst maakte van leveranciers van restpartijen en bedrijven die schroot herverwerkten.

Een lange lijst, gezien het feit dat hun doelgebied een van de zwaarst geïndustrialiseerde delen van de wereld omvatte, een van de grootste producenten van allerlei afval.

Belten of stortplaatsen waren er in allerlei soorten en maten. In de loop der jaren was Mo naar plaatsen delict gegaan in snoezige, stinkende stortplaatsen op het platteland die met dun gras en zeemeeuwen waren overdekt, en in stedelijke schrootbedrijven met bergen van verpletterd en verwrongen staal onder gigantische hijskranen, lopende banden, rokende schoorstenen van smeltovens. Wat hadden Geppetto en zijn poppen precies op de 'belt' gedaan? Iets waar Rebecca zich op kon concentreren. Daar moesten ze zich op richten, om dan alleen de meest veelbelovende plaatsen te selecteren en die persoonlijk te bekijken. Omdat ze onmogelijk de tientallen mogelijkheden konden natrekken die hij hier had geïnventariseerd.

Natuurlijk zou het allemaal voor niets kunnen zijn. Misschien was de 'belt' heel iets anders, een codewoord, een symbolische frase die was gekozen om redenen die zij niet konden weten.

Mo liet de lijsten achter zodat St. Pierre ze kon doornemen en vertrok toen voor zijn rit naar Manhattan. Flannery en Biedermann zouden allebei aanwezig zijn bij de bespreking van de speciale eenheid. Dat kon nog lollig worden, twee grote macho ego's, al die testosteron. Morgen zouden ze St. Pierres lijsten van stortplaatsen van de Gemeentereiniging samenvoegen met de lijsten van Mo, de belangrijkste eruit halen, en hun dagen doorbrengen met het bezoeken van stinkende stortplaatsen en belten en schroothopen.

Het beloofde een geweldige week te worden.

Een flinke groep, twaalf vertegenwoordigers van acht instanties of jurisdicties.

Biedermann zat aan het hoofd van de vergadertafel met zijn jasje uit en zijn mouwen arbeidersachtig opgestroopt over zijn vlezige onderarmen. Hij zag er echter moe uit, overspannen, zoals alle anderen in het vertrek. Flannery had zelfs een vaag waas van witte stoppels dat op zijn kale schedel een mannelijk kaalheidspatroon volgde, waarmee hij Mo's verdenking bevestigde dat hij zijn hoofd schoor. Rebecca zag er ook moe uit, maar op een lieftallige manier. Kwetsbaar, toegankelijk. Toen Mo het vertrek in kwam, wierp ze hem een blik toe, waarna ze snel wegkeek met een klein, heimelijk glimlachje.

'Oké,' zei Biedermann. 'We moeten veel bespreken. Ik begrijp dat er in het weekend het een en ander is gebeurd. Commandant Panelli en rechercheur Ford, misschien kunnen jullie ons bijpraten over het voorval in Briarcliff Manor op zaterdag.'

Om beurten vertelden ze over de inval van Byron Bushnell bij het huis van Dennis Radcliff, over Bushnells bewering dat Radcliff zijn vrouw had vermoord, de uitrusting van de poppenspeler die in het huis was gevonden. Hun theorie was dat Radcliff niet lang nadat Irene was begonnen om bij hem schoon te maken een seksuele relatie met haar was aangegaan en aan het begin van april had voorgesteld dat ze ergens naartoe zouden gaan voor een picknick of een afspraakje vlakbij de oude krachtcentrale, waar hij haar had vermoord.

Het nieuws dat ze waarschijnlijk een naam hadden voor de Pinocchio-moordenaar bracht de gemoederen in beroering. Blije dienders die het gevoel hadden dat ze de verdachte op de hielen zaten.

Flannery was recht tegenover Biedermann aan de andere kant van de tafel gaan zitten en had afwezig over zijn stoppels gestreken terwijl hij luisterde. Nu vroeg hij: 'En wat weten we over Radcliff?'

Panelli deelde een papier rond en gaf een samenvatting: 'Volgens mijn mensen heeft hij een voorgeschiedenis van jeugddelinquentie, vandalisme en geweldpleging, verwijzingen naar psychiaters. Wat ons betreft is dat anekdotisch – zijn jeugddossier is afgesloten. Maar we zijn te weten gekomen dat hij, toen hij op de universiteit zat, is veroordeeld voor verkrachting met verzwarende omstandigheden en vijf jaar in diverse gevangenissen in Massachusetts heeft doorgebracht. In '97 vrijgelaten. We weten niet wat hij sinds die tijd heeft gedaan, geen duidelijk spoor van papierwerk. Het zal een tijdje kosten om aan meer te komen.'

'Die eerdere verkrachting is goed – dat klopt met de moorden op Bushnell en Rappaport,' zei Flannery. 'Als je dat en die uitrusting in aanmerking neemt, lijkt hij me een goede kandidaat.'

Biedermann: 'Dan zitten we nog met de vraag: waar is hij nu?'

Niemand had enig idee. Hij had net zo goed die avond langs kunnen rijden en al de bedrijvigheid voor zijn huis kunnen zien, zodat hij nu in Alaska zat. Biedermann vroeg Rebecca of zij als psychologe enig inzicht kon verschaffen in wat Radcliff zou doen, waar hij heen zou gaan.

'Onderduiken bij familie of vrienden? Misschien heeft hij een nieuw slachtoffer geselecteerd en zit hij bij het slachtoffer thuis? Het spijt me. Ik moet meer achtergrondinformatie hebben voordat ik kan speculeren.' Rebecca speelde het goed, liet niet blijken dat zij tot andere conclusies was gekomen.

'En hoe zit het met die na-aperij?' vroeg Flannery. 'Waarom heeft deze vent plotseling besloten dat hij niet alleen aan het moorden slaat, maar ook Ronald Parker wil imiteren?' Hij vernauwde zijn ogen en richtte zijn vraag over de tafel tot Biedermann.

Biedermann haalde slechts zijn schouders op. 'Hij heeft erover in de kranten gelezen, raakte opgewonden door het idee om mensen vast te binden? Ik weet het niet. Dr. Ingalls, heeft u wat dat betreft enig idee?'

'Dat lijkt het meest waarschijnlijk,' beaamde Rebecca. 'Tenzij we kunnen bewijzen dat er een connectie is tussen Parker en Radcliff.'

'Wat we tot nu toe niet hebben gekund,' voegde Biedermann daar haastig aan toe.

'Ik wil iets onder de aandacht brengen,' zei Flannery, 'dat kennelijk niemand anders hier durft te zeggen. Special agent Biedermann houdt een belangrijk punt buiten beschouwing. En als degene die deze vent moet aanklagen, geloof ik dat er een probleem is waarvoor deze speciale eenheid een theorie en een aanpak moet ontwikkelen.'

Biedermanns gezicht verstrakte. 'En wat mag dat zijn?'

'Een kwestie van forensisch bewijsmateriaal. Oké, Radcliff leest over de moorden van Ronald Parker in de kranten, en besluit dat hij dat ook een opwindende werkwijze vindt. Best. Maar hoe kon hij weten dat hij precies dezelfde draad voor een onkruidwieder gebruikte als Ronald Parker? En de knopen – ik bedoel, is het *stom toeval* dat hij er ook voor kiest om een kattenpoot en een oogsplits te gebruiken? Ik vind dat we daar wel even bij stil mogen staan, mensen.'

Dit was mooi, besloot Mo. Deze twee grote kerels, die allebei voor dit publiek hun egotheater opvoerden. Hij was geïnteresseerd hoe Biedermann daarop zou reageren.

'Dank u, ik ben blij dat u die vraag heeft gesteld,' zei Biedermann. 'Omdat het me op ons volgende agendapunt voor vandaag brengt. Het is een goede vraag omdat hij suggereert dat Radcliff toegang had tot vertrouwelijke informatie omtrent Parkers moorden. Wat voor mij twee mogelijkheden impliceert. Ten eerste dat bij een van de betrokken gezagsinstanties de kantoren of de labs of de ruimtes waar bewijsmateriaal bewaard wordt – of de persónen – niet zo betrouwbaar zijn als ze zouden moeten zijn en dat Radcliff daar gebruik van heeft gemaakt. *En dat misschien nog steeds doet.*' Hij trok zijn wenkbrauwen op en keek de tafel rond om iedereen van de ernst van die mogelijkheid te doordringen. 'Ten tweede dat hij misschien hulp van een insider heeft gehad, *of nog heeft*, al dan niet met diens medeweten.' Weer die wenkbrauwen: ook ernstig. 'In beide gevallen moet deze speciale eenheid heel stringente regels hebben over het delen van informatie. En als de federale instantie hier is mijn kantoor het enige met universele jurisdictie. Wat betekent dat ik de leiding zal hebben en dat – daar moet ik eerlijk in zijn – de FBI al jullie toko's heel goed in de gaten zal houden om te kijken hoe goed jullie je daaraan houden.' En hij wierp een blik naar Flannery: *ook jouw toko, bobo.*

Flannery grijnsde slechts, terwijl hij knikte alsof hij wilde zeggen: *ja, ja, die ken ik al.*

Biedermann ging verder en schetste de geheimhoudingsprotocollen waarvan hij verwachtte dat alle betrokken organisaties die in acht zouden nemen. Mo dacht na over het gezegde. Het was duidelijk dat Biedermann het Geppetto-scenario moest verhullen, en de 'lekken in het systeem' of de 'insider'-theorieën waren voor hem het beste excuus. Maar waarom zou Flannery het ter sprake brengen? Omdat hij een goede officier van justitie was en de kwestie juridisch van belang was? Of omdat hij Geppetto was en wilde peilen wat Biedermann dacht, zijn reacties wilde observeren, een daadkrachtige indruk maken en eventuele verdenkingen ten aanzien van hemzelf een andere kant op wilde sturen? Het bleef maar in kringetjes gaan. Húúh, dacht Mo.

Toen drong het plotseling tot hem door: een detail dat alle anderen leek te zijn ontgaan. Oké, Flannery kon weten wat voor soort lijn er was gebruikt, hij was aanwezig geweest bij de besprekingen van beide speciale eenheden, hij had O'Connors lijk persoonlijk in ogenschouw genomen. Best. Maar de knopen – de militaire knopen waarvoor Ty namen had gevonden, maar die niemand anders met name had genoemd. Geen bespreking, geen rapport, niets in Biedermanns eigen fotoalbums, niets in de dossiers van Ty: Hij had níémand behalve Ty ooit een specifieke naam horen gebruiken voor die knopen.

Mo sloeg Flannery heimelijk gade terwijl de bespreking verder ging, terwijl hij zich afvroeg of er iets was waardoor een monster als Geppetto opviel of zich onderscheidde. Ja, besloot hij, je kon het bijna zien aan Flannery's harde hoofd, zijn brede gezicht, zijn sluwe ogen. Iets duisters, iets dubbels.

Kattenpoot, oogsplits: misschien had Geppetto net een uitglijder gemaakt.

44

Mo overwoog om zelf de schone klussen te doen – naar de dansclub, de bar en de antiekzaak te gaan – en de jonge Mike en de agenten in uniform hun schoenen te laten verpesten door op stinkende stortplaatsen rond te sjokken. Maar daartegen kwam zijn geweten in opstand. Ze kwamen overeen om het allemaal per regio te verdelen, om de rijtijd te beperken.

Rebecca had haar best gedaan om zich een beeld te vormen van het soort omgeving voor de buitenconditionering dat het best zou passen bij Geppetto's behoeften. Het moest zich binnen een redelijke reistijd van Geppetto's basis bevinden, omdat ze de buitentraining beetje bij beetje moesten opvoeren en daarna naar de thuisbasis terug moesten. Ze zouden er een flinke bewegingsvrijheid moeten hebben; het zou niet te krap moeten zijn. En het belangrijkste: het moest buiten het zicht van andere mensen zijn, wat betekende dat het afgelegen was of dat ze er 's avonds werkten.

Zou het een dansclub of een bar kunnen zijn? vroeg Mo. Mogelijk, gaf Rebecca toe: om de proefpersoon te leren om met andere mensen om te gaan en commando's te gehoorzamen zonder fysieke belemmeringen. Maar naar alle waarschijnlijkheid was het een buitenomgeving, op het platteland of in een voorstad. Ze opperde dat Mo kerkhoven ook in zijn lijst opnam, op grond van de theorie dat men zich daar 'ontdeed' van mensen als 'dingen'.

Nadat ze de kerkhoven hadden opgenomen, hadden Mo en St. Pierre een lijst van tweeëntachtig plaatsen, die ze terugbrachten tot drieënveertig, waarna ze een rangorde in de lijst aanbrachten, van meest naar minst waarschijnlijk. Ze faxten lijsten naar de mensen van New Jersey en Connecticut, rekruteerden een stel agenten van de staatspolitie van New York om hen te helpen en begonnen aan hun ronde.

Waar moesten ze op letten? Ten eerste, globaal het soort omgeving dat Rebecca had beschreven. Ten tweede zouden ze foto's van Parker en Radcliff meenemen om die aan het personeel op de stortplaatsen te laten zien: Heb je deze vent hier ooit gezien? Kijk naar de ogen en de lichaamstaal van degene die je spreekt, had Rebecca gezegd, op het moment dat je de foto laat zien. Als Geppetto iemand betaalde om gebruik te kunnen maken van de stortplaats en om daarover zijn mond te houden, zouden zulke vluchtige details hem kunnen verraden. Ten slotte: geef nooit de hoop op dat je mazzel kan hebben, zoek naar dingen uit de uitrusting van de poppenspeler, een wegwerphandboei die iemand had laten vallen, wat dan ook.

Mo sprak Rebecca korte tijd over de telefoon om hun acties te coördineren. Haar plan was om naar Briarcliff te gaan en een begin te maken met het natrekken van het verleden van Radcliff. Er waren officieuze manieren om gesloten rechtbankdossiers en het medische beroepsgeheim te omzeilen, en ze had een netwerk van collega's in de juiste kringen. Toen ze vroeg of ze elkaar misschien na het werk bij hem thuis konden treffen, kromp zijn maag ineen van paniek. Zo'n redelijke vraag, zo onmogelijk. Weer ging hij de vraag uit de weg en veranderde hij van onderwerp, zonder dat ze het leek te merken.

Mo en Mike St. Pierre namen een paar stortplaatsen in de counties Putnam en Westchester voor hun rekening, terwijl de twee agenten van de New Yorkse staatspolitie naar het zuiden gingen om te kijken bij enkele recyclingbedrijven en sloophandels in de zuidelijke delen van de counties Westchester en New York. Ze zouden via hun mobiel contact houden.

Mo's eerste stop was een stortterrein bij Danbury. Door een mooi, met de hand gesneden houten bord bij de ingang leek het iets chics, misschien een golfclub, maar als je eenmaal over de eerste met kalend gras bedekte heuvel was, zag het eruit als een gewone stortplaats. Het was een mooie, warme dag en de zon scheen over massa's aarde en afval. De kantoren waren een verzameling stacaravans, omringd door gigantische containers voor afval dat gescheiden moest worden of waardevol materiaal voor hergebruik. Een parade van vuilniswagens wachtte om over de weegschaal de huidige stortplaats op te gaan, waar een paar gigantische bulldozers met enorme van spijkers voorziene wielen het afval herschikten en samenpersten. Hij rook de stank toen hij uit zijn auto stapte, en meteen kwamen zijn longen in opstand tegen de mengeling van dieseldampen, stof en vuilnislucht. Hij was nog niet eens bij de deur van het kantoor of het zweet stond al op zijn voorhoofd en hij voelde hoe het gruis in de lucht aan hem bleef kleven.

Het personeel van de belt was behulpzaam. Mo keek naar hun ogen terwijl hij hun foto's van Parker en Radcliff liet zien en een paar vragen stelde, maar het enige wat hij zag was belangstelling en genoegen. Dat er een rechercheur langskwam was een doorbreking van de sleur, net als op tv; het gaf hun een belangrijk gevoel. Ze gaven hem toestemming om rond te lopen en een kaart van het stortterrein. Daar zwierf hij een tijdje rond voordat hij besefte dat hij de rubberlaarzen aan had moeten trekken die hij had gekocht.

Hij liep over golvende heuvels van schurftig groen, hier en daar doorboord door ontluchtingspijpen en bevolkt door verzadigd ogende zeemeeuwen – de hongerige waren daar waar de bulldozers het lekkers omwoelden. Hij besloot dat de hoger gelegen gedeeltes voor Geppetto te open waren, althans overdags. Waarschijnlijker was de rand waar de flauwe helling van de belt aan het omringende land grensde, en waar bomen en struikgewas en enkele vervallen gebouwen meer beschutting boden. Hij liep de stortplaats rond, keek naar sporen van activiteit, vond niets waar hij wijzer van werd. Toen bracht hij een halfuur door bij de kantoren en de machineloodsen, waar hij wederom niets vond. En dat was het. Hij gaf de beheerder van de belt zijn kaartje en vertrok. Het was fijn om weer in de auto te zitten, maar hij kon zichzelf ruiken, de geur die in zijn kleren en zijn huid en haar was doorgedrongen. Toen besefte hij dat hij eerst naar de antiekzaak had moeten gaan, terwijl hij nog een fris voorkomen had.

Hij werkte tot vijf uur en wist nog drie lokaties af te werken. Die antiekzaak, Jane's Dump, viel af. Dat was niet meer dan een paar kleine ruimtes waar een manwijverige sfeer hing. De andere vielen ook af. Aangezien het een warme, windige dag was en hij twee keer was uitgegleden en gevallen, plakten zijn kleren aan zijn lichaam met een lijm van zweet en vuiligheid. Hij nam contact op met St. Pierre en de anderen om te horen dat zij er net zo van genoten hadden als hij en evenveel succes hadden gehad. Tegen de tijd dat hij terug was bij het huis van Carla's moeder, voelde hij zich klote en had hij sterke twijfels over het beltplan.

Hij had de auto afgesloten en was het tuinpad al opgelopen toen hij Rebecca pas zag, die op de trap aan de voorkant zat en hem hem met een stralende glimlach aankeek.

Mo voelde hoe de moed hem in de schoenen zonk.

'Wat een leuke buurt is dit,' zei ze berispend. 'Je huis is prachtig!'

'Wat doe jij hier?'

Haar glimlach verflauwde een beetje, maar ze zei: 'Ik was in Briarcliff, weet je nog, om met mensen over Dennis Radcliff te praten. Aangezien ik hier toch in de buurt was, dacht ik dat ik even langs moest gaan. Om je te verrassen. Ik dacht dat je... blij zou zijn.'

'Tja, nou, verrast ben ik wel,' zei hij bars. Hij dacht koortsachtig hoe hij haar aan het lijntje kon houden, haar hier weg kon krijgen, haar uit het mausoleum houden.

Haar glimlach was verdwenen, maar niettemin vroeg ze: 'Vraag je me niet binnen?'

Hij bleef op drie meter afstand staan. 'Ik moet eerlijk zeggen, dit is niet zo'n goed moment,' zei hij. Maar ze keek een beetje gekwetst, dus verklaarde hij: 'Ik ben de hele dag op vuilnisbelten geweest. Ik heb nog nooit van mijn leven zo gestonken. Misschien dat we over een uur kunnen afspreken, in een restaurant of zo. Nadat ik heb gedoucht en mijn kleren heb verbrand.'

'En als ik nou binnenkom, jij onder de douche gaat en we daarna gaan bedenken wat we met het eten gaan doen? Ik vind het niet erg om te wachten. Bovendien heb ik je veel te vertellen.'

Wat kan het mij ook verdommen, dacht Mo. *Even de tanden op elkaar zetten, door de zure appel heen bijten*. Ze kon net zo goed zien wat hij werkelijk was; het sloot aan op dingen die hij toch al had willen zeggen. Misschien kon het net zo goed nu.

Hij liep met een flinke boog om haar heen, ging de trap op en naar binnen. Op een warme dag als deze werd het bedompt in het huis. De hal ging helemaal naar zijn afvalstank ruiken. Rebecca kwam achter hem aan. Ze keek nieuwsgierig en niet echt op haar gemak.

Hij leidde haar naar de voorkamers, stond met uitgestrekte armen in het midden van de vloer. Glimmende vloeren, stofnesten, kale muren, kale ramen.

'Oké? Kijk maar. Hier woon ik. Zo woon ik. Is dit wat je wilde zien?'

Ze keek om zich heen. 'En jij bent boos op me omdat...?'

'Wat dacht je van: omdat dit gewoon niet een moment is waarop ik wil dat je bij me op bezoek komt? Dat ik godverdomme uitgerekend op dit moment wat privacy zou kunnen gebruiken?' Hij liep langs haar zijn woonkamer in, die een verlaten indruk maakte. Ontbrekende meubelstukken, de afwezigheid van alles wat mooi of leuk of smaakvol was. Zoals hij daar met haar stond, zag hij het allemaal met een professionele afstandelijkheid: het bood de droeve, naargeestige aanblik van een plaats waar een misdaad was gepleegd.

'Wil je mijn slaapkamer zien? Die is nog erger, oké? Kom op, dr. Ingalls. Dit is te gek. Misschien kan jij me de mening van een zielknijper geven over iemand die zo woont.' Hij pakte haar arm en trok haar ruw de keuken in en toen achteruit de slaapkamer in. Bed onopgemaakt, onderbroek over de wekkerradio, blinden naar beneden, geen gordijnen. Metalen klemlamp aan de radiator bij wijze van leeslamp voor in bed. Vuile was op de vloer.

Ze trok haar arm terug en keek met grote ogen om zich heen. 'Waarom...?'

'Waarom ik zo woon? Omdat ik gestoord ben. Omdat het uit is tussen mijn vriendin en mij en zij verhuisd is. Omdat dit mijn huis niet is. Ik heb niet eens een huurcontract. Het is het huis van haar moeder.'

'Nee. Waarom doen we wat we doen?'

Hij gaf geen antwoord.

Ze raapte een boek op waarin hij had gelezen: *The Quark and the Jaguar*, legde het weer neer. Ten slotte zei ze: 'Je stinkt inderdaad behoorlijk.'

'Ja. Dat zei ik toch.'

'Het spijt me als je boos bent omdat ik ben gekomen, Mo. Ik had geen idee dat... ik had gedacht... Weet je wat, ik ga naar buiten naar de veranda. Je kan met me naar buiten gaan en praten. Als je wilt. Of niet.'

Ze liep terug door de kamers. Even wachtte hij en wenste hij vurig dat ze wegging. Toen ging hij snel achter haar aan, doodsbang dat ze weg zou gaan. Ze zat op de leuning van de veranda, met haar armen over elkaar. Ze was in haar beroepstenue, een bloes met een bijpassende korte rok en vest, en hoge hakken, en ze zat zo dat een van haar heupen uitstak en de fraaie welving van haar dij goed uitkwam. Het brak zijn hart zoals ze eruitzag.

'Het enige wat me teleurstelt,' begon ze, de zielknijper die het allemaal doorhad, 'is de manier waarop jij je gedraagt.'

'Nou, het is voor mij ook een teleurstelling,' zei hij. 'Ik ben gek.' Daar ging ze niet tegenin, dus sukkelde hij voort met zijn verontschuldigingen: 'Ik bedoel, wat moet ik dan? Ik leer iemand kennen die ik echt zie zitten, moet ik haar dan vertellen dat ik in het huis van de moeder van mijn ex woon? Moet ik haar dan vertellen dat mijn leven een zootje is?'

Ze deed alsof ze daarover nadacht. 'Nee. Maar je zou eerlijk kunnen zijn dat je je in een overgangsfase bevindt, dat je net een relatie achter de rug hebt, dat je ex de helft van het meubilair heeft meegenomen. Je zou het met enige humor en ironie kunnen benaderen en erop vertrouwen dat zij dat ook zal doen.'

'Je hebt me op een rotmoment getroffen, oké? Ik heb de hele dag tot aan mijn nek in stortplaatsen gezeten. Als je dat doet, ga je je leven in twijfel trekken.'

'Dat kan ik me voorstellen.' Een strakke blik; ze sloeg haar ogen niet neer. Ze was kwaad.

Hij voelde zich belazerd. 'Er zijn dingen die ik had willen zeggen. Dit drijft het alleen maar op de spits.'

'Zoals...?'

'Zoals dat jij een graad van Columbia hebt en ik een kandidaats van City University. Mensen als jij verdienen drie, vier, ik weet niet hoeveel keer wat ik verdien. Mensen als jij hebben een mooi appartement, en ik woon zo. Mensen als jij staan in hoog aanzien in hun vakgebied en ik ben godverdomme een smeris, met problemen op mijn werk, geen carrièrekansen...'

'Met andere woorden: waarom zou ik me met zo'n schooier als jij inlaten?' Ze knikte, accepteerde het.

'Ja.' Dit was vreselijk. De laatste strohalm. Mo besloot dat hij het had gehad, hierna was hij pleite, reken maar, godverdomme. Verhuizen, proberen om overnieuw te beginnen, een schone lei. Misschien in Seattle. Of waar dan ook. Tot zijn verbazing kwam er bij die gedachte bijna een gevoel van opluchting over hem heen: in elk geval was dit een manier om haar van de zaak af te krijgen, te zorgen dat ze veilig was voor Geppetto.

'Misschien is het alleen maar een avontuurtje met een knappe juut,' zei ze. 'Misschien vind ik het leuk om me af en toe te verlagen. Alleenstaand meisje, vrijdenkster, ik moet toch af en toe een wip maken. Het liefst met iemand die je makkelijk kan laten vallen. Tot ik iemand tegenkom die meer in de lift zit.'

Hij overwoog die mogelijkheid.

'En ik denk dat ik weet wat voor carrièretypes jij bedoelt,' vervolgde ze. 'Zoals het raadslid uit Chicago dat in de lift zat, die politieke ambities op staatsniveau had en me liet vallen toen hij dacht dat mijn bonte verleden hem misschien stemmen zou kosten in het zuidelijke deel van de staat. Zoals de leidinggevende bij Wrigley die in de lift zat en mij werkelijk aanbád, maar niets moest hebben van het feit dat ik een dochter had van wie ik hield en tegenover wie ik verplichtingen had. Of de FBI-man die in de lift zat, met wie ik in New York omging en over wiens voorkeuren we het niet hoeven te hebben. Zo'n vent zou iets voor mij zijn, hè?' Ze was echt kwaad, bitter.

'Ik weet het niet.'

'Je hebt godverdomme groot gelijk dat je het niet weet! Denk niet dat je mij kan vertellen wat ik wil of nodig heb. Als je míj in een hokje wil stoppen, kan je doodvallen.' Ze keken elkaar aan. Mo voelde zich in alle opzichten belazerd en wilde een uitweg vinden. Maar ze bleef tegen hem tieren: 'Wat ben ik toch dom. Ik had gedacht dat de juiste man voor mij misschien meer zelfkritiek had, oprechter, échter was. Accepteerde wie hij was. Net als ik niets moest hebben van pretentieus gelul. Een vent voor wie eerlijkheid belangrijk was. Die kon voelen hoe belangrijk dat voor mij was.'

Hij wilde haar aanraken, maar dat was onmogelijk. Ze stonden daar slechts tegenover elkaar. Ten slotte zei hij: 'Ik ga onder de douche. Ik moet me opknappen.' Hij draaide zich om en ging het huis binnen terwijl hij zijn overhemd uittrok.

Ze volgde hem naar binnen. Hij wist niet hoe ze kon ademen. Hij ging de badkamer in en deed de kraan aan.

Ze stond in de deuropening van de badkamer. 'Een man die erachter was wat hij wilde, en dat waren voor een deel dezelfde dingen die ik wilde. Die wist hoe zelden dat voorkomt.'

Mo trok de rest van zijn kleren uit, hield zijn hand onder de straal, draaide de warme kraan verder open, en ging eronder staan.

Ze verhief haar stem om boven het geraas van het water uit te komen. 'Flik me dit nooit meer, Mo! Dat is het enige wat ik eis! Trek nooit meer mij, of onze relatie, in twijfel.'

Hij liet het water over zich heen stromen. 'Moet me gewoon even opknappen,' mompelde hij in het stromende water. Hij besefte dat hij nog nooit eerder zo iemand had ontmoet. Ze was van onschatbare waarde. Die gedachte vervulde hem met hoop en angst. Het water in zijn gezicht, op zijn hoofd, was als een doop. Reinigend, louterend. Noodzakelijk.

Een halfuur later namen ze een tafeltje in een hoek bij Sardolini's, een Italiaans restaurant dat zijn eigen pasta maakte en een goede chianti van het huis had. Dinsdagavond, er waren niet veel andere gasten.

Wat je doet als je onder de douche uit komt is dat je naakt voor haar staat en zegt dat ze helemaal gelijk heeft. Dat je dit wonder nooit meer in twijfel zal trekken, dat je nooit meer jouw problemen tussen haar en jou zal laten komen. Ze kan zien hoezeer je het meent. En nu ben je schoon, nu kan je haar in je armen nemen. En als je dat doet, verdwijnen de deprimerende kamers, is er alleen deze pure, heldere vlam. Je probeert om daarvan uit te gaan.

Ze hadden allebei honger en hadden dringende zaken te bespreken. Het huis was uitgesloten. Het was aangenaam om nu in het kaarslicht te zitten, met schone tafellakens en gedempte muziek.

Hij vertelde haar dat het erop leek dat Flannery werkelijk probeerde om Mo te grazen te nemen, over zijn uitglijder met de knopen, over het beltplan dat nergens toe leek te leiden. Geen enkel goed nieuws.

Maar Rebecca had wel vorderingen te melden. 'Ik ben veel over Radcliff te weten gekomen. Het zal lastig voor ons worden om inzage te krijgen in medische dossiers of afgesloten gerechtsdocumenten, maar de politieagenten in Briarcliff die met hem te maken hebben gehad vinden het geen probleem om over hem te praten. Hij werd in de zesde klas geschorst vanwege het mishandelen van een meisje in zijn klas, waarvoor de rechter een psychiatrische evaluatie en therapie eiste. Ze hebben hem als puber twee keer opgepakt voor brandstichting en toen werd hij beschuldigd van verkrachting tijdens de eerste zomervakantie dat hij thuis was van zijn voorbereidingsschool. De zaak kwam nooit voor het gerecht, maar in Massachusetts hield hij het jeugdrechtssysteem behoorlijk bezig, en hij moest op school in therapie. Wederom heb ik geen inzage in die dossiers, maar ik zie wel moeite met het beheersen van impulsen, de grondslag voor een sociopatisch profiel. Dat wordt bevestigd door zijn arrestatie voor verkrachting met geweldpleging als volwassene. Ik vermoed ook dat hij zelf is misbruikt.'

Terwijl hij daarover nadacht, hield Mo zijn glas voor de kaars en bewonderde hij de rode gloed van de wijn. 'Klinkt alsof hij het volmaakte ruwe materiaal voor Geppetto was.'

'Precies! En zijn achtergrond vertoont grote overeenkomsten met die van Ronald Parker. Geppetto kón niet toevallig aan twee zulke individuen zijn gekomen. Onmogelijk. Hij moet ze opgespoord hebben, ze hebben geselecteerd op basis van hun psychologische voorgeschiedenis.'

'En wat doen wij daarmee?'

'Wat mij betreft suggereert deze manier om proefpersonen te rekruteren, als Geppetto dat inderdaad zo heeft gedaan, dat hij het systeem kende en wist hoe hij daar aan informatie kon komen. Misschien omdat hij er persoonlijk ervaring mee had.'

'Wat betekent dat hij zelf een dossier zou kunnen hebben als jeugdcrimineel of slachtoffer.'

Ze knikte. 'Ja, of een baan die hem de toegang verschafte.'

En dat bracht hen weer terug bij Flannery. Het leed geen twijfel dat hij als aanklager, en vervolgens als officier van justitie, wist hoe het systeem werkte, dat hij de kanalen en de mensen kende – hij had met enige handigheid makkelijk toegang tot dat soort informatie kunnen krijgen. Uiteraard gold dat waarschijnlijk ook voor Ty.

En zo kwam hij op nog één ding waar hij het over moest hebben. 'Ik moet iets zeggen,' begon hij. 'En ik wil niet dat je het verkeerd opvat.'

Ze raakte enigszins op haar hoede, maar zei: 'Oké.'

'Ik ben hier niet gerust op. Ik ben als de dood. Ik denk de hele tijd dat ik van deze zaak af wil, dat ik hem laat vallen, het aan iemand anders moet overlaten. Maar op dit moment ben ik nog steeds een diender, het is mijn werk. Ik ben een man, ik kan goed met een pistool overweg. Ik ben ook alleen, geen gezin, ik heb geen kind om over in te zitten. Als er iets met mij zou gebeuren.' Hij kon aan haar gezicht zien dat ze het begreep. 'Wat ik probeer te zeggen is: kan ik je op een of andere manier overreden om dit te laten voor wat het is? Jou en Rachel erbuiten houden?'

'Daar heb ik ook wel aan gedacht,' gaf ze toe. 'In feite heb ik daar veel over nagedacht.'

Een kelner kwam bij hun tafel. Hij zette dampende ovalen schalen neer, schonk hun waterglazen vol en ging weg. Ze bleven staren naar de bergen kronkelende pasta.

'En?' drong hij aan.

Ze keek heel bezorgd. 'Je hebt gelijk wat Rachel betreft. Ik heb inderdaad een verantwoordelijkheid die voor moet gaan.'

Hij wachtte tot ze doorging.

Ze zat een tijdje te draaien. 'Maar aan de andere kant denk ik dat jij en ik samen precies de juiste combinatie van vaardigheden en benaderingen hebben om Geppetto te pakken te krijgen; we maken enorme vorderingen. En als Flannery Geppetto is, lijkt het gezien de manier waarop hij zich gedraagt alsof hij ons allebei al, zeg maar, op de korrel heeft.'

Daar dachten ze allebei over na, terwijl ze naar de schalen met eten staarden. Mo besefte dat hij helemaal geen trek meer had.

'Want als hij ons inderdaad op de korrel heeft, kunnen we dan niet beter blijven samenwerken en proberen om – ik weet niet wat hiervoor het juiste vocabulaire is – hem te grazen te nemen voordat hij ons te grazen neemt? Ik probeer alleen maar om strategisch te denken.' Rebecca zweeg even en keek ook met afkeer naar haar eten. 'Ik bedoel,' zei ze, 'gaat het er niet om of het al te laat is?'

45

Nummer Drie was opgesloten in de aangrenzende kamer en gromde ritmisch terwijl hij sit-ups deed. In de keuken was meneer Smith zijn uitrusting aan het klaarmaken. Hij klikte de ASP aan zijn riem, controleerde de accu van de Taser, stopte het opvouwbare schopje in de kleine rugzak.

Meneer Smith had de laatste paar dagen de situatie geëvalueerd en nagedacht over de zetten en de tegenzetten. Ten slotte had hij besloten om nu op de finale af te sturen en niet te proberen om die uit te stellen. De meeste noodzakelijke elementen waren toch al op hun plaats.

Het nemen van een beslissing had hem in een vastberaden maar melancholieke stemming gebracht. Een deel daarvan was te wijten aan de lange uren die hij maakte met zijn werk overdag en het project, waarbij hij het grootste deel van de nacht doorbracht om aan Drie te werken, kijken welke vorderingen het dynamische duo had gemaakt en het verzinnen van strategische opties. Maar het kwam vooral doordat hij geleidelijk begon in te zien dat de jaren als eenpersoonsguerrillaleger hun tol eisten. Dat het tijd was om het af te ronden.

De afgelopen paar weken had hij afwisselend een soort genegenheid en een brandende haat voor Rebecca en 'Mo' gevoeld. Eigenlijk waren het heel bijzondere mensen: intelligent, competent. En rebels, met name Mo. Juist dat wat hem gevaarlijk maakte – dat hij altijd had geprobeerd om de lijnen door te snijden waarmee hij in het gareel werd gehouden, stomme procedurele belemmeringen, arrogante bazen – maakte hem ook bewonderenswaardig. In zekere zin een geestverwant. En toch waren ze ook vrij onschuldig, vol goede bedoelingen, idealistisch. Daarom vond hij hun verhouding, hun gezinsbesognes, af en toe heel roerend. Maar dat deed tegelijk het vuur van haat, afgunst en verbittering oplaaien. Zij genoten juist die dingen die hem ontzegd waren, juist dat wat hem was ontnomen. Meer en meer leek hun geluk omgekeerd evenredig aan het zijne. Hij had zijn emotionele getouwtrek bezegeld door te besluiten dat, al met al, hun onschuld en hun sentimentaliteit hen tot volmaakte doelwitten voor de finale maakten.

Uiteindelijk zou het, dat had hij altijd geweten, ten koste gaan van de onschuldigen.

In het weekend had hij zijn taperecorder in Manhattan van een apparaatje voorzien dat hem in staat stelde om via elke telefoon de tapes van Rebecca's appartement live te volgen of later af te luisteren. Hij had een op afstand bedienbaar antwoordapparaat gekoppeld aan de recorder zodat hij kon opbellen en het dynamische duo vanuit zijn kantoor of het lab kon volgen. Dat was belangrijk gezien het feit dat de tijd begon te dringen.

Niet dat hij sinds zaterdag iets interessants te weten was gekomen. Het enige wat hij had gehoord was Rebecca die op zondagavond met haar dochter sprak en later belde om met een oude vriendin in Illinois te babbelen. Morgan Ford kwam voor in haar gesprekken. Het was duidelijk dat ze smoorverliefd op hem was. Het maakte hem razend om daarnaar te luisteren. Ze was van nature een vrolijk iemand, open als de prairie. Wederom de belichaming van alles wat het leven hem had ontzegd.

Ja, uiteindelijk moest het ten koste gaan van de onschuldigen. Het moest trágisch zijn. En ware tragedie was niet alleen maar een catastrofe – weer een misverstand van de huidige generatie – maar de verijdeling van heroïsche aspiraties door het noodlot.

Meneer Smith berustte er allang in dat het protest de vorm aannam van een brute krenking van fundamentele waarden en gevoelens. Ja, het was ironisch dat hij de monsterlijkheden die hij verafschuwde herhaalde. Maar dát was wat aandacht zou krijgen. Het programma had zijn wreedheden gepleegd in de schaduw van de geheimhouding. Als protest zou niets méér overtuigen dan dezelfde gruwelen in het daglicht begaan, ze in het volle zicht tentoonspreiden. Waar mensen ze konden zien, ervan zouden walgen en er iets aan zouden doen. Tegelijkertijd stond het idee hem aan dat wat hij plande niet slechts een wreedheid was, maar een tragédie. In die zin was het toepasselijk omdat het zijn leven weerspiegelde. De vernietiging van het hoogste streven.

Tragedie had elementen van schóónheid. Het zou een aangename gedachte zijn dat zijn verspilde leven dat ook had.

Nummer Vier, wiens conditionering nog lang niet was afgerond, zou niet ingezet kunnen worden voor de taken van het komende weekend. De vraag was of hij hem moest loslaten, in het wild, zoals hij was. Of dat hij hem moest doden. Het zou zonde zijn om hem te doden, in die zin dat Vier absoluut de beste van het hele stel was. Maar gezien zijn onvoltooide conditionering wist meneer Smith niet echt zeker hoe Vier met zijn vrijheid zou omgaan.

Terwijl hij erover nadacht, bond meneer Smith een hoofdlamp strak om zijn schedel, waarna hij enkele paren nylon handboeien in de rugzak stopte. Plotseling besloot hij om Vier te laten gaan. Vier op vrije voeten zou het drama van het komende weekend misschien een onvoorspelbaar vervolg geven, een verrassende wending, een prikkelend naschrift.

Een van de basiselementen van strategie was om gebruik te maken van de gewoontes, routines en voorkeuren van de tegenstander. In de Vietnamtijd had het programma altijd de voorspelbare gedragingen van doelwitten benut om vast te stellen waar en wanneer ze getroffen moesten worden. In dit geval was Morgan Ford het meest onvoorspelbaar: zijn levensstijl als vrijgezel, zijn vreemde werktijden, dat hij het onderzoek plotseling over een andere boeg kon gooien, dat hij af en toe de nacht doorbracht in het appartement van zijn nieuwe geliefde. Maar Rebecca Ingalls had zich vastgelegd in knusse huiselijke gewoontes met haar dochter; elke vrijdagavond samen eten, zaterdagochtend samen boodschappen doen, luie zondagochtend met de krant en pannenkoeken, bowlen op zondagavond. De bowlingbaan leek steeds meer het beste punt om hen te onderscheppen. Juist dat het zo'n onwaarschijnlijke plaats was, was een pluspunt; daar zouden ze het nooit verwachten. En hij had ook andere voordelen als podium voor het theater van de finale, in die zin dat hij min of meer openbaar was, een goede lokatie voor nieuwsploegen van de tv. En er zouden andere bowlers of personeel aanwezig zijn, andere onschuldigen voor het bloedbad, een grootser spektakel.

Het betekende, uiteraard, ook meer logistieke problemen en complexiteiten.

Daardoor kreeg hij plotseling het gevoel dat de tijd begon te dringen; een gevoel dat hem met een schok terugbracht bij de klus waar hij mee bezig was. Hij sloeg de rugzak dicht en hing hem over zijn schouders. Opeens was hij kwaad op zichzelf. Wat had hij toch? Ja, hij begon echt moe te worden. Deze opwelling van sentimentele genegenheid voor 'Mo' en Rebecca. Weer iets waaruit bleek dat het echt tijd was om de zaak af te wikkelen. Goddank zouden de oefeningen vannacht op de belt een goed tegengif voor deze melodramatische flauwekul zijn.

Hij ging naar het lab, trok een paar leren handschoenen aan die tot aan zijn ellebogen kwamen en liet de grote Duitse herder uit zijn kooi. Afgezien van een diepe jaap van de voortanden in het leer over zijn onderarmen waren er geen incidenten. Hij klikte de riem aan het tuigje van de hond, beproefde de sluiting en ging naar binnen om Nummer Drie te halen.

Ze gingen naar buiten door de overwoekerde tuin, de helling af en door het dichte bos. Meneer Smith deed de lamp op zijn voorhoofd niet aan – die zou voor later zijn, voor bij problemen en het opruimen. Het was beter om zijn ogen aan het donker te laten wennen. En het was een goede nacht voor dit werk: een heldere hemel met een bijna volle maan, die de bossen in blauw licht en zwarte schaduwen dompelde. Geluiden: in de verte het geraas van de snelweg, af en toe onderbroken door het grommen van dieselmotoren die gas minderden op een afrit. Dichterbij: zachte muziek uit het onzichtbare huis van een van de buren. Nog dichterbij: het ritselen en gonzen van insecten. Geuren: aarde, eikenbladeren, rottende planten, een clandestiene vuilverbranding in een achtertuin.

De herder had nog nooit kennisgemaakt met Drie en door de nabijheid van een forse onbekende was de hond bevangen door een licht ontvlambare mengeling van angst en moordlust, versterkt door de operaties en de conditionering. Beurtelings zette Frankie zijn nekharen overeind en deinsde hij terug. In het maanlicht kon meneer Smith zien dat het dier voortdurend op zijn hoede was ten aanzien van Drie, de puntige oren opgestoken, de wolvensnuit die heen en weer ging om zijn geur te volgen. Wanneer Frankie kleine proefuitvallen naar de donkere onbekende deed, voelde meneer Smith de trillingen van het breedborstige lijf door de strakke lijn.

Drie kromp ineen bij de eerste uitval, maar reageerde meteen en stormde op de hond af met een vertoon dat een berggorilla niet had misstaan. Vlak voordat hij contact maakte, toen Frankie op zijn beurt ineenkromp, trok Drie zich terug – voorlopig stonden ze quitte. Daarna besteedde Drie geen aandacht meer aan de vijandigheid van de hond, behalve dat hij buiten het bereik van de lijn bleef.

Wat een stel felle donders, dacht meneer Smith.

Met z'n drieën liepen ze door het donker. Met bladeren bedekte rotzooi doemde op uit de maanschaduw, bulten en bizarre vormen in het bos. Toen werd de grond vlak en bleek uit de eerste gebochelde vorm van een oude auto dat ze vlak bij het middelpunt van de oude belt waren. Iets verderop was het stroompje dat het water uit dit dal afvoerde. De hond gromde. Hij werd bang doordat de geuren hem aan eerdere oefeningen op de belt herinnerden, en zijn hormonen begonnen te gieren. Drie ademde zwaarder dan de wandeling vereiste, een teken dat hij ook opgefokt raakte door zijn conditionering.

De hond werd lastiger, maar nog steeds richtte meneer Smith zijn aandacht voornamelijk op Drie. Vanuit zijn ooghoeken hield hij hem voortdurend in de gaten, in de wetenschap dat hij hem niet kon vertrouwen. De jonge Dennis was hier met een bepaalde bedoeling teruggekomen toen hij dat meisje, die Rappaport, had vermoord, en meneer Smith wist nog steeds niet goed wat hij van plan was geweest. Ongemerkt haalde hij de ASP uit zijn holster, om die in zijn vuist te houden. Hij had geen pistool, je moest nooit een vuurwapen binnen het bereik van een proefpersoon brengen, maar hij had wel de Taser voor later, en in zijn zak had hij nog een extra bescherming, een lange stiletto die was geslepen tot hij zo scherp was als een scalpel.

Ze kwamen bij de plek die meneer Smith in gedachten had, een vlakke arena omringd door met kudzu overwoekerde bomen. Hier was de grond relatief vrij van rommel, was er bewegingsruimte. De boomtakken bevonden zich hier verder van elkaar zodat er meer maanlicht tussendoor scheen, zodat hij alles goed kon observeren.

Hij vertraagde zijn pas zodat hij achterop raakte, en toen Drie de kleine open plek vijf, zes passen was overgestoken, bleef meneer Smith staan. Hij gaf een harde ruk aan de lijn van de herder, zodat die vlak naast hem kwam staan. Hij kon het droge geluid van het grote lijf dat in het donker trilde zowaar hóren toen hij de sluiting van het tuigje losmaakte en een stap terug deed.

Tegen de tijd dat Drie had gemerkt dat er iets niet klopte en zich begon om te draaien, was de hond al in de lucht.

Drie had goede reflexen. Hij bracht een arm voor zijn gezicht, en hoewel hij tegen de vlakte ging toen de hond hem trof, rolde hij goed mee. Even leek het door het heftige woelen en het gorgelende grommen alsof de hond Drie bij de keel had. Moeilijk te zien in het verstrooide maanlicht. Maar toen maakte Drie goed gebruik van zijn grotere gewicht. Hij draaide om zijn as en sloeg zijn benen om de borst van Frankie. De hond bleef woest naar zijn romp en zijn armen bijten, maar door het zware spijkerjack van Drie en zijn pijnconditionering, leek hij het niet te merken.

Meneer Smith keek met belangstelling toe toen Drie Frankie begon af te maken. Ongewapend was dat in feite best moeilijk, dat wist meneer Smith uit eigen ervaring. Het gedempte kraken van de gewrichten van de ledematen klonk erger dan het was, dat waren geen van alle dodelijke verwondingen. Drie was duidelijk gefrustreerd en beet zelf ook een paar keer.

Het duurde een tijdje. Meneer Smith wachtte. Terwijl hij kritisch toekeek, voelde hij zich beter. Hij had de lijn opgerold, maar toen hij bijna bij het eind was, liet hij de lussen weer los, om de lijn klaar te maken voor de volgende fase van de training van Drie.

46

Op woensdagavond belde Mo Rebecca en vroeg hij of ze zin zou hebben in een late bezoeker. Ze zei dat ze dat niet erg zou vinden, dus ging hij lang onder de douche en sloot hij om halftien het huis van Carla's moeder af om naar Manhattan te rijden. Het leek een eeuwigheid sinds ze alleen met elkaar waren geweest. Die scène dinsdag toen ze hem op de trap aan de voorkant had verrast telde niet; ze waren allebei uit hun doen geweest. Hij wilde in een mooie kamer met haar zijn, in bed met haar.

Gus had ook teruggebeld. Ze hadden zaken te bespreken.

Hij had de dag doorgebracht op allerlei vuilnisbelten. Alles bij elkaar hadden hij, St. Pierre en de anderen nu zevenentwintig van de achtendertig belangrijkste stortplaatsen afgewerkt. Morgen zouden ze het afronden en zeggen dat dit op niets uitliep. Waarschijnlijk was de 'belt' van Parker heel iets anders. Het mislukken van het plan maakte Rebecca's werk des te belangrijker, vooral door wat hij van Gus had gehoord.

Manhattan, midden in de week om halfelf 's avonds. Rebecca in haar badjas, haar haar nog nat van de douche. Je komt binnen en je trilt letterlijk van verlangen. Je probeert te doen alsof je over enige zelfbeheersing beschikt, maar dat is niet zo en dat ziet zij ook. Je kan niet goed praten, je stoot tegen de leuning van de bank, haar nabijheid is je te veel. Er zijn akelige zaken te bespreken, je voelt je besmeurd door je werk, maar het heeft geen zin; jullie weten het allebei. Prioritéíten, zegt ze altijd, je moet prioriteiten stellen. Dus hebben jullie haastig, wanhopig, gemeenschap, alsof goede momenten zoals deze gestolen moeten worden, en snel ook, voordat het te laat is.

Het was al middernacht toen ze ter zake kwamen. Mo wikkelde een van de lakens om zich heen, zij trok haar badjas weer aan en zette een pot kamillethee. Ze haalden hun notitieblokken en hun pennen te voorschijn.

'Ik ben een paar dingen over Flannery te weten gekomen,' zei Mo tegen haar. 'Ten eerste, vertelt mijn... bron... me dat in het ziekenhuis waar hij in Georgia werkte niet alleen gewonde en getraumatiseerde veteranen werden behandeld. Naar het schijnt was het een van de lokaties van de MKULTRA-experimenten, waar ze een aantal van de experimenten met LSD hebben gedaan.'

Uit haar gezichtsuitdrukking bleek dat zoiets Rebecca diep trof: het misbruik van de hippocratische eed, van de geneeskunst. 'Was Flannery er direct bij betrokken?'

'Moeilijk te zeggen. Hij was daar destijds. Het is moeilijk te geloven dat hij er niet aan meedeed of er althans van afwist. Flannery vertelde me dat hij daar had gewerkt. Het is geen geheim. Maar volgens mijn bron heeft hij langer in Vietnam gezeten dan hij deed voorkomen. In feite pendelde hij vijf jaar vrij regelmatig op en neer.'

'Labwerk in de States, veldwerk in Vietnam?'

'Zou kunnen.' Mo keek naar zijn aantekeningen, herinnerde zich dat de monotone stem van Gus een scherpe bijklank kreeg als hij het over Flannery had. Zoals de meeste vroegere straatagenten haatte Gus de aanklagers die al te vaak de arrestaties verpestten die hun door eerlijke juten op een presenteerblaadje werden aangeboden, door zaken te verliezen of het op een akkoordje te gooien. Hij haatte Flannery's theatrale, gelikte stijl en had Mo maar al te graag wat vuile was verschaft.

'De andere belangrijke informatie die ik heb gekregen betreft zijn verre verleden. Flannery had als puber inderdaad persoonlijk ervaring met de jeugdzorg. Blijkt dat dat ook geen geheim is. Ik heb kopieën van artikelen over hem waarin hij nobel praat over zijn eigen vroege tegenslagen, hoe het feit dat hij zelf als kind een slachtoffer was hem ertoe bracht om eerst medicijnen en later rechten te gaan studeren. Heel edel van hem. Geslagen door een alcoholische vader, vanaf zijn achtste in steeds andere pleeghuizen. Naar het schijnt had hij de pech dat hij ook in een pleeggezin kwam waar hij misbruikt werd. Weer was het de vader, de pleegvader, die hem sloeg. Zijn geval kwam destijds, in 1953, in de kranten, en leidde tot een hoop openbare hoofdbrekens over het systeem van pleeggezinnen.'

Rebecca staarde in de verte, verwerkte het nieuws. Mo zag dat dit haar ook verdriet deed. Na een tijdje zei ze zachtjes: 'Het is gek. Zo makkelijk om medelijden te hebben met een kind als slachtoffer. Zo moeilijk om begrip te hebben voor een volwassene die "raar" of "afstandelijk" of "een klootzak" is. En toch zijn ze dezelfde persoon! De volwassene die het misbruik heeft doorstaan is net zozeer een slachtoffer.' Ze leek nog even door de muur te staren en ging toen verder: 'Oké. Het eerdere misbruik, vooral door een "pappie", past in ons profiel. Heb je bijzonderheden omtrent het soort misbruik?'

'Je bedoelt, ging het gepaard met vastbinden, opsluiting en zo? Ik weet het niet.' Mo maakte een aantekening dat hij die bijzonderheden moest natrekken.

Rebecca dacht verwoed na. 'Zou onze belt een plek uit zijn verleden kunnen zijn? Misschien werd hij naar een belt of een stortplaats gebracht en daar gepijnigd?'

Mo haalde zijn schouders op, *zou kunnen*, maakte nog een aantekening.

'En verder: hoe zit het met het fysieke voorkomen van de vaders die hem mishandelden?'

'Juist – hebben die toevallig blond haar en blauwe ogen? Weet ik niet.' Mo noteerde de vraag. Rebecca was een kei, dat stond buiten kijf.

Rebecca ging nog een tijdje door met hardop nadenken. Ze had de geest van een detective, bedacht steeds nieuwe invalshoeken en volgde die in haar hoofd om te kijken waar ze toe leidden.

Maar Mo merkte dat hij het roer omgooide. Op dit moment leek Ty niet in aanmerking te komen; Flannery leek te waarschijnlijk. Maar hoe kon je iemand als Flannery te pakken krijgen? In zijn positie boven aan de voedselketen van de gezagshandhaving, als iemand die er overal relaties op nahield, had Flannery ogen en oren op elk bureau, elk countykantoor. Goede connecties in heel New York en omgeving. Aangezien hij werd gezien als iemand die een grote toekomst had, bewezen mensen hem graag diensten in de hoop op een toekomstige beloning, en ook buiten zijn eigen kantoor was hij graag gezien. Dat alles maakte het moeilijk om in zijn leven rond te snuffelen zonder dat het iemand opviel die het aan hem doorvertelde. Wat Gus betrof: ondanks al zijn geheimzinnige talenten, waren er elementaire zaken die hij niet kon weten. Feiten die niet ergens in een dossier of computer waren vastgelegd.

Zoals waar Flannery 's avonds na zijn werk heen ging.

Dat is waar je met die goeie ouwe benenwagen iets zou kunnen bereiken, dacht Mo. Hij keek naar Rebecca terwijl ze iets opschreef, en besloot dat hij haar vooralsnog maar niet van zijn idee zou vertellen.

Zoals Mo had verwacht werd het niets met het vuilnisbeltidee. Donderdagmiddag hadden St. Pierre en de anderen verslag uitgebracht. Er waren geen werknemers die de foto's van Parker of Radcliff hadden herkend. Wat tastbare sporen betrof: vuilnisbelten waren per definitie een zootje, en tenzij ze oogjes in een stervormig patroon in een of andere muur vonden, was het onmogelijk om te zeggen of een van de stortplaatsen was gebruikt als oefenterrein voor moordmarionetten.

Teleurstellend, maar zoals verwacht. Klein kansje. Mo had meer dan genoeg andere dingen te doen. Om vier uur belde hij Flannery op diens mobiel met het excuus dat hij zich wilde melden. Hij kreeg de officier van justitie even aan de lijn en gaf een paar bijzonderheden over Radcliff door. Zodra hij had opgehangen, verliet hij de kazerne, stapte in zijn auto en reed naar het centrum. Hij parkeerde op een plek met goed zicht op de parkeerplaats en de ingang van het countygebouw. Om halfvijf stroomden de countywerknemers naar buiten om zich in drommen naar hun auto's te begeven. Mo keek met een verrekijker naar de meute, op zoek naar Flannery's onmiskenbare kale schedel boven de andere hoofden. Nergens te bekennen. Maar dat was ook oké: onder de auto's die op het parkeerterrein achterbleven bevond zich de zilvergrijze BMW van de officier. Het was makkelijk geweest om eerder diens kenteken te krijgen bij de motorrijtuigenbelasting.

Halfzes en de BMW stond nog altijd op een steeds leger parkeerterrein. Mo begon het gevoel te krijgen dat hij hier op straat te kijk zat. Hij startte de auto, reed een rondje rond het blok, en toen nog eentje, terwijl hij zich afvroeg of Flannery de BMW daar misschien alleen voor de show had laten staan, en hij ander vervoer gebruikte als hij naar zijn lab of waar dan ook heen ging.

Maar toen hij bij zijn derde rondje over de Martin Luther King Drive reed, zag hij de grote man het gebouw verlaten, vergezeld van een paar hoge heren. De drie bleven op de stoep staan om iets te bespreken. Flannery gaf instructies en toen gingen ze elk hun eigen weg. Flannery liep alleen verder, met zijn aktetas in zijn hand; het toonbeeld van een gehaast, gekweld mens: lange passen, das los, jasje niet dichtgeknoopt, de frons waarmee hij zijn sleutel zocht.

Toen stapte Flannery snel in de BMW. Hij startte de auto en reed het parkeerterrein af. Mo wachtte even om wat andere auto's tussen hen in te laten en volgde toen de zilverkleurige auto door de stad.

Flannery reed een tijdje door de zakenwijk aan Mamaroneck en toen stopte hij. Mo kromp op zijn stoel ineen terwijl hij langsreed en keek toen in zijn achteruitkijkspiegel hoe Flannery uitstapte, de stoep overstak en een ijzerwarenzaak binnenging.

Mo reed nog een paar straten door, maakte een halve draai en reed weer langs de winkel. Twee straten verderop maakte hij weer een halve draai en stopte hij. Na enkele minuten kwam Flannery naar buiten met een papieren zak die hij op de stoel naast hem gooide voordat hij weer instapte. Mo was plotseling heel benieuwd naar de inhoud van die zak. Gloeilampen? Of voorraden voor zijn hobby, het poppenmaken?

De BMW reed weg en Mo volgde toen er genoeg tussenruimte was ontstaan. Flannery was een goede chauffeur, die precies de maximumsnelheid aanhield als het verkeer dat toeliet en vlak voordat hij de bocht omging zijn richtingaanwijzers aandeed. Als Flannery zou proberen om hem af te schudden, wist Mo dat zijn Chevy Lumina de wendbare BMW nooit bij zou kunnen houden. Maar Flannery leek niets te merken – waar hij ook heen ging, hij maakte zich er geen zorgen over dat hij gevolgd werd. Flannery sloeg af, en nog een keer, en reed toen een straat door een woonbuurt in. Mo volgde hem nog enkele straten voordat hij met een schok besefte dat dit zijn eigen buurt was. En toen draaide de officier de straat in waar het huis van Carla's moeder stond.

Mo bleef staan aan het eind van de door bomen overschaduwde straat. Zes uur, de zon stond nog een eind boven de horizon, leuke buurt, een paar kinderen op de gazons. Flannery reed met zijn BMW Mo's oprit op. Hij stapte uit, keek even de tuin rond en ging toen op de motorkap zitten om naar de kale ramen van het grote huis te turen.

Oké, dacht Mo. *Maar eens kijken wat je van plan bent*. Hij zette zijn auto langs de stoep voor het huis en stapte uit.

'Wat een verrassing,' zei Mo.

'Mooi huis heb je hier,' zei Flannery. 'Je zou je bijna afvragen hoe je je zo'n huis kunt veroorloven met een rechercheursloontje.'

'Zoek je nog iets om me voor aan te klagen?'

Flannery fronste slechts naar hem. 'Hoor eens, heb je iets kouds te drinken? Het is hier warm.'

'Sorry. Niets. Als ik had geweten dat er bezoek zou komen, had ik wel iets meegenomen.'

Flannery haalde een zakdoek uit de zak van zijn jasje en depte zijn kale hoofd. 'Oké, mooi, tot zover de beleefdheden. Laten we dan maar ter zake komen. Waarom ik hier ben.'

Mo liep naar de BMW. Hij kon de zak op de stoel zien liggen: het logo van Ace IJzerwaren, de bobbel die zo'n beetje van alles kon zijn. Toen kwam het in hem op: de polsen van Flannery. Als Rebecca gelijk had, zou het kunnen dat Geppetto ook littekens aan zijn polsen had, zou het een onderdeel van Flannery's mishandeling als kind kunnen zijn geweest dat hij was vastgebonden. Nu hij terugdacht, besefte Mo dat hij hem nooit had gezien zonder het jasje van zijn pak aan, behalve op zijn loopmachine of op de squashbaan. En beide keren had hij brede, badstof polsbanden gedragen om het zweet te absorberen. Maar Flannery had de zakdoek alweer opgeborgen en zijn handen in zijn zakken gestoken zodat de mouwen van het jasje over zijn polsen vielen.

'Ik ben hier,' vervolgde Flannery, 'omdat ik een heel vertrouwelijk gesprek met je wilde hebben. Omdat ik wil dat je iets doet waar je een hartgrondige, instinctieve weerzin tegen hebt.

'En dat is?'

'Mij vertrouwen.'

'Juist. Best. Natuurlijk.'

Even een opwelling van woede, die snel weer werd onderdrukt.

'Zo staat het ervoor. Jij en ik weten allebei wat de regels zijn – wat we al dan niet kunnen doen binnen de juridische beperkingen van onze posities. Maar het verschil tussen ons is dat jij je er niet veel van aantrekt om binnen die beperkingen te werken. Je hebt een welverdiende reputatie als een onafhankelijk denker, een vrije jongen. En op jouw niveau kan je daar een heel eind mee wegkomen. Voor mij is het een ander verhaal. O, ik kan mijn gezag doen gelden, ik kan gunsten uitwisselen. Maar ik sta altijd in de schijnwerpers. En ik heb een carrière, die ik niet kan riskeren door...' Flannery zocht naar de juiste eufemismen '...de rechtspleging... enigszins... op te rekken.'

'Wil je dat ik iets illegááls doe? Terwijl jij me te grazen probeert te nemen? Dat méén je niet.'

'Niet illegaal, alleen voor mij problematisch. Het heeft te maken met jouw en mijn vriend, Erik Biedermann.'

O ja, dacht Mo, *dat*. 'Ga dan maar achter hem aan. Mij heb je niet nodig.'

'Zeker wel. Als Biedermann persoonlijk iets te maken heeft met deze poppentoestand, dan is dat een groot probleem. Omdat hij een hoge federale agent is. Omdat hij connecties heeft met geheime operaties bij de inlichtingendiensten. Omdat hem beschuldigen, terecht of onterecht, grote problemen kan scheppen voor degene die het doet.'

Mo dacht: *dat hoef je mij niet te vertellen*. Hij wilde dolgraag zien wat er in de tas zat. En Flannery's polsen. Maar de officier van justitie droeg nog steeds het jasje van zijn pak, en nu deed hij zijn armen over elkaar zodat zijn polsen niet te zien waren. Zijn biceps deden de stof van het pak opbollen. Absoluut een grote, fitte kerel.

Flannery keek slechts naar hem. Ondanks zijn scherpe ogen leek de officier vermoeider, bezorgder, gekwelder dan Mo hem ooit eerder had gezien, voor zover hij zich kon herinneren.

'Bekijk het eens van mijn kant. Probeer je eens in mij te verplaatsen, oké? Ik ben bereid om achter Biedermann aan te gaan. Absoluut. Zoals ik al zei, het is een gouden kans. Maar ik kan het me niet veroorloven om daarbij opgemerkt te worden, dat iemand van mijn onderzoekseenheid daarbij opgemerkt wordt. Ik kan niet de indruk wekken dat ik hem verdenk, toch? Niet tot ik weet dat ik iets meer heb om mijn verdenkingen te rechtvaardigen. Ik kan zelfs niet aan iemand van mijn eigen mensen uitleggen wat ik wil of waarom. Een paar van hen hebben vroeger bij de FBI gezeten en die zullen het verkeerd opvatten. Ik heb in Washington iets lopen om wat meer zicht te krijgen op zijn achtergrond, maar dat is heel subtiel en het zal een tijdje duren. En in de tussentijd is iemand in mijn stad mensen aan het vermoorden. Dus moet ik de zaken meteen aan het rollen krijgen.'

'En daar heb je mij voor nodig.'

'Jij bent er perfect voor! Ik zou je dit verdomme niet eens vertellen als ik niet zou denken dat je A, de intelligentie en de bewegingsvrijheid had om het te doen en B, de fundamentele eerlijkheid om de noodzaak ervan in te zien. Je zal mij niet in de problemen brengen als het niet blijkt te kloppen, omdat je daar het type niet voor bent. Je hebt er niet de tijd voor over om zulke spelletjes te spelen.'

Flannery gooide zijn charme erbovenop, terwijl hij Mo recht aankeek en er absoluut uitzag als de eerlijke-maar-wanhopige vent die om een redelijke gunst vroeg.

'Bovendien krijg jij niet de wind van voren als Biedermann het merkt en er aanstoot aan neemt. Maar je kan nog steeds flink met de eer gaan strijken als je gelijk hebt.'

Flannery leek tevreden dat hij het had begrepen. 'Zeker, de eer opstrijken speelt ook mee,' gaf hij gewillig toe. 'Kom op, Mo. Hoor eens, het is geen geheim dat ik ambities heb. Jíj ook? Kijk eens naar jezelf – wij weten allebei dat dit niet jouw stijl is. Jij bent geen carrièrejager. Wat dit oplevert, dat zou jij niet willen. Je zou niet weten wat je aanmoest met de kansen die dit biedt. Maar ik – ik kan het goed gebruiken, ik ben klaar voor de volgende stap. Ongeacht of dit betekent dat een oud overheidsgeheim aan het licht wordt gebracht, of misschien dat een meervoudige moordenaar te grazen wordt genomen die bij een of meer federale instanties in dienst blijkt te zijn, in beide gevallen is het nieuws van nationaal belang. Een springplank. Een lanceerplatform. En afgezien van de pr, het is een feit dat ik je een potentieel belangrijk aanknopingspunt heb gegeven. Dus als... wanneer we die klootzak snappen, was het míjn operatie. Daarom dacht ik dat ik je maar een stok en een lokkertje voor moest houden.'

'Wat is het lokkertje?'

'Tja, eens kijken. De stok is de ellende die ik je kan bezorgen. Maar het is moeilijk om te bedenken wat voor iemand als jij een lokkertje is. Dus in dit geval is dat domweg de afwezigheid van ellende. Klassieke Pavloviaanse conditionering.' Flannery gaf hem een samenzweerderige knipoog alsof ze dat allebei grappig vonden.

Conditionering: Mo voelde dat hem een rilling over de rug liep.

Maar hij zuchtte slechts en wendde met een peinzende frons zijn blik af. 'Wat had je in gedachten?'

Flannery deed zijn armen van elkaar en trok zijn linkermouw op om op zijn horloge te kijken. Door die beweging begon Mo's adrenaline te stromen, de kans om een snelle blik op zijn polsen te werpen. Maar de officier droeg een stoer trekkershorloge met een brede sportband. Niet meer dan een onderdeel van het atletische imago dat hij graag mocht uitstralen? Of een manier om zijn pols te bedekken? Mo hoopte dat Flannery zijn toegenomen belangstelling niet had opgemerkt.

'Het is simpel,' vervolgde Flannery. 'En het is niet illegaal, maar het kost wel wat tijd. Ik wil dat je uitzoekt waar Biedermann na zijn werk naar toe gaat. Wat hij in zijn vrije tijd doet. Als jij dat doet, zal ik me bekommeren om de Washington-connectie en zorgen dat dat balletje blijft rollen. We zullen een goed team vormen.'

'Wat bedoel je? Dat ik hem moet schaduwen?'

'Precies! Als hij buiten zijn werk dubieuze dingen doet, wil ik dat graag weten. Waar hij heen gaat. Wanneer. En met wie.'

Mo dacht: *wat een ironie!*

Flannery vervolgde, maar nu niet meer zo kameraadschappelijk en samenzweerderig. 'Weet je wel – zoals wat je vandaag deed. Toen je míj schaduwde.' Mo's verrassing moest hem aan te zien zijn geweest, omdat in de vuile blik op Flannery's gezicht een glimp van voldoening te bespeuren was.

47

Op vrijdagmorgen verliet Mo de kazerne en begaf hij zich naar het gloeiend hete parkeerterrein. Wat een rotweek. Rondsjokken op vuilnisbelten, er met Carla definitief een streep onder zetten, ruzie met Rebecca. De schaduw van Geppetto. De leuke ontmoetingen met Flannery. Misschien was het ergste dat Flannery zich er nu bewust van was dat Mo hem verdacht. Mo had ontkend dat hij hem geschaduwd had, had gezegd dat hij gewoon naar huis was gereden, maar de officier van justitie leek bepaald niet overtuigd. Vlak voordat hij was weggereden, had hij tegen Mo gezegd: 'De klok tikt, rechercheur. Ik weet niet precies waar jij mee bezig bent, maar als jij niet met me meespeelt zal ik zo'n hel van je leven maken dat het nooit meer goed komt.'

Het beltenplan had niets opgeleverd. Er was nog één laatste strohalm: Rebecca's suggestie dat de belt misschien iets uit Geppetto's verleden zou kunnen zijn, de plaats waar hij als kind mishandeld was. Vuilnisbelten en stortplaatsen werden uiteindelijk gesloten, raakten overwoekerd, verlaten. In feite was er, met de komst van strengere regelgeving omtrent het storten van afval, in de jaren zeventig en tachtig een periode geweest dat oude belten werden gesloten en nieuwe stortplaatsen naar meer hygiënische maatstaven gebouwd werden. Dus had Mo St. Pierre gevraagd om het countykadaster te bellen. Hij had te horen gekregen dat ze inderdaad oudere kaarten bewaarden, en dat op die kaarten inderdaad de meeste stortplaatsen stonden die van, zeg, 1945 tot 1970 in gebruik waren. St. Pierre was nog niet terug met het materiaal tegen de tijd dat Mo vertrok, maar Mo was van plan om er in het weekend wat tijd voor uit te trekken. Het was bijna zeker tevergeefs, iets dat hij alleen uitzocht omdat zijn buldoginstinct van hem eiste dat hij een onderzoekslijn helemaal tot het eind volgde voordat hij het opgaf.

Daar kwam bij dat het 'visioen' van Mudda Raymon nog steeds door zijn hoofd bleef spelen.

Hij moest er in het weekend naar kijken, omdat het volgende week een kutweek zou zijn. Op maandag zou hij besprekingen hebben met de vakbondsvertegenwoordiger en met zijn advocaat, en dan op dinsdag de hoorzitting van de jury over de ingediende aanklacht. En daarna, wie weet? De familieleden van Grote Willie wachtten de resultaten van de hoorzitting af, en zouden dan besluiten of ze al dan niet een civiele procedure zouden aanspannen. En voortdurend op de achtergrond: Geppetto, die ongetwijfeld overuren maakte om Dennis Radcliff te herprogrammeren. Als het Flannery was, zou hij een zekere druk moeten bespeuren, en aangezien hij Mo had betrapt toen die hem volgde, zou hij serieuze tegenmaatregelen overwegen. Mo hield zichzelf niet meer voor de gek wie zijn doelwitten zouden zijn.

Wat dat betreft was er nog een suggestieve ontwikkeling geweest. Een roddel die op gegrinnik werd onthaald was vanmorgen, toen Mo op zijn werk kwam, in de kazerne rondgegaan onder de agenten in uniform. Een jonge agent die Galliston heette had vrijdagavond een sportwagen aangehouden die te hard reed, en toen hij bij het raampje kwam, bleek het niemand anders dan de officier van justitie voor Westchester te zijn, Flannery. Een moeilijk moment voor een groentje, maar hij had braaf een bon uitgeschreven. Dus ging Mo terloops even bij Galliston langs. Hoorde dat je de officier van justitie hebt aangehouden. Jezus, honderddertig waar je negentig mag. Was dat op de 684 naar het noorden?

Vraag me af waar hij heen ging – snel naar huis voor een scharreltje? Galliston wist het niet, maar het was niet naar huis, omdat Flannery's werkadres een appartement was dat zich slechts vijf straten van het countygebouw in het centrum bevond, en het was waarschijnlijk ook geen scharreltje, want iedereen wist dat zijn pied à terre een appartement was dat hij in Manhattan had, en dat was naar het zuiden. Galliston zei dat hij Flannery slechts tien minuten nadat hij Mo's huis had verlaten had aangehouden.

Iedereen moest erom lachen behalve Mo. Hij dacht dat als je overdags moest werken, dat flink ten koste moest gaan van de tijd die je aan je poppen kon besteden, vooral tijdens de werkweek. Vooral nu, nu je misschien begon te voelen dat de zaak in het honderd liep. Als je haast had om terug te gaan naar je lab in Westchester, zou je een vergissing kunnen maken en op te hard rijden betrapt kunnen worden.

Terwijl hij daarover nadacht, was Mo het parkeerterrein overgestoken en had hij zijn sleutels gepakt voordat hij de grote, zwarte auto opmerkte die met stationair draaiende motor naast zijn Chevy stond. Door de getinte ramen kon hij nauwelijks iets in de auto onderscheiden, maar het leek alsof er nu meer mensen in zaten. Toen het raampje naar beneden gleed, kwam het gezicht van Erik Biedermann te voorschijn.

'Hé, maatje,' zei Biedermann beminnelijk. 'Stap in. Kom even van de airco van de overheid genieten. Even afkoelen.'

De hitte steeg in golven van het asfalt op, lucht zo droog als een oven die je neusgaten verzengde. Biedermann schoof op en Mo stapte in, en ja, het was koel en donker. Zelek zat ook achterin, en ditmaal zaten er twee kerels voorin.

'Wat gaan we vandaag voederen?' vroeg Mo. 'De hyena's?'

Zelek vond het niet grappig. In feite stond zijn buitenaardse gezicht heel zuur, zijn mond een dunne wond onder aan de driehoek. De auto reed weg, de sloten klikten dicht. Niemand zei iets tot ze op de Cross Westchester Expressway waren.

'Mo, wil je me een lol doen en je jasje uittrekken?' vroeg Biedermann.

'Niet echt.'

Zelek keek hem aan, met een ijskoude blik in zijn scheve ogen. 'Trek het uit, anders trekken wij het voor u uit.'

'Toe maar,' zei Mo tegen hem.

Biedermann liet zijn brede schouders hangen en keek geïrriteerd. Toen knalde hij, zonder enige waarschuwing, met een harde linkse hoek tegen Mo's kaak, zodat zijn hoofd tegen het zijraampje sloeg. Hij raakte bijna buiten westen. In het ogenblik dat het hem kostte om zich te herstellen, had Biedermann een been over hem heen gezwaaid en zat hij wijdbeens over hem heen, terwijl hij met zijn handen Mo's armen in bedwang hield. Zelek begon hem met zijn behendige, smetteloze vingers deskundig te fouilleren, zijn zakken, rond zijn middel, zijn onderrug. Hij pakte Mo's Glock en stopte die in zijn zak en keek toen in Mo's aktetas. Het duurde slechts even. Toen hij klaar was, ging Biedermann van Mo af. De kerels voorin keken niet één keer om.

'Waarom moet jij altijd zo'n klootzak zijn, Ford?' Biedermann hijgde zowel van woede als van de inspanning. 'Ik bedoel, ik dacht dat jij en ik tot een verstándhouding waren gekomen, weet je wel, een beetje kameraadschappelijkheid. Maar nee. Waarom kan bij jou niets makkelijk gaan? Waarom kan je toch geen teamgeest opbrengen? We moeten praten. Je bent de laatste tijd zo gewiekst geworden dat het in ons belang is om te kijken of je geen opnameapparatuur bij je hebt. Maar jij kan gewoon niet meewerken, hè? Lul. Denk je soms dat wij geintjes maken? Denk je dat?'

'Rustig,' beval Zelek.

Mo bracht een hand naar zijn wang. Biedermanns vuist had hem geraakt als een plank. Er leken geen tanden los te zijn geraakt, maar zijn kaak zwol al op en zou best gebroken kunnen zijn. 'Wat gaan we doen?' vroeg hij ten slotte. 'Wat staat er vandaag op de agenda?' Het praten deed zeer.

Zelek nam de leiding: 'Ik dacht dat wij een afspraak hadden. Dat dacht ik echt. Dat u zich aan uw woord tegenover mij zou houden. Maar u en die psychologe blijven maar zaken onderzoeken die het welslagen van onze missie in gevaar brengen.'

'Zoals?'

'O, zoals, zoals,' snauwde Biedermann, alsof Mo zich van de domme hield.

'Dit gaat er niet om elkaar over en weer te beschuldigen,' onderbrak Zelek hem. 'Dit gaat erom de zaken weer recht te zetten. Sinds ik u voor het laatst heb gezien, hebben u en die psychologe Ronald Parker gesproken. Jullie hebben video- en audiobanden en hersenscans van hem meegenomen, die dr. Iberson jullie, totaal tegen onze instructies in, heeft gegeven. We hebben ook begrepen dat dr. Ingalls contact heeft opgenomen met diverse collega's om de zaak te bespreken, én nu persoonlijk een aantal vrijgegeven geheime documenten met betrekking tot de programma's heeft opgevraagd. Dat suggereert dat jullie allebei actief bezig zijn met onderzoek naar de grote lijnen, hoewel jullie de instructies hadden om dat niet te doen.'

'Heb je Rebecca niet vertéld wat wij besproken hebben?' vroeg Biedermann. 'Heb je haar niet vertéld dat het tijd was om dit onderzoeksgebied te laten rusten?'

De auto nam een afslag, Mo kon niet zien welke, volgde de bocht van de afrit en kwam in de berm onder het viaduct tot stilstand. Door de schaduw van de brug en de getinte ramen was het stikdonker in de auto. Het spitsverkeer ijlde vlakbij langs en deed de auto schudden op zijn vering, en ze werden geheel omgeven door het gedempte geraas van het verkeer boven hen.

Mo dacht erover na en besloot dat hij niet erg veel keuze had. 'Ter zake. Gaan we vandaag iets drastisch doen? Zo niet, wat willen jullie dan dat ik doe om te boeten voor mijn zonden?'

'Klootzak,' zei Biedermann. 'Ik bedoel, het is godverdomme precíés door die houding dat...'

'We wijzen niet met de vinger,' zei Zelek. 'En we dreigen niet. Daar zijn we allang voorbij. Dit zijn de laatste loodjes, rechercheur. We kunnen ons in dit stadium geen problemen veroorloven. *Daarom gaan we jullie instructies geven die jullie woord voor woord zullen opvolgen*. Jullie gaan het volgende doen: de observatietapes en de hersenscans aan Erik overdragen, samen met de banden van het vraaggesprek van dr. Ingalls, haar transcripties en uw aantekeningen met betrekking tot de zaak. U zult dr. Ingalls vertellen dat de projecten voor gedragsverandering niet meer tot het onderzoek behoren. Daarna gaat u weer verder met het rondwandelen op stortplaatsen, of het spitten in oude dossiers, of wat u verder zoal leuk vindt.'

'Best,' zei Mo, en hij meende het. Hij had geen behoefte aan deze ellende. 'Hoe moet ik...'

'Maandagmiddag verwachten we al het materiaal.' Zelek haalde een blanco adreskaartje te voorschijn en krabbelde er een telefoonnummer op voordat hij het aan Mo gaf. 'Dit is het mobiele nummer van Erik. U kunt hem altijd bellen, overdag of 's nachts, en dan vinden wij u wel. Ergens de komende week zal het ook nodig zijn dat wij u grondig debriefen en dat u uw handtekening zet op een juridisch document waarin u geheimhouding zweert, met een zware straf als u zich daar niet aan houdt.' Zijn kleine mond trok naar beneden terwijl hij op zijn horloge keek. Hij haalde Mo's Glock uit de zak van zijn jasje, liet hem in de aktetas glijden en gaf die terug.

Biedermann had uit het raampje gekeken en leek zichzelf nu

weer in de hand te hebben. 'Ik moet eerlijk zijn,' zei hij. 'Dit is een van die momenten waarop iemand de juiste beslissing moet nemen, Mo. Voor jou en Rebecca is het erop of eronder. Het moment waarop de weg zich splitst. Verknal het niet.' Zijn toon was kalm, bijna spijtig, en veel intimiderender dan zijn eerdere opwinding.

'En dat is het voorlopig,' zei Zelek. 'U kunt uitstappen.'

Mo was verrast. Maar de sloten klikten open en Biedermann reikte voor hem langs om het portier open te doen. Dus stapte hij uit en stond hij onder het bulderende viaduct, met het kaartje in de ene hand en zijn aktetas in de andere, terwijl de auto wegreed.

Hij herkende de afrit nu, ongeveer zestien kilometer van de kazerne. Met zijn mobiel de meldkamer van de staatspolitie bellen en om een ritje terug vragen zou te veel uitleg vereisen. Hij kon niet beslissen of hij zou lopen of liften. Hij verrekte van de pijn aan zijn kaak. En de kutweek was nog niet eens begonnen.

48

Mo rolde op zaterdagochtend met een bonkend hoofd uit bed, alsof hij de vorige avond stomdronken was geworden. In feite was het enige wat hij gedaan had, thuiskomen en ijs tegen zijn kaak houden. Thuiskomen was een heroïsche inspanning op zich geweest, gezien het feit dat hij misschien vijf kilometer had gelopen voordat hij een betaaltelefoon had gevonden en een taxi uit White Plains had gebeld om hem terug naar de kazerne te brengen, waar zijn auto nog stond. Toen hij eenmaal het ijs op zijn kaak had, had hij Rebecca gebeld om haar de laatste ontwikkelingen te laten weten. Maar omdat het vrijdagavond was en Rachel er was, konden ze niet echt bespreken wat ze moesten doen. Hij had vier aspirines genomen en geprobeerd om na te denken, waarna hij was gaan liggen en geprobeerd had om te slapen. Beide pogingen mislukten.

Op de spiegel in de badkamer zag hij dat de linkerkant van zijn gezicht opgezwollen en verkleurd was. De kaak deed zo zeer dat hij hem niet aan kon raken. Het is tot daar aan toe om een klap te krijgen als je het verwacht, maar als je een knal kreeg terwijl je zat, absorbeerde je lichaam alle energie op het punt waar je geraakt werd. Bovendien was Biedermann een forse kerel.

Terwijl hij zich aankleedde zag hij met tegenzin de realiteit onder ogen dat hij naar het ziekenhuis zou moeten om een röntgenfoto van zijn kaak te laten maken. De gedachte aan het ziekenhuis herinnerde hem er plotseling aan dat dit de dag was dat Frank Marsden zijn bypass kreeg. Hij wilde er zijn als de ouwe de operatiekamer in ging, om Dorothea wat steun te geven.

Dus plensde hij wat water over zijn gezicht, deed hij zijn best om zijn tanden te poetsen en ging hij de stad in. Hij was net op tijd in Cornell Medical Center om Marsden en zijn vrouw binnen te zien komen voor zijn opname. Mo zag hen voordat ze hem zagen: een vermoeid, ongerust, ouder stel dat alleen binnenkwam en de indruk wekte dat ze ruzie hadden gehad of zo. Maar toen zagen ze hem en leken ze enigszins opgelucht, en opeens was hij blij dat hij was gekomen. Prioritéíten, dacht Mo.

Dus bleef hij de hele morgen terwijl Frank werd voorbereid, om met Dorothea over koetjes en kalfjes te praten. Dorothea was een tonronde vrouw met geverfd donkerbruin haar. Ze dronk, wat soms een probleem was voor hun huwelijk, maar vandaag was ze slechts een bange oudere dame die erg haar best deed om zich te beheersen. Nadat Frank in een bed was vastgegespt en op de operatiekamer wachtte, stonden ze allebei een tijdje bij hem in de gang, terwijl ze probeerden om optimistisch te zijn en hem moed in te spreken. Wat niemand echt goed afging. Frank leed aan zware aderverkalking, milde diabetes en had een veel te hoge bloeddruk, niet bepaald de droom van een hartchirurg.

Op een gegeven moment ging Dorothea naar het toilet en zei Marsden: 'En, ben je pissig omdat ik Paderewski tot waarnemend coördinator van de eenheid heb benoemd?'

Mo schudde zijn hoofd. 'Wat denk je?'

'Ik denk dat je op dit moment andere dingen aan je hoofd hebt, andere zorgen. Wat is er met je gezicht gebeurd?'

Mo voelde voorzichtig aan de nieuwe blauwe plekken. 'Mijn zorgen hebben me ingehaald. Het gaat best.'

Toen zwegen ze. Franks gezicht zag er gelig en oud uit tegen de helderwitte lakens. Even later kwam Dorothea terug en toen werd Frank weggerold door een ploegje in het groen gehulde mensen. Mo bleef nog vier uur bij Dorothea, tot de chirurg uit de operatiekamer kwam en zei dat het geweldig was gegaan, kon niet beter.

Terwijl ze wachtten, had Mo diverse malen geprobeerd om Rebecca te bellen, zonder haar te bereiken. Hij probeerde zichzelf te vertellen dat hij zich geen zorgen moest maken, dat ze op zaterdag vaak met Rachel op pad was. Ze had eerder iets gezegd over dat ze allebei een nieuw badpak nodig hadden. Waarschijnlijk waren ze aan het winkelen. Maar na een tijdje kon hij zijn ongerustheid niet meer inhouden en dus zocht hij het kaartje dat Zelek hem had gegeven en draaide hij het nummer van Biedermann.

De vertrouwde stoere stem zei: 'Ja?'

'Ik ben het, Ford.'

'Dat is snel.'

'Nee, ik wil alleen even wat van me laten horen. Je bellen om je te laten weten dat we ermee bezig zijn. Ik bel weer zodra we al het materiaal bij elkaar hebben. Morgen, uiterlijk maandag. Zodat je je... nergens zorgen over hoeft te maken.'

'De enige die zich zorgen moet maken, dat ben jij.' Biedermann grinnikte humorloos. 'Barst, Mo, als ik had geweten dat je houding daardoor zo ingrijpend zou veranderen, had ik je eerder een knal gegeven.'

Toen ze eenmaal wisten dat Frank buiten gevaar was, liet Mo Dorothea achter en meldde hij zich bij de eerste hulp. Hij wachtte nog wat langer in een andere hal, liet röntgenfoto's maken. Ze zeiden tegen hem dat hij een haarscheurtje in zijn linkeronderkaak had, maar dat hij het alleen rustig aan moest doen, de zwelling tegengaan, zacht eten eten. Toen hij klaar was in het medisch centrum, ging hij bij de kazerne langs om het pak kaarten van oude stortplaatsen op te pikken dat St. Pierre had achtergelaten en reed hij terug naar het mausoleum. Hij nam vier aspirines. Belde het antwoordapparaat van Rebecca. Ging met de Glock op zijn borst liggen en viel in slaap.

Het was elf uur toen ze eindelijk terugbelde. Hij werd in het donker wakker, zocht op de tast naar de hoorn, mompelde hallo.

'Ik bel laat zodat we wat privacy hebben. Rachel ligt in bed; we kunnen praten.'

Hij gaf haar de bijzonderheden over zijn treffen met Biedermann en Zelek, de dringende behoefte om het materiaal aan hen af te staan en de Geppetto-kant van de zaak te laten voor wat hij was.

Ze zweeg even, terwijl ze nadacht. Toen vroeg ze: 'En heb jij daar een goed gevoel bij? Gewoon... weglopen?'

'Daar heb ik een prima gevoel bij. Ik voel me geweldig.'

'En je zit er niet mee dat dit programma, deze hele situatie, gruwelijk is? Een... een verraad aan menselijke principes waar misschien iemand iets aan zou móéten doen? Ik bedoel, misschien gebeuren zulke vreselijke dingen omdat mensen zoals wij ze telkens weer láten gebeuren.'

'Dat zit me godverdomme ontzettend dwars. Maar dat geldt ook voor de honger in Somalië, het broeikaseffect, de uitbuiting van illegale werknemers. Het is niet iets waar ik veel aan kan doen. Maar er is meer...' Hij verstomde, weer liet zijn vocabulaire hem in de steek.

'Wat?'

'Ik wil niet het risico lopen dat er iets gebeurt. Met jou, met Rachel. Met wat er net is ontstaan. Tussen jou en mij. Een maand geleden hadden Biedermann en zijn mensen, of Geppetto, me kunnen afmaken, en dan had het me geen zak kunnen schelen. Maar is het...'

'Je mompelt een beetje, Mo. Ik kan je amper verstaan.' Hij besefte dat hij haar niet over zijn gebroken kaak had verteld. Ze ging verder: 'Ik geloof dat ik wel voel waar je heen wil. Dank je. Zo denk ik er ook over. En ik weet dat je gelijk hebt, maar ik... je weet wel. Ik kan het niet makkelijk loslaten.' Ze zweeg weer even. 'Ik geloof dat ik wel bereid ben om ermee te kappen, maar ik kan hun het materiaal niet morgen bezorgen. Ik zat hier ook over in, maakte me zorgen over de waarde van de banden en de scans als bewijsmateriaal als... nou ja, na Ronald Parker kan ik niet volhouden dat dit appartement veilig is. Dus heb ik alles in een kluisje gedaan. Ik kan er maandag pas bij. Maar ze zeiden toch dat maandag oké was?'

Húúh, dacht Mo. 'Ja. Ik bel Biedermann wel om het hem te laten weten. Zodat ze in elk geval niet denken dat we niet mee willen werken als we morgen geen contact opnemen.'

Ze praatten nog een tijdje. Niets over de zaak. Het was alsof die verdwenen was nu ze eenmaal een besluit hadden genomen. Hij had gelijk gehad, zij en Rachel waren de deur uit gegaan om badpakken en andere zomerkleding te kopen. Morgenavond bowlen, herinnerde ze hem, om vervolgens te suggereren dat Mo daarna misschien daar de nacht door kon brengen? Mo zei tegen haar dat dat heel erg goed klonk.

Het was middernacht toen ze ophingen, maar Mo belde Biedermann toch maar. Hij nam op na de eerste keer dat de telefoon overging, klonk klaarwakker. Vond het amusant dat Mo hem zo goed op de hoogte hield.

Pas zondag om twee uur kwam hij eraan toe om de oude kaarten te bekijken die St. Pierre had opgeduikeld. De meeste stamden uit de jaren vijftig en zestig. Terwijl hij ze bekeek, besefte Mo hoezeer het terrein in vijftig jaar was veranderd. Er waren toen minder straten, geen hoofdkantoren van bedrijven, geen snelwegen. De grote fotokopieën die St. Pierre had gemaakt waren goed, maar de oorspronkelijke kaarten hadden duidelijk betere tijden gekend, en op de kopieën waren alle kreukels, scheuren, verkleuringen en potloodaantekeningen overgenomen.

Vuilnisbelten en stortplaatsen stonden inderdaad aangegeven, soms alleen met potlood. Mo markeerde de lokaties met een gele stift en probeerde toen op een nieuwe Hagstrom wegenatlas de corresponderende plaatsen te vinden. Gezien het feit dat de straatnamen waren veranderd, dat er nieuwe wijken als paddestoelen uit de grond waren geschoten, dat de schaal van de kaarten enorm verschilde, was het niet makkelijk om het oude met het nieuwe te vergelijken. In feite was het doodsaai werk. Het was bijna zeker dat het niets zou opleveren. Aan de andere kant was aan de keukentafel zitten en kaarten bekijken met een kop koffie in de ene en een pak ijs in de andere hand, zo'n beetje het enige waartoe Mo vandaag in staat was. Het was buiten trouwens toch een rotdag, bewolkt zonder dat de regen viel waar zo'n behoefte aan was.

Bovendien begon morgen de kutweek. Hij zou uitgerust moeten zijn om tegen alles wat hij over zich heen kreeg opgewassen te zijn.

Het was tot daar aan toe om te zeggen dat je het Geppetto-scenario niet verder ging uitzoeken, maar het was iets anders om op te houden erover na te denken. Terwijl Mo werkte, was er een vraag die telkens weer in hem opkwam, iets waar Rebecca het over had gehad: Wat was voor Geppetto de aanleiding geweest om in 1995 te beginnen met zijn marionettenmakerij, drieëntwintig jaar na zijn betrokkenheid bij de oude psychologische projecten van het leger? De hypothetische aanleiding was belangrijk omdat de aard daarvan iets zou onthullen omtrent Geppetto's 'statement', zijn agenda. En als ze meer van Geppetto's agenda wisten, konden ze zeggen wat waarschijnlijk zijn volgende zet zou zijn. Het zou ook enig licht kunnen werpen op een aantal van de zorgwekkende onderstromen van die toestand met Biedermann en Zelek.

Mo herinnerde zichzelf eraan dat dit hem niet langer aanging. Hij zette de gedachten van zich af, vouwde nog een kaart open en begon de vuilnisbelten met een gele stift te markeren. Hij had net de derde gemarkeerd toen hij opschrok en bijna stikte in een slok koffie. Hij controleerde de plaats nogmaals: de scherpe bocht in de weg, dan het stroompje.

Stomme, stomme, stomme klootzak, schold hij op zichzelf.

Uit de oude kaart bleek dat de weg aan het begin van de jaren vijftig de Beltweg was genoemd. Destijds een zandweggetje in een landelijke omgeving, maar nu was hij geplaveid en heette hij Eldridge Estates Road. Tussen de snelweg en een dure woonwijk.

Dezelfde weg die een kilometer onder de oude belt de brug kruiste over het drassige stroompje waar Laurel Rappaport was vermoord.

Hij had het zich moeten herinneren zodra ze aan oude stortplaatsen begonnen te denken. De ouderwetse wasmachine die hij had gezien. De vreemde rommel in de modder – een oude toaster, een verroeste chromen zijspiegel van een of andere oude auto – waarschijnlijk in de loop van de laatste vijftig jaar stroomafwaarts gespoeld.

Mo probeerde zich voor te houden dat het niets kon zijn, toeval, irrelevant. Een microscopisch kleine kans. Maar toen hij opstond, had hij het ontzettend warm en had hij opeens haast. Het was halfvier, een beetje laat op de dag, maar er was nog genoeg tijd om een kijkje te nemen voordat het donker werd, voordat hij naar Rebecca ging. Hij bond zijn schouderholster om, controleerde het magazijn van de Glock, haalde toen de Ruger onder zijn matras uit en deed de enkelholster om. Hij dacht aan het moeras, de dicht beboste heuvels aan weerskanten: een groot terrein, een klus voor meer dan één man. Hij vroeg zich af wat voor plannen Mike St. Pierre had voor zijn zondagavond.

Mo parkeerde zijn auto op de brug en trok de rubberlaarzen aan terwijl hij wachtte tot St. Pierre kwam opdagen. Zondagmiddag, niet veel verkeer. Hij bleef zichzelf voorhouden dat dit waarschijnlijk niets te betekenen had, dat het weer niets zou opleveren. Maar er was een spanning in zijn zenuwen, die ademloze druk midden in zijn borst, die hem vertelde dat dit het moest zijn. Ja, zoals Carla had gezegd: zijn radar, zijn instinct. Wat het ook was, zijn intuïtie vertelde hem dat dit iets belangrijks was.

Halfvijf. Het zou hen beiden waarschijnlijk een paar uur kosten, ook als ze niets interessants zouden vinden. Dus belde hij Rebecca met zijn mobiel.

'Hoi, ik ben het,' zei hij. 'Hoor eens, ik kom een beetje later voor het bowlen. Of misschien dat ik het deze week moet overslaan als dit iets oplevert. Jullie kunnen waarschijnlijk beter op eigen gelegenheid naar de Star Bowl gaan, dan zie ik jullie daar wel.'

Toen hij haar vertelde waar hij was, klonk ze sceptisch: 'Ik dacht dat Erik en zijn mensen het moeras vrij goed hadden uitgekamd. Wat Erik verder ook niet mag zijn, grondig is hij wel.'

'De oude belt is verderop. Ik geloof niet dat ze zo ver zijn gegaan.'

'En jij gelooft niet dat het toeval is?'

'Zou heel goed kunnen,' beaamde hij. Het was onmogelijk om de helderziende spanning te verklaren die hij voelde.

'En hoe zit het met Erik en Zelek – zullen zij dit initiatief niet afkeuren?'

'Ik geloof het niet. Ik weet niet of het me wat kan schelen. Als dit ons een kans verschaft om Geppetto te vinden, hem te pakken te krijgen voordat hij... Als we Geppetto snel te pakken krijgen, zou het hele probleem wel eens onbeduidend kunnen worden.'

En toen kwam St. Pierre er aan, stapte grijnzend uit en was het tijd om te gaan. Mo nam afscheid van Rebecca, pakte de kaarten bij elkaar en stapte uit. Het was goed dat Mike er was, dacht Mo. Ruig en paraat, een grote slungelige uitslover, die dolgraag wilde bewijzen wat hij waard was.

'Het spijt me dat ik je op een zondag bij je gezin weghaal,' zei Mo.

'Ach, Lilly vindt het ook niet erg dat ik voor de overuren word betaald.' Mike had een spijkerbroek aan en een wijd shirt met korte mouwen, en had ook rubberlaarzen aangedaan. Hij deed met een afstandsbediening zijn portieren op slot, haalde zijn pistool uit een heupholster, controleerde het en stopte het weer weg. Toen bekende hij verlegen: 'En, weet je, ik bedoel ik ben dol op mijn kinderen, maar er zijn van die momenten, weet je wel? Dat je het niet erg vindt om er even tussenuit te zijn. Het wordt een dolle boel met drie kinderen en hun vriendjes.' Hij keek over het moeras, het gebladerte dat groener en dichter was geworden sinds de laatste keer dat ze hier waren, en tuurde naar de betrokken lucht. 'Denk je echt dat dit iets zou kunnen zijn?'

Mo haalde zijn schouders op: *misschien*. Ze stapten over de vangrail en gingen langs de helling naar beneden.

49

Flexibiliteit was de sleutel. Dat had meneer Smith altijd geweten. In staat te zijn om je aan te passen aan veranderende omstandigheden was cruciaal voor het welslagen van elke onderneming, en hij had plannen voor onvoorziene omstandigheden uitgewerkt, voor het geval dat de misser van Drie met dat Rappaport-meisje iemand naar de oude belt zou leiden. In feite kon hij, als hij dit goed aanpakte, de ophanden zijnde komst van Mo Ford ten voordele aanwenden.

Op zaterdag had hij de ogen van Nummer Vier afgeplakt en hem naar zijn voormalige thuisstad gereden. Het was een roerend moment toen hij hem losliet. Het betekende het eind van de meneer Smith-tijd, een tastbare erkenning dat dit de laatste zetten waren, het eindspel. Het was als het loslaten van een gevangen vogel: hem bevelen om uit het busje te komen, hem daar laten staan terwijl hij aan zijn blinddoek trok, vervolgens met zijn ogen knipperend vanwege het daglicht, verbijsterd door zijn plotselinge vrijheid. Onmogelijk om te zeggen hoe hij zich zou aanpassen. Vier was een soort boodschap in een fles geworden, die in zee was geworpen. Of een tijdbom, dat hing ervan af hoe je ernaar keek.

Nadat hij Vier had vrijgelaten, had hij een flink deel van de zaterdag in de Star Bowl doorgebracht, waar hij een paar potjes had gebowld en de grillbar en de toiletten had verkend. Hij had de vaste gezichten bij de balie in zijn hoofd opgeslagen en op een gegeven moment, toen de oude man naar het toilet was, was hij argeloos in de dienstruimtes aan de andere kant van de banen beland. Hij had zich vertrouwd gemaakt met de plattegrond van de galerij waar de kegels werden opgesteld, gekeken waar de nooduitgangen en de zekeringkasten zich bevonden. Toen hij was weggegaan, had hij buiten het gebouw even zorgvuldig geïnspecteerd: de voor- en de achteringang, de steeg erachter, de leegstaande winkel ernaast, het zicht op de rest van het winkelcentrum. Het was een beetje een zootje; een winkelwijk die geleidelijk volledig uitgestorven raakte. Alles bij elkaar niet slecht voor deze operatie.

'Operatie' was een goede term voor wat hij van plan was, dacht meneer Smith hard. Tot de uitrusting die hij in de plunjezak had gestopt behoorde ook een aantal chirurgische instrumenten, zoals zijn elektrische Stryker-zaag en scalpels. Je wist maar nooit wat nog van pas zou kunnen komen.

Hij was van plan geweest om voor Mo en Rebecca bij de baan te zijn, dus tegen halfvijf was hij klaar voor vertrek: het busje ingepakt, de pistolen geladen, Drie in sportkleding en in een behoorlijk opgefokte staat van paraatheid. Toen, vlak voordat ze vertrokken, had hij nog één keer gebeld met zijn afluisterapparatuur, net op tijd om het telefoontje van Mo Ford te horen.

Best, dacht hij. *Zo zij het. Ertegenaan dan maar.* Aanpassen. Ford hier te grazen nemen. Het was tactisch gezien verstandig om de onvoorspelbare variabele – zo'n bekwame tegenstander bij de bowlingbaan te hebben – te elimineren, en daarom zou hij Ford aan Drie overlaten terwijl hij alleen naar de Star Bowl ging. Als Drie het treffen overleefde, kon hij de andere auto nemen en zich later bij hem voegen. Als hij het niet overleefde, ook best: de rechercheur was er alleen door de blunder van Drie; het had een zekere poëtische rechtvaardigheid om hem het probleem te laten oplossen. En in feite vond meneer Smith het emotioneel een prettig idee dat Ford er zou zijn voor de finale, omdat hij ernaar hunkerde om die arrogante klootzak zelf zijn verdiende loon te geven.

Dus al met al, zei hij tegen zichzelf, *is het een win-winsituatie.*

Hij wilde Drie nog steeds geen vuurwapen toevertrouwen, maar hij gaf hem wel een van de stiletto's. Ze hadden in de eerste fase van zijn conditionering enige weken besteed aan het oefenen met het wapen. Hij kon er heel goed mee omgaan. Hopelijk zouden, ondanks zijn opgefokte stemming, het sympathieke gezicht en de sociale vaardigheden van Drie hem in staat stellen om zo dichtbij te komen dat hij het kon gebruiken.

Hij had Drie verteld dat ze op plan B overgingen, had hem dolgemaakt van haat en angst. Dat was niet moeilijk. Meneer Smith was 'Mo' zelf spuugzat, zijn buldogstijl, zijn voortdurende gedram, zijn eigenwijze houding. Eigenlijk had hij hén in zijn macht, dwong hij meneer Smith tot handelen, trok hij de strop steeds strakker. Als je daar zijn misselijkmakende liefde en tederheid bij optelde, al dat romantische gezeik met Rebecca, zijn onverdiende geluk, dan was het makkelijk om die hufter te haten.

Toen Meneer Smith Drie genoeg had opgehitst, bracht hij hem naar de achterdeur. Hij deed zijn nylon handboeien af en duwde hem naar buiten.

'Pak hen,' zei hij droog.

Drie holde met lange, soepele passen door de achtertuin en verdween met grote sprongen de heuvel af en het bos in. In zijn bonte nylon windjack leek hij een jogger, die 's middags een eind ging rennen.

Meneer Smith sloot het huis af en stapte in het busje. Veertig minuten rustig rijden naar de bowlingbaan. Een paar potjes bowlen tot Rebecca en haar dochter arriveerden, dacht hij, en dan kon de pret pas goed beginnen.

Maar het voelde niet echt aan als pret. Eerder bitter en bedroefd. Hij barstte bijna van de zwarte gal en de afgunst en de ellende. Bovendien was hij uitgeput, zijn tank was leeg. Hij had de juiste keuze gemaakt toen hij besloot om voor de finale te gaan. Toen hij net begon, bedroefde het hem als hij aan de slachtoffers dacht – de indirecte schade. Maar de laatste twee jaar moest hij toegeven dat hij er een duister genoegen in schiep: het spel, de macht, het lijden. Dat genoegen betekende zijn definitieve en volledige transformatie in een monster, het hoogtepunt van zijn misbruik door het programma.

Bij die gedachte kraakten de tanden van meneer Smith onder de druk en zwol de ader in zijn nek. Dit was zijn laatste kans om iemand te laten boeten en om het de wereld allemaal te laten zien, en, god nog aan toe, hij zou het niet verknallen.

50

Ze stonden op de duiker en keken op de kaarten, waarop te zien was dat de oude vuilnisbelt zich aan weerskanten van de kreek uitstrekte en ongeveer achthonderd meter verder stroomopwaarts begon. Vanaf de duiker konden ze zien hoe het bos ongeveer vierhonderd meter verderop het moeras had bedekt. Op de nieuwere kaarten stond een woonwijk die ongeveer achthonderd meter de rechterhelling op begon; de grote huizen waarvan Mo laatst in de avond door de bomen een glimp had opgevangen. Aan de linkerkant strekten het bos en de voormalige belt zich uit tot aan de berm van de snelweg, die op dit stuk was afgeschermd met een hoge houten geluidswal. Zonder over de berm of door iemands tuin te gaan, was dit de beste route ernaar toe.

Het was een groot terrein om te bestrijken, ongeveer anderhalve bij anderhalve kilometer, waarvan het merendeel dichtbegroeid was. Dus besloten ze om elk een deel voor hun rekening te nemen. Ze zouden allebei ongeveer een roosterpatroon aflopen, waarbij St. Pierre de linkerkant van de stroom helemaal tot aan de berm van de snelweg nam en Mo de rechterkant tot aan de achterkant van de tuinen en de huizen. Ze zouden via hun mobiel contact met elkaar opnemen als een van de twee iets interessants vond. Anders zouden ze tot zeven uur doorgaan en elkaar hier bij de duiker weer treffen, ermee kappen voordat het te donker werd.

''k Heb een vraag voor je,' zei St. Pierre. 'Je moet dit niet verkeerd opvatten. Maar waar zijn we hier eigenlijk naar op zoek? Gezien het feit dat er niemand is om foto's aan te laten zien.'

'Sporen van menselijke activiteit die je niet op zo'n rotplek als deze zou verwachten, zoals verstoringen van de bodem of de begroeiing. Eh, achtergebleven dingetjes van de poppenspeler. Misschien iets van Laurel Rappaport? Misschien hebben we mazzel en vinden we aanwijzingen dat er iemand is vastgebonden of opgehangen.' Mo dacht: *en misschien honden, iets met honden, wat had Parker met honden?*

Mike grijnsde toen hij Mo's blik opving. 'Lijkt me vergezocht.'

'Het is ook vergezocht.'

'Klinkt alsof je nog op iets anders zit te broeden. Persoonlijk denk ik dat het die goeie ouwe zwarte magie is. De beroemde intuïtie van Mo Ford.'

Mo keek hem slechts aan. Er was veel dat hij hem graag had willen vertellen. St. Pierre verdiende de waarheid. Maar hij verdiende nog meer om daarvoor behoed te worden. Misschien als het allemaal voorbij was.

Mike hield zijn handen op. 'Ach, het geeft niet. Ik vind het leuk om het in werking te zien, dat is alles. Het is indrukwekkend, hoe noemen ze het – vage logica. Zeker niet iets dat we op de academie leren!' Hij werd ernstig en tuurde stroomopwaarts naar de vlakte van modder en struikgewas. 'We denken toch niet dat we Radcliff zelf tegen het lijf zullen lopen?'

'Nee.' In feite had Mo daaraan gedacht. Het zou kunnen dat Geppetto's lab dichtbij was, maar het leek hem onwaarschijnlijk dat de poppenspeler het risico zou nemen om de belt te gebruiken na de moord op Rappaport. En Geppetto kon onmogelijk weten dat ze eraan kwamen – de enige ander die wist waar ze waren was Rebecca.

Ze sopten samen stroomopwaarts. Het waterniveau was gezakt sinds de vorige keer, waardoor delen van de moerasbodem bloot waren komen te liggen en de modder met een indrogende laag was bedekt. De insecten waren uitgekomen sinds de laatste keer dat Mo hier was, en muggen voerden duikvluchten uit naar zijn ogen.

'Jij hebt Marsden gezien, hè?' riep St. Pierre op een gesprekstoon. 'Hoe gaat het met hem?'

'Goed.'

'Denk je dat hij terugkomt?'

'Hm. Volgens mij niet. Ik denk dat hij een minder gestrest soort werk moet hebben.'

'Is er een kans dat jij permanent de leiding overneemt?' Mikes stem stierf weg, omdat hij naar links ging, terwijl zijn ogen de grond afspeurden. Een lange, jonge, innemende knul, die er met zijn rubberlaarzen eerder uitzag als een mosselvisser uit Maine dan als een specialist in zware delicten. 'Neuh,' antwoordde hij zichzelf. 'Niet met dat gelul dat ze jou proberen aan te wrijven. Doodzonde. Jij zou de beste zijn, Mo.' Hij keek op met een bewonderende openhartige grijns, bijna tien meter bij Mo vandaan, en plotseling voelde Mo een irrationele bezorgdheid. Het had iets te maken met de manier waarop St. Pierre afstak tegen de achtergrond van sumakboompjes, het kunstmatig ogende melkachtige licht van de bewolking. Hij leek op een camee.

'Hé, Mike,' riep Mo. 'Hou je ogen daar goed open, hè?'

St. Pierre knikte, wuifde. Na nog enkele minuten bevonden ze zich honderd meter bij elkaar vandaan en toen verloor Mo hem tussen de bomen uit het zicht.

Nadat hij de oude wasmachine was gepasseerd, liep Mo nog eens vierhonderd meter tot het punt waar aan zijn rechterhand de huizen door het gebladerte zichtbaar werden. Vijf uur en het was nog licht, maar de bladeren werden dikker en wierpen nu meer schaduwen, en door de kudzuranken kon je niet ver voor je uit kijken. Hij verliet de stroombedding, blij dat hij over drogere grond kon lopen. Rondom hem doken steeds meer sporen van de belt op: een roestig vat, een oude band, mysterieuze machineonderdelen, allemaal half begraven in de met blad bedekte bodem. Uit de kaart maakte hij op dat hij nu bijna bij de rand van de oude stortplaats moest zijn en hij begon volgens een zigzagpatroon te lopen.

Er hing een wonderlijk levenloze sfeer, ondanks de vroege zomerse begroeiing. De smalle kronkelpaden tussen de bomen en het afval en de grote keien leken onnatuurlijk verlaten. Van de snelweg kwam een zachte witte ruis die als een deken over het landschap lag, en waardoor je je soms vergiste in de geluiden van menselijke bedrijvigheid in de verte. De vochtige geuren van het bos waren vermengd met vreemde luchtjes, verschaald en ietwat chemisch, met daaroverheen vaag de geur van uitlaatgassen van de snelweg. Het dek van dode bladeren van vorig jaar vertoonde geen sporen van activiteit en leek gladgestreken alsof het door de heldere melkachtige bewolking werd platgedrukt.

Het dode land, het niemandsland.

Na een tijdje vouwde hij de kaart op en stopte hij die in zijn zak. Te oordelen naar de hoeveelheid rommel leed het geen twijfel dat hij zich nu op de oude belt bevond. Niettemin was er geen spoor van activiteit, dierlijk of menselijk. Er waren zelfs geen vogels of vogelgeluiden. Geen wind. Alleen de vreemde, levenloze doolhof, roerloos onder de lage hemel alsof hij op iets wachtte. Hij tuurde in het interieur van diverse roestende auto's met ronde achterkanten, bekeek aandachtig wat verroeste landbouwwerktuigen, duwde de resten van een vat van tweehonderd liter om. Niets interessants. Hij belde St. Pierre op de mobiel en was even opgelucht toen de vrolijke stem antwoordde en zei dat er bij hem ook *nada* te melden viel. Ze waren het erover eens dat dit een kutplek was en waarschijnlijk weer niets zou opleveren.

Een uur later begon Mo moe en gefrustreerd te raken en liep hij de helling op om het terrein rond de huizen wat beter te bekijken. De percelen varieerden van tachtig are en ruim een hectare tot veel grotere landgoederen, en van halfwilde bossen tot goed onderhouden parkachtige gazons en tuinen. Te oordelen naar wat hij van de huizen kon zien, zaten er een paar oudere, kleinere, meer verweerde bij, maar waren de meeste van meer recente datum, groot en ontzettend opzichtig. *Godverdomme, elk huis in Westchester is zo groot als de Sint Pieter*, dacht hij, *hoe komt iemand in godsnaam aan het geld?* Toen besloot hij dat hij chagrijnig werd van de vliegen en de muskieten die hem lastig vielen. Het hoefde er nog maar bij te komen dat hij ook nog eens het Westnijlvirus op zou lopen. Hij ging de helling weer af, de dichtere bebossing in.

Nog een uur. Om kwart voor zeven had hij er wel zo'n beetje genoeg van en begon hij zich een weg terug naar de duiker te banen. Het was nu donkerder onder de bomen, de omfloerste zon was bijna over de verste heuvelrand verdwenen, en de afkoelende lucht kwam in beweging, vol van vochtige geuren. Hij was ongeveer bij het middelpunt van de oude belt toen hij vaag een vertrouwde geur opsnoof. Zijn maag kromp ineen. Iets doods, vlakbij.

Hij volgde zijn neus verder de helling af tot de stank hem helemaal omhulde. Hij draaide rond terwijl hij zocht naar... iets doods dat vrij groot moest zijn. Maar afgezien van de hobbels van met bladeren bedekte troep, was er niets te zien. Opeens werd hij zich bewust hoezeer het leek op die plek waar Carla en hij toen op waren gestuit, waar doodgereden dieren werden begraven. Misschien was dit de plek die zij in haar visioen had gezien. De in schaduwen gehulde, met klimplanten overwoekerde bomen, het avondlicht dat daartussendoor kierde. Iets doods in de grond.

Hij bleef nog even rondlopen maar vond niets. Dit was beslist het epicentrum van de stank, maar de grond hier was niet omgewoeld. Hij duwde nog een verroest vat om, vond alleen een wirwar van geplette witte wortels, wat kevers die zich haastig ingroeven. Pas toen hij een zware, vergane autodeur opzijtrok, werd hij met een wolk van stank beloond. De aarde daaronder was losser, niet dooraderd met wortels, en leek te wemelen of te krioelen van witte dingen. In de schemering duurde het een moment voordat hij zag dat het maden waren.

Hij vond een tak en porde in de kronkelende laag, duwde door en lichtte toen iets op. Een kluit aarde viel opzij en de vuile schedel van een dier werd zichtbaar, slechts ten dele ontbonden. Lange snuit, scherpe tanden. Een hond.

Mo deinsde kokhalzend terug. Een schokgolf van ongerustheid ging door hem heen. Hij pakte zijn mobiel en belde St. Pierre. De telefoon ging vijf keer over en toen klonk de robotachtige stem van de provider: 'Degene die u belt neemt niet op of bevindt zich buiten bereik...' Of zijn batterij was leeg. Of hij had hem in een plas laten vallen, waardoor er kortsluiting was ontstaan. Of...

De dode hond betekende niet per se iets, zei Mo tegen zichzelf, ongeacht het geraaskal van Ronald Parker. Dit was waarschijnlijk niets. En Mike stond nu ongetwijfeld bij de duiker te wachten. Opeens brak het zweet hem uit. Hij liet de naakte schedel liggen en begon terug te rennen door de jungle.

Hij kwam in het bredere, drassige gedeelte, zag de zijkant van de duiker en sopte er naar toe. Toen hij de bocht van de stroom om was, keek hij van een andere kant en zag hij tot zijn opluchting Mike. Hij zat in het uiteinde van de duiker te wachten. Hij leunde in de hoek van twee betonnen wanden, zijn lange benen voor zich uit, zijn handen ontspannen in zijn schoot, zijn hoofd achterover en een beetje schuin, om gewoon even van de avondlucht te genieten.

Toen hij dichterbij was, riep Mo: 'Hé, Mike.' Geen antwoord, geen beweging, en Mo voelde de grond onder zich wegzinken, een steek in zijn borst. Hij was nu vier passen bij hem vandaan en hij kon zien dat Mikes ogen open waren. Mo's handen vonden de Glock en hij haalde hem uit zijn holster toen Dennis Radcliff rond de wand van de duiker kwam gesprongen. Groot, in een rood-wit nylon windjack, stormde hij naar voren terwijl Mo het pistool omhoogbracht. De gespierde onderarmen troffen Mo onder zijn kin, en veegden hem van zijn voeten. Radcliff volgde hem, landde boven op hem, plette hem in de klonterige modder.

Mo draaide zich op zijn zij in een poging om aan Radcliffs volle gewicht te ontkomen. Hij was het pistool niet kwijtgeraakt, maar hij kon het niet richten. Radcliff probeerde de hand met het pistool vast te houden. Mo sloeg met zijn vrije hand op zijn adamsappel en hoorde een kuch die in zijn keel bleef steken. Toen sloeg Radcliff terug en raakte hij de gebroken kaak. Een diepe schaduw daalde over Mo's hoofd toen de pijn losbarstte. Even zag hij niets meer, toen kwam hij duizelend weer tot bezinning. Radcliff had zijn spieren voelen verslappen en was met beide handen op de hand met het pistool gedoken.

Mo boog zijn linkerbeen, bracht het onder zich om te proberen Radcliff van zich af te rollen, maar hij was te groot, te zwaar, de modder was te glibberig. Radcliff had een hand om Mo's rechterpols, en probeerde met de andere om het pistool uit Mo's greep te wrikken. Mo maaide tevergeefs met zijn vrije hand en reikte toen langs zijn eigen modderige dij omlaag. Naar de Ruger in zijn enkelholster. Te ver, hij kon zijn been niet ver genoeg omhoogkrijgen. Radcliff was de Glock uit zijn vingers aan het wurmen.

Mo's rechter wijsvinger knakte opeens naar achteren, van het pistool af, en nog steeds draaide Radcliff het op een bijzonder pijnlijke wijze om.

'Laat pappies hand los!' schreeuwde Mo. *'Doe wat pappie zegt!'*

Mo voelde Radcliff aarzelen, slechts even, terwijl zijn lichaam zijn ingeprogrammeerde reactie verwerkte. Mo kromde uit alle macht zijn rug. Hij schudde Radcliff niet af, maar verschafte Mo's linkerbeen nog enkele centimeters bewegingsruimte. Zijn hand vond de Ruger. Het pistool leek nog even te blijven steken in zijn holster, in zijn broekspijp, en toen was het plotseling vrij. Hij stak het net onder Radcliffs oksel toen hij voelde dat de Glock uit zijn vingers werd gewrongen. Toen vuurde hij omhoog in het grote lijf.

Het schot was gedempt, verrassend zacht. Radcliff reageerde totaal niet, nam alleen de Glock in zijn eigen vuist, en Mo dacht dat hij gemist had. Hij vuurde nogmaals en ditmaal ging er een beving door het grote bovenlijf. Nog twee snelle schoten, páf-páf, en toen viel die klootzak om als een homp vlees die uit een slagerstruck viel. Hij viel met zijn volle gewicht op Mo, zodat de lucht uit hem werd geperst, en bleef toen roerloos liggen.

Mo staarde even naar de grijze hemel, rolde toen het lijk van zich af en hees zich overeind. Hij vergewiste zich ervan dat Radcliff dood was en sprong toen naar Mike St. Pierre om aan de zijkant van zijn nek te voelen. Geen pols in de halsslagader. Van dichtbij kon hij de vlek in Mikes shirt zien, vlak onder en links van het borstbeen. Drie smalle steekwonden, maar op de plek waar hij gestoken was zat niet veel bloed. Onder de band van zijn broek zat meer, maar Mike was snel gestorven, zijn goede hart was doorboord en was gestopt voordat het veel bloed weg had kunnen pompen.

Mo voelde zich zwak en liet zich naast Mike op het beton vallen. Hij haatte dit. Haatte de dood. Haatte Geppetto. De afgrond van onrecht en pijn die Mike had opgeslokt was donker en bodemloos en Mo voelde zich erin vallen. Hij herinnerde zich het bijzondere licht dat St. Pierre had lijken te omhullen toen ze het moeras in waren gegaan, slechts een paar uur geleden; het gevoel dat het een waarschuwing was. Het gevoel dat hij hem voor het laatst zag, en dat was ook zo geweest. Hij stikte bijna in zijn schuldgevoel.

Eén ding wist hij zeker: Dennis Radcliff had niet de afgelopen negen dagen op de belt rondgehangen, in afwachting van de kleine kans dat Mo en St. Pierre zouden opdagen om door hem vermoord te worden. Hij was voor hen gekomen. Hij had op hen gejaagd.

Op de een of andere manier had Geppetto geweten dat ze hier nu zouden zijn en hij had Radcliff gestuurd om hen te onderscheppen. Mo had slechts drie uur geleden besloten om hierheen te gaan. Hij had precies twee telefoontjes gepleegd, eentje met St. Pierre en eentje met Rebecca. Wat betekende dat Geppetto hen op de een of andere manier afluisterde. Wat betekende dat Geppetto alles wist.

Mo wankelde terug naar Radcliff, die op zijn zij in de modder lag, met een arm onder zijn lichaam. Hij voelde in de zakken van het bebloede windjack en vond een ingeklapte stiletto. In de rechter achterzak van zijn broek vond hij een portefeuille die hij vertwijfeld opensloeg, terwijl hij dacht: *Geppetto, iets om me naar Geppetto te leiden. Welk huis? Wat nu?* Maar het was slechts een gewone bruine leren portefeuille. Een paar creditcards, rijbewijs, misschien tachtig dollar aan contanten. Hij stak zijn hand in de rechter voorzak van Radcliffs broek: autosleutels. Rolde het lichaam om, stak zijn hand door de modder in de linkerzak, vond een opgevouwen stukje papier. Vouwde het open, hield het naar het licht zodat hij het beter kon zien. Op het met potlood geschreven briefje stond: *Star Bowl, 8511 Commercial Way, Fort Lee.*

51

Hij gaf zichzelf twee minuten om te besluiten wat hij moest doen terwijl hij terugrende naar de brug, de auto. Geppetto zou bij de Star Bowl zijn. Geppetto kende Rebecca en Rachel zou er zijn. Ongetwijfeld had Geppetto dat briefje aan Radcliff gegeven zodat niet alleen Radcliff zou weten waar hij heen moest als zijn werk erop zat, maar Mo ook, als hij het zou overleven. Een uitnodiging. Een uitdaging.

Tijd om te beslissen. Wie moest hij vertrouwen? Wie kon iemand aan die zo geraffineerd was als Geppetto? Hij kon vaag de lijnen der waarschijnlijkheid onderscheiden die van dit moment naar de toekomst liepen, maar de pijn in zijn kaak bonkte als een trommel en hij kon niet nadenken, kon niet de tijd nemen om die lijnen door te trekken. Mo sprong over de reling van de brug, pakte zijn mobiel, probeerde op adem te komen terwijl hij het nummer van Biedermann intoetste.

'Ja.' Meteen de eerste keer dat de telefoon overging.

'Dit is Ford. Ik heb Radcliff. Hij is dood. Ik weet wat hij is en ik weet dat jullie achter de poppenmaker aanzitten. Hij gaat achter Rebecca en haar dochter aan. Op dit moment.'

'Waar ben je?'

'Op de plaats delict van de moord op Rappaport – het moeras. Radcliff heeft ons gevonden en Mike St. Pierre vermoord. Geppetto heeft een huis, een lab, hier vlakbij. Hij gaat naar een bowlingbaan, die de Star Bowl heet, in Fort Lee, even ten zuiden van de George Washington-brug. Waarschijnlijk is hij er al. Is iets ingewikkelds van plan.' Hij kon amper praten.

'Geppetto, hè. Oké, Mo, je hebt geweldig werk verricht. Fort Lee – wij kunnen daar in tien minuten zijn.' Biedermann was opeens totaal geconcentreerd en alert, klonk als iemand die zijn vak verstond. Een zekere opluchting.

'Wil je dat ik de staatspolitie van New Jersey bel?' Mo deed zijn portier open en dook naar binnen. Hij zat onder de modder en het bloed.

'Het zal mijn team moeten zijn dat achter hem aan gaat. Die lui van de staatspolitie weten hier geen zak vanaf, dit gaat hun pet ver te boven. Zootje sirenes en zwaailichten en dan gaat het snel mis.' Mo dacht: *ja, en er zullen mensen van afweten* – dit stilhouden was nog steeds een hoge prioriteit voor special agent Biedermann. 'Maar we zullen in elk geval wat ruggensteun nodig hebben, logistieke ondersteuning, mensen om het publiek op een afstand te houden,' vervolgde Biedermann. 'Ik bel hen wel. Ik moet duidelijk maken dat wij de tactische leiding hebben en hun instructies geven hoe ze dit moeten aanpakken. Zorg jij maar dat je daar als de donder bent. Als hij daar is, zal Rebecca je nodig hebben.'

'Ja. Luister – het kan Ty niet zijn. Ik denk dat het Flannery is. Het moet Flannery zijn.'

Biedermann klonk helemaal niet verbaasd. 'Wat een kutzooi, hè? Oké. Ik ga ophangen. Hé, Mo – je hebt goed gehandeld. Door mij eerst te bellen. Wij regelen dit wel. Dit is voor ons niet de eerste keer, als je begrijpt wat ik bedoel.' En toen hing hij op.

Zondagavond, niet veel verkeer, zwaailicht aan, witte knokkels. Mo deed vijfentwintig minuten over de rit van veertig minuten, zich nauwelijks bewust van de kloppende pijn in zijn kaak, de schreeuwende pijn in zijn wijsvinger die niet reageerde op zijn wil, de modder die verhardde op zijn kleren. Het landschap op en om de snelweg suisde hem tegemoet als een surrealistische, zuigende maalstroom. Daar de hoge brug, de daken van Fort Lee, de afrit en de lichtreclame van de Star Bowl, die in roze en blauw neon tegen de verduisterende oostelijke hemel opgloeide, nog steeds een paar minuten rijden door de wirwar van straten van New Jersey. Hij ging op volle snelheid door de bochten van de afrit, waarbij de banden van de Chevy gierden. Weer de lichtreclame van de Star Bowl, toen het winkelcentrum, nu grotendeels donker, de winkels gesloten, de parkeerplaatsen bijna leeg. Hij deed zijn lichten uit terwijl hij de voorkant van de bowlingbaan naderde.

Hij had meer bedrijvigheid verwacht, wat busjes van de mobiele eenheid, politieagenten die bij afzettingen patrouilleerden, iets. Maar er stond slechts een handjevol wagens van burgers. Hij zag de Acura van Rebecca.

Hij stapte uit terwijl hij probeerde om er hoogte van te krijgen of alles helemaal goed of juist helemaal fout zat. De lichten waren nog steeds aan in de glazen entree van de Star Bowl. Er was niets veranderd sinds de laatste keer dat hij de baan had gezien. Gewoon een rustige zondagavond in Fort Lee, New Jersey. Misschien was Geppetto niet komen opdagen, waren de gruwelen die Mo zich voor de geest had gehaald toch geen onderdeel van zijn plan.

Hij stapte uit de auto met zijn Glock in zijn handen, maar toen hij de deur naderde stopte hij die weg. Het was al erg genoeg dat hij hier onder het bloed en het vuil binnenkwam... niet nodig om er ook nog eens een pistool bij te halen. Hij opende de glazen deuren, ging vervolgens door het tweede paar deuren en daarna twee trappen op naar de hal.

De banen waren fel verlicht, niets dat op problemen wees.

Hij bleef bij de balie staan. De oude man zat niet bij de kassa, maar in een van de zitjes bij de banen zag hij twee blonde hoofden, naast elkaar, dicht bij elkaar. Rebecca en Rachel. Een warme golf van opluchting ging door hem heen. Maar waar was Biedermann?

Hij stond net op het korte trapje dat naar hen toe leidde toen alle lichten uitgingen, tsjónk!, en de hele baan in een pikdonkere spelonk veranderde. Het volgende moment ging de noodverlichting boven de deuren van de uitgangen aan. De gloed van de spots op batterijen reikte amper tot het midden van de ruimte.

Mo dook naar de vloer achter een rek met bowlingballen en rolde naar rechts. Bleef doodstil liggen, luisterde en bracht toen behoedzaam zijn hoofd omhoog. Een schemerige grot met een laag plafond, alleen verlicht door de ontoereikende noodspots, de rode uitgangsborden en een vaag schijnsel vanuit de deur van de ingang. Mo wist opeens wat het was: dit was de nachtmerrie die Carla had gezien, de plaats van de pijn, donker met openingen waar licht doorheen kwam. En de gedaantes met lijnen aan hun handen en voeten.

Hij kon Rebecca's hoofd onderscheiden, boven de achterkant van hun zitje, en hoewel ze haar nek rekte om om te kijken, kon ze zich niet verroeren, zat ze ongemakkelijk voorover gekromd. *Vastgebonden*, besefte Mo. Nee, ze had handboeien om, van die handige wegwerpdingen, die Flex-Cufs. Hij vroeg zich af of ze hem had gezien.

Door het geluid van gejammer of gehuil ging zijn blik naar de linkerkant van de baan en hij kon net een groepje van vijf, zes mensen laag in elkaar gedoken in een ander zitje zien zitten, vlak bij de linker achterwand. Toen hoorde hij aan die kant van de ruimte iets bewegen, een deur die dichtging, galmende voetstappen. Daar liep een grote gestalte onder de noodverlichting door, zijn gezicht in schaduw gehuld.

'Je kan nu te voorschijn komen, Mo,' riep de bekende stem. 'Alles is onder controle.' Biedermann.

'Mo,' riep Rebecca. 'Hij heeft onze handen aan de poot van de tafel vastgeboeid. We kunnen niet opstaan, ons niet bewegen. Hij is...'

'Hij is van plan,' zei Biedermann, 'om op een dramatische manier een beroep te doen op jullie geweten. Kom te voorschijn, Mo.'

Mo haalde zijn mobiel uit zijn jaszak, maar Biedermann was hem voor.

'Mo, ik zit nu hier in zitje nummer negen met deze brave burgers van Fort Lee. Zij kunnen ook niet veel doen. Ik wil dat jij je telefoon op de baan gooit. En dan je pistool.' Een lichtstraal scheen snel door de duistere ruimte: Biedermann had een zaklantaarn.

Mo dook nog verder ineen achter het ballenrek. Volgens hem was het feit dat hij op dit moment onzichtbaar was en zich kon verplaatsen het enige voordeel dat hij nu had. Maar de modderige rubberlaarzen die hij aanhad maakten een hoop herrie als hij liep. Dus trok hij die uit. Sokken zouden op de glimmende vloer hier te glad zijn, daarom trok hij die ook uit. Weer op blote voeten.

'Altijd eigenwijs, hè. Altijd.' Biedermanns stem had nu niet meer die valse, vriendelijke klank. 'Oké. Als ik die dingen niet binnen drie seconden zie, ga ik deze brave burgers bezeren.'

Mo begon in de richting van het zitje van Rebecca te kruipen, maar een smartelijke kreet hield hem tegen. De kreet galmde in de ruimte, en toen nog een schreeuw, ditmaal van een mannenstem, die een hoge piek bereikte en toen overging in een verstikt keelgeluid als van iemand die verdronk.

'Doe alsjeblieft wat hij zegt, Mo!' Rachels smekende stem. 'Hij vermoordt hen!'

'Maar ik zal jou niet vermoorden, Mo,' riep Biedermann. 'Met jou meegeteld hebben we hier negen mensen. Het plan is dat er twee of drie van jullie hier levend weg zullen komen, omdat ik levende getuigen nodig heb. Ik heb boodschappers nodig voor de rest van de wereld. Als je lief bent, Mo, zullen jij en Rebecca en Rachel dat zijn.'

Nog een vreselijke schreeuw uit zitje negen, een koor van smekende stemmen.

'Mo, alsjeblieft!' zei Rebecca. 'Hij meent het, overlevenden zijn cruciaal voor zijn agenda. Alsjeblieft.'

Mo stak zijn hoofd op, keek of hij kon schieten, maar Biedermann was niet te zien. Maar een van de hoofden in het zitje aan de andere kant ging hevig alle kanten op. Ditmaal kwam er geen eind aan het geschreeuw.

'Oké!' riep Mo.

'Praatjes vullen geen gaatjes,' riep Biedermann waarschuwend. Nog een smartelijke kreet.

Mo leunde naar voren en schoof de mobiel over de vloer de dichtstbijzijnde baan op. De zaklantaarn gleed er snel overheen en was toen weer verdwenen.

'We hebben de telefoon!' zei Biedermann. 'Heel goed. En nu de Glock. En de Ruger.' Biedermann wachtte een moment en toen riep hij, alsof hij Mo's tegenzin bespeurde: 'Rebecca, wil jíj het tegen hem zeggen? Hij heeft er zo'n moeite mee om te doen wat ik hem vraag. Het is dat verdomde autoriteitsprobleem. Misschien moet hij een tijdje in therapie?'

'Mo, alsjeblieft, geef hem gewoon die pistolen. Alsjeblieft.' Rebecca's stem had een scherpe toon die hij nog niet eerder had gehoord.

Hij wierp de pistolen kletterend op de baan, waar ze doorgleden.

'Ik heb op weg hierheen wat telefoontjes gepleegd,' riep Mo. 'Ik wist dat jij het was. Ik heb de staatspolitie gebeld, die kan hier elk moment zijn. Dit is voor jou een hopeloze situatie. Als je een gijzelaar nodig hebt, neem mij dan. Laat de anderen gaan. Je hoeft niemand anders iets te doen.'

Biedermann gaf niet meteen antwoord, maar toen hij weer sprak, was hij veel dichterbij. Mo stak even snel zijn hoofd boven het rek uit en zag dat de grote man stilletjes naar het zitje was gekomen waar Rebecca en Rachel geboeid zaten. Hij schoof naast Rachel op de bank en sloeg een arm om haar schouders. In het andere zitje ging het gedempte huilen door.

'Nee, je hebt hen niet gebeld. Ik heb mijn scanner goed in de gaten gehouden en het enige wat die jongens vanavond meemaken is hardrijders op Garden State Parkway. En wat dat andere betreft heb je het ook mis. Ik moet vanavond wél mensen iets aandoen. Dus kom erbij, kom bij je vriendinnen.'

'Wat wil je, Erik?' vroeg Rebecca. 'Waar heb je ons voor nodig?'

'Ach, jeetje! Wat ik werkelijk nodig heb, wat ik althans nodig hád, was een eigen leven. Waar ik nú behoefte aan heb, dat is het vertellen van een heel droevig verhaal.'

'Wij luisteren wel. We zullen er met alle genoegen naar luisteren. Je hoeft niet...'

Ze werd onderbroken toen Biedermann haar over de tafel met zijn vuist in haar gezicht sloeg. De knal galmde door de ruimte en toen begon Rachel te krijsen.

'Mo, kom nu godverdomme hier. Ik heb een scalpel bij de keel van de dochter, en tenzij je hier binnen twee seconden bent, ga ik over op een geïmproviseerde operatie. En zeg tegen die zielknijpende vriendin van je dat ze haar gevoeligheid en haar medeleven voor zich moet houden. Dat komt een beetje te laat.'

Mo had er de pest aan om te zwichten voor Biedermanns orders, maar hij had steeds minder keuze. Het was net als met die grote slang in de dierentuin, de steeds strakkere kronkels. Dus stond hij op en liep hij door de open ruimte tussen de banen en de zitjes. Hij zag nu genoeg om op een van de banen een roerloze gestalte te kunnen onderscheiden, een zwarte plas die zich over de lichte planken verspreidde. In zitje negen kon hij net een dicht opeengepakte halve cirkel van bange gezichten zien, eentje was waarschijnlijk nog maar een kind.

De zitjes waren lompe hoefijzers van vinyl rond kleine tafeltjes in het midden met ingebouwde elektronische displays van de kegels en materiaal om de score bij te houden. Biedermann zat aan de ene kant van het hoefijzer van zitje vijf, met zijn rechterarm om Rachels schouders. Iets glinsterends bij haar keel. Rebecca zat tegenover Biedermann aan de andere kant van de U, en net als Rachel leunde ze ongemakkelijk voorover tegen de rand van het metalen tafeltje. Haar handen en haar onderarmen waren niet te zien. Biedermann moest hun polsen rond de poot van de tafel hebben geboeid.

Biedermann nam hem van top tot teen op en gromde. 'Oké. Mo, voordat we verder gaan, doe me een lol, hè? Zorg dat die pistolen en die telefoon van je verdwijnen. Buig je niet voorover. Geef ze maar gewoon een flinke schop.'

Mo deed wat hem gezegd werd. De telefoon gleed tot halverwege de baan. De Glock was zwaarder en gleed bijna helemaal door tot aan de kegels. De Ruger draaide zeven meter verderop de goot in.

'Dat is goed genoeg. Nou, er moet een hoop gebeuren, dus laten we het zo afspreken. Mo, jij bent hier het ongeleide projectiel, dus moet ik zorgen dat ik van jou geen last meer heb. Doe een paar stappen terug, naar dat ding om de ballen te retourneren, hoe noemen ze dat? Daar vind je twee paar nylon handboeien die daar speciaal voor jou door de flens zijn vastgehaakt. Ja. Mooi. Doe er eentje om elke pols. En ga dan op de grond zitten.'

'Luister...' begon Mo.

Maar Rachel verstijfde toen Biedermann iets vlak bij haar gezicht deed, en toen gilde ze. Een seconde later viel er iets kleins op de grond dat Mo's kant op hobbelde. In het geringe licht kon hij de vorm net tegen de lichte planken onderscheiden: Rachels neusring. Rachel huilde nu, snotterde door het bloed in haar uitgescheurde neusvleugel.

Mo deed de handboeien om en trok de nylon banden strak aan. Dat was moeilijk, met de onbruikbare rechterwijsvinger die Radcliff had gebroken. Elke hand had nu nog zo'n twaalf centimeter bewegingsruimte. Hij ging moeizaam zitten, met allebei zijn handen aan één kant aan de carrousel waar de ballen terugkwamen. Vijf meter bij Rebecca vandaan en hij kon niets doen om haar te helpen.

Een zure grijns verscheen op Biedermanns in schaduw gehulde gezicht. Rachel leek buiten zichzelf, bleek en verstard, haar ogen wijd open van angst. Van haar neus liep bloed naar haar kin. Maar zelfs in dit slechte licht kon Mo zien dat Rebecca's gezicht een heel andere uitdrukking had, een uitdrukking die hij nog nooit eerder had gezien. Een emotie die niet goed bij haar zonnige gezicht paste: absoluut onbewogen, de lippen vlak en dun, de wenkbrauwen horizontaal, de ogen – wat? En Mo dacht: *jezus. Je kan maar beter geen vergissingen maken, Biedermann. Geen eentje. Anders krijg je dat over je heen.*

52

Biedermann grinnikte nors terwijl hij Mo opnam. 'Op blote voeten. Wat een vent, hè, Bec? Meneer Puur Natuur.' Toen sprong hij op en liep hij snel naar Mo om diens handboeien te controleren, waarbij hij hard aan de banden trok. Toen hij tevreden was, holde hij weg in de richting van de voordeur, de drie trappen op en de hal in. Mo beproefde de boeien, boog zich voorover om de onderkant van de ballencarrousel te bekijken. Te donker om veel te zien. De boeien waren nylon banden, één centimeter breed, en ongeveer anderhalve millimeter dik. Met het juiste gereedschap makkelijk door te knippen, maar met een treksterkte van honderdzeventig kilo zou het veel meer kracht vereisen dan zelfs de grootste in de bak getrainde spierbundel kon uitoefenen. Mo rukte een paar keer keihard om de roestvrij stalen flens te beproeven. Maar er zat geen enkele beweging in.

Rachel jammerde, haar hoofd hing over de tafel.

'Rachel, het komt goed,' fluisterde Rebecca. 'Als je maar volhoudt. Hou vol.'

Mo vroeg: 'Hoe staat het met jouw handen, Rebecca? Kan jij ze ook maar een beetje bewegen?'

Van waar hij op de grond zat kon Mo zien dat haar polsen strak aan de dertig centimeter dikke stalen poot waren geboeid. Ze trok er even aan en gaf het toen op.

'Nee,' zei ze. 'Maar luister...'

Maar Biedermann kwam terug. Hij sprong de trap af met een grote plunjezak in zijn armen, die hij halverwege tussen de bezette zitjes op de grond gooide. Vervolgens ging hij zitje negen controleren, waarna hij terugkwam.

'De deuren zitten op slot,' zei Biedermann, 'op het bord staat *Gesloten*, en op de parkeerplaats gebeurt niets. Antwoordapparaat bij de balie staat aan. Ik geloof dat we er klaar voor zijn.'

'Erik, we weten wie je bent,' zei Rebecca. 'We weten over de psychologische projecten, we weten dat je in de Vietnamtijd moordenaars op maat hebt gemaakt. Dat je Ronald Parker en Dennis Radcliff hebt geprogrammeerd om de poppenmoorden te plegen. We weten niet precies waarom, of wat je wil. Ik weet dat je een statement wil doen, wil protesteren, maar...'

'Maar je weet niet waartegen. Nou, dat is simpel. Het is dat niemand andere mensen dit soort dingen aan moet doen. Het is dat regeringen mensen niet in monsters moeten veranderen.' Hij wendde zich tot de mensen in zitje negen en verhief zijn stem. 'Ik werkte van 1964 tot 1973 voor een speciale afdeling van de Militaire Inlichtingendienst. Mijn werk was om dat deel van mensen kapot te maken dat hen tot mensen maakte, om mensen in moordmachines te veranderen. Ik was de hoofdverantwoordelijke voor de productie van veertien van die machines. En ik was er maar een van de zes die dat werk deden.'

Biedermanns stem was nog luider geworden, beschaamd, vol afschuw. Nu staarde hij naar het zitje achter in de zaal, alsof hij meer reactie verwachtte. Toen niemand iets zei, stormde hij daarheen en boog hij zich over de halve cirkel van bange gezichten. 'Kan het jullie wat verdommen? Maakt het jullie iets uit? Nou vanavond zal het jullie wel wat verdommen! Jullie zullen weten wat het betekent. Hoe het aanvoelt.'

Mo zaagde met de handboeien over de flens, maar die was te glad, geen ruwe randen. Hij wierp een blik op Rebecca. Hij kon zien dat haar hand onder de tafel die van Rachel had gevonden en dat ze die streelde met haar vingers. Ze deed ook iets vreemds met haar heupen, die ze een beetje oplichtte en voor- en achterwaarts tegen de zitting kromde.

Biedermann kwam weer naar het midden van de baan, tien meter bij hen vandaan, en bleef staan om de grote plunjezak open te ritsen. Hij begon er spullen uit te halen, die hij zorgvuldig op de grond uitstalde. 'Toen het programma werd stopgezet, bleven er allerlei problemen doorsudderen. Al die kerels aan wie een steekje loszat. We hadden hun hersenen geopereerd, we hadden de dunne draadjes doorgesneden die zorgen voor de aangename gevoelens die voor de meeste mensen zo vanzelfsprekend zijn. We hadden ze geconditioneerd om dingen te vrezen en te haten. Wat dat werkelijk betekent, zal ik jullie vertellen: er zijn delen van je hersenen en je geest die heel ver teruggaan. Die nog steeds de instincten van reptielen hebben, het programma om je prooi en je rivalen te doden. Je hoeft die monsters alleen maar los te laten uit de zachte doosjes waarin ze in je hersenen zitten. We hebben ze allemaal, ze zijn er altijd, dat kan ik jullie godverdomme garanderen.' Biedermanns woorden waren zelfvoldaan, maar zijn stem klonk treurig, verstikt door iets als verdriet. 'Maar wij wisten niet wat we deden, en onze proefpersonen, onze robots, onze marionetten, die deden het niet zo goed. Ze draaiden op alle mogelijke manieren door. Tja – psychologie is nu eenmaal een onnauwkeurige wetenschap. Niet waar, Bec?'

Ze reageerde meteen. 'En jij herhaalt die wreedheden, ook al gruw je ervan, omdat, wat – je wilde dat het grote publiek het zou weten?'

'Aha – het begint te dagen! Ja. Om het te weten en de *afkeer te voelen*. Hé, voelt er al iemand afkeer? Zo niet, geloof me, dan zal ik daar wel voor zorgen.' Biedermann spitte in de plunjezak.

Rebecca bewoog nog steeds met haar onderlichaam, die vreemde zijdelingse beweging om vervolgens naar voren te glijden. 'En jij wilde wraak op iemand nemen. Omdat je zelf het gevoel had dat je gemanipuleerd werd – dat ze je hadden veranderd in iets wat je nooit had willen worden. Ze beroofden je van een normaal leven. Iemand verdiende het om te boeten, en jij verdiende een zekere loutering. Maar je hebt in je eigen kindertijd ook iets meegemaakt, hè? Wat zij je hebben aangedaan past precies in het patroon van je hele leven; dat is een deel van de reden waarom je er om te beginnen aan toegaf, waarom het voor hen makkelijk was om je te overtuigen mee te doen. Was het je vader?'

Biedermann zweeg even en keek naar Mo. 'God, wat is ze goed. Zo goed. Ook goed in bed, hè, Mo? Soms zijn ze niet zo strak als ze een kind hebben gehad, maar deze meid... Deed er ook niet moeilijk over. Het was leuk, Bec. Weet je, af en toe dacht ik bijna dat ik een kans had – jij en ik, dat er voor mij misschien een andere weg was, een lieve, zalige, normále uitweg. Maar toen je me van dichtbij meemaakte, vond je me niet meer zo aardig, hè?' Een gekwelde stem.

'Erik...' begon ze. In haar stem klonk oprecht verdriet door. Maar nog steeds bewoog ze met haar onderlichaam.

'Ach, Bec. Hoe groot was de kans dat ik "normaal" kon worden? Ik weet niet eens wat dat betekent. Je moet begrijpen dat ze in 1971 mijn verloofde hadden vermoord. Ze hadden me aan mijn léven geopereerd, die delen van me verwijderd die in opstand zouden komen. Maar ik ben me altijd bewust gebleven van de touwtjes. Dertig jaar, het is me altijd aan het hart gegaan, ik heb me altijd verzet.'

'En daarom heb je voor dat poppenmotief gekozen,' zei Mo. 'Je proefpersonen, Parker, Radcliff, de anderen – je wilde dat zij symbolisch het onrecht deden herleven dat jij had ondergaan. Om aan te tonen hoe vreselijk het was.'

Biedermann hield weer op met het uitpakken van zijn plunjezak om naar hem te kijken, zijn ogen onzichtbaar in de schaduw van zijn oogkassen. 'Jullie zijn een geweldig team, weet je dat? Messcherp. Bec, wat Mo net zei, vergeet niet om dat morgen voor de pers te verklaren. Maar, weet je, het hield niet op toen het programma werd stopgezet. Ik schaamde me voor wat ik had gedaan. Ze hadden mijn bezwaren genegeerd, maar ze gaven me een kans om te helpen om het een klein beetje goed te maken. Ik kreeg de héérlijke taak om de problemen aan het thuisfront uit de weg te ruimen. Omdat veel van hen thuiskwamen en enge dingen begonnen te doen. Een klus die ik aannam. Ik moest zelfs een paar van de kerels uit de weg ruimen die ik had gemaakt. Weet je, het was echt geen lolletje. Het enige goede eraan was dat ik door dat te doen zelf niet werd verdacht, zelf niet uit de weg werd geruimd. En door erbij betrokken te blijven bleef ik in contact met het geruchtencircuit, kon ik nog steeds dingen horen.'

Biedermann had een rol plastic draad gepakt en knipte er met een draadknipper stukken af die hij terzijde legde.

'Deze plunjezak bevat onder andere een manilla envelop. Daarin zitten foto's, banden, lijsten met namen en datums. Het is niet zo heel veel, maar het zijn alle bijzonderheden die ik van het programma weet. De inhoud vertelt hoe ik persoonlijk een marionet heb gemaakt om senator George McGovern te vermoorden, en verschaft informatie over vier andere politieke moordaanslagen aan het thuisfront. Van Sirhan Sirhan zal het het makkelijkst te bewijzen zijn dat hij er eentje van ons was. Ik bedoel, Jezus, weet je wat het betekent om deze last met je mee te moeten dragen? De last van deze wetenschap?'

'Wil je dat wij het materiaal aan iemand geven?' vroeg Mo.

'Er zullen hier een hoop mensen van de media zijn over...' Biedermann keek op zijn horloge '...ongeveer twaalf uur. De spreekwoordelijke ogen van de wereld zullen op dit gebouw gericht zijn, en degene die hier wegkomt zal dit dossier aan de nieuwsmensen overhandigen. Ik zal het niet zijn, omdat ik nog steeds hierbinnen zal zijn, met wie er dan nog in leven is. Alleen om te zorgen dat de informatie op de juiste manier in de openbaarheid komt.'

Rebecca nieste krachtig en snoof luid, zodat Biedermann een blik op haar wierp. Evenals Mo. Van waar hij op de grond zat, zag hij dat er vlakbij haar voeten iets donkers was verschenen. Moeilijk te zien door het slechte licht. Het leek vormeloos, een tas. Een handtas. Die moest op de bank naast haar hebben gelegen, en ze had hem in de richting van de rand gemanoeuvreerd door de beweging van haar heupen.

Tien meter verderop ging Biedermann verder met het afwikkelen, knippen en neerleggen van de lijn.

'Bec, dit zal je niet erg aanstaan. Maar ik denk dat jij de boodschapster zal moeten zijn. Jij bent geloofwaardig, god weet dat Ford dat niet is. Bovendien ben jij fotogeniek.'

'Stuur Rachel weg. Alsjeblieft.'

'Eh, nee. Nee, helaas is Rachel cruciaal voor deze vertoning. Net als je vriendje. Zij zullen gebruikt worden om jou het vuur aan de schenen te leggen. Ik wil dat je in alle staten bent als je hier naar buiten gaat. De rouwende moeder – dat zal het op tv overtuigend doen, toch? Het is afschuwelijk, dat weet ik. Maar zij zullen het niet overleven en jij zal moeten toekijken hoe...'

'Erik. Heb. Het. Lef. Niet.' Rebecca's stem deed Mo's bloed stollen.

'Zeg mij niet wat ik moet doen, Bec! Jij weet wel beter! Als jij hier weggaat, zal je net zo lijden als ik. Je zal weten hoe het aanvoelt. Je zal gemotivéérd zijn.' Biedermanns stem was een grauw. Hij haalde een klein zwart doosje te voorschijn, deed het open, rommelde er wat in. Naar wat Mo ervan kon zien leek het op een doosje met medische instrumenten. 'Bovendien, weet je, háát ik die verdomde Ford. Die verdomde eigenwijsheid, die buldogneigingen, hoe hij voortdurend op je lip zit. Weet je, je kan hem er de schuld van geven dat je je nu in deze situatie bevindt. Als hij dit gewoon had laten rusten. Als hij gewoon had geluisterd. Hij is degene die me hiertoe heeft gedwongen, híj is degene die hier macht uitoefent. En zoals je weet heb ik een hoop wrok als het om machtskwesties gaat, hè?' Biedermann begon zijn zelfbeheersing te verliezen. Zijn emoties kregen de overhand. Hij pakte een oplaadbare elektrische boor, controleerde hem in de schemering, liet de motor even gieren voordat hij verder ging. 'Jij denkt dat ik een of andere zonderling ben, hè, Mo? Denk je dat jij zo anders bent? Kijk naar jezelf. Hoe je de pest hebt aan de touwtjes waarmee jij wordt bespeeld. Als je had gezien wat ik heb gezien, hoever zou je dan willen gaan om er iets aan te doen? Hoe goed zou jij het doen als jij deze last moest dragen? Denk daar maar eens over na. Jij ook, Bec, als je een verhouding met deze vent overweegt.'

Dat gaf Mo een steek door zijn hart, als een onaangename echo van zijn eigen gedachten. Maar gelukkig leek Rebecca niet te luisteren. Ze sloot slechts haar ogen, haalde een paar keer diep adem. Rachel huilde stilletjes, haar gezicht een grimas van ellende. Onder de tafel schoof Rebecca met haar voeten de tas naar het eind van het zitje. Ja, haar handtas. Mo keek op en zag dat ze hem aanstaarde. Oog in oog in de schemering, roerloos, alleen de boodschap in haar ogen.

Er zou wat geluid nodig zijn om dit te overstemmen, een of andere afleiding. Mo begon te praten: 'Dus jij was twintig jaar de schoonmaker. Waarom ben je... hiermee begonnen? Waarom heb je het niet gewoon afgerond, de laatste opgeruimd, er een punt achter gezet? Na al die jaren?'

Biedermann richtte zich op, met zijn ogen dicht, in gespeelde extase. 'Já! Ik wist dat het jullie zou lukken! Ik wist dat jullie op de fundamentele vraag zouden uitkomen. Ik zal je vertellen waarom, lulhannes. Ik zal je vertellen waar je belastingcenten aan worden uitgegeven.' Hij stond op en liep naar zitje negen, leunde met beide handen op de tafel, zijn hoofd voorovergebogen naar de angstige gezichten. Hij beet hen toe: 'Waarom ben ik in 1995 voor mezelf begonnen om marionetten te maken? Tweeëntwintig jaar nadat de oorspronkelijke poppenmeesters hun fouten hadden ingezien? Kan iemand het raden? Nee? Nou, jullie konden het ook niet weten. Want dat was toen ik iemand moest opruimen, weer een ontspoorde kruisraket. Ik bedoel, deze vent was behoorlijk gestoord, hij verwondde niet alleen andere mensen maar had ook de behoefte om operaties op zichzelf te verrichten. En toen ik hem had omgelegd, ontdekte ik dat hij nog maar achter in de twintig was. Zes maanden later, óéps, moest ik er nog eentje opruimen, van dezelfde leeftijd. Dus deed ik discreet wat onderzoek. En kwam ik erachter dat het programma in 1973 níét was opgehouden. Het was nooit echt stopgezet, maar het was alleen op een laag pitje gezet tot de zaken waren bekoeld! Het loopt zelfs op dit moment! Zie je, we moeten het Lichtend Pad vermoorden, we hebben Commandant Marcos en zijn Maya's in Chiapas, we hebben agenten-provocateurs nodig in het Midden-Oosten, we hebben overal communes die in de kiem gesmoord moeten worden! En we moeten noodplannen hebben voor querulanten hier aan het thuisfront – radicale milieuactivisten, sociaalbewuste popsterren, dat soort lui – niet dan? Op maat gemaakte moordenaars zijn politiek zo handig; openlijk ingrijpen is niet nodig. En ze doen álles, zelfs zelfmoordmissies, en als ze gepakt en ondervraagd worden, kunnen ze niet doorslaan. Het grappige is dat ondanks alle vorderingen in de neurowetenschappen, de psychologen het nog steeds niet goed kunnen doen. Die marionetten keren zich nog steeds tegen hun trainers. Vragen jullie je af waarom er zo'n toename is in het aantal seriemoordenaars en amokmakers? Zien jullie het nu? Zien jullie wat een last dit is? Zien jullie waarom we hiermee door moeten gaan?'

Door Biedermanns nabijheid waren enkele mensen in het andere zitje weer begonnen te huilen. Rebecca bracht de tas met haar voet in positie. Biedermann stond slechts vijftien meter verderop, ze zou maar één kans hebben.

Behendig schopte Rebecca de tas over de gladde vloer naar Mo. Hij zeilde recht op hem af maar haalde het net niet. Opeens lag er in het midden van de vloer een zwarte bult, die zelfs in het halfduister duidelijk zichtbaar was. Mo stak zijn benen uit tot hij helemaal uitgestrekt met zijn geboeide handen aan de ballencarrousel hing. Het lukte hem om het tasje met zijn voeten te pakken te krijgen, waarna hij zijn benen introk. Het gewicht van het tasje betekende slecht nieuws: niet zwaar genoeg om Rebecca's .38 te bevatten, zoals hij had gehoopt. Natuurlijk niet, Biedermann zou het doorzocht hebben. Wat dan? Hij had het tot onder zijn armen naar zich toegetrokken toen hij besefte dat hij het niet kon oprapen. Door zijn geboeide handen kwam hij enkele centimeters te kort.

Hij wierp zich weer voorover, kreeg de tas met zijn tanden te pakken, hief zijn hoofd op, kreeg hem met zijn handen te pakken. Moeilijk open te krijgen met die boeien om en met die onbruikbare vinger. Maar nu had Biedermann zich opgericht bij het andere zitje en keek hij om. Mo verstarde en hoopte dat het tasje niet te zien was. Biedermann keek even om, zonder zich te verroeren. Mo's hart bonkte zo luid dat hij bang was dat de FBI-agent het zou horen.

Maar toen boog Biedermann zich weer over zijn bibberende publiek. Het was duidelijk dat hij begon door te draaien, en niet zo'n beetje ook. 'Zie je wel? Kijk hoe sceptisch jullie zelf zijn! Ik bedoel, jullie vragen je af waarom ik deze hele show moest opvoeren; kijk godverdomme eens naar jullie eigen reacties. "Die vent is echt knetter, met al dat paranoïde gelul over complottheorieën."'

Mo maakte het rijgkoordje los en kreeg zijn hand in de tas. Rebecca staarde nog steeds naar hem alsof ze een boodschap van haar hersenen naar de zijne wilde sturen. Sleutelring. Tampon. Een rolletje pepermunt of zo. De gebroken vinger zat hem in de weg, pijnlijk, stijf en dik als een bevroren hotdog, het tasje een wirwar van onzichtbare voorwerpen.

'Doe me een lol zeg!' zei Biedermann. 'Is het niemand opgevallen dat godverdomme elke moordenaar totaal geschift is, gedreven door bizarre obsessies, stemmen in zijn hoofd? En mysterieuze brokstukken van zijn verleden mist? Ik bedoel, Oswald, Sirhan Sirhan, Hinkley, Mark David Chapman, de hele bende – het barst van de supermachten en de terroristische naties die zouden willen dat ze onze leiders konden omleggen, en hun beste agenten, hun James Bondtypes, díé kunnen het niet, maar deze kerels wél? Kerels die zo gestoord zijn dat ze amper hun reet af kunnen vegen, maar opeens wel weten hoe ze de geheime dienst moeten omzeilen? Denk daar maar eens over na! Ik bedoel, kan het nóg duidelijker? Ik heb uiteindelijk besloten dat iemand moest zeggen: *wakker worden, Amerika!*'

Lipstick. Vulpen. Zacht pakje Kleenex. En toen vond Mo wat ze bedoeld moest hebben: een nagelknipper. Een gewone knipper voor de vingernagels, maar naar het formaat te oordelen een behoorlijke zware. Het kleine hendeltje dat opzij zwenkte, de knauwende messcherpe kaken. Hij kreeg er vat op met zijn vingers, schudde hem uit de tas en schoof de tas met zijn knie opzij, zodat Biedermann hem niet kon zien. Draaide met moeite de knipper om en zocht op de tast naar de band om zijn linkerpols. Kreeg de hoek niet goed. Volgde de band tot aan de flens, vond daar de lus, zette de knipper erop.

Biedermann keek weer deze kant op, liep terug naar zijn plunjezak. Mo verstarde. Toen begon Rebecca te niezen: *Ha... ha...* en op haar knallende *ha-TSJOE!* knipte Mo de band door.

De klik ging verloren in haar nies, maar toen voelde hij dat hij de knipper er maar voor de helft doorheen was gegaan. Nogmaals bracht hij moeizaam de knipper naar de nylon band, nog een nies van Rebecca, en toen voelde hij dat de band los was.

Biedermann had zich opgericht en keek naar haar. 'Wat heb jij nou, Bec? Koutje onder de leden? Misschien een allergie?' Hij stond op en liep op haar af.

Toen ze nog een keer nieste, knipte Mo de tweede Flex-Cuf door. Biedermann liep nu met snelle, grote passen. 'Ben je wat van plan, Bec? Ben jij een stout meisje?'

'Heb jij ooit moeten niezen als je handen vastzitten?' vroeg Rebecca scherp.

Biedermanns grote lichaam bewoog met die enge zware souplesse terwijl hij op haar af kwam. Hij liep langs Mo. Op hetzelfde moment dat hij zich over Rebecca boog, trok Mo de banden los van de flens en stond hij op met een lange sliert Flex-Cuf achter zich aan. Biedermann had een flinke handvol van Rebecca's goudblonde haar in zijn vuist en wrong haar nek achterover op de zitting van de bank toen Mo hem van achteren met beide handen een dubbele hamerslag gaf, waardoor het hoofd van de grotere man opzij sloeg.

Biedermann viel op zijn knieën en Mo sprong op zijn rug. Het voordeel duurde maar een ogenblik. Biedermann rolde abrupt weg terwijl hij in dezelfde beweging een elleboogstoot plaatste. Mo viel naast hem op de grond, een halve meter bij het zitje vandaan. Hij wilde overeind krabbelen, maar Biedermann was te snel. Hij gaf Mo een knietje tussen zijn benen en sprong toen boven op hem terwijl hij met vuisten als sloopkogels op zijn gezicht in beukte. Mo hoorde zijn kaak weer kraken, het knarsen van gebroken botten.

En toen schoot Rebecca's voet omhoog, die Biedermann recht onder zijn kin trof met een tsjók!-geluid, en Biedermann viel opzij. Mo sloeg een arm om hem heen, vond de losse sliert van de FlexCuf en trok die tegen de stierennek. Een halve meter nylon band, net genoeg. Het ene uiteinde zat nog stevig om zijn pols, het andere wikkelde hij om de hand met de gebroken vinger. Hij trok uit alle macht. Rebecca stampte met haar hiel op Biedermanns slaap. Biedermanns gezicht werd vuurrood van woede. Mo voelde dat de band hem begon te ontglippen, dat hij verzwakte, maar toen hief Rebecca haar been en legde ze haar hele gewicht in nog een schop met haar hiel tegen het paars aanlopende voorhoofd.

En toen ging het weer net als met Grote Willie. Het bokken, het worstelen, het buiten westen raken, het verslappen van de rugspieren. Het trage omklappen als een dood stuk vlees.

Mo hield de band nog een volle minuut aangetrokken. Toen liet hij hem vieren en stond hij wankel op. Hij waggelde op zijn blote voeten de baan af naar de mobiel, de pistolen. Rende terug naar het zitje en stapte over Biedermann heen.

Rachel leek gewond, met haar hoofd voorover en haar mond halfopen, en Mo liep snel naar haar toe. 'Rachel. Ráchel. Probeer me aan te kijken.' Ze hief haar hoofd niet op en dus deed hij het voor haar. Hij probeerde voorzichtig haar gezicht naar zich toe te draaien. Haar neus bloedde flink en er liep een straaltje bloed langs haar keel, krassen van Biedermanns scalpel. 'Ben je ergens ernstig gewond?'

Ze leek erover na te denken. 'Nee.' En het enige wat Mo kon denken was: *althans niet voor zover je kan zien.*

'Het is nu oké.' Mo's gezicht voelde verlamd aan. Hij kon amper praten, maar hij dwong zijn kaak om aan zijn wil te gehoorzamen: '*Hij zal ons niets meer doen*. Hoor je me?'

Weer moest ze daarover nadenken. 'Ja.'

Mo kneep hard in haar schouders, ving Rebecca's blik op. Toen rende hij naar de grillbar. Hij vond een mes, kwam terug en zaagde hun handen los. Rachel viel in de armen van haar moeder. Toen moest hij snel gaan zitten, de pijn in zijn kaak was zo intens dat hij niets kon zien; hij had het gevoel dat hij moest overgeven. Het suisde in zijn oren, het zweet stond op zijn slapen. Hij deed zijn ogen dicht om de pijn de baas te worden.

Slechts een moment, dacht hij, maar toen hij zijn ogen weer opendeed, schoof Rebecca net weer in het zitje. Ze legde het mes op de tafel en sloeg haar armen om Rachel. Ze was naar zitje negen gegaan en had de anderen losgesneden. Mo kon hen uit het zitje zien strompelen. Een van hen stond op en viel meteen op de grond. Waarschijnlijk de oude man, die een hartaanval had.

Op de grond zuchtte Biedermann plotseling. Hij rolde met zijn hoofd.

Mo had de Glock in zijn holster gestopt, maar had de Ruger nog steeds in zijn hand, die als een slang uitschoot. Het pistool leek uit zichzelf te vuren. Eenmaal van vlakbij door de keel. Het was maar een .22, maar het schot klonk hierbinnen hard en de flits van de loop was verblindend. Toen hij weer kon zien, zag hij rechts naast de adamsappel een gaatje.

Biedermann rolde met zijn ogen, die nog helder stonden. 'Nou,' gorgelde hij. 'Je krijgt toch wel enig idee. Een idee van de pijn, hè.' Hij gaf wat bloed op. 'Had dat tasje af moeten pakken, hè. Had moeten weten hoe vindingrijk. Petje af voor jullie.' Op de grond verspreidde zich een plas rond zijn hoofd, in het schemerduister zwart als een olievlek.

Rebecca's gezicht had weer die blik die Mo de rillingen bezorgde. Ze stak haar hand uit, pakte het pistool van hem. Stopte het in Rachels hand en vouwde haar vingers eromheen. 'Rachel. Ik wil dat je even goed oplet. *Niemand heeft het recht om te doen wat hij jou heeft aangedaan*. Schiet hem maar dood als je dat wil.'

Rachel hield haar hoofd schuin om, bijna nieuwsgierig, naar Biedermanns gezicht te kijken.

'Rachel, begrijp je me, *je hoeft nooit meer aan hem onderworpen te zijn*. Hij heeft géén macht over je. Dat heeft niemand. Als je hem moet doden om dat voor jezelf te bewijzen, doe het dan.'

'Je hoeft niet zo hard te praten. Ik ben niet achterlijk,' bracht Rachel uit. Met onvaste hand richtte ze de Ruger op Biedermanns gezicht, terwijl ze nog steeds nieuwsgierig naar hem keek. Zo hield ze het pistool een paar seconden. Toen legde ze het op de tafel.

'Denk je dat je nu vrij bent?' vroeg Biedermann. Een nat gefluister. 'Droom maar door. Jullie zullen weten wat ik bedoel als jullie hier naar buiten gaan. Zelfs nadat jullie het materiaal gepubliceerd hebben, zullen jullie bang zijn. Ik ben wel dood, maar Zelek niet. Ze zullen het niet leuk vinden dat jullie dingen weten. Ze zullen zich afvragen hoeveel ik jullie verder nog heb verteld. Ze zullen het programma moeten beschermen. Niet slechts een goor geheim uit het verleden. Een heel actuéél soort geheim. Het kan jullie je leven kosten. Alleen al omdat jullie ervan afweten.'

Rebecca keek Mo met grote, vragende ogen aan: *wat denk jij? Wat doen we?*

De zwarte cape van bloed rond Biedermanns hoofd werd steeds groter, als een vergiftigde ziel die zijn lichaam verliet. Na nog een ogenblik draaide hij zijn wang in de nattigheid en sloot hij zijn ogen. Hij leek opgelucht dat hij van het probleem af was.

53

Mo begreep het niet allemaal, maar Rebecca legde het uitvoerig uit en gaf hem een paar boeken mee. Posttraumatische stress, boven op al het gewone gehannes tussen moeder en dochter, vooral met die tweede gezinstoestand en Mo als nieuwe rivaal in ma haar intieme sfeer, heel complexe psychologie. Maar er waren een paar maanden verstreken en Rachel begon eroverheen te komen. Het hielp dat iemand die zoveel inzicht had als Rebecca met haar werkte. En Rebecca was heel strategisch geweest wat betreft de uitstapjes die ze met z'n drieën maakten, bijna altijd iets buiten, waarbij praten niet centraal stond. Geen bowlen.

Vandaag was het rolschaatsen in Central Park. Zondag, medio augustus, het gebladerte was dicht en vol, iedereen was buiten in de stomende hitte, een prachtig weekend. Mo deed het best op de skates, tot hij moest stoppen – remmen was lastig. Maar dat was oké, dan had Rachel iets waarom ze kon lachen.

Met alle spanningen die waren blijven hangen, de bezorgdheid om haar dochter, was Rebecca sinds die avond afgevallen, maar daardoor zag ze er in een korte broek en een T-shirt en met knie- en elleboogbeschermers nog beter uit. God nog aan toe, dacht Mo, wat een effect hadden skates bij een vrouw die toch al lange benen had.

Ze kwamen bij het gedeelte rond de dierentuin en stopten om even uit te rusten. Het was lekker onder de grote bomen, overal rotsen en grasvelden, de gonzende bedrijvigheid, de geur van hotdogs en geroosterde pretzels. Rebecca ging naar een van de karretjes om limonade voor hen te halen. Ze keken een paar minuten naar de langstrekkende parade, en toen kwam Rachel drie vriendinnen tegen, met wie ze wegrolde nadat ze hadden afgesproken om elkaar over een uur weer te treffen.

Rebecca pakte een *Times* van de bank die iemand daar had laten liggen, en samen namen ze hem door. Ze wees op een artikel op een van de binnenpagina's met een foto van een bekend gezicht: hard, kaal hoofd, brede grijns, ogen die minder lachten dan de mond.

Ze schudde haar hoofd. 'Je had helemaal gelijk, Mo. Heb ik je al verteld dat ik je een genie vind?'

'Ik geloof het wel, maar je mag het me met alle genoegen nog een keer vertellen.'

Het artikel ging over de officier van justitie van Westchester, Richard K. Flannery, die zijn baan in White Plains eraan gaf om een of andere adjunctfunctie te gaan vervullen bij de inlichtingendienst van het ministerie van defensie. Een mooie, riante aanstelling in Washington met een titel die niets over zijn nieuwe werk zei. Zijn pijlsnelle opkomst van een positie op countyniveau naar een rol op het gebied van de staatsveiligheid werd toegeschreven aan zijn vaardigheden als aanklager en de gewiekste manier waarop hij een politiek netwerk had aangelegd. En ook zijn arrestatie van de gestoorde FBI-agent die was doorgedraaid en bij een bowlingbaan een paar mensen had vermoord, een demonstratie van bekwaam onderzoek en persoonlijke moed waardoor hij nog maar twee maanden geleden de nationale pers had gehaald.

De herinnering was voor Mo nog steeds onaangenaam vers. Biedermann die dood op de grond lag, één man dood in het midden van een baan en nog eentje, bleek later, met zijn keel doorgesneden in zitje negen. Rachel verkeerde in een shocktoestand, de oude man lag ook op de grond, de anderen in zitje negen probeerden elkaar te troosten. En Rebecca was zelfs ook min of meer in een shock geraakt, toen de bedreiging voor haar dochter eenmaal voorbij was. Toen Mo weer was bijgekomen, had hij zijn mobiel opengeklapt. Maar Biedermanns laatste woorden hadden hem tegengehouden voordat hij een nummer kon intoetsen. *Denk je dat je nu vrij bent? Droom maar door. Het kan jullie je leven kosten dat jullie hier alleen al van afweten.* Deze godvergeten ellende zou lang nadat Biedermann in zijn graf lag hun levens nog beheersen.

Door de pijn in zijn hoofd kon hij niet goed nadenken, maar niettemin bedacht hij dat hij eerst nog iemand anders moest bellen.

Toen hij Flannery aan de lijn kreeg, zei hij: 'Ik heb iets waarmee jij goede sier kan maken. Een echte springplank. Maar je krijgt het alleen als je hier binnen twintig minuten bent.'

Het was zondag en Flannery was in zijn vrijgezellenwoning in Manhattan. Hij was er met zestien minuten. Mo deed de voordeur van de Star Bowl van het slot om hem binnen te laten.

'Je had gelijk over Biedermann,' mompelde Mo, terwijl hij het knarsen van de verbrijzelde botten in zijn kaak probeerde te negeren. 'Er is een dossier met materiaal dat een boekje opendoet over geheime psychologische programma's van het Amerikaanse leger. Ik ken de bijzonderheden niet, maar ik vermoed zo dat het de landelijke pers wekenlang bezig zal houden. Je hebt ook gelijk dat ik me niet in de positie bevind om dit te gebruiken; ik zou niet weten hoe. Ik heb de kopzorgen niet nodig. Maar iemand als jij...'

'Ik voel 'm,' zei Flannery, die Mo's niet al te vleiende bedoeling niet opmerkte. Ze bleven even staan boven aan de trap naar de banen. Het was nog steeds donker, maar van hieraf konden ze alles vrij goed overzien: Rebecca die Rachel tegen zich aan hield en haar haar streelde, de lijken op de grond, de anderen die dicht op elkaar zaten en zich aan elkaar vastklampten. 'Godallemachtig,' zei Flannery waarderend. Hij likte zijn lippen bijna. Even verscheen er een berekenende blik in zijn ogen, zag je de radertjes draaien, terwijl hij de verschillende opties en interpretaties tegen elkaar afwoog. Toen wendde hij zich tot Mo. 'Oké. Deal. We gaan het als volgt aanpakken.'

Mo had goed gebruik gemaakt van de minuten voordat Flannery arriveerde, en Rebecca en Rachel wisten al wat ze wel en niet moesten zeggen: het ging om jaloezie, Biedermann die doordraaide nadat ze hun relatie had beëindigd. Goddank had Flannery het zien aankomen en was hij te hulp geschoten.

Flannery ging aan de slag met de overlevenden in zitje negen, waarbij hij zijn listen en lagen als aanklager aanwendde om hun herinnering aan het gebeurde te sturen. Wat ze zich herinnerden van wat Biedermann had gezegd was trouwens toch al verward, de oude man en zijn vrouw waren hardhorend, de jonge vrouw en haar man waren gewond, het kind was getraumatiseerd, iedereen afwezig. In het schemerduister hadden ze de vent die Biedermann aan de ballencarroussel had geboeid niet goed kunnen zien. Rebecca en Flannery zouden allebei zeggen dat het de dappere officier zelf was, die was gekomen toen hij erachter was hoe het zat en op het allerlaatste moment naar de Star Bowl was geijld. Tegen de tijd dat er meer mensen van de officier arriveerden, slechts enkele minuten later en net voor de ambulances uit die Mo had gebeld, was Mo zelf verdwenen.

In feite was hij er nooit geweest.

Maar er was in het hele plan nog steeds een los eindje, dat een bedreiging voor hen kon vormen als hij er niet onmiddellijk iets aan deed. Dus voordat hij vertrok, was Mo even naast het lijk van Biedermann geknield en had hij zijn zakken doorzocht tot hij zijn sleutels had gevonden. Hij kon zich het adres van Biedermann niet precies herinneren dat Gus hem had gegeven, maar Rebecca wist het natuurlijk. Toen reed hij over de George Washington Brug, terwijl hij zijn best deed om de beukende pijn in zijn kaak te negeren, en vervolgens naar de Upper East Side. Flannery zou zich om de bowlingbaan bekommeren, misschien dat ze daar net een andere draai aan zouden kunnen geven, maar Biedermann moest Rebecca's telefoontjes hebben afgeluisterd, en waarschijnlijk ook de gewone gesprekken die ze in haar appartement had gevoerd. Wat betekende dat Biedermann daarvoor ergens apparatuur moest hebben staan. Hij had niet altijd mee kunnen luisteren, dus naar alle waarschijnlijkheid ging het om opnameapparatuur, zodat hij banden kon beluisteren als de tijd dat toestond.

Als er zulke banden waren, dan zouden die gevaarlijk zijn. Het hele plan stond of viel bij het feit dat Zelek cum suis niet beseften hoeveel hij en Rebecca wisten. Als Zelek de banden in handen kreeg, zou hij horen hoe zij het uitpuzzelden.

Bij het herenhuis met de drie appartementen controleerde hij de ramen van de omringende gebouwen. Vervolgens ging hij op een holletje de steile trap op en deed hij terwijl hij de buitendeur opende zijn best om de indruk te wekken dat hij hier thuishoorde. Tot zover zat het mee. Het was zondagavond, de mensen gingen vroeg naar huis, niemand op straat. Hij trok rubber handschoenen aan en ging naar Biedermanns appartement op de tweede verdieping. Mooier meubilair dan in het hok van Mo, maar duister, muf, duidelijk niet een plek waar echt iemand woonde. Terwijl hij snel de kamers doorliep, zag hij slechts uiterst spaarzame sporen van huiselijk leven. Het meest interessant was het handjevol foto's: een aantal mannen met harde, beschilderde gezichten in camouflagepakken, die voor een verwoest ogend stuk jungle stonden. Een rondborstige, degelijke ouwe vrijster in ouderwetse kleren. Een hond, god betere 't. En een blonde jongen die tussen een volgzaam ogende vrouw en een man in stond, van wie Mo eerst dacht dat het Erik Biedermann was, tot hij de bumper van de stationcar vlak achter het groepje zag. Moest een model uit het eind van de jaren veertig zijn. Dan moest de man Biedermanns vader zijn, en de jongen met het gesloten gezicht Biedermann zelf. Het hoofd van de zoon was enigszins van de man afgewend, wat op een zekere afkeer of wrok wees. Of op angst.

Dit zou Rebecca geweldig vinden, dacht hij: een aanwijzing van het oorspronkelijke trauma dat hij had opgelopen door een tirannieke en, inderdaad, heel blonde vader met blauwe ogen.

Maar er was geen tijd om verder te spitten. De pijn van zijn verbrijzelde kaak sloeg in verblindende golven over hem heen. Mo voelde dat hij bijna buiten bewustzijn raakte. En zodra Zelek hoorde over het fiasco bij de bowlingbaan, zouden zijn mensen meteen hierheen gaan, om het huis te zuiveren en meer te ontdekken over Biedermanns geheime leven. Mo moest de afluisterapparatuur vinden. Maar wat moest hij doen als die niet hier was? Misschien dat Biedermann die apparatuur ergens anders had, misschien in het geheime lab dat zich ergens vlakbij de oude belt moest bevinden...

Maar toen deed hij een kast met louvredeuren open en vond hij een rek met elektronische apparatuur, waaronder twee spoelenrecorders, een cassettedeck en wat ingrijpend aangepaste telefoonapparatuur waaruit draden liepen als uit het hoofd van Medusa. Hij moest zijn best doen om bij bewustzijn te blijven. Haastig haalde hij de twee banden van de machines, waarna hij rondkeek tot hij een stapel van zes andere vond en nog een stelletje cassettes. Hij stopte ze in een papieren zak voor kruidenierswaren die hij onder de gootsteen in de keuken vond, en vond toen nog een stel ongebruikte banden in ongeopende dozen, verbrak de verzegeling en deed die in de recorders. Hij controleerde of er boodschappen op het antwoordapparaat stonden. Geen boodschappen. Hij drukte toch maar vijf, zes keer op *wissen*.

Niet perfect maar zo moest het maar. Hij sloot af en verdween met de zak vol banden.

De volgende dag, toen zijn kaak gehecht was en zijn vinger gespalkt, doorzocht Mo zorgvuldig zowel zijn huis als het appartement van Rebecca op afluisterapparatuur. De drie microfoontjes en het zendkastje eindigden die avond in de East River. De banden verbrandden ze in de barbecuekuil achter het huis van Carla's moeder.

Het scenario dat hij met Flannery had uitgewerkt zou vermoedelijk wel werken. Vooral, bedacht Mo, met enige hulp van belanghebbende partijen achter de schermen.

Mo en Rebecca hadden zich voor Flannery van de domme gehouden, maar Flannery zou alle bijzonderheden omtrent het programma te weten zijn gekomen door het bewijsmateriaal in Biedermanns plunjezak. En hij had met de informatie precies gedaan wat Mo had verwacht. Mo en Rebecca zouden, als het ernaar uit had gezien dat ze het aan de grote klok wilden hangen, klein grut zijn geweest, van het soort dat je het zwijgen oplegde, van wie je je ontdeed. Maar Flannery kon onderhandelen. Hij was belangrijk en gewetenloos genoeg en heel handig met mensen en dealtjes. Hij was in een positie om zijn voordeel te doen met wat hij wist, en meer dan bereid om zich nuttig te maken. Hij liet zich niet omkopen, maar kocht zich in.

De FBI hield de hele zaak stil, een van die demonstraties van misleiding en manipulatie van de media die alleen door de 'staatsveiligheid' werd gerechtvaardigd. Later hoorde Mo via het geruchtencircuit dat de FBI Biedermanns geheime lab in Westchester had opgespoord, maar niemand wist bijzonderheden. De algemene opinie was dat Biedermann een tijdje terug was doorgedraaid, toen hij aan de Howdy Doody-zaak werkte, en zelf was begonnen om poppenspelletjes te spelen. Weer een geval van werkstress, doodjammer. Naar het scheen was het huis van Eleanor Smith, de zus van zijn moeder, geweest, die het hem had nagelaten toen ze doodging. Het enige wat hij hoefde te doen om het geheim te houden was ervoor zorgen dat de naam Smith op de belastingaangifte bleef staan.

Als psychologe wilde Rebecca dolgraag meer te weten komen over het misbruik dat Biedermann volgens haar in zijn jeugd had ondergaan, en of de oude vuilnisbelt daarbij werkelijk een rol speelde. Ze was ook benieuwd met hoeveel marionetten Biedermann had gewerkt en of er in het huis aanwijzingen waren dat er anderen waren geweest. Maar ze berustte erin dat ze dat niet zou weten. Het zou een heel slecht plan zijn geweest om ook maar enig blijk te geven van nieuwsgierigheid.

Rebecca haalde hem uit zijn gedachten, terug naar de warmte en de drukte in Central Park, door met de krant op haar schoot te slaan. 'Natuurlijk,' zei ze, 'hebben we nog steeds een probleem. Althans, ik wel.'

Mo keek om zich heen naar de vrolijke bedrijvigheid, het ruisende hoge gebladerte. 'Dat hij het materiaal van Biedermann nooit aan de pers heeft gegeven. Dat hij het allemaal heeft ingeruild voor zijn volgende stap op de ladder. Dat het programma doorgaat en dat niemand er iets aan doet.'

'Ik word er gek van, Mo. Ik kan het niet hebben dat ze er ergens... nog steeds mee bezig zijn. Met het verraden van elementaire menselijke – god, ik kan het niet eens...' Haar wenkbrauwen knepen zich samen en ze wierp snel een blik naar de mensen op de bankjes bij hen in de buurt, de man die bezig was met zijn hotdogkarretje. Maar niemand had belangstelling.

'Het zit mij ook niet lekker,' fluisterde Mo. 'Ik heb dit nooit als een permanente oplossing gezien. Meer als een manier om wat tijd te winnen.'

'Hoeveel tijd, Mo?' vroeg. 'En tegen welke prijs?'

Zoals altijd was zij doorgedrongen tot de kern van de zaak. Hun dekmantel was niet volmaakt. Het was niet realistisch om te denken dat hij eindeloos intact zou blijven. Misschien dat Zelek zou denken dat Mo te dom was om het uit te puzzelen, maar van Rebecca zou hij dat zeker niet aannemen. En misschien dat Flannery hen een tijdje zou kunnen beschermen, maar hij moest wel vermoeden wat ze wisten. De vraag was dus: wannéér zouden ze het weer op hun dak krijgen? En in welke vorm? Niet direct een moordaanslag, dacht Mo, voorlopig niet. Dat zou te veel vraagtekens oproepen. Maar als Flannery hen in bescherming zou nemen, zou dat op zijn minst in ruil voor iets anders zijn. Mo kon zich makkelijk een toekomstig bezoekje of telefoontje van hem voorstellen: *hé, ik heb hier een projectje waarbij ik jullie speciale expertise nodig heb. Niet iets illegaals, alleen de rechtspleging een beetje oprekken. De stok en het lokkertje. Als jullie mij helpen, help ik jullie, en dan blijft iedereen tevreden. Niet dan?*

Húúh, dacht Mo.

'Ik weet het niet,' zei hij tegen Rebecca. 'Hopelijk genoeg tijd om te bedenken wat we moeten doen. Om misschien een beslissing te nemen over...' Hij stokte, omdat hij er niet goed over durfde te beginnen: *over ons. Over onze eigen prioriteiten.*

Maar natuurlijk begreep ze hem, zodat ze er allebei enkele minuten het zwijgen toe deden. Na die avond in de Star Bowl had Rebecca wat afstand genomen. Ze zei dat alles te snel was gegaan, dat ze weer impulsief was geweest, dat Rachel veel van haar tijd nodig had. En Mo was voor Rachel ten nauwste verbonden met het trauma bij de bowlingbaan. Ze moest een vertrouwensrelatie met hem opbouwen voordat ze haar moeder met hem kon accepteren. En Rebecca had ook wat tijd nodig om te overdenken of ze wat wilde hebben met een vent wiens werk draaide om wat ze net hadden doorgemaakt. Godverdomme weer dat werk.

Mo moest toegeven dat ze allemaal wat tijd nodig hadden om te herstellen. Na zoiets als die toestand bij de bowlingbaan had je allerlei trauma's. Eerst was je gevoelloos, alleen maar blij dat je nog leefde, in een shocktoestand die je beschermde. Dan begon je te beseffen hoezeer het je had veranderd. Wat was het, de doodsstrijd van Biedermann? Het Programma, en wat het over mensen zei? Alle lijken, de marionetten? Je kon andere mensen niet meer op dezelfde manier bezien. Kon de krantenkoppen niet lezen zonder het onbehaaglijke gevoel dat er dingen achter de schermen speelden. Soms werd je 's nachts opeens bezweet wakker.

Nee, je kon het Rebecca niet kwalijk nemen dat ze wat afstand had genomen.

Oké, daar ging Mo in mee. Daar had hij begrip voor. Hij had trouwens zijn eigen beslommeringen. Hij had twee weken verlof genomen om zijn kaak en zijn vinger te laten restaureren. Hij had een appartement gevonden, zonnig, met drie kamers, aan de zuidkant van White Plains, en had zijn creditcards aangesproken om het mooi te maken: een paar prachtige neo-Navajo-tapijten, een behoorlijk audiosysteem, een paar ingelijste prenten voor aan de muren. Een stofzuiger om de boel schoon te houden. Geen paleis, maar het begon erop te lijken; bijna het soort huis waar je iemand kon uitnodigen.

De hoorzitting van de jury over de zaak Grote Willie was opgeschort tijdens zijn herstel. Tegen de tijd dat de jury bijeenkwam was Flannery een mediaheld, en hij was dankbaar voor Mo's cadeautje, en hij had niet achter de zaak aan gezeten. De hoorzitting was een formaliteit, de zaak van de county plichtmatig, en de jury had besloten dat er geen opzet in het spel was. Er zou geen aanklacht worden ingediend.

Dus de zaken begonnen op hun pootjes terecht te komen.

Maar er was nog steeds het grote verdriet, wat hem werkelijk aan het hart ging: de nasleep van de dood van Mike St. Pierre. Terwijl hij naar de Star Bowl ijlde, had Mo het incident in het moeras gemeld, agent uitgeschakeld, dader dood. Later, toen hem gevraagd werd waar hij heen was gegaan, had hij zijn collega's bij Ernstige Delicten verteld dat hij zwaargewond was geweest en veel pijn had gehad, dat hij naar het ziekenhuis was geijld om zich te laten behandelen en daar op het parkeerterrein in zijn auto het bewustzijn had verloren. Dat hij uren later bij kwam en zich naar de eerste hulp had gesleept. Allemaal waar – hij vertelde alleen niemand over de omweg die hij had gemaakt tussen het moeras en de eerste hulp.

Maar daar had hij niets aan bij Lilly St. Pierre. Lil en drie kinderen, het was godverdomme te droef voor woorden en het was allemaal Mo's schuld. Hij had Mike die zondag niet moeten bellen, of ze hadden bij elkaar moeten blijven. Iets, wat dan ook. Marsden, Estey, Rebecca, Paderewski, iedereen betoogde dat Mo de aanval onmogelijk had kunnen voorzien. Maar het hielp niet. Mo had het gewéten. Hij had alleen die dag de waarschuwing van zijn instinct in de wind geslagen.

Paderewski en Valsangiacomo hadden Lil die avond het nieuws verteld, terwijl Mo in het ziekenhuis was. Ze zeiden dat Lil prompt in de deuropening in elkaar was gestort. Toen waren de kinderen binnengekomen. Ze hadden haar gezien en waren gaan huilen. Dat was het ergste. Elke keer dat Mo gebeld had, had Lil opgehangen zodra ze zijn stem herkende. Hij had bloemen en kaartjes gestuurd, maar bij de begrafenis had Lil hem zelfs geen blik waardig gekeurd, terwijl ze aan het graf tegenover hem stond met haar onopgemaakte, rode gezicht afgewend. Ze leek kapot, gebroken. Zo heel anders dan de trotse, sterke madonna met het aureool van zonlicht, de moeder van het gelukkige zoogdierennest.

En er was niets dat iemand eraan kon doen, en Morgan Ford al helemaal niet.

Meer positief bezien had zijn herstelperiode hem de tijd gegeven om een hoop dingen te laten bezinken. Hij had het niet allemaal met Rebecca besproken maar eindelijk had hij het gevoel dat hij er iets meer klaar voor was als ze het ter sprake bracht. Te beginnen met Biedermanns opmerking: *denk je dat jij en ik zo anders zijn? Kijk naar jezelf.* Die stoot was onder zijn dekking door gegaan en had hem in zijn ribben getroffen. Hij had er twee maanden op gebroed. Hij kon niet ontkennen dat hij inderdaad haast alles zou doen om te voorkomen dat iemand zijn touwtjes in handen had. Dat op de een of andere manier zowel zijn als Biedermanns levensovertuiging leek te eisen dat ze een loopje met de regels namen en buiten het systeem om werkten om dat te verdedigen waar ze in geloofden, en dat ze, al te vaak, mensen vermoordden. Ja, en dat een van de gevolgen was dat geen van hen beiden er ooit echt in slaagde om er een normaal, gewoon huiselijk leven op na te houden of, tot dusver, duurzame verhoudingen. *Touché, klootzak,* had hij toegegeven.

Maar uiteindelijk had hij besloten dat hij dat toch niet was. Biedermanns reactie was om op zijn beurt macht over anderen uit te oefenen, maar Mo had een instinctieve neiging om af en toe de macht uit handen te geven. Op de lange termijn was je beste kans om je te onttrekken aan de macht van het systeem of je bazen of je persoonlijke demonen om je te ontspannen en je over te geven aan je eigen menselijkheid. Dat moest Rebecca toch inzien: Hij had nooit geprobeerd om hun relatie te forceren, haar gevoel voor timing. Hij had Rachels aanwezigheid bij alles geaccepteerd, hoefde niet de hele tijd het stuur in handen te hebben.

Het belangrijkste zou zijn werk zijn. Hoe kon ze iets hebben met iemand die door zijn beroep in situaties belandde zoals met de Star Bowl en Grote Willie enzovoort. En ze had gelijk, dat was precies de kern van wat hem niet aan hemzelf beviel, aan zijn werk, aan wat hem in beslag nam. Maar, zo had hij besloten, het was ook essentieel voor wat hem wél beviel, waar hij wel in geloofde. Paradoxaal, ja, maar zo was het leven. Je moest je toch ergens voor inzetten om je daar vervolgens aan te houden.

Hij zou het haar helemaal niet kwalijk nemen als ze hem zou laten kiezen tussen haar en zijn werk. Hij wist alleen niet wat hij zou doen als ze dat zou doen.

Rebecca haalde hem weer uit zijn gedachten door zijn hand te pakken. 'Ik heb je iets willen zeggen en ik kom er steeds niet aan toe. Maar ik geloof dat ik het je moet vertellen.'

'Oké...' Mo voelde een golf van onbehagen door hem heen gaan. Ze was telepathisch; ze had dezelfde gedachtegang gehad.

'Er is iets dat je hebt gedaan waar ik helemaal gek van word – nee, Mo, op een goede manier – als ik erover nadenk. Die avond. Het eerste wat je deed toen je los was, was naar Rachel toegaan. Om te kijken of ze in orde was, om haar te troosten.'

'Nou ja, ze...'

'Dat betekent veel voor mij. Het kost me veel moeite om je dit te vertellen – hoeveel dat voor mij betekent. Volgens mij zegt het veel over wie je bent.'

Mo voelde de opluchting van een schot dat er net naast ging, de balsem van haar lof. 'En wat is dat?'

'Mmm, veel dingen. Leuke dingen.' Rebecca draaide zich op het bankje in het park naar hem toe, haar haar met zonlicht bespikkeld, haar blauwe ogen die recht in de zijne keken. Die heerlijke, welgevormde dijen, waar hij gek van werd.

'En, wat ga je daaraan doen?' vroeg hij.

'Daar denk ik over. Daar denk ik heel diep over na.' Ze kneep veelbetekenend in zijn hand.

De manier waarop ze het zei beviel Mo. Grappig en serieus tegelijk, vol belofte.

Ze had de krant dichtgevouwen en die in haar schoot gelegd. Mo voelde zich best goed, maar opeens viel zijn oog op de helft van de kop die hij kon zien en ging er een schok door hem heen: MOORDENDE... De helft van de onderkop luidde: NEGEN DODEN IN, en in een reflex stak hij zijn hand uit en sloeg hij de krant open. Hij was opgelucht toen hij de rest las: MOORDENDE HITTEGOLF IN MID-WESTEN. NEGEN DODEN IN OHIO, INDIANA.

Alleen maar natuurgeweld, stelde hij zichzelf snel gerust. *Niet die akelige menselijke neiging. Niet iets om voor op de existentiële toer te gaan. Verman je.* Niettemin kreeg hij een onaangename tinteling toen hij een kleiner tussenkopje las: NEW YORK ZET ZICH SCHRAP VOOR MEER HITTE. *Ja, dat hoef je mij niet te vertellen,* dacht hij, en opeens voelde hij hoe het zweet hem overal uitbrak. Jezus, het was nu al om te stikken.

Toen hij naar Rebecca keek, grijnsde ze even naar hem, op een medelijdende manier waaruit bleek dat ze zijn reactie had geobserveerd en wist waar die vandaan kwam.

Maar voorlopig wilden ze er geen van beiden nog iets over zeggen. Dus wendden ze allebei hun gezicht naar de zon. Een moment in de zon. Dit was lekker. Flannery en Zelek konden doodvallen. Die kwamen later wel. Wat de toekomst ook in petto had, op dit moment was dit heel lekker. Hoe het ook zij, een moment als dit moest je grijpen, en wel met beide handen. Prioriteiten.

Dankwoord

Omdat ze mij bij dit boek geholpen hebben ben ik bijzonder oprechte dank verschuldigd aan:

Majoor Tim McAuliffe, van het Forensisch Onderzoekscentrum van de staatspolitie van New York, mijn vriend en bondgenoot, een man die werkelijk alles weet en mij bijzonder royaal in zijn wijsheid heeft laten delen.

Hoofdinspecteur Nelson K. Howe, van het Recherchebureau van de staatspolitie van New York, de Hawthornekazerne, die vele details voor mij heeft gecorrigeerd.

Joseph Becerra, een uitzonderlijke rechercheur van het RB van de staatspolitie van New York. Hoewel hij royaal is geweest met de tijd die hij voor dit boek heeft vrijgemaakt en absoluut een jofele vent is, zou je hem niet graag achter je aan willen hebben. Het schoelje zij gewaarschuwd!

Persvoorlichter James Margolin van het veldkantoor van de FBI in Manhattan, voor al zijn tijd, vakkundigheid en gevoel voor humor.

Jullie zijn geweldig en de mensen in New York kunnen 's nachts beter slapen in de wetenschap dat jullie waken. Mogen jullie me vergeven voor mijn onnauwkeurigheden, overdrijvingen en op hol geslagen dichterlijke vrijheid.

Tevens ben ik dank verschuldigd aan Vernon Geberth, meester in het onderzoeken van moordzaken en uitstekend leraar; aan dr. Dorothy Otnow Lewis voor het verhelderen van de psychologie van het geweld en voor de moed om geheime projecten op het gebied van gedragsmanipulatie te onthullen; aan Betty Sue Hertz, mijn wijze gids in Brooklyn en ook daarbuiten; aan Mudda wier naam hier niet genoemd mag worden, maar die in dit boek optreedt en veel lof verdient voor haar inzicht en grootmoedigheid. Bijzondere dank aan Geoff Williams, de grootste fan van Mo Ford, omdat hij om diens wederopstanding heeft gevraagd. En natuurlijk aan Nicole Aragi.